NAJBARDZIEJ AKTUALNE, WNIKLIWE I PRZYSTĘPNE RA
MARY POPPINS, NAJSŁAWNIEJSZEJ Z AMERYKAŃS

TRACY HOGG

ZAKLINACZKA DZIECI

JAK ROZWIĄZYWAĆ PROBLEMY WYCHOWAWCZE

WIELKA TRÓJCA: jedzenie, spanie, zachowanie

Dziecko jest księgą, którą powinniśmy czytać i w której powinniśmy pisać.

Peter Rosegger

TRACY HOGG, MELINDA BLAU

sensus

Tytuł oryginału: The Baby Whisperer Solves All Your Problems

Tłumaczenie: Monika Lipiec-Szafarczyk

ISBN: 978-83-246-0938-3

Wydawnictwo HELION
ul. Kościuszki 1c, 44-100 GLIWICE
tel. 032 231 22 19, 032 230 98 63
e-mail: *sensus@sensus.pl*
WWW: *http://sensus.pl*

Printed in Poland.

Sarze i Sophie, moim ukochanym córkom,
i Henry'emu, mojemu słodkiemu wnukowi,
a także wszystkim innym dzieciom,
które pozwalają nam się kochać i być nie całkiem doskonałymi

Podziękowania

Najpierw chciałabym podziękować rodzicom wszystkich „moich" niemowląt i starszych dzieci za ich opowieści, współpracę i ciągłe udzielanie się na mojej stronie internetowej.

Chciałabym szczególnie podziękować Melindzie Blau i Henry'emu, nie tylko za to, że okazał się Aniołkiem, ale za to, że był naszą wyjątkową maskotką. I nie oznacza to, że był świnką morską.

I wreszcie chciałabym podziękować rodzinie i oddanym przyjaciołom, a zwłaszcza Niani, której miłość, przewodnictwo i siła wciąż mnie zadziwiają.

— Tracy Hogg
Los Angeles, Kalifornia

Gdy wysiadłam z samolotu, żeby poznać Tracy Hogg jesienią 1999 roku w Los Angeles, zawiozła mnie do nowoczesnego domu w Valley, gdzie przy drzwiach czekała zrozpaczona młoda matka i dosłownie wrzuciła wrzeszczące trzytygodniowe dziecko w ramiona Tracy. „Ból brodawek mnie dobija. Nie wiem, co robić" — powiedziała z płaczem. „Mały chce jeść co godzinę lub dwie". Tracy przytrzymała dziecko przy swoim policzku, szepcząc mu do ucha: „Ćśś, ćśś, ćśś", a ono momentalnie się uspokoiło. Potem odwróciła się do młodej kobiety i powiedziała: „No dobrze, oto, co twoje dziecko chce ci powiedzieć".

Byłam świadkiem mnóstwa podobnych scen w ciągu ostatnich pięciu lat, gdy Tracy wpadała do czyjegoś domu, dostrajała się do dziecka i udawało jej się dotrzeć do sedna problemu. Obserwowanie jej pracy było olbrzymią przyjemnością i niekończącym się źródłem zadziwienia, podobnie jak zastanawianie się, jak ten fenomen wyrazić na piśmie, i poznawanie jej w czasie tego procesu. Dziękuję, Tracy, za zaproszenie mnie do Twojego świata i pozwolenie, bym stała się Twoim głosem. Trzy książki później zostałyśmy przyjaciółkami, a ja sama stałam się dość biegła w zaklinaniu niemowląt, w samą porę, bo pojawił się Henry.

Ta książka nie powstałaby bez zdrowego rozsądku i doświadczenia Eileen Cope z Lowenstein Literary Associates, naszej nieustraszonej agentki, która znów chroniła nas i prowadziła od propozycji do ukończenia książki; a także Barbary Lowenstein, która zawsze jest tuż obok, ukierunkowując nas, udzielając wskazówek, a czasem popychając do zrobienia czegoś lepiej.

Jestem równie wdzięczna wydawcy w Atria Books, Tracy Behar, która dzieliła naszą wizję tej książki i pomogła ją ulepszyć, a także Wendy Walker i Brooke Stetson, które pomogły nam pamiętać o celu.

Jak zwykle dziękuję mojej sporej rodzinie i przyjaciołom, którzy byli przy mnie przez cały czas. Nie muszę Was wymieniać — i tak wiecie.

— Melinda Blau
Northampton, Massachusetts

SPIS TREŚCI

WSTĘP

OD ZAKLINANIA NIEMOWLĄT
DO ROZWIĄZYWANIA PROBLEMÓW

Mój najważniejszy sekret

7

ROZDZIAŁ PIERWSZY

PROSTE NIEKONIECZNIE JEST PROSTE (ALE DZIAŁA!)

Przyzwyczajanie dzieci do stałego planu dnia

23

ROZDZIAŁ DRUGI

NAWET NIEMOWLĘTA MAJĄ EMOCJE

Wyrównywanie nastrojów w pierwszym roku życia

55

ROZDZIAŁ TRZECI

PŁYNNA DIETA TWOJEGO DZIECKA

Kwestia karmienia w pierwszych sześciu miesiącach

97

ROZDZIAŁ CZWARTY

JEDZENIE TO COŚ WIĘCEJ NIŻ ODŻYWIANIE

„I jedli długo i szczęśliwie”

141

ROZDZIAŁ PIĄTY

UCZENIE NIEMOWLĄT SPANIA

Pierwsze trzy miesiące i sześć problematycznych zmiennych

179

ROZDZIAŁ SZÓSTY

PODNIEŚ – POŁÓŻ

Narzędzie ćwiczące zasypianie (od czterech miesięcy do roku)

227

ROZDZIAŁ SIÓDMY

„WCIĄŻ SIĘ NIE WYSYPIAMY"

Problemy ze snem po pierwszym roku życia dziecka

273

ROZDZIAŁ ÓSMY

POSKRAMIANIE DWULATKÓW

Uczenie dzieci, by były emocjonalnie OKI

303

ROZDZIAŁ DZIEWIĄTY

PPROSTE TO JEST TO

Przypadek wczesnego treningu toaletowego

347

ROZDZIAŁ DZIESIĄTY

WŁAŚNIE WTEDY, GDY MYŚLISZ,
ŻE JUŻ SOBIE DOSKONALE RADZISZ...
WSZYSTKO SIĘ ZMIENIA!

Dwanaście Istotnych Pytań
oraz Dwanaście Zasad Rozwiązywania Problemów

373

SKOROWIDZ

399

WSTĘP

OD ZAKLINANIA NIEMOWLĄT DO ROZWIĄZYWANIA PROBLEMÓW

— MÓJ NAJWAŻNIEJSZY SEKRET

Pani Naprawiaczka

Najdroższe mamy i tatusiowie, dzidziusie i dzieciaczki, z radością i pokorą przedstawiam mój najważniejszy sekret związany z zaklinaniem niemowląt: jak rozwiązać każdy problem. Zawsze byłam dumna z mojej umiejętności pomagania rodzicom w zrozumieniu i opiekowaniu się dziećmi i czuję się zaszczycona, gdy jakaś rodzina zaprasza mnie do siebie. Jednocześnie pisanie książek sprawiło, że stałam się poniekąd osobą publiczną. Od czasu opublikowania moich pierwszych dwóch książek w roku 2001 i 2002 doznałam kilku niespodzianek i doświadczeń, których jako dziewczyna z Yorkshire nigdy sobie nie wyobrażałam. Poza udzielaniem konsultacji prywatnych wystąpiłam w programach telewizyjnych i audycjach radiowych. Podróżowałam po kraju i po świecie i poznałam wielu cudownych rodziców i dzieci, którzy otworzyli przede mną drzwi swoich domów i swoje serca. Komunikowałam się z tysiącami innych za pośrednictwem mojej strony internetowej, czytając e-maile i odpowiadając na nie.

Ale nie martwcie się. Poza moim świeżo odkrytym światowym życiem wciąż jestem sobą, nadal chodzę piechotą. Jednak w pewien sposób się zmieniłam — nie jestem już tylko Zaklinaczką Niemowląt. Jestem teraz też Panią Naprawiaczką. A wszystko to dzięki Wam.

Podczas moich podróży za pośrednictwem strony internetowej i do mojej skrzynki wiadomości otrzymanych napłynęło mnóstwo listów z podziękowaniami i pozdrowieniami od matek i ojców, którzy posłuchali moich rad. Ale zalewają mnie również prośby o pomoc od tych z Was, którzy przeczytali moją pierwszą książkę zbyt późno. Może próbujecie przyzwyczaić Wasze dziecko do regularnego planu dnia, jak sugerowałam, ale nie jesteście pewni, czy ośmiomiesięcznych niemowląt dotyczą te same zasady, co noworodków. Może nie możecie zrozumieć, dlaczego Wasze dziecko nie zachowuje się tak, jak inne. A może zmagacie się z poważnym problemem z zasypianiem, kłopotami z karmieniem albo z zachowaniem — a może, biedactwa, ze wszystkimi tymi sprawami. Niezależnie od rodzaju problemu Wasz rozpaczliwy refren jest zawsze taki sam: „Od czego mam zacząć, Tracy? Co zrobić najpierw?". Zastanawialiście się również, dlaczego niektóre sugerowane przeze mnie strategie nie sprawdzają się w przypadku Waszego dziecka (patrz strony 14 – 18).

Od kilku lat pracuję nad odpowiedziami na takie pytania, a konsultacji udzielałam w najtrudniejszych przypadkach: trzymiesięcznych bliźniąt cierpiących na tak silny refluks żołądkowy, że trudno im było utrzymać zawartość żołądka, i nigdy nie śpiących dłużej niż dwadzieścia minut; dziewiętnastomiesięcznej dziewczynki, która nie jadła stałych pokarmów, ponieważ co godzinę budziła się na karmienie piersią; dziewięciomiesięcznej dziewczynki, której faza separacji była tak silna, że nie pozwalała się matce wypuścić z objęć nawet na sekundę; dwulatka, którego napady szału połączone z waleniem głową o podłogę były tak intensywne, że jego rodzice bali się wyjść z domu. To właśnie dzięki rozwiązywaniu takich problemów stałam się znana jako Pani Naprawiaczka — i dlatego też wiem, że muszę Wam pomóc w szerszym zakresie niż obejmującym podstawy zaprezentowane w moich pierwszych książkach.

Zatem w tej książce chcę Was wziąć za ręce, ukoić Wasz lęk i pokazać, jak nabrać sił w roli rodziców. Chcę Was nauczyć tego, czego sama się nauczyłam w moim życiu wypełnionym zaklinaniem niemowląt, a także odpowiedzieć na pytania, które mi zadawaliście. Chcę Was nauczyć, jak myśleć tak, jak ja. Oczywiście, mimo że mogę spróbować wymienić wszystkie potencjalne problemy, na jakie możecie się natknąć, każde małe dziecko i każda rodzina jest nieco inna. Więc gdy rodzice przychodzą do mnie z konkretnym wyzwaniem, aby ocenić, co się naprawdę dzieje w domu i z danym niemowlęciem czy małym dzieckiem, zawsze zadaję przynajmniej jedno pytanie, jeśli nie cały ich szereg, na temat tego dziecka i na temat tego, co rodzice zrobili do tej pory w związku z tą sytuacją. Potem dopiero mogę wymyślić właściwy plan działania. Moim celem jest pomóc Ci, Czytelniczko lub Czytelniku, zrozumieć mój proces myślowy i nabrać zwyczaju zadawania sobie pytań. Z czasem również Wy staniecie się nie tylko wspaniałymi zaklinaczami czy zaklinaczkami niemowląt, ale nauczycie się także perfekcyjnie rozwiązywać problemy — zostaniecie Panem Naprawiaczem i Panią Naprawiaczką na swoim własnym terytorium. W trakcie dalszego czytania chciałabym, żebyście pamiętali o tej ważnej kwestii:

Problem to nic innego jak kwestia, z którą trzeba się zmierzyć, lub sytuacja wymagająca kreatywnego rozwiązania. Zadawaj właściwe pytania, a wpadniesz na właściwe odpowiedzi.

Dostroić się

Jeśli czytaliście moje wcześniejsze książki, wiecie już, że zaklinanie niemowląt zaczyna się od obserwowania i szanowania dziecka, a także od komunikowania się z nim. Oznacza to, że musicie dostrzec Wasze dziecko takim, jakie *naprawdę* jest — jego osobowość i szczególne dziwactwa (bez urazy, wszyscy je mamy) — a następnie odpowiednio dostosować swoją strategię rodzicielską.

Mówiono mi, że jestem jedną z niewielu ekspertek od niemowląt, która przyjmuje punkt widzenia dziecka. No cóż, *ktoś* musi, prawda? Niektórzy rodzice patrzyli na mnie jak na wariatkę, kiedy przedstawiałam się ich czterodniowemu noworodkowi. A rodzice starszych niemowląt gapią się na mnie z rozdziawioną buzią, gdy „tłumaczę" żałosny płacz ich ośmiomiesięcznej córeczki, która nagle została wyeksmitowana z rodzicielskiego łóżka, ponieważ *oni* — jej rodzice — zdecydowali, że koniec z tym: „Hej, mamo, tato, to był wasz pomysł, nie mój. Płaczę teraz, bo nie wiem nawet, co to jest łóżeczko, a co dopiero jak tam zasnąć bez dwóch ciepłych ciał obok mnie".

Tłumaczę też rodzicom język niemowląt, bo dzięki temu pamiętają, że ta mała istotka w ich ramionach albo maluch raczkujący po pokoju także ma swoje uczucia i opinie. Innymi słowy, nie chodzi tylko o to, czego chcemy my, dorośli. Jakże często widywałam scenę taką jak ta, gdy mama mówi do swojego małego synka: „Ależ Kubusiu, przecież nie chcesz zabrać Adasiowi tej ciężarówki". Biedny mały Kubuś jeszcze nie mówi, ale gdyby potrafił, z pewnością by powiedział: „Oczywiście, że chcę, mamo. A dlaczego niby mu wyrwałem tę cholerną ciężarówkę?". Ale mama nie słucha. Albo zabiera Kubusiowi ciężarówkę, albo próbuje go namówić, żeby sam ją oddał. „Bądź dobrym chłopcem i oddaj Adasiowi ciężarówkę, synku". No cóż, w tym momencie mogę już zacząć odliczać sekundy do wybuchu!

Nie zrozumcie mnie źle, nie twierdzę, że tylko z tego powodu, że Kubuś chce mieć ciężarówkę, należy pozwolić, by ją zabrał Adasiowi — absolutnie nie. Nienawidzę terrorystów, ale wierzcie mi, że nie będzie winą Kuby, jeśli się w taki typ zmieni (więcej na ten temat w rozdziale 8.). Mówię tylko, że musimy słuchać naszych dzieci, *nawet gdy mówią coś, czego nie chcemy usłyszeć.*

Te właśnie umiejętności, których uczę rodziców niemowląt — obserwacja mowy ciała, słuchanie płaczu, zwalnianie, żeby można było dociec, co naprawdę się dzieje — są równie przydatne, gdy Wasze niemowlę zmienia się w małe dziecko, a nawet później. (Nie zapominajmy, że nastolatki to w istocie małe dzieci w dużych ciałach, zatem dobrze byłoby wcześnie pojąć pewne zasady). W tej książce przypomnę niektóre techniki, opracowane przeze mnie, by pomóc Wam w dostrojeniu się do dziecka i zwolnieniu tempa. Ci z Was, którzy mnie znają, z pewnością pamiętają moje uwielbienie do akronimów, takich jak PROSTE (Posiłek, ROzrywka, Spanie, Teraz czas dla ciebie), SPOKOJnie (Stój, POsłuchaj, KOntroluj, Już wiesz, co się dzieje) z mojej pierwszej książki oraz POMOC (POstaw się w cieniu, Motywuj do poszukiwań, Określaj granice i Chwal) z drugiej.

Nie wymyślam takich rzeczy tylko po to, by zrobić wrażenie swoją pomysłowością. Nie uważam też, że wymyślenie iluś wyrażeń lub akronimów sprawi, że wychowywanie dzieci będzie PROSTE. Wiem z własnego doświadczenia, że wychowywanie dzieci to nie kaszka z mleczkiem. Szczególnie trudno jest świeżo upieczonym rodzicom połapać się, od czego zacząć, zwłaszcza niedospanym mamom — ale wszyscy rodzice potrzebują pomocy. Staram się po prostu wyposażyć Was w narzędzia, które można będzie wykorzystać, gdy nie będziecie wiedzieli, co zrobić. Zatem na przykład akronim PROSTE (temat rozdziału 1.) pomoże Wam w zapamiętaniu kolejności codziennego, stałego planu dnia.

Wiem również, że życie staje się jeszcze bardziej skomplikowane, gdy dzieci wyrastają z wieku niemowlęcego, a także gdy rodzina się powiększa. Moim celem jest pomoc w utrzymaniu Waszych dzieci i Waszego życia na dobrej drodze — to znaczy tak dobrej, jak tylko się da z małymi dziećmi pod nogami. W trakcie utarczek z dziećmi łatwo jest zapomnieć o dobrych radach i popaść w stare nawyki. Jak można zachować jasny umysł, jeśli Wasza dzidzia wrzeszczy ile sił w płucach, bo jej dwuletni braciszek, z dumnym uśmiechem na buzi, zdecydował, że główka maleństwa będzie świetnym miejscem do wypróbowania jego nowego Magicznego Markera? Nie mogę przyjść do domu każdego z Was, ale jeśli zapamiętacie moje przydatne akronimy, będzie trochę tak, jakbym stała obok, przypominając Wam, co zrobić.

Mnóstwo rodziców mówiło mi, że moje akronimy naprawdę pomagają im w skupieniu i zapamiętywaniu różnych strategii zaklinania dzieci — przynajmniej w większości sytuacji. Zatem przedstawiam jeszcze jeden do Waszego rodzicielskiego worka ze sztuczkami: rodzice PC.

Być rodzicem PC

Nie, nie chodzi mi o komputery. Bez obaw, Zaklinaczka Niemowląt nie chce rozpocząć kariery w informatyce. Rodzic PC jest *przytomny* i *cierpliwy* — te dwie cechy przydadzą Ci się, niezależnie od tego, ile lat czy miesięcy ma Twoje dziecko. Niezmiennie, gdy spotykam rodziców nieumiejących sobie poradzić z jakimś problemem, zazwyczaj należącym do Wielkiej Trójcy — jedzenie, spanie lub zachowanie — w swojej recepcie uwzględniam przynajmniej jedną z tych cech. Ale nie tylko problemy wymagają bycia rodzicem PC, także codziennie interakcje. Czas zabawy, wyprawa do supermarketu, kontakt z innymi dziećmi i radzenie sobie w innych, codziennych sytuacjach — wszystko to jest prostsze, jeśli mama lub tata mają umysł PC.

Żaden rodzic nie jest PC cały czas, ale im więcej będziemy ćwiczyć, tym bardziej stanie się to naturalnym sposobem zachowania. Stajemy się z czasem coraz lepsi. W tej książce będę przypominać Wam, byście byli rodzicami PC, a póki co wyjaśnię, co dokładnie oznacza każda z tych liter.

Przytomność. Zachowanie przytomności i świadomości dotyczącej tego, kim jest Wasze dziecko, powinno się zacząć już od momentu pierwszego oddechu noworodka. Zawsze bądźcie świadomi perspektywy *Waszego dziecka*. Mam tu na myśli zarówno znaczenie dosłowne, jak i przenośne: przykucnijcie i zniżcie się do poziomu dziecka. Zobaczcie, jak wygląda świat z takiej wysokości. Powiedzmy, że pierwszy raz zabieracie swoje dziecko do kościoła. Kucnijcie, wyobraźcie sobie widok z wózka. Weźcie głęboki wdech, żeby poczuć zapach powietrza. Wyobraźcie sobie, jak intensywna może być dla wrażliwego noska dziecka woń kadzidła czy świec. Posłuchajcie. Jak głośny jest zgiełk ludzkich rozmów, śpiew chóru czy gra organów? Może to trochę za dużo dla uszu niemowlęcia? Nie mówię, że trzeba unikać takich miejsc. Ale jeśli Wasze niemowlę zawsze płacze w nieznanym wcześniej otoczeniu, przytomny rodzic zorientuje się, co dziecko chce mu przekazać: „To za dużo. Proszę, zwolnij" albo „Może spróbujemy w przyszłym miesiącu". Zachowanie przytomności umysłu pozwala się dostroić do dziecka, a z czasem także poznać dziecko i zaufać swojemu instynktowi na jego temat.

Przytomność umysłu dotyczy również przemyślenia spraw, zanim się podejmie jakieś kroki, i planowania z wyprzedzeniem. Nie czekajcie na nadejście katastrofy, zwłaszcza jeśli taka sytuacja już kiedyś wystąpiła. Na przykład, jeśli po kilku spotkaniach z przyjaciółką widzicie, że Wasze dziecko i jej dziecko są wiecznie w stanie wojny, a poranek zawsze kończy się łzami, zaaranżujcie spotkanie z innym towarzyszem zabaw — nawet jeśli jego mama nie wzbudza aż takiej sympatii. Towarzysz zabaw ma być towarzyszem *zabaw*. Zamiast zmuszać Wasze dziecko, by obcowało z rówieśnikiem, którego nie lubi lub z którym się nie dogaduje, bo Wy chcecie poplotkować z koleżanką, lepiej wynająć opiekunkę.

Przytomność oznacza również zwracanie uwagi na to, co się mówi i co się robi z dzieckiem — i bycie konsekwentnym. Niekonsekwencje zbijają dzieci z tropu. Zatem jeśli jednego dnia mówicie dziecku: „Nie je się w salonie", a kolejnego nie reagujecie, jeśli dziecko pochłania chipsy, siedząc na kanapie, Wasze słowa przestają mieć jakiekolwiek znaczenie. Dziecko przestanie Was słuchać, i czyja to będzie wina?

I w końcu, przytomność oznacza dosłownie to: zachowanie świadomości i bycie obecnym duchem przy dziecku. Czuję ból, kiedy widzę niemowlęta lub bardzo małe dzieci, których płacz jest ignorowany. Płacz to pierwszy język, którym niemowlę komunikuje się z otoczeniem. Odwracając się do niego plecami, mówicie: „Nic dla mnie nie znaczysz". W końcu takie ignorowane dzieci przestają płakać, ale przestają się również garnąć do rodziców. Widziałam sytuacje, gdy rodzice pozwalali dziecku na płacz w imię „oduczenia go histerii" („Nie chcę go rozpieszczać" albo „Odrobina płaczu jej nie zaszkodzi"). Widywałam również matki stwierdzające obojętnie: „Jej siostra mnie potrzebuje, mała będzie musiała poczekać". Ale wtedy niemowlę musi czekać, i czekać, i czekać. *Nie ma usprawiedliwienia dla ignorowania dziecka.*

Nasze dzieci nas potrzebują — naszej obecności, naszej siły i mądrości, pokazywania im właściwej drogi. Jesteśmy ich najlepszymi nauczycielami, a przez pierwsze trzy lata najczęściej także jedynymi, jakich mają. Jesteśmy im winni to, żeby być dla nich rodzicami PC — aby mogły się rozwinąć jak najlepiej.

Cierpliwość. Bycie dobrym rodzicem wymaga cierpliwości, ponieważ jest to trudna, pozornie niekończąca się droga, wymagająca długofalowej perspektywy. Dzisiejszy Wielki Problem za miesiąc stanie się odległym wspomnieniem, ale nie pamiętamy o tym, gdy w chwili obecnej sytuacja jest napięta. Wielokrotnie to widywałam: rodzice, którzy w trudnych chwilach wybierają, jak im się wydaje, łatwiejszą drogę i odkrywają później, że doprowadziła ich do niebezpiecznego ślepego zaułka. Tak właśnie zaczyna się „przypadkowe rodzicielstwo" (więcej na ten temat w dalszej części książki). Na przykład ostatnio pracowałam z mamą, która pocieszała dziecko piersią, a potem odkryła, że jej piętnastomiesięczna córeczka nie ma pojęcia, jak zasypiać samodzielnie, i domaga się piersi mamy od czterech do sześciu razy każdej nocy. Biedna, całkowicie wyczerpana matka twierdziła, że jest gotowa na odstawienie małej od piersi, ale gotowość to nie wszystko. Trzeba mieć cierpliwość, żeby przetrwać proces przejścia.

Posiadanie dziecka może się też wiązać z bałaganem i chaosem. Dlatego potrzeba cierpliwości (i wewnętrznej siły), aby tolerować przynajmniej harmider, rozlane płyny i ślady małych paluszków. Rodzicom, którzy tego nie potrafią, trudniej będzie znieść pierwszy okres życia dziecka. Któremu maluchowi uda się po raz pierwszy napić z prawdziwego kubeczka bez uprzedniego rozlania sporych ilości płynu na podłogę? Później tylko kropelki płynu wyciekają mu kącikiem ust, a w końcu prawie całość trafia do brzuszka, ale nie dzieje się to w ciągu jednego dnia i z pewnością nie ma szans na uniknięcie porażek w trakcie nauki. Zezwolenie dziecku na uczenie się etykiety przy posiłkach, na naukę oblewania się i mycia, na chodzenie po pokoju w asyście ciągłych „nie, nie" — wszystko to wymaga cierpliwości rodziców.

Rodzice, którym brakuje tej ważnej cechy, mogą nieświadomie wywołać obsesyjne zachowania nawet u bardzo małych dzieci. Tara, dwulatka, którą poznałam w trakcie moich podróży, z pewnością nauczyła się wielu rzeczy od swojej pedantycznej matki, Cynthii. Po wejściu do jej domu trudno było poznać, że mieszka tam małe dziecko. I nic dziwnego. Cynthia nieustannie odkurzała i podążała za córeczką z wilgotną chusteczką, wycierając jej buzię, myjąc podłogę natychmiast, gdy pojawiła się na niej jakaś plama, i odkładając zabawki na miejsce w tym samym momencie, w którym Tara przestała się nimi bawić. No cóż, Tara już przesiąkła tymi zachowaniami: „bjudny" było jednym z jej pierwszych słów. Być może byłoby to miłe, gdyby nie to, że Tara bała się oddalać od mamy i płakała, gdy jakieś dziecko jej dotknęło. Ekstremalny przypadek, powiecie? Być może, ale robimy krzywdę naszym dzieciom, nie pozwalając im robić tego, co dzieci zazwyczaj robią: od czasu do czasu trochę się ubrudzić i popsocić. Cudowna mama PC, którą kiedyś poznałam, powiedziała mi, że regularnie urządza dzieciom „Wieczór Świnek" — kolację bez sztućców. A oto zaskakująca ironia: gdy dajemy dzieciom pozwolenie na dzikość, często nie posuwają się tak daleko, jak sądzimy, że mogłyby.

Cierpliwość jest szczególnie istotna, gdy próbujemy zmienić złe nawyki. Oczywiście, im dziecko starsze, tym dłużej to trwa. Niezależnie jednak od wieku musicie zaakceptować fakt, że potrzeba na to czasu — nie można przyspieszyć tego procesu. Ale coś Wam powiem: łatwiej jest zdobyć się na cierpliwość teraz i poświęcić czas na nauczenie czegoś dzieci i jasne przedstawienie im swoich oczekiwań. W końcu kogo wolelibyście uczyć sprzątania po sobie, dwulatka czy nastolatka?

Ale dlaczego to nie wychodzi?

„Dlaczego to nie wychodzi?" to zdecydowanie najczęstsze pytanie zadawane przez rodziców. Niezależnie od tego, czy mama próbuje nauczyć swoje niemowlę spania dłużej niż dwie godziny albo przekonać siedmiomiesięcznego synka do jedzenia pokarmów stałych, czy też wyperswadować dwulatkowi bicie innych dzieci, wciąż słyszę zdanie zaczynające się od „Tak, ale...". „Tak, wiem, że powiedziałaś mi, że muszę ją budzić w ciągu dnia, żeby spała w nocy, ale..."; „Tak, wiem, że powiedziałaś mi, że na to potrzeba czasu, ale..."; „Tak, wiem, że powiedziałaś, że muszę go zabierać z pokoju, gdy zaczyna być agresywny, ale...". Jestem pewna, że zrozumieliście, o co chodzi.

Moje techniki zaklinania niemowląt *naprawdę działają*. Stosowałam je na tysiącach dzieci i nauczyłam ich rodziców na całym świecie. Nie jestem czarodziejką. Nie dokonuję cudów. Po prostu znam się na rzeczy i mam duże doświadczenie. Jasne, wiem, że niektóre dzieci sprawiają więcej kłopotów niż inne — dokładnie tak samo, jak niektórzy dorośli. Niektóre etapy rozwoju, na przykład ząbkowanie albo przełom drugiego i trzeciego roku życia także mogą być trudniejsze dla rodziców, podobnie jak nieoczekiwane choroby (Wasze lub Waszego dziecka). Ale prawie każdy problem można rozwiązać, wracając do podstaw. Gdy problem się utrzymuje, to zazwyczaj z powodu czegoś, co zrobili rodzice, lub z powodu ich podejścia. Może to brzmieć brutalnie, ale pamiętajcie, że jestem adwokatką Waszego *dziecka*. Zatem jeśli czytacie tę książkę, ponieważ chcecie wykorzenić złe nawyki i przywrócić harmonię w Waszej rodzinie, a wydaje się, że nic nie działa — nawet moje sugestie — naprawdę zastanówcie się, czy jedno z poniższych stwierdzeń nie ma zastosowania w Waszym przypadku. Jeśli identyfikujecie się z którymś z poniższych zdań, musicie zmienić *Wasze* zachowanie lub sposób myślenia, chcąc skorzystać z moich strategii zaklinania niemowląt.

Podążacie za dzieckiem, zamiast ustalić stały plan dnia. Jeśli przeczytaliście moją pierwszą książkę, wiecie, że mocno wierzę w stały plan dnia. (Jeśli jej nie czytaliście, sprowadzę Was na właściwe tory w rozdziale 1., poświęconym strategii PROSTE). Idealnie byłoby zacząć w dniu, kiedy wracacie z noworodkiem ze szpitala. Oczywiście jeśli wtedy nie zaczęliście, możecie wprowadzić stały plan dnia również w ósmym tygodniu, trzecim miesiącu lub nawet później. Ale mnóstwo rodziców ma z tym problem — im starsze dziecko, tym większy. Dostaję od nich takie wiadomości przez telefon lub w e-mailach takich jak ten:

> *Sofia ma osiem i pół tygodnia i jest moim pierwszym dzieckiem. Mam problem z wprowadzeniem stałego planu jej dnia, bo ona jest taka niekonsekwentna. Najbardziej martwi mnie nieregularność karmień i snu. Proszę o radę.*

To właśnie jest klasyczny przypadek podążania za dzieckiem. Mała Sofia nie jest niekonsekwentna — jest tylko niemowlęciem. Cóż mogą wiedzieć niemowlaki? One po prostu trafiają na ten świat. Założę się, że to jej mama jest niekonsekwentna, ponieważ poddaje się swojej ośmioipółtygodniowej córce — a co niemowlę może wiedzieć na temat zasypiania i jedzenia? Tylko to, czego je nauczymy. Mama twierdzi, że próbuje zastosować stały plan dnia, ale tak naprawdę nie ona o tym decyduje. (W rozdziale 1. powiem, co powinna zrobić). Przestrzeganie stałego planu dnia jest szczególnie istotne w przypadku starszych niemowląt i dzieci. Naszym zadaniem jest kierować dziećmi, a nie poddawać się im. To my ustalamy godziny posiłków i porę kładzenia się spać.

Jesteście przypadkowymi rodzicami. Jak zawsze mówiła mi moja niania, *zaczynaj dopiero wtedy, gdy masz zamiar doprowadzić rzecz do końca*. Niestety, w trudnych sytuacjach rodzice czasami robią *cokolwiek*, byle tylko ich dziecko przestało płakać lub się uspokoiło. Często to „cokolwiek" zmienia się w zły nawyk, który potem trzeba wykorzenić — i to jest właśnie przypadkowe rodzicielstwo. Na przykład gdy dziesięciotygodniowy Tommy nie może zasnąć, bo mama przegapiła jego „okienko snu" — optymalny czas na drzemkę — jego matka zaczyna go nosić i kołysać. No i co? To działa. Tommy zasypia w jej ramionach. Kolejnego dnia, gdy lekko marudzi w łóżeczku w porze drzemki, mama znów go bierze na ręce, aby go uspokoić. Ją samą też ten rytuał może uspokajać — cudownie jest czuć to małe ciałko wtulone w siebie. Ale trzy miesiące później, jeśli nie wcześniej, gwarantuję, że mama Tommy'ego będzie zdesperowana, zastanawiając się, dlaczego jej synek „nienawidzi łóżeczka" albo „za nic nie chce zasnąć, chyba że go ukołyszę". I to nie jest jego wina. Mama przypadkowo sprawiła, że jej syn skojarzył kołysanie i ciepło jej ciała z zasypianiem. Teraz mały sądzi, że to normalne. Nie może udać się do krainy snu bez pomocy mamy i nie lubi swojego łóżeczka, bo nikt go nie nauczył, jak czuć się w nim dobrze.

Nie czytacie podpowiedzi dziecka. Pewna mama zadzwoniła do mnie w rozpaczy: „On miał już ustalony plan dnia, a teraz się zbuntował. Jak go z powrotem ustawić?". Gdy słyszę jakąkolwiek wersję zwrotu: *kiedyś tak, a teraz już nie*, oznacza to nie tylko, że rodzice pozwalają dziecku na przejęcie władzy, ale także iż zwracają większą uwagę na zegar (lub własne potrzeby) niż na samo niemowlę (więcej na ten temat na stronie 28). Nie czytają mowy ciała dziecka, nie dostrajają się do jego płaczu. Nawet wtedy, gdy dzieci zaczynają mówić, ważne jest, by je obserwować. Na przykład dziecko podatne na agresję nie wchodzi po prostu do pokoju i nie zaczyna bić kolegów. Raczej stopniowo się rozgrzewa i w końcu eksploduje. Mądry rodzic nauczy się szukania sygnałów i kierowania energii dziecka w inną stronę, zanim nastąpi wybuch.

Nie bierzecie pod uwagę tego, że małe dzieci się nieustannie zmieniają. Słyszę zwrot „kiedyś tak" również wtedy, gdy rodzice nie zdają sobie sprawy z tego, że nadszedł czas na zmianę. Czteromiesięczne niemowlę, którego plan dnia jest odpowiedni dla pierwszych trzech miesięcy życia (patrz rozdział 1.), stanie się kapryśne. Krzepki półroczniak, który wcześniej ładnie spał w nocy, może zacząć się budzić, jeśli rodzice nie wprowadzą mu stałych pokarmów. Prawda jest taka, że jedyną stałą w byciu rodzicem jest zmiana (więcej na ten temat pojawi się w rozdziale 10.).

Szukacie prostej recepty. Im starsze jest dziecko, tym trudniej przełamać złe nawyki spowodowane przypadkowym wychowywaniem, niezależnie od tego, czy chodzi o budzenie się w nocy i domaganie jedzenia, czy też buntowanie się przy sadzaniu w wysokim krzesełku, żeby zjeść właściwy posiłek. Ale wielu rodziców szuka czarodziejskich rozwiązań. Na przykład Elaine skonsultowała się ze mną w sprawie przyuczenia jej karmionego piersią dziecka do butelki, ale później twierdziła, że moja strategia nie poskutkowała. Pierwsze pytanie, jakie zawsze zadaję, brzmi: „Jak długo próbowałaś?". Elaine przyznała: „Próbowałam przy porannym karmieniu, ale potem się poddałam". Dlaczego poddała się tak wcześnie? Spodziewała się natychmiastowych efektów. Przypomniałam jej o literze C w „rodzicach PC" — cierpliwości.

Nie jesteście naprawdę przekonani do zmian. Kolejnym problemem Elaine było to, że nie chciała tak naprawdę pójść na całość. „Ale bałam się, że Zed będzie głodny, jeśli mu nie ustąpię" — to była podana przez nią przyczyna. Ale ta historia ma drugie dno, jak to zwykle bywa: Elaine powiedziała, że chce, żeby jej mąż mógł karmić trzymiesięcznego Zeda, ale tak naprawdę nie chciała zrezygnować z wyłączności w tej dziedzinie. Jeśli próbujecie rozwiązać jakiś problem, musicie chcieć, żeby został rozwiązany — i mieć wystarczająco dużo wytrwałości i determinacji, by doprowadzić wszystko do końca. Sporządźcie plan i *trzymajcie się go*. Nie wracajcie do starego sposobu postępowania i nie próbujcie ciągle nowych technik. Jeśli pozostaniecie przy jednym rozwiązaniu, *uda się*... jeśli tylko będziecie się tego trzymać. Bądźcie wytrwali. Wciąż powtarzam: *Musicie być tak samo wytrwali w stosowaniu nowych rozwiązań, jak byliście w przypadku starych.* Oczywiście, temperament niektórych dzieci sprawia, że są bardziej oporne wobec zmian niż inne (patrz rozdział 2.), ale prawie wszystkie „wierzgają", gdy zmienia im się plan dnia (dorośli także!). Jednak jeśli wytrwamy przy nowym planie i nie będziemy wciąż zmieniać zasad, dzieci przyzwyczają się do nowości.

Rodzice czasem sami się oszukują. Upierają się, że próbowali jakiejś techniki przez dwa tygodnie — powiedzmy mojej metody PP (Podnieś — Połóż, patrz rozdział 6.) — i mówią, że nie działa. Wiem, że to nie może być prawda, bo po tygodniu, lub nawet wcześniej, technika PP działa w przypadku wszystkich dzieci, niezależnie od ich temperamentu. I oczywiście, gdy dopytuję o szczegóły, dowiaduję się, że owszem, próbowali zastosować technikę PP przez trzy lub cztery dni, i było dobrze, ale kilka dni później, gdy mały obudził się o trzeciej w nocy, nie postąpili zgodnie z założeniami. Doprowadzeni do rozpaczy spróbowali czegoś innego. „Zdecydowaliśmy, że pozwolimy mu się wypłakać — niektórzy to polecają". No cóż — ja nie; takie postępowanie sprawia, że dziecko czuje się porzucone. Biedny chłopczyk nie był tylko skonsternowany zmianą zasad — był przerażony.

Jeśli nie masz zamiaru doprowadzić czegoś do końca, w ogóle nie zaczynaj. Jeśli nie możesz poradzić sobie sama, poproś o wsparcie — męża, mamę lub teściową, dobrą przyjaciółkę. W przeciwnym razie skażesz malucha na torturę wypłakiwania sobie płuc i w końcu weźmiesz go do swojego łóżka (więcej na ten temat w rozdziałach od 5. do 7.).

Próbujecie wprowadzić coś, co nie sprawdzi się w Waszej rodzinie lub przy Waszych charakterach. Gdy proponuję stały plan dnia lub jedną z moich strategii walki ze złymi nawykami, zazwyczaj potrafię ocenić, czy będzie pasowała lepiej do mamy, czy do taty — jedno z nich jest bardziej dyscyplinujące, a drugie łagodniejsze lub — co jeszcze gorsze — jest ofiarą syndromu „biednej dzidzi" (patrz strona 256). Niektóre matki (lub ojcowie) zdradzają się, mówiąc do mnie: „Nie chcę, żeby płakała". W rzeczywistości nie chodzi mi o zmuszanie niemowlęcia do czegokolwiek i nie wierzę w pozwalanie niemowlętom na wypłakanie się. Nie wierzę w izolowanie małych dzieci za karę, niezależnie od tego, jak krótki byłby czas spędzony w samotności. Dzieci potrzebują pomocy rodziców i musimy być przy nich, by im ją dać, zwłaszcza jeśli próbujemy przełamać skutki przypadkowego rodzicielstwa — a to trudne zadanie. Jeśli nie czujesz się dobrze w jakiejś technice, albo się na nią nie decyduj, albo znajdź sposób na wzmocnienie swoich sił, prosząc silniejszego rodzica o „przejęcie steru", albo mamę, teściową czy przyjaciółkę o wsparcie.

To nie jest zepsute — naprawdę nie ma trzeba tego naprawiać. Ostatnio dostałam e-maila od rodziców czteromiesięcznego niemowlęcia: „Moje dziecko przesypia noc, ale przybiera na wadze tylko 680 gramów. W Pani książce jest napisane, że powinien przybierać od 900 do 1200 gramów. Jak mam sprawić, żeby więcej przybierał na wadze?". Ileż matek oddałoby prawą rękę za to, żeby ich niemowlę przesypiało noce! Ich tak zwany problem polegał na tym, że jej dziecko nie pasowało do opisu w mojej książce.

Być może jest drobniejszej niż przeciętna budowy — nie wszyscy muszą wyrosnąć na Shaqa O'Neala! Jeśli jego waga nie martwi pediatry, radzę zachować spokój i po prostu obserwować synka. Może za kilka tygodni zacznie budzić się w nocy — a to byłby znak, że może potrzebować więcej jedzenia podczas dnia, ale na razie nic złego się nie dzieje.

Macie nierealistyczne oczekiwania. Niektórzy rodzice nie są realistami, jeśli chodzi o to, co oznacza posiadanie *dziecka*. Często odnoszą sukcesy w pracy, są dobrymi przywódcami, są bystrzy i kreatywni i postrzegają wejście w rodzicielstwo jak jeszcze jedną ważną zmianę w życiu, co oczywiście jest prawdą. Ale jest to również zmiana zupełnie innego rodzaju, ponieważ łączy się z nią olbrzymia odpowiedzialność: opieka nad inną istotą ludzką. Gdy stajecie się rodzicami, nie możecie wrócić do swojego dawnego życia, jakby nic się nie zmieniło. Niemowlęta czasem *naprawdę* wymagają nocnych karmień. Z małymi łobuziakami nie można sobie poradzić równie skutecznie, jak z projektami w pracy. Dzieci nie są maszynami, które można odpowiednio zaprogramować. Wymagają opieki, ciągłej czujności i mnóstwa czasu przepełnionego miłością. Nawet jeśli macie pomoc, to *Wy* musicie poznać Wasze dziecko, a to wymaga czasu i energii. Pamiętajcie również o tym, że etap, na którym jest obecnie Wasze dziecko — dobry lub zły — minie. W istocie, jak przeczytacie w ostatnim rozdziale, dokładnie w chwili, gdy zaczynacie sobie dobrze radzić, wszystko się zmienia.

O tej książce… i olimpiadzie rozwojowej

Ta książka jest odpowiedzią na Wasze prośby. Prosiliście o dalsze wyjaśnienia dotyczące strategii, które nie były dla Was w pełni zrozumiałe, i rozwiązania rozmaitych problemów. Ponadto wiele osób prosiło o konkretne wskazówki dotyczące szczególnych etapów rozwoju. Ci z Was, którzy czytali moje poprzednie książki, wiedzą, że nie jestem i nigdy nie byłam zbyt wielką zwolenniczką wykresów i tablic umiejętności właściwych dla danego wieku. Problemów nie da się posortować w równe kupki. Oczywiście prawdą jest, że niemowlęta i małe dzieci *na ogół* osiągają pewne etapy w danym wieku, ale zazwyczaj nie dzieje się nic złego, jeśli niektóre nie mieszczą się z wyznaczonych ramach. Jednak w odpowiedzi na Wasze prośby o większą jasność i konkrety podzieliłam tutaj moje rady i przyporządkowałam poszczególne techniki do właściwych grup wiekowych — od urodzenia do sześciu tygodni, od sześciu tygodni do czterech miesięcy, od czterech do sześciu miesięcy, od sześciu do dziewięciu miesięcy, od dziewięciu miesięcy do roku, od roku do dwóch lat, od dwóch do trzech lat. Moim zamiarem było ułatwienie Wam zrozumienia tego, jak myśli Wasze dziecko i jak postrzega świat.

W poszczególnych rozdziałach niekoniecznie muszą pojawić się wszystkie kategorie wiekowe — to zależy od omawianego tematu. Na przykład w rozdziale 1., który dotyczy strategii PROSTE, zajmuję się tylko pierwszymi czterema miesiącami życia dziecka, ponieważ wtedy właśnie rodzice zadają pytania na temat planu dnia; a w rozdziale 4., który omawia żywienie małych dzieci, zaczynam od sześciu miesięcy, ponieważ wtedy zaczynamy wprowadzać pokarmy stałe.

Zauważycie, że przedziały wiekowe są dość szerokie. To dlatego, żeby można było wziąć poprawkę na różnice między osiągnięciami poszczególnych dzieci. Ponadto nie chcę, żeby moi czytelnicy zaangażowali się w coś, co nazywam „olimpiadą rozwojową", czyli w porównywanie postępów lub problemów swoich dzieci z innymi, albo żeby się denerwowali, że ich mały synek lub córeczka nie pasuje do opisu dla danego wieku. Zbyt wiele razy widziałam grupy mamuś, których dzieci urodziły się w mniej więcej tym samym czasie. Wiele z nich poznało się na oddziałach położniczych w szpitalach lub w szkołach rodzenia. Mamy siedzą, plotkując, ale widzę, jak obserwują swoje dzieci, porównując je do siebie i rozmyślając. Jeśli któraś nawet nie *wypowie* swoich poglądów na głos, i tak prawie słychać, jak myśli: *Dlaczego moja Claire, tylko dwa tygodnie młodsza od Emmanuela, jest od niego mniejsza? A Emmanuel, no patrzcie — próbuje się podciągać. Dlaczego Claire jeszcze tego nie robi?* Po pierwsze, dla trzymiesięcznych niemowląt dwa tygodnie to mnóstwo czasu — to jedna szósta ich życia! Po drugie, czytanie tabelek z osiągnięciami dla poszczególnych grup wiekowych zazwyczaj podnosi oczekiwania rodziców. Po trzecie, dzieci mają różne zdolności i mocne strony. Być może Claire zacznie chodzić później niż Emmanuel (albo nie — za wcześnie, żeby to stwierdzić), ale może na przykład wcześniej zacząć mówić.

Zachęcam do przeczytania opisu wszystkich etapów, ponieważ wcześniejsze problemy mogą się ciągnąć — często zdarza się, żeby problem typowy dla niemowlęcia dwumiesięcznego pojawia się w wieku pięciu lub sześciu miesięcy. Poza tym, Wasze dziecko może być w jakimś obszarze bardziej zaawansowane, zatem dobrze będzie dowiedzieć się, co Was może czekać.

Wierzę również, że jest coś takiego, jak „najlepszy wiek" do nauczenia jakiejś umiejętności, takiej jak przesypianie nocy albo wprowadzenie nowego elementu w życie dziecka, na przykład podanie butelki dziecku dotąd karmionemu piersią albo nauczenie go siedzenia w wysokim krzesełku. Jeśli nie rozpoczniecie nauki w optymalnym czasie, to zwłaszcza w przypadku dzieci w wieku poniemowlęcym prawdopodobnie skończy się to walką. Musicie planować z wyprzedzeniem. Jeśli nie wprowadzaliście w postaci zabawy lub przyjemnych doświadczeń zadań typowych dla starszych dzieci, takich jak ubieranie się i uczenie korzystania z nocnika, Wasze dziecko prawdopodobnie zareaguje buntem na próbę wprowadzenia nowych obowiązków.

Dokąd zmierzamy

Przyglądamy się w tej książce wielu różnym kwestiom, ponieważ starałam się wprowadzić wszystkie problemy, na jakie można się natknąć, co nie sprzyja zachowaniu uporządkowanej formy. Wszystkie rozdziały skupiają się na problemach, ale każdy z nich jest inny, zbudowany tak, aby można było łatwiej przejść na wyższy poziom i zrozumieć sposób, w jaki postrzegam różne wyzwania stojące przed rodzicami.

W każdym rozdziale znajdziecie mnóstwo specjalnych elementów: mitów na temat rodzicielstwa, list kontrolnych, ramek i tabelek, które podsumowują ważne informacje, oraz wziętych z życia przykładów — historii z pola walki. We wszystkich studiach przypadku oraz cytowanych e-mailach i postach z mojej strony internetowej zmieniłam dane osobowe i szczegóły pozwalające na identyfikację. Starałam się skupić na najczęstszych problemach rodziców oraz podzielić się z Wami pytaniami, które zazwyczaj zadaję, żeby dowiedzieć się, o co naprawdę chodzi. Jak osoba analizująca problemy, która wkracza do firmy, żeby odkryć, dlaczego nie wszystko dobrze działa, ja też muszę odkryć, kim są główni udziałowcy w grze, jak reagują i co się działo, zanim wydarzył się konkretny problem. Następnie proponuję inny rodzaj działania, dzięki któremu nastąpi inny wynik. Dzięki przyjrzeniu się temu, co *ja* sądzę na temat kłopotów dzieci, i temu, jak *ja* wymyślam konkretny plan działania, Wy sami możecie zacząć rozwiązywać problemy we własnej rodzinie. Jak już mówiłam, moim celem jest nauczenie Was myślenia tak, jak ja, żebyście mogli samodzielnie rozwiązywać Wasze problemy.

W całej książce pytania, które zadaję, będą zaznaczone pogrubieniem — **o tak** — żeby łatwiej było je dostrzec.

Starałam się przedstawić jednakową liczbę odniesień do dziewczynek i chłopców. Jednak nie zawsze było to możliwe w odniesieniu do matek i ojców, ponieważ większość e-maili, wiadomości na stronie internetowej i rozmów telefonicznych otrzymuję od matek, i tę nierówność widać na stronach książki. Z tego właśnie powodu w dalszej części książki zwracam się głównie do mam. Szanowni Tatusiowie, jeśli czytacie tę książkę, to wiedzcie, że nie chciałam Was pomijać. Zdaję sobie sprawę, że (na szczęście) wielu ojców w dzisiejszych czasach interesuje się wychowaniem swoich dzieci, a około 20% z nich zostaje nawet z dziećmi w domu. Mam nadzieję, że z Waszego powodu nadejdzie dzień, gdy nikt już nie będzie mógł powiedzieć, że tatusiowie nie czytają książek dla rodziców!

Możecie przeczytać tę książkę od początku do końca albo po prostu poszukać problemu, który Was najbardziej zajmuje w tej chwili, i zacząć od tamtego miejsca. Jednak jeśli nie czytaliście moich wcześniejszych książek, zdecydowanie doradzam przeczytanie przynajmniej rozdziałów 1. i 2., które przypominają moją filozofię związaną z opieką nad dziećmi, a także pozwalają zrozumieć, dlaczego poszczególne problemy pojawiają się w konkretnych grupach wiekowych. Rozdziały 3. – 10. skupiają się na trzech obszarach, które najbardziej niepokoją rodziców: jedzenie, spanie i zachowanie.

Wielu z Was mówiło mi, że doceniacie moje poczucie humoru jeszcze bardziej niż moje rady. Obiecuję, że znajdzie się tu go mnóstwo. W końcu, gołąbeczki, jeśli nie będziemy pamiętać o śmiechu i o radowaniu się z tych szczególnych chwil spokoju (nawet jeśli nie trwają dłużej niż pięć minut naraz), to bycie rodzicem, które i tak jest trudne, może się okazać wręcz przytłaczające.

Być może zaskoczą Was niektóre z moich rad, może nie uwierzycie, że mogą zadziałać, ale mam mnóstwo przykładów na to, że były rzeczywiście skuteczne w innych rodzinach. Zatem — dlaczego nie spróbować w Waszej?

ROZDZIAŁ PIERWSZY

PROSTE NIEKONIECZNIE JEST PROSTE (ALE DZIAŁA!)

PRZYZWYCZAJANIE DZIECI DO STAŁEGO PLANU DNIA

PROSTE — to dar

Prawdopodobnie masz stały plan dnia o poranku. Wstajesz mniej więcej o tej samej porze, najpierw bierzesz prysznic lub pijesz kawę, a może natychmiast wskakujesz w kierat obowiązków albo wychodzisz na szybki spacer. Cokolwiek robisz, prawdopodobnie każdy ranek wygląda mniej więcej tak samo. Jeśli coś przypadkowo zaburzy tę rutynę, to cały Twój dzień może pójść źle. Założę się, że w Twoim życiu także inne rzeczy są ułożone według jakiegoś planu. Jesteś przyzwyczajona do jedzenia obiadu o stałej porze. Prawdopodobnie masz również konkretne rytuały na koniec dnia, jak wtulanie się w ulubioną poduszkę (lub partnera!) w oczekiwaniu na sen. Ale powiedzmy, że pora Twojego obiadu ulega zmianie lub musisz spać poza domem. Czy nie czujesz się zdezorientowana i wytrącona z równowagi, kiedy się budzisz?

Oczywiście, ludzie mają zróżnicowaną potrzebę uporządkowanego planu dnia. Na jednym końcu skali mieszczą się ci, których całe dnie są przewidywalne. Na drugim są artystyczne dusze nieznoszące rutyny. Ale nawet te lekkoduchy mają zazwyczaj jakieś przewidywalne rytuały w ciągu dnia. Dlaczego? Ponieważ ludzie, tak jak większość zwierząt, dobrze się rozwijają, gdy wiedzą, w jaki sposób i kiedy ich potrzeby zostaną zaspokojone oraz co się wydarzy w następnej kolejności. Wszyscy lubimy pewien stopień pewności w życiu.

Podobnie jest z niemowlętami i małymi dziećmi. Gdy świeżo upieczona mama przywozi noworodka do domu ze szpitala, od razu proponuję stały plan dnia. Używam nazwy PROSTE — jest to akronim składający się z przewidywalnej kolejności wydarzeń, które odzwierciedlają porządek dnia dorosłych, chociaż w krótszych odstępach czasowych: Posiłek, ROzrywka, Sen, a TEraz czas dla nas. Nie jest to jednak dokładny harmonogram, ponieważ nie da się wtłoczyć niemowlęcia w ramy wyznaczane przez zegar. Jest to plan, który nadaje pewną strukturę i konsekwencję życiu rodzinnemu, co jest bardzo ważne, ponieważ my wszyscy, dorośli i dzieci, nie wyłączając niemowląt, lubimy przewidywalność. Wszyscy na tym korzystają: niemowlę wie, co się za moment wydarzy. Rodzeństwo niemowlęcia, jeśli jest, może spędzić więcej czasu z mamą i tatą — i ma mniej zabieganych rodziców, którzy również mają czas dla siebie.

Stosowałam technikę PROSTE na długo przedtem, zanim ją nazwałam. Gdy pierwszy raz zaczęłam się opiekować noworodkami i niemowlętami — a było to ponad dwadzieścia lat temu — stały plan dnia wydawał się dla mnie po prostu naturalny. Niemowlęta potrzebują, żeby wskazywać im drogowskazy — i trzymać się ich. Najbardziej efektywną nauką jest powtarzanie. Wyjaśniałam również rodzicom, z którymi pracowałam, jak ważny jest przewidywalny plan dnia, aby mogli sami dawać sobie radę po moim odejściu. Przypominam im, by zawsze zadbali o to, żeby ich niemowlę miało jakąś rozrywkową aktywność po karmieniu zamiast zasypiania od razu — bo w takim przypadku maleństwo skojarzy jedzenie ze spaniem. Ponieważ życie „moich" niemowląt było tak przewidywalne i spokojne, większość z nich dobrze jadła, nauczyły się bawić samodzielnie przez coraz dłuższy czas i potrafiły zasnąć bez przysysania się do butelki, piersi albo kołysania przez rodziców. Gdy wyrastały z wieku niemowlęcego i wkraczały w wiek przedszkolny, nadal miałam kontakt z wieloma rodzicami, którzy informowali mnie, że ich dzieci świetnie się rozwijają przy stałym planie dnia, ale również są pewne siebie i ufne, że rodzice będą obok, gdyby ich potrzebowały. Sami rodzice z kolei nauczyli się wcześnie dostrajać do dziecka, uważnie obserwując jego mowę ciała i słuchając płaczu. Ponieważ potrafili „czytać" wskazówki dziecka, byli lepiej wyposażeni na wypadek problemów po drodze.

Gdy byłam gotowa do napisania pierwszej książki, razem z moją współautorką wpadłyśmy na akronim PROSTE, wymyślony, by pomóc rodzicom zapamiętać kolejność planu dnia. Posiłek, rozrywka, sen — to naturalna kolej rzeczy — a następnie, jako premia, czas wolny dla rodziców. Stosując PROSTE, nie dostosowujesz się do dziecka, to *Ty* przejmujesz prowadzenie. Obserwujesz je uważnie, dostrajasz się do jego potrzeb, ale to *Ty* prowadzisz, delikatnie zachęcając je do pójścia drogą, na której wiesz, że będzie się dobrze rozwijać: posiłek, odpowiednia doza rozrywki, a później spokojny sen. Jesteś przewodnikiem dziecka. To Ty wyznaczasz tempo.

PROSTE daje rodzicom, zwłaszcza niedoświadczonym, pewność, że rozumieją dziecko, ponieważ szybciej uczą się odróżniać różne rodzaje jego płaczu. Jak napisała do mnie jedna z mam: „Mój mąż i ja oraz nasza sześciomiesięczna Lily stanowimy zagadkę wśród naszych znajomych, jeśli chodzi o wychowywanie dziecka, ponieważ mamy przespane noce i bardzo zadowolone dziecko". Dalej wyjaśnia, że zaczęli stosować PROSTE, gdy Lily miała dziesięć tygodni. W efekcie, pisze mama: „Rozumiemy jej podpowiedzi i mamy plan dnia — nie ścisły harmonogram — który sprawia, że nasze życie jest przewidywalne, niekłopotliwe i przyjemne".

Widywaliśmy to wielokrotnie. Rodzice, którzy stosują plan PROSTE, szybko nabierają wprawy w odgadywaniu potrzeb dziecka o konkretnej porze dnia. Powiedzmy, że nakarmiłaś niemowlę (P), i mała nie śpi od piętnastu minut (RO — rozrywka, aktywność), a potem zaczyna trochę marudzić. Jest spore prawdopodobieństwo, że jest gotowa na sen (S). I odwrotnie, jeśli śpi od godziny (S), a Ty masz czas dla siebie (TE), gdy się obudzi, nie będziesz musiała zgadywać. Nawet jeśli nie płacze (chociaż jest to mało prawdopodobne, jeśli ma mniej niż sześć tygodni), to można spokojnie założyć, że jest głodna. I tak cykl PROSTE zaczyna się od początku.

Po co stosować PROSTE?

PROSTE to rozsądny sposób na przeżycie dnia przez Ciebie i Twoje dziecko. Składa się z powtarzalnych cykli złożonych z poszczególnych elementów. P, RO i S są ze sobą powiązane — zmiana jednego elementu pociągnie za sobą zmianę w pozostałych dwóch. Chociaż Twoje niemowlę zmieni się w kolejnych miesiącach, kolejność w cyklu pozostanie taka sama:

Posiłek. Dzień Twojego dziecka zaczyna się od jedzenia, na początku jest to dieta wyłącznie płynna, potem w wieku sześciu miesięcy dochodzą pokarmy stałe. Jeśli stosujesz stały plan dnia, mniej prawdopodobne jest, że dziecko będzie niedojadać lub przejadać się.

ROzrywka. Niemowlęta bawią się, gruchając i gaworząc do swoich opiekunów i wpatrując się we wzory na tapecie. Ale w miarę rozwoju dziecka coraz częściej będą występować interakcje z otoczeniem i przemieszczanie się. Poukładany plan dnia pozwala na uniknięcie nadmiernej stymulacji dziecka.

Sen. Niemowlęta rosną we śnie. Poza tym porządne drzemki podczas dnia przygotowują maleństwo do coraz dłuższych okresów snu w nocy, ponieważ aby się dobrze wyspać, trzeba być zrelaksowanym.

TEraz czas dla Ciebie. Jeśli Twoje dziecko nie ma poukładanego planu dnia, każdy dzień będzie inny i nieprzewidywalny. Nie tylko maluch będzie się czuł źle, ale Ty również nie będziesz mieć zbyt wiele czasu dla siebie.

Zapisz to!

Rodzice, którzy zarządzają dniem swojego dziecka, zapisując wszystko, mają mniej problemów z trzymaniem się wyznaczonego planu lub z ustaleniem tego planu po raz pierwszy. Są również lepszymi obserwatorami. Zapisywanie, choć na początku wydaje się bardzo pracochłonne (jasne, że masz mnóstwo innych rzeczy do zrobienia!), da Ci znacznie lepszą perspektywę. Łatwiej dostrzeżesz pewne wzory zachowań, zauważysz, a jaki sposób sen, jedzenie i aktywność wiążą się ze sobą. W dni, kiedy Twoje dziecko lepiej je, będzie z pewnością mniej marudne podczas okresu aktywności i będzie też lepiej spało.

Gdy PROSTE wydaje się trudne

Przygotowując się do napisania tej książki, przejrzałam tysiące studiów przypadku dotyczących dzieci, z którymi pracowałam, a także pytania, które dostawałam od rodziców przez telefon, e-mail lub za pośrednictwem mojej strony internetowej. Moim celem było zidentyfikowanie najczęściej pojawiających się przeszkód, na jakie mogą się natknąć pełni dobrej woli i poświęcenia rodzice, starający się wprowadzić stały plan dnia. Większość pytań nie dotyczyła całej struktury dnia, lecz raczej skupiała się na poszczególnych literach planu. Na przykład: „Dlaczego moje dziecko tak krótko je?" (P), „Dlaczego on jest taki marudny i nie interesuje się zabawkami?" (RO) albo „Dlaczego mała budzi się kilka razy w nocy?" (S). W tej książce odpowiadam na tego typu pytania i proponuję mnóstwo rozwiązań konkretnych problemów — rozdziały 3. i 4. poświęcone są kwestii karmienia, a rozdziały od 5. do 7. problemom ze spaniem. Jedzenie ma wpływ na sen i aktywność (rozrywkę); aktywność ma wpływ na jedzenie i sen; sen wpływa na rozrywkę i jedzenie — a wszystkie te trzy elementy mają wpływ na Ciebie. Bez przewidywalnego porządku dnia wszystko w życiu niemowlęcia staje się chaosem — czasem wszystko naraz. Rozwiązaniem prawie zawsze jest PROSTE.

Rodzice mówią mi jednak, że PROSTE niekoniecznie jest proste. Oto część listu Cathy, mamy miesięcznego Carla i dwudziestodwumiesięcznej Natalie. List odzwierciedla zakłopotanie i niektóre problemy, jakich doświadczają rodzice:

> *Moja starsza córka, Natalie, śpi bardzo ładnie (od siódmej do siódmej, sama zasypia, drzemki w ciągu dnia też są bezproblemowe). Nie pamiętam, jak do tego doprowadziliśmy, i teraz potrzebuję jakiegoś prostego planu dla Carla na kolejne kilka miesięcy. Karmię go piersią i obawiam się, że nieumyślnie go przy tym usypiam. Nie umiem odróżnić, kiedy płacze ze zmęczenia, a kiedy z głodu albo z powodu gazów. Potrzebuję jakiejś generalnej struktury, dzięki której wiedziałabym, co mam z nim zrobić, ponieważ jego siostra wymaga mnóstwa uwagi, kiedy nie śpi! [Pierwsza] książka Tracy omawia ogólnie ilość czasu na P, RO i S, ale trudno mi to odnieść do pór dnia i nocy.*

Cathy przynajmniej w jednej kwestii nie miała wątpliwości. Zdawała sobie sprawę z tego, że jej problemem jest brak konsekwencji i nieumiejętność odczytywania sygnałów Carla. Słusznie podejrzewała, że rozwiązaniem będzie stały plan dnia. I tak jak wielu innych rodziców, którzy przeczytali o planie PROSTE, Cathy potrzebowała tylko odrobiny otuchy i dalszych wyjaśnień. Po naszej rozmowie nie musiała się zbyt mocno wysilać, by wprowadzić PROSTE, ponieważ Carl miał zaledwie miesiąc, więc był wystarczająco mały, aby łatwo przystosować się do nowego porządku. Ponadto gdy dowiedziałam się, że przy urodzeniu ważył ponad trzy kilogramy, wiedziałam, że nie będzie miał problemów z wytrzymaniem dwuipół- lub trzygodzinnych przerw między karmieniami (więcej na ten temat w dalszej części książki). Gdy tylko jego mama przestawiła go na PROSTE, lepiej udawało jej się odczytywać jego potrzeby. (Patrz przykładowy plan dnia czterotygodniowego niemowlęcia na stronie 33).

Wszystkie niemowlęta dobrze się rozwijają, gdy mają zachowany stały porządek dnia, ale niektóre przystosowują się szybciej i chętniej od innych dzięki swojemu temperamentowi. Pierwsze dziecko Natalie, teraz w wieku prawie dwóch lat, było niezwykle ugodowym i zdolnym do przystosowania się niemowlęciem — nazywam takie dzieci małymi Aniołkami. To by wyjaśniało, dlaczego Natalie tak dobrze spała w nocy i w dzień, a także dlaczego Cathy nie pamiętała, jak jej się udało to osiągnąć. Ale mały Carl był bardziej wrażliwy — nazywam takie maluchy Wrażliwcami — nawet po ukończeniu miesiąca życia mógł zostać wytrącony z równowagi przez zbyt jasne światło lub mamę pochylającą się niżej niż zwykle podczas karmienia. W rozdziale 2. wyjaśnię szczegółowo, w jaki sposób temperament ma wpływ na to, jak dzieci reagują na prawie wszystko, co je otacza. Niektóre potrzebują ciszy, gdy jedzą, mniej stymulujących zajęć albo ciemniejszego pokoju do spania. W przeciwnym przypadku będą miały nadmiar bodźców i z pewnością *będą* opierać się próbom wprowadzenia porządku dnia.

W przypadku niemowląt młodszych niż czteromiesięczne problemy mogą się pojawić również dlatego, że rodzice nie zdają sobie sprawy, że PROSTE należy przystosować do szczególnych okoliczności narodzin dziecka, takich jak wcześniactwo (patrz ramka boczna na stronie 35) albo waga niemowlęcia (patrz strony 35 – 37). Niektórzy rodzice źle rozumieją istotę stosowania planu PROSTE. Na przykład traktują zwrot „co trzy godziny" dosłownie i zastanawiają się, jak ich dzidzia nauczy się spać w ciągu nocy, jeśli będą ją budzić na karmienie, a także jaki rodzaj rozrywki można zapewnić niemowlęciu w środku nocy. (Żaden — pozwalasz mu spać; patrz ramka boczna na stronie 27).

Rodzice również mają problem z techniką PROSTE, gdy wydaje im się, że jest to „harmonogram", i sku-

PROSTE — Twój porządek *dnia*

PROSTE *nie* dotyczy nocy. Gdy kąpiesz niemowlę i układasz je do snu, zadbaj o to, by miało dobrze posmarowaną kremem pupę. Nie budź dziecka na rozrywkę. Jeśli obudzi się z głodu, nakarm je, ale od razu połóż z powrotem spać. Nie zmieniaj nawet pieluszki, chyba że słyszałaś, jak robi kupę, lub (w przypadku niemowląt karmionych sztucznie) poczułaś to.

piają się na odczytywaniu godziny z zegara, a nie sygnałów dziecka. Uporządkowany plan dnia *nie* jest tym samym, co dokładnie rozpisany harmonogram. To trzeba podkreślić: *nie da się dopasować niemowlęcia do zegara*. Jeśli będziesz tego próbować, zarówno mama, jak i dziecko będą sfrustrowani. Merle, mama z Oklahomy, napisała do mnie w desperacji, że „próbowała bez powodzenia wprowadzić harmonogram PROSTE". Od razu „podniosła mi się antenka", ponieważ użyła słowa *harmonogram*, czego ja sama nigdy nie robię. „Wydaje mi się, że codziennie mamy inny harmonogram", napisała. „Wiem, że coś robię źle, ale co?".

Uporządkowany plan dnia to nie to samo, co harmonogram. Harmonogram odnosi się do wyznaczonych godzin, a PROSTE dotyczy utrzymywania takiego samego porządku każdego dnia — posiłek, rozrywka i sen — i powtarzania tej kolejności codziennie. Nie próbujemy panować nad dziećmi, ale nimi *kierujemy*. Ludzie — inne gatunki zresztą też — uczą się przez wielokrotne powtarzanie jakiejś czynności, a to właśnie daje uporządkowany plan dnia.

Podobnie jak Merle, niektórzy rodzice źle rozumieją to, co nazywam „planem", „porządkiem dnia" — często dlatego, że ich własnym życiem rządzą konkretne harmonogramy. Zatem gdy piszę o *proponowanym* planie trzygodzinnym dla niemowlęcia w wieku poniżej czterech miesięcy — powiedzmy godzina 7:00, 10:00, 13:00, 16:00, 19:00 i 22:00 — mama kierowana przez plany i harmonogramy traktuje te godziny jako obowiązkowe. Wpada w panikę, ponieważ jej dziecko jednego dnia ucina sobie drzemkę o 10:15, a kolejnego o 10:30. Ale niemowlęcia nie da się ustawić według zegarka, zwłaszcza w ciągu pierwszych sześciu tygodni. Czasami zdarzy się dzień, gdy wszystko będzie szło gładko, a w inne dni nie. Jeśli uważnie wpatrujesz się w zegar zamiast w swoje dziecko, przegapisz ważne sygnały (jak pierwsze ziewnięcie w wieku sześciu tygodni lub tarcie oczu przez półroczniaka, co oznacza, że maluch robi się śpiący — więcej na temat okienka snu na stronie 189). Wtedy masz przemęczone dziecko, które nie może zasnąć i które oczywiście opiera się planowi, ponieważ nie odpowiada on jego fizycznym potrzebom.

Najważniejszym aspektem planu PROSTE jest odczytywanie sygnałów wysyłanych przez dziecko — głodu, zmęczenia, nadmiernej stymulacji — co jest znacznie ważniejsze niż jakiekolwiek wyznaczone godziny. Zatem jeśli któregoś dnia Twój niemowlak będzie głodny wcześniej niż zwykle albo wyda się zmęczony, zanim nadejdzie „pora" kładzenia go spać, nie pozwól, by rządził Tobą zegarek. Niech zdrowy rozsądek weźmie górę. I wierz mi, skarbie, im lepiej nauczysz się interpretować płacz dziecka i mowę jego ciała, tym lepiej będzie Ci szło kierowanie nim i usuwanie przeszkód, jakie mogą stanąć Wam na drodze.

Dziennik PROSTE

Gdy rodzice wracają do domu ze szpitala i zaczynają plan PROSTE, zazwyczaj sugeruję, by prowadzili dziennik, taki jak poniższy (można go również ściągnąć z mojej strony internetowej), aby mogli zapisywać, co dokładnie robi ich dziecko, jak długo śpi, a także co mama robi dla siebie. W przypadku niemowląt starszych niż czteromiesięczne można przystosować tę tabelkę, usuwając kolumny „wypróżnienia” i „mocz”.

Posiłek						**R**ozrywka		**S**en	**T**eraz czas dla Ciebie
O której?	Ile (jeśli karmione butelką) lub jak długo	Z prawej piersi?	Z lewej piersi?	Wypróżnienie	Mocz	Co i jak długo?	Kąpiel (rano czy wieczorem?)	Jak długo?	Odpoczynek? Obowiązki? Rozmyślania? Uwagi?

Zaczynamy — wytyczne dla dzieci w różnym wieku

Ustalenie porządku dnia po raz pierwszy jest tym trudniejsze, im starsze jest dziecko, zwłaszcza jeśli *nigdy* nie miałaś planu dnia. A ponieważ moja pierwsza książka koncentruje się na pierwszych czterech miesiącach życia dziecka, niektórzy rodzice czuli się zagubieni. Przynajmniej połowa pytań kierowanych do mnie pochodziła od rodziców, którzy albo korzystali z innej, mniej uporządkowanej metody, takiej jak „na żądanie", albo stosowali inny rodzaj porządku i odkryli, że czegoś mu brak. Potem odkryli PROSTE i zastanawiali się, od czego zacząć.

PROSTE *jest* inne w przypadku starszych niemowląt, i na stronach 46 – 54 objaśniam codzienny plan, który sprawdza się w przypadku dzieci czteromiesięcznych lub starszych. Oczywiście, problemy dzieci niekoniecznie dają się łatwo podzielić na schludne kategorie. Jak już wyjaśniałam we wstępie, odkryłam, że niektóre problemy pojawiają się najczęściej w konkretnej grupie wiekowej. Tym razem skupię się na następujących kategoriach:

Od urodzenia do sześciu tygodni
Od sześciu tygodni do czterech miesięcy
Od czterech do sześciu miesięcy
Od sześciu do dziewięciu miesięcy
Od dziewięciu miesięcy wzwyż

Przedstawię ogólny opis każdego etapu i dodatkowo listę najczęstszych skarg rodziców oraz ich prawdopodobnych przyczyn. Nawet w takich przypadkach, gdy narzekania wydają się koncentrować na kwestii jedzenia czy spania, przynajmniej część rozwiązania zawsze zawiera ustalenie uporządkowanego planu dnia, jeśli takiego nie ma, albo przełamanie rutyny, w której obecnie tkwi dziecko. Liczby w nawiasie w kolumnie „przyczyna problemu" wskazują numery stron z rozdziałów, gdzie znajdziesz dokładniejsze objaśnienia, co zrobić (aby nie powtarzać informacji).

Niezależnie od tego, w jakim wieku jest Twoje dziecko, dobrze byłoby przeczytać wszystkie rozdziały, ponieważ (jak będę często przypominać) *nie można*

Jak rozwijają się niemowlęta

Twoje dziecko zmieni się z bezbronnej, całkowicie zależnej istotki w małego człowieka, który znacznie lepiej potrafi panować nad swoim ciałem. Jego porządek dnia będzie zależał od tego, jak rośnie i się rozwija, co dzieje się z jego ciałem od główki po stopy mniej więcej w tej kolejności:

Od urodzenia do trzech miesięcy: Od ramion w górę, włącznie z buzią — rozwój tych części ciała umożliwia mu trzymanie i podnoszenie główki, a także siedzenie z podtrzymywaniem.

Od trzech do sześciu miesięcy: Od pasa w górę, włączając tułów, ramiona, głowę, dłonie — rozwój umożliwia mu przewracanie się z brzuszka na plecy, sięganie i chwytanie, a także siedzenie prawie bez podparcia.

Od sześciu miesięcy do roku: Od nóg w górę, łącznie z rozwojem mięśni i koordynacji, co umożliwi mu siedzenie bez podparcia, przewracanie się z pleców na brzuch, stanie prosto, przesuwanie się, raczkowanie, a w końcu w wieku mniej więcej roku lub nieco później chodzenie.

uzależniać strategii wyłącznie od wieku. Dzieci są *różne*, podobnie jak dorośli. Z dzieckiem sześciomiesięcznym czasem mamy te same problemy, co z trzymiesięcznym, zwłaszcza jeśli nie było przyzwyczajone do stałego porządku dnia. (Poza tym, jeśli nie będę dość często o tym przypominać, dostanę po wydaniu tej książki listy od rodziców zawierające różne odmiany zdania: „Ale moje dziecko ma sześć miesięcy i nie robi tego, co opisano w książce...").

Pierwsze sześć tygodni — czas dostosowywania się

Pierwsze sześć tygodni to idealna pora na rozpoczęcie techniki PROSTE, która generalnie zaczyna się jako plan trzygodzinny. Twoje niemowlę je, bawi się po posiłku, a Ty szykujesz grunt do drzemki. Odpoczywasz, gdy ono odpoczywa, a gdy się budzi, cykl zaczyna się od początku. Ale pierwsze sześć tygodni to również czas potężnego dostosowywania się. Twoje dziecko kiedyś żyło w przytulnym miejscu o stałym klimacie, gdzie mogło się odżywiać cały czas i odpoczywać w zaciszu macicy, a teraz zostało wrzucone do hałaśliwego domu, gdzie ciągle ktoś się kręci. Oczekuje się od niego, że będzie pożywiać się, ssąc — Twój sutek lub smoczek. Twoje życie również ulega całkowitej zmianie. Zwłaszcza jeśli to Twoje pierwsze dziecko — często jesteś tak samo zagubiona jak ono! A jeśli to Twoja druga lub trzecia pociecha, prawdopodobnie masz pod nogami jego rodzeństwo, skarżące się na to wrzaskliwe małe stworzenie, które nagle zmonopolizowało uwagę wszystkich dorosłych.

Niemowlę w tym okresie nie panuje nad niczym poza swoją buzią, którą wykorzystuje do ssania i komunikowania się. Jego egzystencja sprowadza się do ssania i płaczu. Płacz to jego głos, jedyny głos. Przeciętne niemowlę płacze od godziny do pięciu godzin na dobę. A dla świeżo upieczonych rodziców każda minuta płaczu wydaje się być pięcioma. (Wiem to na pewno, ponieważ prosiłam rodziców o zamykanie oczu, gdy puszczałam kasetę z dwuminutowym nagraniem płaczu niemowlęcia. Potem pytałam, ile czasu ich zdaniem płakało dziecko. Większość uważała, że dwa lub trzy razy dłużej niż w rzeczywistości!).

Moim zdaniem nigdy nie powinniśmy ignorować rozpaczliwego płaczu niemowlęcia albo pozwalać mu „się wypłakiwać"! Powinniśmy raczej starać się odgadnąć, co nam chce przekazać. Gdy rodzice małych niemowląt mają problemy z planem PROSTE, zazwyczaj wynika to z niepoprawnej interpretacji płaczu dziecka. To zrozumiałe: oto mały nieznajomy, którego jedynym językiem jest płacz, a oni tej mowy nie rozumieją. Trudno im — obcokrajowcom — zrozumieć od razu, co on ma na myśli.

Kwestia płaczu

Gdy niemowlę sześciotygodniowe lub młodsze płacze, zawsze łatwiej jest ustalić, czego chce, jeśli wiadomo, w którym momencie planu się znajduje. Zadaj sobie następujące pytania:

Czy to pora karmienia? (głód)

Czy pieluszka jest mokra albo zabrudzona? (dyskomfort lub zimno)

Czy dziecko leży w tym samym miejscu lub w tej samej pozycji bez zmiany otoczenia? (nuda)

Czy nie śpi od ponad pół godziny? (zmęczenie)

Czy wokół niego kręci się sporo osób lub w domu dużo się dzieje? (nadmierna stymulacja)

Czy maleństwo się krzywi i podnosi do góry nóżki? (gazy)

Czy płacze rozpaczliwie podczas karmienia albo do godziny po jedzeniu? (refluks)

Czy mu się ulewa? (refluks)

Czy w pokoju nie jest za zimno lub za gorąco, a może jest za ciepło lub za lekko ubrane? (temperatura ciała)

Płacz często osiąga szczyt w wieku sześciu tygodni, a w tym czasie uważni rodzice zazwyczaj znają już język niemowlęcia. Zwracanie bacznej uwagi na ruchy dziecka pozwala na reakcję, zanim niemowlę się rozpłacze. Wiedzą też, jak brzmi płacz z głodu — najpierw przypominający pokasływanie dźwięk wydobywający się z tylnej części gardła, przechodzący w bardziej stały rytm „łaaaaa, łaaaa” — w porównaniu z płaczem ze zmęczenia, który zaczyna się trzema krótkimi zawodzeniami, po których następuje głośniejszy płacz, potem dwa krótkie oddechy i dłuższy, jeszcze donośniejszy krzyk. Znają także swoje własne dziecko — w końcu niektóre mniej gwałtownie obwieszczają, że są głodne, niż inne. Niektóre niemowlęta tylko odrobinę marudzą i mlaskają językiem, a inne wpadają w czarną rozpacz na pierwsze sygnały głodu.

Jeśli od razu przestawisz swoje dziecko na plan PROSTE, gwarantuję, że szybciej nauczysz się odczytywać wysyłane przez nie sygnały i łatwiej ustalisz, z jakiego powodu płacze. Prowadzenie codziennych notatek w formie tabeli na pewno w tym pomoże. Powiedzmy, na przykład, że Twoja córeczka jadła o siódmej rano. Jeśli zaczyna płakać dziesięć lub piętnaście minut później i nie da się jej uspokoić, można mieć pewność, że to raczej na pewno *nie jest* głód. Bardziej prawdopodobne jest, że to kwestia trawienia (patrz strony 117 – 123), zatem wiesz, że musisz zrobić coś, żeby jej pomóc — na pewno jej już nie karmić, bo to tylko pogorszy sprawę. Na stronie 34 znajdziesz najczęstsze przyczyny skarg.

Typowy dzień czterotygodniowego dziecka według planu PROSTE

P	7:00	Karmienie
RO	7:45	Zmiana pieluszki; odrobina zabawy i rozmowy, wypatruj sygnałów zmęczenia
S	8:15	Otul dziecko i połóż w łóżeczku. Zasypianie na pierwszą poranną drzemkę może potrwać od 15 do 20 minut
TE	8:30	Śpisz w czasie, kiedy dziecko śpi
P	10:00	Karmienie
RO	10:45	Patrz 7:45
S	11:15	Druga drzemka poranna
TE	11:30	Utnij sobie drzemkę albo przynajmniej się zrelaksuj
P	13:00	Karmienie
RO	13:45	Patrz 7:45
S	14:15	Drzemka popołudniowa
TE	14:30	Prześpij się albo przynajmniej odpręż
P	16:00	Karmienie
RO	16:45	Patrz 7:45
S	17:15	Drzemka trwająca 40 – 50 minut, żeby dziecko miało wystarczająco dużo energii na dotrwanie do kąpieli
TE	17:30	Zrób coś, co sprawi Ci przyjemność
P	18:00	Pierwsze wieczorne karmienie częściowe
RO	19:00	Kąpiel, przebranie w śpioszki, kołysanka lub inny wieczorny rytuał
S	19:30	Kolejna drzemka
TE	19:30	Zjedz kolację
P	20:00	Drugie częściowe karmienie wieczorne
RO		Brak
S		Od razu po karmieniu odłóż dziecko z powrotem do łóżeczka
TE		Ciesz się wieczornym czasem wolnym!
P	22:00 – 23:00	Karmienie przez sen, i trzymaj kciuki, żeby spało do rana!

UWAGA: Niezależnie od tego, czy dziecko jest karmione piersią, czy butelką, doradzam powyższy plan — oczywiście uwzględniając różnice poszczególnych godzin — do ukończenia czwartego miesiąca życia. Czas „RO" będzie krótszy w przypadku młodszych niemowląt, i stopniowo będzie się wydłużał. Polecam również połączenie dwóch częściowych karmień wieczornych w jedno (mniej więcej o 17:30 lub 18:00), gdy dziecko skończy osiem tygodni. Kontynuuj karmienie przez sen aż do siedmiu miesięcy — chyba że mały jest strasznym śpiochem i radzi sobie bez niego. (Karmienia częściowe i przez sen opisuję na stronach 101 – 102).

NAJCZĘSTSZE SKARGI	PRAWDOPODOBNE PRZYCZYNY
Nie mogę przestawić swojego dziecka na trzygodzinny harmonogram. Nie udaje mi się wydłużyć czasu rozrywki choćby do dwudziestu minut.	Jeśli Twoje dziecko ważyło przy urodzeniu mniej niż trzy kilogramy, może początkowo *potrzebować* karmienia co dwie godziny (patrz „PROSTE na kilogramy", strona 37). Nie próbuj sztucznie go wybudzać na czas rozrywki.
Moje dziecko często zasypia podczas karmienia, a godzinę później wydaje się być głodne.	To częste zjawisko u niektórych niemowląt — wcześniaków, noworodków z żółtaczką, o niskiej wadze urodzeniowej i tych, które po prostu są większymi śpiochami. Być może będziesz musiała częściej karmić i zdecydowanie musisz popracować nad rozbudzaniem go w czasie karmienia (strony 107 – 108). Jeśli karmisz piersią, przyczyna może tkwić w niewłaściwym przystawianiu albo niedoborze pokarmu (strony 109 – 117).
Moje dziecko chce jeść co dwie godziny.	Jeśli maluch waży trzy kilogramy lub więcej, być może nie je efektywnie. Uważaj, żeby się nie zmienił w „przekąsacza" (strona 106). Jeśli karmisz piersią, przyczyna może tkwić w niewłaściwym przystawianiu albo niedoborze pokarmu (strony 109 – 117).
Mój synek cały czas marudzi, a ja myślę, że jest głodny, ale za każdym razem, kiedy go karmię, je tylko troszkę.	Być może Twoje dziecko nie ma wystarczająco długiego czasu ssania, więc wykorzystuje pierś lub butelkę jako smoczek (strona 108). Być może zmienia się w „przekąsacza" (strona 106). Sprawdź ilość swojego pokarmu, badając jego produkcję (strona 112).
Moje dziecko nie śpi regularnie.	Być może jest przeciążone nadmierną ilością zajęć (strony 209 – 212). A może nie stosujesz się do owijania go i kładzenia do łóżeczka, gdy nie śpi (strony 189 – 194).
Moja córeczka świetnie śpi w dzień, ale często się budzi w nocy.	Twoje niemowlę myli dzień z nocą, a drzemki w ciągu dnia zabierają mu sen nocny (strony 185 – 194).
Nigdy nie wiem, czego chce moje dziecko, kiedy płacze.	Być może Twoje dziecko jest typem Wrażliwca lub Marudy (patrz rozdział 2.) albo ma jakiś problem zdrowotny, na przykład gazy, refluks albo kolkę (strony 116 – 123). Ale niezależnie od przyczyny obojgu Wam dobrze zrobi plan PROSTE.

PROSTE na kilogramy

Gdy matka niemowlęcia w wieku poniżej sześciu tygodni ma problem z wprowadzeniem strategii PROSTE, zawsze pytam: **„Czy donosiłaś ciążę do terminu?"**. Nawet jeśli potwierdzi, pytam: **„Jaka była waga urodzeniowa dziecka?"**. PROSTE opracowano dla noworodków z przeciętną wagą urodzeniową — od trzech do trzech i pół kilograma — czyli dla dzieci, które mogą wytrzymać przynajmniej trzy godziny przerwy między karmieniami. Jeśli Twoje dziecko waży więcej lub mniej, trzeba odpowiednio dostosować czas. Jak pokazano w tabeli „PROSTE na kilogramy" na stronie 37, karmienie niemowlęcia o przeciętnej wadze urodzeniowej trwa zazwyczaj od dwudziestu pięciu do czterdziestu minut (w zależności od tego, czy karmimy piersią, czy butelką, lub od tego, czy maluch je łapczywie, czy też posila się leniwie i bez pośpiechu). Czas aktywności i rozrywki (w którym zawiera się też zmiana pieluchy) to pół godziny do czterdziestu pięciu minut. Sen, w uwzględnieniem mniej więcej piętnastu minut na zasypianie, trwa od półtorej godziny do dwóch. Takie dziecko będzie karmione powiedzmy o 7:00, 10:00, 13:00, 16:00 i 19:00 w ciągu dnia, a następnie o 21:00 i 23:00 wieczorem (strategia, która pozwala wyeliminować karmienie o drugiej w nocy, patrz „Tankowanie do pełna", strony 101 i 203). To są tylko *przykładowe* godziny. Jeśli Twoje dziecko obudzi się na karmienie obiadowe o 12:30 zamiast o 13:00, nakarm je.

Niemowlęta, które ważą więcej niż przeciętnie przy urodzeniu — powiedzmy od trzech i pół do czterech i pół kilograma — często jedzą nieco bardziej efektywnie i więcej przy każdym karmieniu. Więcej przybierają na wadze, ale i tak należy przestrzegać opisanego wcześniej trzygodzinnego planu. Wiek i waga to dwie różne sprawy — niemowlę może ważyć ponad trzy i pół kilograma, ale pod względem rozwojowym wciąż jest noworodkiem, który potrzebuje karmienia co trzy godziny. Uwielbiam pracować z takimi dziećmi, ponieważ można łatwo sprawić, żeby dłużej spały w nocy podczas pierwszych dwóch tygodni.

Okoliczności szczególne: wcześniactwo

Większość szpitali karmi wcześniaki w odstępach dwugodzinnych, dopóki nie osiągną wagi dwóch kilogramów, czyli zazwyczaj minimalnej wagi, z jaką wypisuje się noworodka do domu. To dobra wiadomość dla rodziców, ponieważ oznacza to, że ich wcześniaki są już przyzwyczajone do takiego planu, gdy trafiają do domu. Ale ponieważ ich układy wewnętrzne są tak maleńkie i nie całkiem rozwinięte, wcześniaki są również bardziej podatne na inne dolegliwości, takie jak refluks (zgaga niemowlęca, strony 119 – 122) i żółtaczka (patrz ramka na stronie 36). Wcześniaki z definicji są bardziej wrażliwe. Jeszcze częściej niż dzieci z niską wagą urodzeniową przysypiają podczas jedzenia, zatem trzeba się bardziej przyłożyć do budzenia ich na karmienie. I trzeba wyjątkowo chronić ich sen poprzez tworzenie warunków przypominających te w łonie matki: ciasne owinięcie w kocyk i ułożenie w cichym, ciepłym i zaciemnionym pokoju. Pamiętaj, że one nie powinny jeszcze przyjść na świat i chcą oraz potrzebują dużo snu.

Jednak niektóre niemowlęta ważą *mniej* przy urodzeniu, z powodu wcześniactwa albo po prostu niskiej wagi. Nie są gotowe na plan trzygodzinny. Gdy rodzice przywożą je do domu ze szpitala i próbują przestawić na plan PROSTE, zazwyczaj pojawia się problem: „Nie mogę wydłużyć okresu aktywności nawet do dwudziestu minut" albo „Mała zasypia przy jedzeniu". Chcą wiedzieć, jak powstrzymać dziecko od spania. Odpowiedź jest prosta: *nie należy* — przynajmniej nie dla aktywności. Jeśli będziesz próbować, doprowadzisz do przemęczenia i dziecko będzie płakać. Gdy tylko się uspokoi, prawdopodobnie znów będzie głodne, ponieważ płakało, na co trzeba energii. A wtedy stracisz rozeznanie co do powodu płaczu. Czy jest głodne? Zmęczone? Cierpi z powodu gazów?

W nocy mniejsze niemowlęta są w stanie początkowo wytrzymać co najwyżej cztery godziny bez karmienia, więc w ciągu pierwszych sześciu tygodni trzeba je karmić przynajmniej dwukrotnie w ciągu nocy. Ale jeśli potrafią wytrzymać tylko trzy godziny, również nie ma w tym nic złego. Potrzebują jedzenia. Faktem jest, że chcemy, aby małe niemowlęta dużo jadły i spały na początku, ponieważ dążymy do tego, żeby przybrały na wadze. Pomyśl o małych prosiaczkach, które jedzą, trochę się pokręcą i zasypiają. Wszystkie młode w świecie zwierząt tak się zachowują, ponieważ muszą przybrać na wadze i zachować energię.

Jeśli Twoje dziecko waży mniej niż trzy kilogramy, spróbuj najpierw *dwugodzinnego* planu: karmienie przez trzydzieści do czterdziestu minut, następnie sen przez półtorej godziny. Gdy dziecko nie śpi, nie spodziewaj się, że będzie do Ciebie gaworzyć, i stymuluj je minimalnie. Dzięki karmieniom co dwie godziny i wystarczającej ilości snu waga dziecka zdecydowanie zacznie rosnąć. Gdy zacznie przybierać na wadze, stopniowo będzie w stanie wytrzymać dłużej między karmieniami, podobnie jak bez snu, zatem czas aktywności można powoli wydłużać. Powiedzmy, że tuż po urodzeniu maleństwo wytrzymywało zaledwie dziesięć minut bez snu; po osiągnięciu wagi trzech kilogramów może nie spać przez dwadzieścia minut, a po przekroczeniu 3200 gramów czas ten wydłuża się do

Okoliczności szczególne: żółtaczka

Podobnie jak waga urodzeniowa, żółtaczka również ma wpływ na wprowadzanie planu PROSTE. Jest to sytuacja, w której bilirubina — pomarańczowy składnik barwników żółci człowieka — nie ulega wydaleniu. Wszystko przybiera żółty kolor — skóra, białka oczu, wnętrza dłoni i podeszwy stóp. Wątroba jest jak silnik samochodowy, który jeszcze „nie zaskoczył", i jej uruchomienie może potrwać kilka dni. W tym czasie dziecko będzie bardzo zmęczone i będzie chciało dużo spać. Nie daj się złapać w pułapkę radości, że masz „małego śpiocha". Zamiast pozwalać dziecku długo spać, budź je co dwie godziny, aby otrzymało składniki odżywcze, których potrzebuje, by wypłukać żółtaczkę z organizmu. Ten stan zazwyczaj mija po trzech lub czterech dniach — trwa to nieco dłużej w przypadku dzieci karmionych piersią. Zauważysz, że wszystko wraca do normy, gdy skóra dziecka przybierze naturalny, różowy koloryt, a na końcu z oczu zniknie żółte zabarwienie.

czterdziestu pięciu minut. Wraz z przybieraniem na wadze można przedłużać dwugodzinny plan, zatem po osiągnięciu wagi większej niż trzy kilogramy można przejść na plan trzygodzinny.

PROSTE na kilogramy: pierwsze trzy miesiące

Ta tabela pokazuje, w jaki sposób waga urodzeniowa wpływa na plan dnia dziecka. (Po czterech miesiącach nawet dzieci z niską wagą urodzeniową mogą wytrzymać czterogodzinne przerwy między karmieniami). Będziesz musiała trochę policzyć. Zanotuj, o której dziecko zazwyczaj się budzi, i zapisz *przybliżone godziny* w oparciu o wagę urodzeniową i kolumnę „jak często". Dopuść możliwość wahań — nie chodzi o dokładną godzinę, ale o przewidywalność i kolejność. Kolumna „jak długo" powie Ci, czego się spodziewać po każdej z liter, „jak często" odnosi się do każdej powtórki cyklu PROSTE.

Aby uprościć sprawę, opuściłam element TE — TEraz czas dla Ciebie. Jeśli Twoje dziecko waży ponad trzy i pół kilo, odzyskasz spokojne noce znacznie wcześniej niż rodzice mniejszych niemowląt. Jeśli maleństwo waży mniej niż trzy kilogramy, nie będziesz mieć zbyt wiele czasu dla siebie. Ale czekaj cierpliwie — ten okres się skończy, gdy tylko niemowlę przybierze na wadze, a potem będzie jeszcze lepiej, gdy nauczy się samo zabawiać, ponieważ będziesz miała czas wolny także wtedy, gdy nie będzie spać.

Waga	**2200 – 3000 g**		**3000 – 3500 g**		**Powyżej 3500 g**	
	Jak długo	Jak często	Jak długo	Jak często	Jak długo	Jak często
Posiłek	30 – 40 minut	Plan powtarza się co dwie godziny w ciągu dnia, dopóki dziecko nie osiągnie wagi trzech kilogramów, kiedy można przejść na plan trzygodzinny. Początkowo takie dzieci w nocy wytrzymują jedynie cztery godziny przerwy między karmieniami.	25 – 40 minut	Plan powtarza się co dwie i pół, trzy godziny (dla dzieci o ledwie przeciętnej wadze) w ciągu dnia; cztero-, pięciogodzinne przerwy nocne w ciągu pierwszych sześciu tygodni, po których powinno Ci się udać wyeliminować karmienie o pierwszej lub drugiej w nocy.	25 – 35 minut	Plan powtarza się co trzy godziny w ciągu dnia. Do ukończenia pierwszych sześciu tygodni tym dzieciom powinno się udać wyeliminować karmienie o pierwszej lub drugiej w nocy i przedłużyć sen nocny do pięciu lub sześciu godzin od 23:00 do czwartej, piątej rano.
ROzrywka	Początkowo 5 – 10 minut; 20 minut przy 3000 g wagi, stopniowo wydłużaj czas do 45 minut przy wadze ponad trzy kg		20 – 45 minut (łącznie ze zmianą pieluchy, ubranka i kąpielą raz dziennie)		20 – 45 minut (łącznie ze zmianą pieluchy, ubranka i kąpieli raz dziennie)	
Sen	75 – 90 minut		1,5 – 2 godziny		1,5 – 2 godziny	

Od sześciu tygodni do czterech miesięcy — nieoczekiwane pobudki

W porównaniu do pierwszych sześciu tygodni w domu — klasycznego okresu połogu — w czasie następnych mniej więcej dwóch miesięcy wszyscy zaczynają czuć się pewniej. Ty jesteś bardziej pewna siebie i, miejmy nadzieję, mniej udręczona. Twoje dziecko przybrało na wadze — nawet noworodki z niską wagą urodzeniową do tego czasu mogą nadrobić zaległości — i mniej prawdopodobne jest, że będzie zasypiać podczas karmienia. Karmisz wciąż co trzy godziny w ciągu dnia, wydłużając odrobinę przerwy wraz ze zbliżającym się końcem czwartego miesiąca (kiedy najprawdopodobniej nastąpi przejście na karmienie co cztery godziny, patrz następny podrozdział, strona 40). Maluch będzie w stanie wytrzymać dłuższe okresy aktywności i prawdopodobnie również dłużej będzie spać w nocy, powiedzmy od 23:00 do 5:00 lub 6:00. Jego płacz, który prawdopodobnie osiągnął szczyt w wieku sześciu tygodni, teraz powoli zacznie ustawać w ciągu najbliższych dziesięciu tygodni.

A oto skargi, które najczęściej słyszę w tym okresie:

NAJCZĘSTSZE SKARGI	PRAWDOPODOBNE PRZYCZYNY
Nie mogę sprawić, by moje dziecko spało dłużej niż trzy lub cztery godziny w nocy.	Być może maluch nie najada się wystarczająco w ciągu dnia, może trzeba „zatankować go do pełna" wieczorem przed położeniem spać (strony 101 – 102 i 203).
Moja córeczka *spała* przez pięć do sześciu godzin w nocy, a teraz budzi się częściej, ale zawsze o innych godzinach.	Twoja mała prawdopodobnie ma okres gwałtownego wzrostu (strony 124 – 128 i 205 – 207) i potrzebuje więcej jedzenia w ciągu dnia.
Nie mogę sprawić, żeby moje dziecko spało w ciągu dnia dłużej niż pół godziny do czterdziestu pięciu minut.	Prawdopodobnie źle odczytujesz jego sygnały i albo nie kładziesz go spać, gdy okazuje pierwsze oznaki zmęczenia (strona 189), albo wkraczasz zbyt szybko, od razu gdy zaczyna się wiercić, co nie daje mu szansy na ponowne, samodzielne zaśnięcie (197 – 198).
Mój synek budzi się co noc o tej samej porze, ale gdy go karmię, nigdy nie wypija więcej niż kilka łyków.	Nawykowe budzenie się prawie nigdy nie wiąże się z głodem. Twoje dziecko prawdopodobnie budzi się nawykowo (199 – 200).

Jak widać, problemy, które zazwyczaj pojawiają się w tym wieku, są nagłymi, niewytłumaczalnymi (przynajmniej dla rodziców) odstępstwami od części S planu dnia. Sen nocny i dzienny może podlegać zmianom — zwłaszcza jeśli dziecko nie jest przestawione na stały porządek. Rodzice zastanawiają się, czy kiedykolwiek sami się wyśpią. Niektóre pobudki w nocy są oczywiście spowodowane głodem — niemowlęta budzą się, gdy mają puste brzuszki — ale nie zawsze tak jest. W zależności od tego, jak rodzice reagują na problemy dziecka ze snem i budzeniem się, ich działania kierowane słusznymi intencjami mogą nosić znamiona przypadkowego rodzicielstwa.

Powiedzmy, że Twoja córeczka obudziła się pewnej nocy i uspokoiłaś ją, dając jej pierś lub butelkę. Zadziałało jak magia, zatem myślisz: „O, to dobry pomysł". Twojej małej też się to spodobało. Ale mimowolnie uczysz ją, że musi sobie possać, żeby z powrotem zasnąć. Uwierz mi, kiedy będzie miała pół roku, będzie znacznie cięższa i wciąż będzie chciała jeść kilkakrotnie

Wróciłaś do pracy?

Podczas pierwszych trzech do sześciu miesięcy życia dziecka wiele matek wraca do pracy na pełen etat lub jego część. Niektóre muszą, niektóre tego chcą. Tak czy owak, zmiana może powodować zaburzenia w planie PROSTE.

Czy Twoje dziecko było przyzwyczajone do stałego planu, zanim wróciłaś do pracy? Dobrą zasadą jest, aby nigdy nie dokonywać więcej niż jednej zmiany naraz. Jeśli wiesz, że wracasz do pracy, wprowadź plan PROSTE przynajmniej miesiąc wcześniej. Jeśli już rozpoczęłaś pracę, może będziesz musiała wziąć dwutygodniowy urlop, żeby doprowadzić wszystko do normy.

Kto zajmuje się dzieckiem w czasie Twojej nieobecności? Czy opiekunka lub opiekun zdaje sobie sprawę z wagi stałego planu dnia i czy go przestrzega? Czy zachowanie Twojego dziecka jest inne w żłobku lub z opiekunką w domu niż przy Tobie? PROSTE nie działa, jeśli ludzie nie przestrzegają ustalonego planu. Możesz nie wiedzieć, czy niania lub opiekun przestrzega wyznaczonego przez Ciebie planu, chyba że Twoje niemowlę wydaje się być wytrącone z równowagi, kiedy je odbierasz. Z drugiej strony, inna osoba może również *lepiej* sprawdzać się w przestrzeganiu planu. Niektórzy rodzice, zwłaszcza jeśli ciąży im poczucie winy, odpuszczają — na zasadzie: „Och, nie będę jej kładła jeszcze spać, żebym mogła z nią trochę pobyć".

Jak bardzo zaangażowany jest tata? Jeśli próbujesz wprowadzić zmiany w planie dnia Twojego dziecka, na ile *dopuszczasz* myśl o jego udziale? Wiele matek mówi mi, że chcą planu, ale nie przestrzegają go, podczas gdy ich partner, mimo że prawdopodobnie rzadziej jest w domu, ma mniej problemów z dostosowaniem się do ustaleń.

Czy w Twoim domu zaszły ostatnio jakieś inne poważne zmiany? Niemowlęta są czułymi stworzeniami. Dostrajają się do otoczenia w sposób, którego jeszcze nie rozumiemy. Wiemy na przykład, że dzieci matek cierpiących na depresję częściej płaczą. Zatem zmiana pracy, przeprowadzka, nowe zwierzę w domu, choroba w rodzinie — cokolwiek, co zaburza równowagę domową — również może mieć negatywny wpływ na porządek dnia dziecka.

w ciągu nocy, pożałujesz tego sposobu. (Będziesz miała szczęście, jeśli wtedy uda Ci się naprawić ten problem — doradzałam rodzicom, których dzieci miały prawie dwa lata i wciąż budziły się kilka razy w ciągu nocy po uspokajający łyk mleka z piersi mamusi!).

Od czterech do sześciu miesięcy — „4/4" i początki przypadkowego rodzicielstwa

Świadomość Twojego dziecka w tym okresie wzrasta i maluch częściej niż kilka miesięcy temu wchodzi w interakcje z otaczającym go światem. Pamiętaj, że niemowlęta rozwijają się od głowy w dół, najpierw zyskując panowanie nad buzią, potem nad szyją i plecami, następnie nad rękoma i dłońmi, i w końcu nad nogami i stopami (patrz ramka na stronie 30). Na tym etapie Twoje dziecko może z łatwością podnieść główkę i zaczyna chwytać. Uczy się też, albo już potrafi, przewracać się z brzuszka na plecy i odwrotnie. Może siedzieć w miarę prosto z Twoją pomocą, zatem zmienia się też jego perspektywa. Jest bardziej świadome powtarzających się wzorów w planie dnia. Znacznie lepiej rozpoznaje źródło dźwięków i kojarzy przyczynę i skutek, zatem bardziej interesuje się zabawkami, które poruszają się i reagują na dotyk. Ma też lepszą pamięć.

Z powodu tych znaczących postępów w rozwoju plan dnia Twojego dziecka oczywiście również musi ulec zmianie — stąd moja zasada „4/4" — „cztery miesiące — czterogodzinny plan PROSTE". Większość niemowląt jest gotowa na tym etapie do przejścia z trzygodzinnego planu na czterogodzinny. To ma sens: Twoje dziecko może bawić się coraz dłużej w ciągu dnia i spać dłużej w godzinach nocnych. Podczas gdy na początku budziło się rano z głodu, teraz w większości przypadków budzi się z przyzwyczajenia — własnego wewnętrznego zegara biologicznego — a niekoniecznie z powodu głodu. Pozostawione sam sobie, niemowlęta w większości budzą się gdzieś pomiędzy 4:00 a 6:00 rano, pogaworzą trochę do siebie i pobawią się, a potem idą z powrotem spać. To znaczy, jeśli ich rodzice nie popędzą do nich — a w taki właśnie sposób zwykle zaczyna się przypadkowe rodzicielstwo.

Twoje dziecko prawdopodobnie również bardziej efektywnie je, zatem opróżnianie butelki lub piersi może zajmować teraz od dwudziestu do trzydziestu minut. Zatem włączając czas zmiany pieluszki, element P zajmuje maksymalnie 45 minut. Ale RO wygląda inaczej: teraz dziecko nie śpi przez znacznie dłuższy czas, zazwyczaj półtorej godziny w wieku czterech miesięcy, a dwie godziny około sześciu miesięcy. Wiele niemowląt ucina sobie dwugodzinną drzemkę rano, ale nawet jeśli Twoje dziecko budzi się po półtorej godzinie, zazwyczaj może wytrwać przez kolejne trzydzieści minut, podczas gdy Ty przygotowujesz je do kolejnego karmienia. Około 14:00 lub 14:30 dziecko chce spać po raz kolejny, zazwyczaj przez półtorej godziny.

Na kolejnej stronie mamy porównawcze zestawienie tego, jak zmienia się PROSTE, gdy dziecko kończy cztery miesiące. Można opuścić jedno karmienie, ponieważ niemowlę pochłania więcej jedzenia naraz, połączyć trzy drzemki w dwie (zachowując drzemkę popołudniową), a zatem przedłużyć czas, kiedy dziecko nie śpi. (Jeśli masz problem z przestawieniem dziecka z trzygodzinnego planu na czterogodzinny, znajdziesz dokładny opis tego przejścia na stronach 46 – 54).

Trzygodzinny plan PROSTE		
P	7:00	pobudka i karmienie
RO	7:30 lub 7:45	(w zależności od tego, jak długo zajmuje karmienie)
S	8:30	(półtoragodzinna drzemka)
TE		Twój wybór
P	10:00	
RO	10:30 lub 10:45	
S	11:30	(półtoragodzinna drzemka)
TE		Twój wybór
P	13:00	
RO	13:30 lub 14:00	
S	14:30	(półtoragodzinna drzemka)
TE		Twój wybór
P	16:00	
RO	17:00 lub 18:00	lub jakoś pomiędzy: krótka drzemka (około 40 minut), by pomóc dziecku dotrwać do kolejnego karmienia i kąpieli
P	19:00	(częściowe karmienia wieczorne o 19:00 i 21:00, jeśli dziecko jest w okresie skoku wzrostu)
RO		kąpiel
S	19:30	czas do spania
TE		Wieczór jest Twój!
P	22:00 lub 23:00	karmienie przez sen

Czterogodzinny plan PROSTE		
P	7:00	pobudka i karmienie
RO	7:30	
S	9:00	(półtorej do dwóch godzin)
TE		Twój wybór
P	11:00	
RO	11:30	
S	13:00	(półtorej do dwóch godzin)
TE		Twój wybór
P	15:00	
RO	15:30	
S	17:00 lub 18:00	lub jakoś pomiędzy: krótka drzemka
TE		Twój wybór
P	19:00	(wieczorne karmienie częściowe o 19:00 i 21:00 tylko w okresach skoku wzrostu)
RO		kąpiel
S	19:30	pora spać
TE		Wieczór jest Twój!
P	23:00	karmienie przez sen (do siódmego lub ósmego miesiąca, albo do momentu, gdy dziecko je już pokarmy stałe)

Powyższy opis dotyczy dni idealnych. Twoje dziecko niekoniecznie dokładnie będzie stosować się do podanych godzin. Na plan dnia może wpływać waga — mniejsze niemowlę być może wytrzyma tylko trzy i pół godziny przerwy między karmieniami, ale powinno nadgonić to w wieku pięciu lub co najwyżej sześciu miesięcy — a także różnice temperamentu, ponieważ niektóre niemowlęta są większymi śpiochami, a inne potrzebują mniej czasu na jedzenie. Twój maluch może nawet od czasu do czasu odbiegać od własnego planu o piętnaście minut w jedną lub w drugą stronę. Jednego dnia szybciej obudzi się z drzemki porannej, ale za to będzie dłużej spać po południu albo odwrotnie. Ważne jest, żeby trzymać się wzorca jedzenie — aktywność — spanie (obecnie w czterogodzinnych odstępach).

Oczywiście nie dziwi fakt, że większość narzekań, jakie najczęściej słyszę na tym etapie, dotyczy problemów z planem dnia.

NAJCZĘSTSZE NARZEKANIA	PRAWDOPODOBNE PRZYCZYNY
Moja córeczka tak szybko kończy jeść, że obawiam się, że się nie najada. Zaburza to również jej plan dnia.	Element P może wcale nie być problemem — niektóre niemowlęta na tym etapie jedzą bardzo efektywnie. Jak już wyjaśniałam, być może próbujesz utrzymać dziecko w trzygodzinnym planie PROSTE przeznaczonym dla młodszych dzieci — co trzy godziny zamiast czterech (patrz strony 46 – 54, żeby nauczyć się, jak dokonać przejścia).
Moje dziecko nigdy nie je ani nie zasypia o tych samych godzinach.	Pewne wariacje w stałym planie dnia są normalne. Ale jeśli dziecko ma przekąski zamiast normalnych posiłków oraz krótkie drzemki zamiast snu — a są to efekty przypadkowego rodzicielstwa — nigdy nie najada się do syta ani nie wysypia. Potrzebuje stałego porządku dnia odpowiedniego dla czteromiesięcznego niemowlęcia (strony 46 – 54).
Mój synek wciąż często się budzi, co noc, i nigdy nie wiem, czy go karmić, czy nie.	Jeśli jest to budzenie nieregularne, to prawdopodobnie jest głodny i potrzebuje więcej jedzenia w ciągu dnia (strony 203 – 208). Jeśli jest to budzenie nawykowe, to niechcący doprowadziłaś do wykształcenia błędnego nawyku (strony 199 – 200). Możesz również spróbować planu trzygodzinnego jeszcze przez jakiś czas.

Moje dziecko przesypia noc, ale budzi się o piątej i chce się bawić.	Być może za szybko reagujesz na jego normalne, poranne dźwięki świadczące o przebudzeniu i niechcący nauczyłaś je, że budzenie się tak wcześnie to świetny pomysł (strony 197 – 198).
Nie mogę doprowadzić do tego, żeby drzemka mojej córeczki trwała dłużej niż pół godziny lub czterdzieści pięć minut — albo w ogóle żeby spała w dzień.	Być może przed drzemką mała jest poddawana za dużej ilości bodźców (strony 258 – 261) lub jest to efekt braku planu, albo zastosowania nieodpowiedniego planu (strony 233 – 239), bądź w grę wchodzą oba te czynniki naraz.

Poza wymienionymi wyżej sprawami mamy również do czynienia z kontynuacją problemów, które wcześniej nie zostały rozwiązane. Te nasiona przypadkowego rodzicielstwa zasiane wcześniej teraz zaczynają kiełkować w formie problemów ze spaniem lub jedzeniem (zatem nie zapominaj o przeczytaniu podrozdziału „Od sześciu tygodni do czterech miesięcy", jeśli go ominęłaś). Rodzice odkrywają, że stoją przed mnóstwem problemów, i nie widzą nic wyraźnie w tym chaosie. W niektórych przypadkach dzieje się tak dlatego, że nie dostosowali planu PROSTE do bardziej zaawansowanego rozwoju ich dziecka. Nie uświadomili sobie, że muszą przejść do karmienia co trzy godziny do karmienia co cztery, że okresy czuwania są dłuższe albo że spanie w dzień jest równie ważne jak sen nocny. W innych przypadkach dzieje się tak z powodu niekonsekwencji rodziców. Dostają sprzeczne rady z książek, internetu, telewizji lub od znajomych i wypróbowują to jedną strategię, to drugą, ciągle zmieniając zasady i mając nadzieję, że *coś* wreszcie zadziała. Ponadto mama mogła wrócić do pracy na pełen etat lub jego część (patrz strona 39). Ta i inne zmiany w domu mogą zaburzać plan dnia dziecka. Niezależnie od okoliczności problem zazwyczaj pogłębia się z wiekiem, ponieważ dłużej wtedy trwa i (w wielu przypadkach) wynika z braku jakiegokolwiek planu dnia. Zawsze zadaję rodzicom czteromiesięcznych i starszych niemowląt jedno kluczowe pytanie: **Czy dziecko ma ustalony jakiś porządek dnia?** Jeśli odpowiedź brzmi: „Nie" albo nawet „Kiedyś tak", mówię im, że muszą zacząć od planu PROSTE. Na końcu tego rozdziału, na stronach 47 – 54, podaję szczegółowy plan, opisujący krok po kroku, jak pomóc dziecku przejść przez tę zmianę.

Od sześciu do dziewięciu miesięcy — wykorzenianie niekonsekwencji

Plan PROSTE jest teraz zupełnie inną grą, chociaż wciąż mamy czterogodzinne cykle — i z tego co słyszę, wiele problemów takich samych, jak w przypadku młodszych dzieci. Ale do szóstego miesiąca życia występuje też potężny skok wzrostu. Jest to najlepszy czas, żeby wprowadzić pokarmy stałe, a mniej więcej w wieku siedmiu miesięcy wyeliminować karmienie przez sen (strona 130). Czas jedzenia nieco się wydłuża — i wiąże z większym bałaganem — jako że dziecko wypróbowuje całkiem nowy rodzaj spożywania posiłków. Rodzice mają mnóstwo pytań i zmartwień związanych z wprowadzaniem pokarmów stałych (na które odpowiadam w rozdziale 4.). Nie ma co się dziwić: na początku niemowlęta są jak małe maszynki wciągające mleko, ale w okolicach ósmego miesiąca życia metabolizm dziecka zaczyna się zmieniać. Maluch często smukleje wraz z utratą niemowlęcego tłuszczyku, który dawał mu siłę do poruszania się. Na tym etapie ważniejsza w diecie staje się jakość, a nie ilość.

Znika również drzemka wczesnym wieczorem, i większość niemowląt ogranicza się do dwóch drzemek w ciągu dnia — idealnie jest, jeśli jedna z nich trwa od godziny do dwóch. Spanie *nie jest* ulubionym sposobem spędzania wolnego czasu w tym wieku. Według mamy pewnego siedmiomiesięcznego niemowlaka: „Myślę, że to dlatego, że Seth jest teraz świadomy otaczającego go świata i może się poruszać, więc nie chce spać. Chce *wszystko* zobaczyć!". To prawda, ponieważ rozwój fizyczny jest teraz na bardzo ważnym etapie. Dziecko może utrzymać się w pozycji siedzącej — a do ośmiu miesięcy będzie umiało siedzieć bez podparcia — i ma także lepszą koordynację ruchów. Będzie znacznie bardziej niezależne, zwłaszcza jeśli wspomagałaś tę umiejętność, pozwalając mu na samodzielną zabawę.

Częste skargi na tym etapie są prawie takie same jak w wieku od czterech do sześciu miesięcy — oczywiście poza tym, że nawyki w tym wieku są głębiej zakorzenione i trudniej się ich pozbyć. Zaburzenia jedzenia i snu, które wcześniej można było naprostować w kilka dni, teraz mogą być bardzo trudne do opanowania, ale nie niemożliwe. Po prostu teraz naprawianie problemów trwa nieco dłużej.

Poza tym największym problemem pojawiającym się w tym momencie jest niekonsekwencja. Czasami Twoje niemowlę będzie spało długo o poranku, a innym razem po południu, a jeszcze w inne dni wydawać się będzie, że całkiem zrezygnowało z jednej z drzemek. Raz będzie jadło z upodobaniem, a dzień później nie będzie miało ochoty na nic. Niektóre mamy załamują ręce, a inne chcą sobie wyrywać włosy z głowy. Klucz do przetrwania jest następujący: jeśli dziecko nie trzyma się ustalonego planu, przynajmniej Ty przy nim trwaj. Musisz również pamiętać o truizmie rodzicielstwa: *Właśnie wtedy, kiedy myślisz, że wyszłaś na prostą, wszystko się zmienia* (patrz rozdział 10.). Pewna mama siedmiomiesięcznego niemowlęcia (która przestrzegała planu PROSTE od dnia przyjazdu z noworodkiem ze szpitala) powiedziała: „Nauczyłam się tego, że praktycznie każde dziecko, które ma ustalony plan dnia, jest inne — trzeba postępować tak, byście oboje byli zadowoleni".

Gdy czytam wpisy na mojej stronie internetowej, jasne jest dla mnie, że koszmar jednej z matek może być ideałem dla innej. W pewnym wątku poświęconym planowi PROSTE mama z Kanady skarżyła się, że jej ośmiomiesięczna córka „całkiem oszalała". Wyjaśniła, że mała budzi się o siódmej, jest karmiona piersią, je kaszkę i owoce o ósmej, butelkę o jedenastej i śpi do 13:30, po przebudzeniu je warzywa i owoce. Dwie godziny później dostaje butelkę, o 17:30 je obiad (kaszka, warzywa i owoce), wypija ostatnią butelkę o 19:30 i idzie spać mniej więcej o 20:30. A oto problem matki: jej dziecko śpi tylko raz w ciągu dnia. „Straciłam kontrolę nad sytuacją!" — wyjaśnia mama i rozpaczliwie błaga inne matki na stronie o pomoc.

Musiałam przeczytać jej post dwukrotnie, ponieważ za żadne skarby nie mogłam dopatrzyć się *problemu*. Owszem, dziecko rosło, było w stanie dłużej wytrwać bez snu. Ale dobrze jadła i spała solidne dziesięć i pół godziny w nocy oraz dwie i pół godziny w dzień. Pomyślałam sobie: „Niektóre matki dałyby sobie rękę odciąć, żeby znaleźć się na Twoim miejscu". Faktem jest, że ponieważ niemowlęta w wieku dziewięciu miesięcy, jak również starsze, wytrzymują dłużej bez snu, możliwe jest, że zaczną całkiem rezygnować z drzemki porannej i przedłużać drzemkę popołudniową — aż do trzech godzin. Jedzą, bawią się, znów jedzą, jeszcze trochę się bawią i dopiero wtedy idą spać. Innymi słowy, PROSTE zmienia się w PROPROSTE. Opuszczenie drzemki może być chwilowe albo może świadczyć o tym, że niemowlęciu wystarcza spanie raz dziennie. Jeśli maluch wydaje się marudzić przy jednej drzemce w ciągu dnia, możesz wprowadzić kolejną albo wydłużyć zbyt krótkie drzemki, wykorzystując metodę PP (strony 258 – 261).

Na mojej stronie internetowej znajduję również sporo pytań rodziców niemowląt w tym wieku, którzy próbowali wprowadzić PROSTE lub jakiś inny rodzaj stałego planu dnia, gdy ich dziecko było młodsze. Na tym etapie decydują się spróbować ponownie. Oto typowy post:

> *Gdy moja córeczka miała dwa miesiące, próbowałam przestawić ją na PROSTE, ale nie wychodziła nam część ze snem, a karmienia były tak częste, że zrezygnowałam. Teraz, gdy jest starsza, chciałabym spróbować jeszcze raz, ale chciałabym zobaczyć przykładowe plany dnia innych niemowląt.*

Z ciekawości przejrzałam posty matek niemowląt w wieku od sześciu do dziewięciu miesięcy, aby porównać ich plany PROSTE. Wyłonił się zaskakująco podobny wzór, wyglądający mniej więcej tak:

7:00	Pobudka i karmienie
7:30	Aktywność
9:00 lub 9:30	Drzemka poranna
11:15	Pierś lub butelka („przekąska")
11:30	Aktywność
13:00	Obiad (pokarmy stałe)
13:30	Aktywność
14:00 lub 14:30	Drzemka popołudniowa
16:00	Pierś lub butelka („przekąska")
16:15	Aktywność
17:30 lub 18:00	Kolacja (pokarmy stałe)
19:00	Aktywność, w tym kąpiel, a następnie rytuał wieczorny — pierś lub butelka, książeczka, utulenie

Powyższy plan jest typowy, ale oczywiście mogą się pojawić odstępstwa od niego: niektóre niemowlęta w tym wieku wciąż budzą się o piątej rano i dostają smoczek lub dodatkową porcję mleka. Niektóre śpią w dzień mniej niż idealne dwie i pół godziny lub śpią tylko raz, przez co następujący po tej drzemce element RO jest chaotyczny i trudny dla rodziców. No i, niestety, niektóre wciąż budzą się kilka razy w ciągu nocy, nawet w tym wieku. Zatem to nie konkretnym godzinom się przyglądamy. Powtarzam nieustannie: *PROSTE nie dotyczy wyznaczania godzin.*

PROSTE po dziewięciu miesiącach

Czasami w okresie od dziewięciu miesięcy do roku Twoje niemowlę będzie w stanie wytrzymać pięć godzin między posiłkami. Będzie jeść trzy główne posiłki dziennie, tak jak wszyscy inni członkowie rodziny, a pomiędzy nimi dwukrotnie posilać się przekąską. Będzie mogło czuwać przez dwie i pół – trzy godziny, a w wieku zazwyczaj około osiemnastu miesięcy przestawi się na jedną długą drzemkę po południu — niektóre dzieci dokonują tego wcześniej, inne później. W tym momencie nie przestrzegamy już ściśle planu PROSTE, bardziej prawdopodobny jest plan PROPROSTE, ale wciąż jest to stały plan. Być może kolejne dni nie są identyczne, ale elementy przewidywalne i powtarzalne są wciąż takie same.

Rozpoczynanie planu PROSTE w wieku czterech miesięcy lub później

Jeśli Twoje niemowlę ma cztery miesiące lub więcej i *nigdy* nie miało stałego planu dnia, czas najwyższy, by go wprowadzić. Proces będzie odbiegał od stosowanego w przypadku młodszych dzieci z trzech ważnych powodów:

1. ***Jest to plan czterogodzinny.*** Czasami rodzice nie zdają sobie sprawy z tego, że muszą dostosować plan dnia do bardziej zaawansowanego poziomu ich dziecka. Ich niemowlę bardziej efektywnie je i wytrzymuje dłuższe okresy aktywności, ale oni wciąż karmią je co trzy godziny — a w rezultacie próbują cofać zegar. Na przykład półroczny synek Diane i Boba, Harry, nagle zaczął budzić się w nocy i wydawał się być głodny. Pełni dobrej woli rodzice karmili go. A wiedząc, że potrzebuje więcej jedzenia w ciągu dnia, zaczęli karmić go co trzy godziny, a nie co cztery, całkiem słusznie dochodząc do wniosku, że Harry przechodzi skok wzrostu. Ale to dobre rozwiązanie dla niemowlęcia trzymiesięcznego, a nie półrocznego, które powinno jeść co cztery godziny *oraz* przesypiać noc. (Powinni dawać mu *więcej* jeść przy każdym karmieniu, co wyjaśniam w rozdziale 3., strony 128 – 130).
2. ***Wykorzystujemy moją metodę „podnieś – połóż" (PP), aby wprowadzić zmiany.*** W przypadku niemowląt w wieku powyżej czterech miesięcy trudności ze snem są niezmiennie częściowym powodem, dla którego niemożliwe jest utrzymanie planu dnia, jeśli nie stanowią całkowitego problemu. Wtedy właśnie zapoznaję sceptycznych i opornych rodziców z techniką PP, którą rzadko polecam mniejszym dzieciom (szczegółowy opis tej istotnej w walce z zaburzeniami snu strategii znajduje się w rozdziale 6.).
3. ***Wyznaczenie stałego planu dnia dla dziecka w wieku powyżej czterech miesięcy jest prawie zawsze utrudnione przez przypadkowe rodzicielstwo.*** Ponieważ rodzice już próbowali innych metod albo mieszanki różnych sposobów, ich dziecko jest zagubione. A w większości przypadków niemowlę już nabrało jakiegoś złego nawyku, na przykład zasypiania przy piersi albo częstego budzenia się w nocy. Dlatego też przestawienie starszego niemowlęcia na PROSTE niezmiennie wymaga większego poświęcenia i cięższej pracy, a także olbrzymiej konsekwencji. Pamiętaj o tym, że te złe nawyki miały przynajmniej cztery miesiące na zakorzenienie się. Pozbycie się ich nie potrwa tak długo, *jeśli będziesz trzymać się planu*. Oczywiście im starsze dziecko, tym trudniej będzie zmienić jego przyzwyczajenia,

zwłaszcza jeśli wciąż budzi się w nocy i nie jest przyzwyczajone do jakiegokolwiek stałego planu w ciągu dnia.

Ponieważ niemowlęta są różne i ponieważ w ich domach też dzieją się różne rzeczy, muszę dokładnie wiedzieć, co do tej pory robili rodzice, żebym mogła odpowiednio dopasować moje techniki. Jeśli doczytałeś do tego momentu, prawdopodobnie przeczuwasz już, jakie pytania zadaję tym rodzicom, których dzieci nigdy nie miały stałego planu dnia:

W KWESTII P: **Jak często karmisz dziecko? Jak długo trwają karmienia? Ile mililitrów mleka w proszku lub pokarmu z piersi wypija w ciągu dnia? Czy (jeśli dziecko ma mniej więcej pół roku) wprowadzałaś już pokarmy stałe?** Chociaż są to tylko wskazówki, zobacz, gdzie mieści się Twoje dziecko w tabelach „PROSTE na kilogramy" (strona 37) i „Karmienie 101" (strona 103). Jeśli je co trzy godziny lub częściej, to jest to niewłaściwe w przypadku dziecka czteromiesięcznego lub starszego. Jeśli jego karmienia są zbyt krótkie, może je traktować jak przekąski; jeśli zbyt długie, możliwe, że wykorzystuje Cię w charakterze smoczka. Ponadto niemowlęta, które nie mają stałego planu dnia do wieku czterech miesięcy, często jedzą za mało w ciągu dnia i dlatego budzą się w nocy na dodatkowe karmienia. A szczególnie jeśli mają ponad pół roku, często potrzebują więcej substancji odżywczych, niż może im zapewnić dieta płynna. Zanim wprowadzisz PROSTE, możesz również przeczytać rozdział 3.

W KWESTII RO: **Czy dziecko jest bardziej pobudzone niż kiedyś? Czy zaczyna się przewracać z brzuszka na plecy lub odwrotnie? Jakie rozrywki ma Twoje dziecko w ciągu dnia — bawi się na macie edukacyjnej, jeździ na spacery, siedzi przed telewizorem?** Czasem trudniej jest ustalić plan dnia dla bardziej aktywnego dziecka, zwłaszcza jeśli nie jest przyzwyczajone do jakiegokolwiek planu. Musisz również upewnić się, że nie zabawiasz dziecka zbyt mocno, ponieważ wtedy może być Ci trudniej uspokoić je przed drzemką i spaniem nocnym, może to mieć też negatywny wpływ na jedzenie.

W KWESTII S: **Czy dziecko przesypia przynajmniej sześć godzin w ciągu nocy — co powinno nastąpić do ukończenia czterech miesięcy — czy też wciąż budzi się na karmienie? O której budzi się rano i co wtedy robisz — od razu do niego podchodzisz czy pozwalasz mu na samodzielną zabawę w łóżeczku? Czy w dzień śpi dobrze i jak długo? Czy wkładasz je do łóżeczka na drzemki, czy też pozwalasz, żeby się zmęczyło i zasnęło, gdziekolwiek jest?** Pytania dotyczące S pomagają ustalić, czy pozwalałaś dziecku na naukę samodzielnego uspokajania się i zasypiania, czy też przejęłaś władzę nad jego zasypianiem, a może pozwoliłaś mu się prowadzić. Oczywiście te ostatnie rozwiązania prowadzą do problemów.

WKWESTII TE: **Czy ostatnio masz więcej stresów niż zwykle? Czy chorowałaś? Miałaś depresję? Czy masz wsparcie ze strony partnera, rodziny, przyjaciół?** Ustalenie planu dnia dziecka wymaga wytrwałości i determinacji, zwłaszcza jeśli Twoje życie dotąd było chaotyczne. Jeśli nie jesteś w najlepszej formie, zadbaj najpierw o swoje dorosłe potrzeby. Prawie niemożliwe jest oddanie się dziecku, jeśli Ty sama czujesz, że ktoś powinien się Tobą zaopiekować. Jeśli nie masz żadnego wsparcia, postaraj się o nie. Ktoś, kto będzie mógł Cię chociaż na chwilę zastąpić, żebyś mogła sobie zrobić przerwę, będzie olbrzymią pomocą, ale przyda Ci się osoba, która choćby Cię przytuli, żebyś się mogła wypłakać.

Gdy pierwszy raz wprowadzasz stały plan dnia, musisz pamiętać o tym, że rzadko zdarzają się cuda w jedną noc — w trzy dni, tydzień, może nawet dwa, ale nigdy w jedną noc. Wprowadzanie jakiegokolwiek porządku dnia dla niemowlęcia w jakimkolwiek wieku na pewno spotka się z oporem. Doradzałam wystarczającej liczbie rodziców, żeby wiedzieć, że niektórzy naprawdę spodziewają się czarów. Możesz *mówić*, że chcesz, żeby Twoje dziecko przeszło na plan PROSTE, ale aby to zrobić, musisz podjąć pewne kroki. Musisz kontrolować i pilnować, przynajmniej dopóki dziecko nie „załapie", o co chodzi. Szczególnie jeśli Twoje dziecko nigdy nie miało stałego planu dnia, być może będziesz musiała zrezygnować z czegoś na kilka tygodni — ze swojego własnego czasu wolnego. Wielu rodziców nie przyjmuje tego do wiadomości, tak jak mama, która zapewniała, że „zrobi wszystko", żeby przestawić dziecko na stały plan dnia, jednocześnie wystrzeliwując serię pytań: „Czy muszę codziennie być w domu, żeby ustalić synkowi stały plan dnia? A może mogę z nim wychodzić albo pozwalać, żeby zasypiał w foteliku samochodowym? Jeśli muszę siedzieć w domu, to czy kiedykolwiek wyjdę z domu z dzieckiem? Proszę o pomoc".

Spójrz na to z odpowiedniej perspektywy, słonko! Gdy już Twoje dziecko przyzwyczai się do rutyny, nie musisz się czuć jak więzień. Wpasuj swoje sprawy w czas Twojego dziecka. Możesz nakarmić dziecko, a potem jego czas RO będzie polegał na przejażdżce z Tobą samochodem, gdy będziesz załatwiać swoje sprawy. Albo możesz spędzić czas karmienia i aktywności w domu, a potem pozwolić dziecku spać w samochodzie lub w wózku. (Jednak może nie spać tak długo jak zwykle, jeśli należy do tych dzieci, które budzą się, gdy gaśnie silnik samochodu; więcej podpowiedzi na temat planu dnia na stronie 187).

Jednak gdy po raz pierwszy starasz się wprowadzić stały porządek dnia, *idealnie* byłoby, gdybyś i Ty, *i* Twój partner zostali w domu przez dwa tygodnie (a minimum tydzień), aby dać dziecku szansę na przyzwyczajenie się do nowego planu. *Musisz poświęcić czas, żeby dokonać zmian.* Podczas tego niezwykle ważnego okresu wstępnego dopilnuj tego, by posiłki, rozrywka i czas snu odbywały się w znajomym otoczeniu. Tylko przez dwa tygodnie, moja droga, a nie przez resztę życia. Owszem, należy nastawić się na zwiększone marudzenie dziecka, być może nawet płacz, dopóki niemowlę nie przyzwyczai się do zmiany. Pierwsze kilka dni będzie szczególnie trudne, ponieważ dziecko zostało wcześniej zaprogramowane na inny tryb życia, i teraz musisz *wykorzenić* stare nawyki. Ale jeśli przetrwasz ten okres, PROSTE *zadziała*. Jak mówi stare powiedzenie: „Zadziała, jeśli będziesz działać".

Pomyśl o tym w ten sposób: gdy jedziesz na urlop, na początku nie jesteś jeszcze w „trybie urlopowym". Potrzeba kilka dni, aby się przestawić, pozostawiając myśli o pracy i innych obowiązkach. To samo dotyczy dzieci. Ich umysły są skupione na starym planie dnia. Gdy próbujesz to zmienić, niemowlę mówi Ci (płaczem): „Co do licha wyprawiasz? Nie tak się to robi! Wrzeszczę najgłośniej, jak potrafię, a ty nie słuchasz!".

Dobra wiadomość jest taka, że pamięć niemowląt jest stosunkowo krótka. Jeśli jesteś tak samo konsekwentna w sprawie nowego planu, jak byłaś przy starym, w końcu dziecko się do tego przyzwyczai. A po kilku naprawdę ciężkich dniach albo tygodniach odkryjesz, że jest lepiej — koniec z błędami w karmieniu, koniec z budzeniem się w środku nocy, koniec frustrujących dni, kiedy nie rozumiesz, czego chce.

Zawsze sugeruję, żeby rodzice zarezerwowali przynajmniej kilka dni na wprowadzanie planu PROSTE (patrz ramka na następnej stronie, gdzie znajdziesz przybliżone wytyczne dla niemowląt w różnym wieku). Jedno z nich powinno wziąć przynajmniej tydzień wolnego. Podczas czytania planu może Cię zaskoczyć to, że radzę dość sztywne stosowanie się do podanych godzin, podczas gdy ciągle powtarzam, że PROSTE *nie* dotyczy zegara. Jednak *wyłącznie* na potrzeby tego szkoleniowego okresu musisz być niezbyt elastyczna i sztywno trzymać się zegara, czego normalnie nie polecam. Gdy Twoje dziecko przestawi się już na stały plan dnia, nie będzie mieć już znaczenia, czy odbiegniesz pół godziny w jedną, czy w drugą stronę. Ale na początku staraj się trzymać proponowanych godzin.

Plan

***Dzień pierwszy i drugi*.** Na tym etapie nie wprowadzasz niczego nowego, po prostu obserwujesz dziecko dokładnie przez całe dwa dni. Zwracaj uwagę na wszystko. Przeczytaj jeszcze raz zadawane przeze mnie pytania (strona 48) i postaraj się poddać analizie skutki braku jakiegokolwiek planu. Zanotuj godziny karmień, długość drzemek itd.

Wieczorem drugiego dnia, w oczekiwaniu na dzień trzeci, musisz iść spać o tej samej porze, co Twoje dziecko, i tak samo każdej kolejnej nocy. Będziesz potrzebowała wypoczynku, żeby przetrwać kolejne kilka dni (lub dłużej). Idealnie byłoby, ponieważ planujesz zostać w domu w tym tygodniu, żebyś kładła się spać w dzień wtedy, kiedy kładzie się dziecko. Większość rzeczy w Twoim życiu można na razie odłożyć na później. Być może przez kilka dni będzie Ci ciężko, ale warto przetrwać, żeby zobaczyć, jak Twoje dziecko *i* Ty będziecie się czuć, gdy ono będzie miało stały plan dnia.

Dzień trzeci. Dzień zaczyna się oficjalnie o siódmej rano. Jeśli dziecko śpi, obudź je — nawet jeśli zwykle śpi do dziewiątej. Jeśli wstanie o piątej, zastosuj technikę PP (strony 229 – 232), aby spróbować je ponownie uśpić. Jeśli przyzwyczaiło się do wstawania tak wcześnie, a zwłaszcza jeśli zazwyczaj brałaś je do siebie i bawiłaś się z nim o tej porze, będzie protestować. Może skończysz, stosując technikę PP przez godzinę lub dłużej, ponieważ może być nieugięte w kwestii wstawania. *Nie* bierz go do swojego łóżka, co jest częstym błędem rodziców, których dzieci budzą się tak wcześnie.

Wyjmij je z łóżeczka i nakarm. Następnie powinien nastąpić czas rozrywki. Czteromiesięczne niemowlę może zwykle wytrzymać godzinę i piętnaście minut do półtorej godziny czasu aktywności; sześciomiesięczne jest gotowe na aktywność trwającą mniej więcej dwie godziny, a dziewięciomiesięczne — od dwóch do trzech godzin. Twoje dziecko też powinno gdzieś tu się mieścić. Niektórzy rodzice upierają się: „Moja dzidzia nie wytrzyma tak długo", a ja im mówię, że mają robić wszystko, żeby tylko wytrzymała — niech staną na rzęsach, jeśli to będzie konieczne. Śpiewaj piosenki, rób miny, odpędzaj jego sen gwizdami i orkiestrą z garnków.

Rozpoczynając PROSTE:
W co ja się pakuję?

To tylko przybliżone wytyczne; niektóre niemowlęta potrzebują więcej lub mniej czasu.

Od czterech do dziewięciu miesięcy: Chociaż niemowlęta dokonują znaczących osiągnięć w tym okresie, większość wymaga dwóch dni obserwacji i 3 – 7 dni przeprogramowywania ich dnia i nocy.

Od dziewięciu miesięcy do roku: Dwa dni obserwacji, dwa dni wrzasku, gdy próbujesz przeprogramować dzień i noc dziecka, dwa dni wypełnione „O Boże, nie wytrzymam", a piątego dnia możesz czuć się tak, jakbyś była z powrotem w punkcie pierwszym. Nie poddawaj się, a pod koniec drugiego tygodnia będziesz mieć znów czas wolny.

Przestrzegając czterogodzinnego planu PROSTE opisanego na stronie 41, zacznij kłaść dziecko na poranną drzemkę mniej więcej dwadzieścia minut przed godziną, o której chciałabyś, żeby spało, powiedzmy około 8:15. Jeśli masz niewiarygodne szczęście i ugodowo nastawione dziecko, po dwudziestu minutach zwyczajowego układania się zaśnie i będzie spało przez półtorej godziny do dwóch. Jednak większość niemowląt, które nigdy nie miały stałego planu dnia, protestuje, gdy się je odkłada, zatem trzeba będzie zastosować PP, aby je uśpić. Jeśli jesteś gotowa do poświęceń i wykonujesz wszystko poprawnie — odkładasz dziecko do łóżeczka dokładnie w chwili, gdy przestanie płakać — po dwudziestu – czterdziestu minutach w końcu zaśnie. Owszem, niektóre dzieci potrzebują na to więcej czasu; sama musiałam robić to przez godzinę lub półtorej, zużywając prawie cały czas S. Ale pamiętaj stare powiedzenie: „Najciemniej jest zawsze przed świtem". Metoda wymaga cierpliwości i wytrwałości, a także wiary, że się uda: to naprawdę działa.

Jeśli musisz zastosować PP, spodziewaj się, że dziecko prześpi tylko czterdzieści minut (pamiętaj, że prawie tyle samo czasu poświęciłaś na kładzenie go). Jeśli obudzi się wcześniej, wróć do PP. Być może myślisz, że to jakieś szaleństwo. Jeśli maleństwo spało przez czterdzieści minut, a drzemka miała trwać półtorej godziny, możesz musieć spędzić czterdzieści minut na ponownym układaniu go do snu, który potrwa tylko dziesięć minut. Zaufaj mi: zmieniasz plan dnia dziecka i tak właśnie powinno być. Nawet jeśli pośpi tylko dziesięć minut, obudź je o 11:00 na karmienie, żeby nie odbiegać od planu.

Po karmieniu przejdź do rozrywki i znów wróć do kładzenia dziecka mniej więcej o 12:40, dwadzieścia minut przed zaplanowaną na trzynastą drzemką. Tym razem być może potrwa to tylko dwadzieścia minut. Jeśli nie pośpi przynajmniej godziny i piętnastu minut, znów wykonaj PP. Może też pospać dłużej, ale zadbaj o to, by obudzić je o trzeciej, gdy nadejdzie czas na P.

To mit

Drzemki rujnują sen

Wiele niemowląt w wieku pomiędzy czwartym a szóstym miesiącem życia ucina sobie trzydziesto-, czterdziestominutową drzemkę późnym popołudniem, nawet o piątej. Rodzice martwią się, że dodatkowa drzemka zaburzy sen dziecka w nocy. Jest dokładnie odwrotnie — im więcej odpoczynku ma dziecko w ciągu dnia, tym lepiej śpi w nocy.

Ten dzień będzie męczący dla Was obojga. Zatem niemowlę może być bardziej zmęczone niż zwykle po południu. Po karmieniu i rozrywce obserwuj je, szukając oznak tego, czy jest śpiące. Jeśli ziewa, pozwól na czterdziestominutową drzemkę między piątą o szóstą. Jeśli wesoło się bawi, połóż je do łóżeczka o szóstej lub szóstej trzydzieści zamiast o siódmej. Jeśli obudzi się o dziewiątej, ponownie zastosuj technikę PP. Nakarm je przez sen między 22:00 a 23:00 (karmienie przez sen jest szczegółowo wyjaśnione na stronach 101 – 102 i 203 – 204).

Jest spore prawdopodobieństwo, że dziecko obudzi się o pierwszej lub drugiej w nocy. Znów stosujesz PP. Być może będziesz musiała być przy nim przez półtorej godziny, żeby je uśpić na trzy godziny. Poświęć całą noc, jeśli będziesz musiała, aż do siódmej rano, kiedy rozpocznie się dzień czwarty.

Dzień czwarty. Nawet jeśli dziecko śpi o siódmej, a Ty jesteś kompletnie wykończona, obudź je.

Będziesz przechodzić ten sam proces co dzień wcześniej, ale teraz technika PP, zamiast zajmować czterdzieści pięć minut lub godzinę, potrwa prawdopodobnie tylko pół godziny. Dziecko będzie też prawdopodobnie dłużej spało. Naszym celem są drzemki trwające przynajmniej półtorej godziny. Ale wykorzystuj swoją zdolność oceny sytuacji. Jeśli śpi od godziny i piętnastu minut i wydaje się być zadowolone, gdy się obudzi, pozwól mu wstać. Z drugiej strony, jeśli śpi tylko od godziny, lepiej znów wykonaj technikę PP, ponieważ większość dzieci szybko przyzwyczaja się do krótszych drzemek. Pamiętaj, by pozwolić na krótką drzemkę nawet o piątej po południu, jeśli dziecko jest wyraźnie zmęczone.

Dzień piąty. Do piątego dnia wszystko powinno zacząć się układać. Może będziesz musiała jeszcze stosować technikę PP, ale zajmie zdecydowanie mniej czasu. W przypadku półrocznego niemowlęcia całość może zająć siedem dni — dwa dni obserwacji, pięć dni procesu zmiany. W przypadku dziecka dziewięciomiesięcznego może to potrwać aż do dwóch tygodni (to najgorszy przypadek, jaki widziałam), ponieważ tak głęboko tkwi w swoich nawykach, że kiedy próbujesz narzucić mu inne, będzie stawiało zdecydowanie większy opór niż mniejsze dziecko.

Największą przeszkodą na drodze do powodzenia jest strach rodziców, że to potrwa wiecznie. Po poświęceniu czterech dni na zmianę planu pięciomiesięcznego Sama jego mama Veronica nie mogła wyjść z podziwu, że może ze swoim mężem wypić kieliszek wina po kolacji, bez obaw, że ich syn zakłóci im romantyczny wieczór. „Nie mogę uwierzyć, że to poszło tak szybko". Mówię każdej mamie to, co powiedziałam Veronice: „Podziałało, ponieważ byłaś tak samo konsekwentna, wprowadzając nowe zasady, jak przy starych". Ostrzegłam ją również, że czasami, zwłaszcza w przypadku małych chłopców (którzy zgodnie z moimi obserwacjami, a także nauką o różnicach między płciami, śpią nieco gorzej), niemowlę może świetnie się sprawować przez tydzień, a następnie wrócić do starych nawyków i zacząć budzić się w środku nocy lub skracać drzemki w ciągu dnia. Gdy tak się zdarza, rodzice często niesłusznie sądzą, że plan się nie udał. Ale musisz być tak samo konsekwentna przy nowej strukturze, jak byłaś przy chaosie. Jeśli nastąpił regres, wróć do techniki PP. Gwarantuję, że ponieważ dziecko już tego doświadczało, technika ta zajmie mniej czasu za każdym razem, gdy trzeba będzie ją ponownie wprowadzić.

Porządek dnia jest kluczem do powodzenia. Będę cały czas przypominać o ważności planu PROSTE w tej książce. Przeznaczam na to tak wiele czasu i uwagi, ponieważ brak planu i konsekwencji jest często sednem najczęstszych problemów z wychowywaniem dzieci. Nie oznacza to, że jedzenie, spanie i problemy z zachowaniem (które omawiam bardziej szczegółowo w rozdziałach od 3. do 8.) nie pojawią się, jeśli dziecko ma stały plan dnia. Wciąż jednak będzie znacznie łatwiej znaleźć rozwiązania, jeśli Wasz dzień ma już określoną strukturę.

ROZDZIAŁ DRUGI

NAWET NIEMOWLĘTA MAJĄ EMOCJE

— WYRÓWNYWANIE NASTROJÓW W PIERWSZYM ROKU ŻYCIA

Z wizytą u starej znajomej

Ośmiomiesięczny Trevor leży na pleckach, bawiąc się wesoło na macie w pokoju dziennym, podczas gdy jego mama, Serena, rozmawia ze mną, głównie o tym, jak urósł Trevor i jaką różnicę robi pół roku w życiu niemowlęcia. Poznałam ich, gdy Trevor miał jeden dzień. W tym czasie moje zadanie polegało na umożliwieniu Serenie i Trevorowi dobrego startu w karmieniu naturalnym. Ustalenie stałego planu dnia dla Trevora było stosunkowo proste, ponieważ należy on do kategorii, którą nazywam Książkowymi Dziećmi. Dzieci takie są dość bezkonfliktowe i dość dobrze pasują do opisów dla danej grupy wiekowej (więcej na temat Książkowych Dzieci i innych typów na stronach 61 – 69). W ciągu minionych sześciu miesięcy Trevor w odpowiednim czasie osiągnął każdy z przewidywanych etapów rozwoju fizycznego i umysłowego. No i jak widać, jego życie emocjonalne również wyglądało tak, jak powinno.

Podczas mojej rozmowy z Sereną Trevor zabawiał się zabawkami wiszącymi nad matą. Po dziesięciu minutach zaczął wydawać niespokojne dźwięki — nie był to dokładnie płacz, ale jego mama wiedziała już, że trzeba zmienić scenerię. „Och, nudzi ci się, kochanie?" — powiedziała Serena, jakby czytała w jego myślach (a tak naprawdę odczytywała wysyłane przez niego sygnały). „Usiądę tu koło ciebie". Trevor patrzy na mamę, szczęśliwy, że okazała mu zainteresowanie, i po zmianie miejsca z zadowoleniem bawi się kolejną zabawką. Serena wraca do rozmowy ze mną, podczas gdy siedzący obok Trevor z zaciekawieniem eksperymentuje, wydobywając zabawne dźwięki z trzymanej kolorowej piłeczki.

Serena proponuje mi herbatę, a ja, Angielka do szpiku kości, nigdy nie odmawiam. Nie ma nic lepszego niż filiżanka wonnego naparu. Serena wstaje i kieruje się do kuchni, a w momencie, gdy dociera do drzwi, Trevor zaczyna łkać. „Właśnie o to mi chodzi" — mówi Serena, nawiązując do powodu, dla którego zadzwoniła. „Nagle to wygląda tak, jakby cały jego świat kręcił się wokół mnie. Nie mogę wyjść z pokoju, żeby nie wpadł w rozpacz" — dodaje prawie przepraszająco.

Mniej więcej pomiędzy siódmym a dziewiątym miesiącem życia świat niemowlęcia rzeczywiście kręci się wokół ukochanej osoby, która się nim najczęściej zajmuje — zazwyczaj jest to mama. Większość dzieci w tym wieku boi się, gdy mama wychodzi, niektóre mniej, inne bardziej. Zatem w tym aspekcie również Trevor osiągnął książkową normę. Ale ta krótka opowieść nie miała dotyczyć tylko lęku separacyjnego (który omówię bardziej szczegółowo na stronach 88 – 91), ale także szerszego zjawiska, którego tylko jednym z elementów jest lęk: życia emocjonalnego Twojego dziecka.

Moje niemowlę ma życie emocjonalne?

Wielu rodziców dziwi się, gdy mówię o rozwoju emocjonalnym dziecka w pierwszym roku życia. Zauważają, co je dziecko i ile śpi, a także są świadomi tego, że ich dzieci osiągają poszczególne etapy rozwoju fizycznego i intelektualnego. Ale mają mniejszą świadomość rozwoju emocjonalnego ich dzieci i w konsekwencji mniej ich interesują te umiejętności, które pozwalają im na kontrolowanie nastrojów, poczucie empatii i stopniową zmianę w istoty towarzyskie, które potrafią rozwijać i utrzymywać dobre relacje z innymi. Rozwój emocjonalny nie jest czymś, co rodzice powinni traktować jak oczywistość — trzeba tego nauczyć. *A musimy zacząć wcześnie.*

Rozwijanie emocjonalności dziecka jest równie ważne, jak uczenie go zasypiania, nadzorowanie tego, co zjada, ułatwianie mu rozwoju fizycznego czy wzbogacanie jego intelektu. Mówimy o nastrojach i zachowaniach Twojego dziecka, o jego „inteligencji emocjonalnej", używając terminu spopularyzowanego przez psychologa Daniela Golemana w jego książce z 1995 roku pod tym samym tytułem. Książka Golemana podsumowała badania trwające kilka dziesięcioleci, podczas których naukowcy badali wiele rodzajów „inteligencji", nie tylko tej, która charakteryzuje akademickich geniuszy. A według wszelkich badań inteligencja emocjonalna jest prawdopodobnie najważniejsza ze wszystkich typów; jest podstawą, na której opiera się każda inna umiejętność. Ale nie musisz czytać wszystkich wyników badań ani być psychologiem, żeby uświadomić sobie, że to prawda. Po prostu rozejrzyj się. Pomyśl o znanych Ci dorosłych. Czy nie znałaś nigdy osoby, której inteligencja wykracza poza przeciętną, ale która nie może utrzymać pracy, bo ma „problemy natury emocjonalnej"? Czy nie ma utalentowanych artystów lub genialnych naukowców, którzy nie potrafią współżyć z innymi ludźmi?

Czekaj no, Tracy — być może mówisz do siebie, gdy patrzysz na swoje niemowlę, niezależnie, czy ma sześć tygodni, czy cztery lub sześć miesięcy. Z pewnością chcesz zadać mi pytanie: „Czy to nie za wcześnie, żeby myśleć o *emocjach* tego dzidziusia?".

Absolutnie nie. Nie można zacząć za wcześnie. Przy urodzeniu dzieci okazują emocje, poczynając od pierwszego głośnego krzyku w sali porodowej. Ich rozwój emocjonalny — to, jak reagują na różne wydarzenia, ich ogólny nastrój, umiejętność regulowania nastrojów i wytrzymałość na frustracje, ich poziom aktywności, to, jak bardzo się ekscytują i jak łatwo je uspokoić, ich towarzyskość, reakcja na nowe sytuacje — będzie postępować wraz z rozwojem fizycznym i intelektualnym.

Jak czują się niemowlęta

Emocjonalne życie niemowląt, tak jak nasze, jest regulowane przez układ limbiczny, małą część mózgu, znaną również jako „mózg emocjonalny". Nie martw się, słoneczko, nie będę Ci tu udzielać wykładów z anatomii. Szczerze mówiąc, od szczegółowych wyjaśnień naukowych dostaję zeza! Wystarczy, jeśli będziesz wiedzieć, że do czasu narodzin Twoje dziecko miało mniej więcej połowę obwodów w mózgu potrzebnych do doświadczania emocji. Ponieważ układ limbiczny rozwija się od dołu, najpierw dojrzewa jego dolna część. Ta dolna część mózgu zawiera między innymi ciało migdałowate, które jest centralnym ośrodkiem emocji w mózgu. Ciało migdałowate wysyła sygnały do innych części mózgu, że pojawiło się coś, na co warto zareagować. Innymi słowy, jest odpowiedzialne za generowanie pierwotnych emocji — spontanicznej reakcji walki lub ucieczki mającej początek w mózgu, która powoduje przyspieszenie pulsu i wydzielenie adrenaliny. Wyższy układ limbiczny zaczyna się rozwijać między czwartym a szóstym miesiącem życia, kiedy mózg zaczyna być świadomy istnienia emocji. Chociaż mózg dziecka dojrzewa nadal jeszcze w wieku kilkunastu lat, zastanówmy się, co się dzieje w pierwszym roku życia (w rozdziale 8. przyglądamy się temu, co się dzieje powyżej pierwszego roku życia).

Poniżej czterech miesięcy. Nawet gdy niemowlę jest tylko małym dziudziusiem, jego prymitywny mózg sprawuje kontrolę. Emocje po urodzeniu są spontaniczne i nieświadome — w rodzaju grymasu będącego odpowiedzią na gazy. Ale w ciągu kilku tygodni dziecko zaczyna się uśmiechać, a także naśladować Ciebie, a to znak, że już dostraja się do Twojego stylu emocjonalnego. Będzie płakać, by okazać, że coś jest nie tak, albo uśmiechać się, gruchać i gaworzyć, gdy będzie szczęśliwe lub podekscytowane. Zacznie coraz dłużej się w Ciebie wpatrywać, uśmiechać się towarzysko i dokonywać prostych, ale ważnych skojarzeń: „Jeśli płaczę, ktoś mnie bierze na ręce". Następnie zacznie uświadamiać sobie, że płaczem i wyrazem twarzy może spowodować, byś zareagowała na nie i zaspokoiła jego potrzeby. Gdy będziesz reagować, nauczy się ufać; gdy będziesz się uśmiechać i robić miny, nauczy się interakcji.

Pamiętaj, złotko, że płacz jest jedynym środkiem, za pomocą którego niemowlę może wyrazić swoje emocje i potrzeby. Gdy Twoje dziecko płacze, nie oznacza to, że jesteś złym rodzicem. Jest to wyłącznie jego sposób mówienia: „Potrzebuję Twojej pomocy, bo jestem za mały, żeby samodzielnie o siebie zadbać". Płacz, którego dźwięk może zbijać z tropu świeżo upieczonego rodzica, jest najbardziej intensywny w okresie pierwszych sześciu do ośmiu miesięcy. Być może potrwa to kilka tygodni, ale w końcu nauczysz się odróżniać płacz spowodowany głodem, nudą, zmęczeniem i bólem. Łatwiej Ci będzie odczytywać te sygnały, jeśli dostroisz się również do mowy ciała niemowlęcia. Poza tym, jak już wyjaśniałam w rozdziale 1., łatwiej jest, jeśli dziecko ma stały plan dnia, ponieważ wtedy pora dnia i przewidywana kolejność elementów planu podpowiedzą wiele na temat emocji dziecka.

Ale mimo czarujących i przyciągających uwagę zachowań niemowlęcia, mimo płaczu i krzyku, według naukowców Twoje dziecko prawdopodobnie nie odczuwa początkowo emocji *wewnątrz*. W eksperymencie z udziałem dwu- i trzydniowych noworodków badacze stosowali niewielkie ilości wody z octem lub z cukrem. Wyraz twarzy niemowlęcia wyraźnie wskazywał niesmak (zmarszczony nosek, zmrużone oczy, wystawiony język) lub zadowolenie (otwarta buzia, uniesione brwi). Ale po zastosowaniu tomografu widać było, że w obszarze limbicznym, czyli tam, gdzie rzeczywiście *czuje się* emocje, nie nastąpiła żadna większa aktywność.

Być może pociechą będzie świadomość, że jeśli dziecko płacze, jego krzyk jest tylko informacją zwrotną i nie będzie pamiętać bólu. Nie oznacza to, że zalecam pozwalanie na to, by niemowlę „się wypłakało". Absolutnie nie. To byłoby wbrew mojej filozofii. Wręcz przeciwnie — wierzę, że jeśli będziesz reagować na płacz dziecka i brać pod uwagę jego „głos", nie stanie się żadna trwała krzywda. Z tego też powodu często polecam stosowanie smoczków (patrz strona 207), ponieważ pozwalają niemowlęciu samodzielnie się uspokoić, co jest niezmiernie ważną umiejętnością. Ale najważniejszym czynnikiem jest *Twoja* reakcja na płacz Twojego dziecka. Badania pokazały, że gdy rodzice potrafią interpretować różne rodzaje płaczu dziecka i odpowiednio reagować, niemowlęta przestawiają się łatwiej na „komunikację bez płaczu", co dzieje się gdzieś pomiędzy dwunastym a szesnastym tygodniem życia. Do tego czasu większość niemowląt uspokaja się i mniej płacze. Łatwiej również odczytać ich sygnały i uspokoić je.

Od czterech do ośmiu miesięcy. Gdy wyższy układ limbiczny dojrzewa, umysł dziecka wykonuje gigantyczny skok w przód. Niemowlę zaczyna rozpoznawać znajome twarze i miejsca, a także będzie częściej reagować na otoczenie, ciesząc się nawet z obecności innych dzieci. Będzie zauważać zwierzę domowe. W zależności od temperamentu dziecka, który omówię później, zazwyczaj na tym etapie więcej jest radości i śmiechu niż stresu i łez. Można zauważyć, że dziecko zaczyna *czuć* i przekazywać swoje emocje wyrazem twarzy i gaworzeniem, a nie tylko krzykiem.

Życie emocjonalne Twojego dziecka jest teraz bardziej złożone. Niektóre dzieci okazują, że są w podstawowym stopniu zdolne do kontrolowania swoich emocji już na tak wczesnym etapie. Na przykład, jeśli dziecko zostaje położone do łóżeczka na drzemkę, trochę marudzi i gaworzy do siebie, ssie smoczek albo tuli ulubioną zabawkę czy kocyk, dopóki nie zaśnie samodzielnie — zaczęło już się uczyć samodzielnego uspokajania się. Zdarza się to wcześniej w przypadku niemowląt o spokojniejszym temperamencie, ale samodzielne uspokajanie się, jak i pozostałe umiejętności emocjonalne, może zostać wyuczone. Tak samo, jak trzymasz dziecko za ręce, pomagając mu w chodzeniu, możesz pomóc mu w dokonywaniu tych pierwszych kroków emocjonalnych.

Nawet jeśli wydaje się, że Twoje niemowlę nie potrafi kontrolować swoich uczuć, prawdopodobnie łatwiej je teraz uspokoić. Wystarczy Twój widok i dźwięk Twojego głosu, żeby się uspokoiło. Może płakać z nudów, gdy zbyt długo jest w tym samym miejscu lub pozycji, albo okazywać gniew, gdy zabiera mu się zabawkę albo gdy przenosi się je w inne miejsce. Niektóre niemowlęta okazują również coraz większy upór. Sześciomiesięczny maluch może krzyczeć i przyciskać pięści do klatki piersiowej. Potrafi już też manipulować. Może „flirtować" z dorosłymi, aby zwrócić na siebie ich uwagę, obserwować wyraz twarzy, żeby zobaczyć, czy dorosły reaguje na jego marudzenie, a także okazywać wyraźne zadowolenie, gdy zostanie w końcu wzięty na ręce.

Twoje dziecko będzie teraz również bardziej obecne w sensie towarzyskim i emocjonalnym. Da Ci znać, jakie ma preferencje odnośnie pożywienia i rodzaju rozrywek, a także ludzi. Zacznie naśladować nie tylko dźwięki, ale również ton Twojego głosu. Będzie się wyrywać, jeśli unieruchomi je się w ciasnocie, a może nawet wierzgać na samą perspektywę uwięzienia w wózku lub foteliku samochodowym. Chociaż nie bawi się jeszcze z innymi dziećmi, jest nimi bardziej zainteresowane. W zależności od temperamentu może bać się bardziej aktywnych dzieci lub nieznajomych. Chowając głowę na Twoim ramieniu (lub płacząc), chce Ci powiedzieć: „Zabierz mnie stąd". Nie tylko odczuwa emocje (jeśli do tej pory na nie reagowałaś), ale również oczekuje, że coś z nimi zrobisz.

Od ośmiu miesięcy do roku. Dzieci w tym wieku czują i rozumieją więcej, niż potrafią przekazać, ale jeśli obserwujesz uważnie swoje niemowlę, zauważysz, jak emocje pojawiają się i odchodzą w ciągu dnia. Dziecko jest naprawdę obecne w Twoim domu i szczęśliwe w Twoim towarzystwie. Można je zawołać z drugiego końca pokoju i odwróci się, jakby chciało powiedzieć: „Co tam?". Ma zupełnie nową świadomość samego siebie. Prawdopodobnie uwielbia przeglądać się w lustrze — uśmiecha się, macha rączką lub całuje swoje odbicie. Jest również bardziej związane z Tobą i innymi opiekunami, a wobec obcych może zachowywać rezerwę, chowając twarz na Twoim ramieniu, dopóki nie będzie gotowe na zapoznanie się.

Czego chcesz?

Etap „języka niemowlęcia" może być frustrujący zarówno dla opiekuna, jak i dla dziecka. Zawsze dobrze jest poprosić dziecko, by *pokazało* Ci, czego chce. Jednak ustalony plan dnia oszczędzi Ci mnóstwa domysłów. Jeśli dziecko ze złością bębni w drzwi lodówki, a minęły cztery godziny od śniadania, prawdopodobnie jest głodne!

Maluch zna różnicę pomiędzy dorosłymi a dziećmi. Potrafi świetnie naśladować innych, ma również lepszą pamięć, ponieważ część jego mózgu, hipokamp, pomiędzy siódmym a dziesiątym miesiącem życia jest już prawie całkowicie rozwinięta. Dobra wiadomość jest taka, że niemowlę pamięta różnych ludzi przewijających się przez jego życie, a także książki, które mu czytasz. Zła wiadomość jest taka, że jeśli teraz zmienisz mu plan dnia, zareaguje na jakiekolwiek nowości bardzo emocjonalnie. Niektóre dzieci frustrują się również, ponieważ ich umiejętność komunikacji nie jest równa ich mentalności i nie potrafią wyrazić, czego potrzebują. W tym wieku mogą stać się agresywne lub okazywać autoagresję (na przykład tłuc w coś główką). Lamentowanie również jest częstym, i niezbyt mile widzianym, zjawiskiem na tym etapie.

Jest dość oczywiste, że pod koniec pierwszego roku życia Twoje dziecko już ma bogate życie emocjonalne. Ale dzieci nie przychodzą na świat z umiejętnością radzenia sobie z frustracją, z samodzielnym uspokajaniem się albo umiejętnością dzielenia się z innymi — a wszystko to jest częścią rozwijania kompetencji emocjonalnych. Musimy *świadomie* je tego nauczyć. Niektórzy rodzice czekają zbyt długo, a wtedy złe nawyki, jak i napady płaczu, trudniej jest wykorzenić. Inni, nieświadomi tego, w jaki sposób ich własne zachowanie uczy dokładnie przeciwnego niż to, co próbują osiągnąć, idą po linii najmniejszego oporu. Poddają się i stwierdzają: „No i co z tego?". To właśnie są początki przypadkowego rodzicielstwa.

Pomyśl o psach Pawłowa, które śliniły się za każdym razem, gdy naukowiec dzwonił, ponieważ nauczyły się, że dźwięk dzwonka oznacza porę posiłku. Niemowlęta też funkcjonują na tej zasadzie. Szybko kojarzą Twoją reakcję ze swoimi zachowaniami. Zatem jeśli dziś roześmiejesz się, gdy Twój sfrustrowany dziewięciomiesięczny synek zrzuci miseczkę z jedzeniem na podłogę, ponieważ znudziło mu się i nie chce już jeść, zaręczam, że jutro zrobi to samo, oczekując takiej samej reakcji. Jednak za drugim razem z pewnością nie będzie Ci do śmiechu. Albo powiedzmy, że próbujesz nakłonić swoją roczną córeczkę do umycia rąk, ale gdy prowadzisz ją do umywalki, zaczyna płakać. Mówisz sobie: „A, co tam — dzisiaj nie umyjemy rąk". Być może nic Ci nie przyjdzie na myśl, ale za dzień czy dwa, gdy będziesz stać w kolejce do kasy w supermarkecie, a mała sięgnie po strategicznie wystawione słodycze, a Ty powiesz: „Nie", okaże się, że Twoje dziecko poznało już sztuczkę, która na Ciebie działa. Rozpłacze się, a jeśli to nie pomoże, będzie płakać jeszcze głośniej, aż w końcu się poddasz.

Pomaganie dziecku w osiągnięciu kompetencji emocjonalnej jest równie ważne, jak zachęcanie go do samodzielnego raczkowania albo wymawiania pierwszych słów. To, w jaki sposób będziesz reagować na płacz swojego niemowlęcia, a także inne stany emocjonalne, zadecyduje do pewnego stopnia o tym, co Cię spotka, gdy dziecko będzie większe. Ale nie czekaj na pełnoobjawowe wybuchy złości, by się o tym przekonać. Pamiętaj o tym, co mówiła moja niania, i *zaczynaj, gdy masz zamiar doprowadzić wszystko do końca*. Innymi słowy, przede wszystkim nie pozwól, by złe nawyki się utrwaliły. Mam świadomość, że łatwiej to powiedzieć, niż dokonać, ale wszyscy mamy zdolność uczenia się. Sztuka polega na tym, żeby poznać swoje dziecko, a następnie dostosować właściwe strategie do jego potrzeb. Poniżej przyjrzymy się ostrożnemu balansowaniu między temperamentem a nauką.

Natura — temperament Twojego dziecka

Emocjonalność każdego dziecka jest przynajmniej w części zdeterminowana jego biologią — genami i chemią mózgu. Możesz przyjrzeć się własnemu drzewu genealogicznemu, aby zobaczyć, jak temperament przechodzi z pokolenia na pokolenie, jak jakiś emocjonalny wirus. Czy nie mówiłaś czasem, że Twoje dziecko jest „tak spokojne, jak ja" albo „tak nieśmiałe, jak tata"? A może Twoja mama powiedziała: „Agresywne zachowania Gretchen przypominają mi Twojego dziadka Ala" albo „Davy jest takim marudą jak ciocia Sue". Jest oczywiste, że temperament jest wrodzony — to nasza *natura*. Ale kryje się tu coś więcej. Po badaniach bliźniąt jednojajowych, które miały identyczny zestaw genów, ale często odmienną osobowość po osiągnięciu dorosłości, naukowcy doszli do wniosku, że środowisko — *wychowanie* — jest równie ważne. Zatem przyjrzyjmy się roli natury i wychowania.

Nianie, opiekunki w żłobkach, pediatrzy i inni, którzy mają do czynienia z tyloma niemowlętami, co ja, zgadzają się, że dzieci różnią się już *przy urodzeniu*. Niektóre są wrażliwe i płaczą częściej niż inne, a na niektóre wpływ ma po prostu to, co się wokół nich dzieje. Niektóre wydają się witać świat z otwartymi ramionami, a inne znów podejrzliwie łypią okiem na swoje otoczenie.

W mojej pierwszej książce wprowadziłam pięć typów temperamentu: Aniołek, Książkowe Dziecko, Wrażliwiec, Wiercipięta i Maruda. Niektórzy praktycy i badacze zajmujący się niemowlętami ustalili trzy lub cztery typy, a z kolei inni twierdzą, że można wyznaczyć ich aż dziewięć. Albo też klasyfikują niemowlęta w zależności od konkretnego czynnika, na przykład umiejętności przystosowywania się albo poziomu aktywności. Używają również różnych nazw na określenie tych typów. Ale głównie chodzi o to, z czym większość się zgadza: temperament — czasami nazywany „charakterem", „osobowością" czy „naturą" — jest surowym materiałem, który posiadają niemowlęta w momencie przyjścia na świat. Przeglądając moje zapisane w pamięci dane, wymyśliłam pięcioro dzieci, które mogą być przykładami każdego z typów, i nadałam im pseudonimy zaczynające się takimi samymi literami: Ania (*Aniołek*), Kasia (*Książkowe Dziecko*), Wojtuś (*Wrażliwiec*), Waldek (*Wiercipięta*) i Marysia (*Maruda*). Poniżej znajdziesz skrótowy opis każdego dziecka. Oczywiście, nie ulega wątpliwości, że z niektórymi łatwiej sobie poradzić niż z innymi. (W kolejnym podrozdziale przyjrzę się bardziej wnikliwie temu, w jaki sposób te niemowlęta różnią się od siebie w codziennych zachowaniach i jaki wpływ mają ich emocje na nie same — i na Ciebie). Pamiętaj, że opisy podkreślają *dominujące* cechy i zachowania. Być może rozpoznasz swoje dziecko w konkretnej kategorii lub dostrzeżesz, że jest mieszanką jednego czy dwóch typów.

Aniołek. Ania, obecnie w wieku czterech lat, jest dokładnie taka, jak sugeruje nazwa: wymarzone dziecko, takie, które łatwo przystosowuje się do otoczenia i wszystkich zmian, które chcesz mu narzucić. Jako niemowlę rzadko płakała, a gdy tak się zdarzało, łatwo było odgadnąć, jakie są jej potrzeby. Jej mama prawie nie pamięta buntu dwulatka — krótko mówiąc, raczej łatwo ją wychowywać, ponieważ jej dominujący styl emocjonalny jest zrównoważony i bezproblemowy. (Nic dziwnego, że niektórzy badacze nazywają taki typ „prostym"). Nie chodzi o to, że nigdy się nie denerwuje, ale nie trzeba wiele, by ją uspokoić lub odwrócić jej uwagę. Jako niemowlę nigdy nie wzdrygała się z powodu nagłych hałasów lub jasnego światła. Zawsze łatwo dawała się też przenosić z miejsca na miejsce. Jej mama mogła wybrać się na wycieczkę po centrum handlowym, nie martwiąc się, że mała dostanie ataku złości. Od maleńkości Ania dobrze spała. W porze snu mama po prostu kładła ją do łóżeczka, a ona szczęśliwa zasypiała ze smoczkiem, nie potrzebując żadnych większych zachęt. O poranku gaworzyła do swoich zabawek, dopóki ktoś się nie pojawił. Łatwo przyzwyczaiła się do większego łóżka, gdy miała półtora roku. Nawet jako niemowlę była towarzyskim stworzeniem, uśmiechającym się do wszystkich dookoła. Do dziś łatwo dopasowuje się do nowych sytuacji, nowej grupy w przedszkolu i innych okazji towarzyskich. Nawet gdy urodził się jej młodszy braciszek, Ania poradziła sobie ze zmianą. Uwielbia pomagać mamie.

Książkowe Dziecko. Siedmiomiesięczna Kasia osiąga kolejne etapy rozwoju z zegarmistrzowską precyzją. Przeszła okres intensywnego wzrostu w wieku sześciu tygodni, przesypiała noc w wieku trzech miesięcy, przewracała się z brzuszka na plecy w wieku pięciu miesięcy, siedziała dwa miesiące później, i dam głowę, że gdy osiągnie roczek, będzie chodzić. Ponieważ jest tak przewidywalna, jej mama nie ma problemu z odczytywaniem jej sygnałów. W większości przypadków ma łagodne usposobienie, chociaż miewa trudniejsze okresy — dokładnie tak, jak opisują w książkach. Jednak dość łatwo ją uspokoić i uciszyć. Jeśli tylko mama wprowadza nowe elementy powoli i stopniowo — co jest złotą zasadą w przypadku każdego dziecka — Kasia łatwo się im poddaje. Wszystkie nowości do tej pory — pierwsza kąpiel, pierwszy posiłek jedzony łyżeczką, pierwszy dzień w żłobku — przeszły bez większych problemów. Zasypianie zajmuje Kasi około dwudziestu minut — co jest „przeciętnym" czasem zasypiania dziecka — a jeśli jest niespokojna, dobrze reaguje na dodatkowe pogłaskanie lub cichutkie „cii" wyszeptane do ucha. Od momentu skończenia ośmiu tygodni Kasia potrafiła zabawiać się własnymi paluszkami lub zabawkami, a co miesiąc od tamtej pory staje się coraz bardziej niezależna i bawi się sama przez coraz dłuższy czas. Ponieważ ma tylko siedem miesięcy, nie „bawi się" jeszcze z innymi dziećmi, ale nie boi się, kiedy są w pobliżu. Dość dobrze reaguje na nowe miejsca — jej mama zabierała ją już na dłuższą wyprawę do dziadków. Gdy wrócili do domu, Kasia potrzebowała kilku dni, żeby się przestawić, ale to normalne dla każdego dziecka po dłuższym pobycie poza domem.

Wrażliwiec. Wojtuś, obecnie dwuletni, ważył tylko 2700 gramów przy urodzeniu, nieco mniej niż przeciętny noworodek, i od samego początku był niezwykle wrażliwy. W ciągu pierwszych trzech miesięcy życia przybrał na wadze, ale emocjonalnie był bardzo napięty i łatwo było go wytrącić z równowagi. Wzdrygał się, słysząc nagły hałas, mrużył oczy i odwracał główkę od silnego światła. Często płakał bez wyraźnego powodu. Podczas pierwszych kilku miesięcy rodzice musieli ciasno owijać go w kocyk i dbać o to, by pokój był wystarczająco ciepły i zaciemniony, by mógł zasnąć. Najmniejszy hałas denerwował go i trudno go było z powrotem uśpić. Wszystkie nowości musiały być wprowadzane niezwykle powoli i stopniowo. Przeprowadzono mnóstwo badań na temat takich dzieci jak Wojtuś. Określane mianem „wycofanych" albo „bardzo wrażliwych", stanowią około 15% wszystkich dzieci. Badania wykazały, że ich układy wewnętrzne są inne niż innych niemowląt. Ponieważ mają podwyższony poziom hormonów stresu, kortyzolu i norepinefryny, które aktywują mechanizm „walki lub ucieczki", naprawdę *odczuwają* strach i inne uczucia bardziej intensywnie. Wojtuś pasuje do tego opisu. Nieśmiały w kontakcie z nieznajomymi, wciskał główkę w ramię mamy. Jako dwulatek jest wstydliwy, bojaźliwy i ostrożny. W nowych sytuacjach przywiera do mamy. W kontaktach z innymi, dobrze wybranymi pod kątem spokojnego usposobienia dziećmi radzi sobie coraz lepiej, ale wciąż nie ma mowy o tym, by mama mogła wyjść z pokoju. Jeśli się mu w tym pomoże, wychyla się ze swojej skorupki, ale wymaga to mnóstwa czasu i cierpliwości ze strony rodziców. Wojtuś świetnie radzi sobie z układaniem puzzli i grami wymagającymi skupienia, która to cecha zapewne przyda mu się, gdy pójdzie do szkoły. Dzieci należące do kategorii Wrażliwców zazwyczaj są dobrymi uczniami, być może dlatego, że praca w samotności jest dla nich prostsza niż bieganie z rówieśnikami po boisku szkolnym.

Wiercipięta. Czteroletni Waldek ma brata bliźniaka. Ludzie, którzy znają ich obu, mówią, że Waldek jest „tym bardziej dzikim". Nawet jego narodziny przepowiedziały jego charakter: na USG wykonanym przed porodem okazało się, że jego brat Olek jest ułożony niżej, ale Waldkowi jakoś udało się przepchnąć obok niego i pierwszy przyszedł na świat. Od tego czasu postępuje podobnie. Jest dość agresywny i bardzo głośny. W wieku niemowlęcym i później jego głośne krzyki zawsze dawały do zrozumienia rodzicom: „Potrzebuję was! Natychmiast!". Przy różnych okazjach towarzyskich, takich jak uroczystości rodzinne czy spotkania z innymi dziećmi, jest zawsze w centrum uwagi. Waldek zawsze chciał zagarnąć zabawkę, którą akurat bawił się jego brat lub jakiekolwiek inne dziecko. Uwielbia stymulację i przyciąga go wszystko, co wydaje dźwięki, wyskakuje lub błyska.

Nigdy nie spał dobrze i nawet w wieku czterech lat wciąż trzeba go usilnie namawiać, żeby zechciał się położyć. Dobrze je, jest dobrze zbudowany, ale nie potrafi zbyt długo wysiedzieć przy stole. Wciąż jest w ruchu — biega, wspina się i skacze. Nic dziwnego, że często pakuje się w niebezpieczne sytuacje. Czasami gryzie albo popycha inne dzieci. I wpada we wściekłość, gdy rodzice nie dają mu tego, czego chce. W przybliżeniu 15% dzieci ma temperament podobny do Waldka. Badacze często określają ich mianem „agresywnych" i „pozbawionych zahamowań" dzieci albo też nazywają dziećmi „bardzo aktywnymi" i „przesadnie reagującymi". Jeśli z opisu wynika, że dzieci tego rodzaju mogą sprawiać problemy, to rzeczywiście tak jest. Ale jeśli się nimi odpowiednio zająć, są również urodzonymi przywódcami. Mogą być kapitanami drużyn sportowych w szkołach średnich, a jako dorośli mogą być zdobywcami albo przedsiębiorcami, którzy nie znają strachu przed rzuceniem się tam, gdzie inni boją się dać kroku. Trudność polega tylko na tym, by odpowiednio skierować ich energię.

Maruda. Trzyletnia Marysia sprawia wrażenie, jakby wiecznie jej coś dolegało. W wieku niemowlęcym rzadko się uśmiechała. Ubieranie jej i zmienianie pieluszki zawsze sprawiało problemy. Nawet jako niemowlę sztywniała na przewijaku, a potem zaczynała się wiercić i wyrywać. We wczesnym okresie życia nienawidziła zawijania w kocyk czy becik i płakała na cały głos, gdy tylko rodzice tego próbowali. Na szczęście rodzice zaczęli stosować stały plan dnia, gdy tylko wrócili z nią ze szpitala położniczego, ale za każdym razem, gdy lekko od niego odbiegali, Marysia na całe gardło obwieszczała swoje niezadowolenie. Karmienie jej również było trudne. Była karmiona piersią, ale doprowadzenie do tego, żeby dobrze się przyssała i nie wypuszczała sutka z buzi wymagało od mamy mnóstwa wysiłków, więc zrezygnowała, gdy Marysia miała pół roku. Podobnie ciężko było przyzwyczaić małą do pokarmów stałych, i do dziś dnia jest niejadkiem. Niecierpliwi się, jeśli jedzenie nie pojawia się przed nią w momencie, gdy nabrała na nie ochoty i nie zostanie podane w dokładnie taki sposób, jak lubi. Je kapryśnie, woli jedne potrawy od innych i upiera się przy nich niezależnie od wysiłków rodziców, którzy starają się ją namówić do czegoś innego. Jest towarzyska, gdy ma na to ochotę, ale częściej się wycofuje, aby ocenić nową sytuację. W rzeczywistości woli bawić się sama i nie lubi dzieci, które wchodzą jej w drogę. Gdy patrzę w oczy Marysi, dostrzegam starą duszę — jakby już wcześniej była na tym świecie i wcale nie jest zadowolona, że znów tu trafiła. Ale Marysia ma swój charakterek, ma własny rozum i nie boi się go używać. Dzieci z gatunku Marud uczą rodziców trudnej sztuki cierpliwości. Potrafią również świetnie bronić własnych granic. Nie można na nie wywierać nacisku, co później będzie im sprawiało problemy. Jako dzieci i dorośli mają tendencję do zachowywania dużej niezależności i dobrze dbają o własne interesy i rozrywkę.

Chwile codzienne — pięć typów

Temperament jest kluczowym czynnikiem decydującym o tym, jak wygląda dzień Twojego dziecka. Poniższy skrótowy opis i informacje są efektem kilkuletnich obserwacji niemowląt. Ma to być jedynie przewodnik, a nie opis tego, jak *powinno* zachowywać się Twoje dziecko.

Aniołek

JEDZENIE: Aniołki w wieku niemowlęcym zazwyczaj dobrze jedzą; jeśli da im się szansę, bez oporów próbują nowego pożywienia (pokarmów stałych).

AKTYWNOŚĆ: Umiarkowanie aktywne, bawią się samodzielnie od wieku niemowlęcego. Te maluchy mają wysoką tolerancję zmian, potrafią się łatwo dostosowywać. Są również bardzo towarzyskie, lubią kontakty z innymi i potrafią się dzielić, jeśli nie natkną się na dziecko agresywne.

SEN: Zasypiają łatwo i samodzielnie. Śpią długo już w wieku sześciu tygodni. Po czterech miesiącach życia zazwyczaj śpią przez dwie godziny rano, półtorej po południu, i do ukończenia mniej więcej ośmiu miesięcy ucinają sobie czterdziestopięciominutową drzemkę wczesnym wieczorem.

NASTRÓJ: Zazwyczaj są spokojne i pewne siebie, nie reagują przesadnie na stymulację czy zmiany. Ich nastroje są stabilne i przewidywalne. Rodzicom łatwo jest je odczytywać, ponieważ sygnały stanów emocjonalnych są bardzo wyraźne. Dlatego też w ich przypadku nietrudno odróżnić zmęczenie od głodu.

JAK JE SIĘ CZĘSTO OPISUJE: Sama słodycz. Sąsiedzi nie wiedzieli nawet, że mam w domu niemowlę. Mogłabym mieć pięcioro dzieci, gdyby były takie jak on. Mamy ogromne szczęście.

Książkowe Dziecko

JEDZENIE: Bardzo podobne do Aniołków, chociaż pokarmy stałe być może trzeba będzie wprowadzać trochę wolniej.

AKTYWNOŚĆ: Umiarkowanie aktywne. Ponieważ wszystkie etapy rozwoju osiągają zgodnie z przewidywaniami, nietrudno im dobrać odpowiednie do wieku zabawki. Niektóre są bardziej żywe, inne nieco nieśmiałe.

SEN: Zazwyczaj potrzebują pełnych dwudziestu minut na zaśnięcie, czyli typowego okresu, w którym dziecko przechodzi ze stanu zmęczenia do zaśnięcia. Jeśli są szczególnie przemęczone, mogą potrzebować uspokojenia przez rodzica.

NASTRÓJ: Podobnie do Aniołków nie reagują przesadnie — raczej się nie denerwują, jeśli się zwraca uwagę na oznaki głodu, senności, zmęczenia itd.

JAK JE SIĘ CZĘSTO OPISUJE: Wszystko zgodnie z planem. Są spokojne, chyba że czegoś potrzebują. Dziecko „łatwe w obsłudze".

Wrażliwiec

JEDZENIE: Łatwo się frustrują, i prawie wszystko może wpłynąć na ich chęć do jedzenia — przepływ mleka, pozycja ciała, warunki w pomieszczeniu. Jeśli są karmione piersią, mogą mieć problemy z prawidłowym przysłaniem się i trudności z rytmem ssania. Będą opierać się jakimkolwiek zmianom, zareagują także negatywnie na Twój podniesiony głos. Początkowo będą odmawiać pokarmów stałych — musisz być konsekwentna.

AKTYWNOŚĆ: Bardzo ostrożnie podchodzą do nowych zabawek, sytuacji, osób; potrzebują dużego wsparcia w takich przypadkach, podobnie jak w przypadku jakichkolwiek zmian. Zazwyczaj nie są zbyt aktywne i trzeba je zachęcać. Zwykle są mniej wrażliwe o poranku i lepiej radzą sobie w zabawie z jedną osobą niż w grupie. Unikaj umawiania się na zabawę z dziećmi w podobnym wieku po południu.

SEN: Niezwykle ważne jest, by je ciasno owijać w kocyk lub becik i blokować dostęp nadmiernych bodźców. Jeśli przegapisz ich „okienko snu", będą przemęczone, zatem ich uśpienie zajmie przynajmniej dwa razy tyle czasu co zwykle. Zazwyczaj śpią dłużej o poranku, a ucinają sobie tylko krótką drzemkę po południu.

NASTRÓJ: Czasem zachowują się kapryśnie już na sali porodowej, gdzie jasne światła wpływają na nie negatywnie. Łatwo się irytują, bardzo mocno reagują na wszystko i łatwo wyprowadza je z równowagi sytuacja zewnętrzna.

JAK JE SIĘ CZĘSTO OPISUJE: Prawdziwa płaksa. Najmniejsza rzecz wyprowadza go z równowagi. Nie radzi sobie z kontaktami z innymi ludźmi. Zawsze w końcu ląduje u mnie na kolanach albo czepia się mojej nogi.

Wiercipięta

JEDZENIE: Bardzo podobne do Aniołków, jeśli chodzi o jedzenie, ale jeśli są karmione piersią, mogą się niecierpliwić. Jeśli wypływ mleka mamy jest zbyt wolny, będą wypluwać ze złością pierś, jakby chciały powiedzieć: „Hej, no co jest?". Czasami trzeba podawać im dodatkowo butelkę, dopóki mleko nie zacznie lecieć.

AKTYWNOŚĆ: Bardzo aktywne i ruchliwe, mają mnóstwo energii. Są gotowe wskoczyć w prawie każdą sytuację, nie potrafią nad sobą zapanować ani zachować ostrożności. Bardzo ostro reagują i mogą być agresywne w stosunku do rówieśników. Ponieważ zazwyczaj łatwiej z nimi współpracować rano, unikaj spotkań z innymi dziećmi po południu, by miały czas wyciszyć się do wieczora.

SEN: Jako niemowlęta nienawidzą zawijania w kocyk, ale zdecydowanie trzeba unikać jakiejkolwiek stymulacji wizualnej. Są oporne w przypadku snu w dzień lub rytuałów wieczornych, ponieważ nie chcą nic przegapić. Jeśli masz szczęście, to nawet jeśli będą mniej spać rano, nadrobią dłuższą drzemką po południu, co dla takich dzieci jest kluczem do spokojnego snu w nocy.

NASTRÓJ: Gdy czegoś chcą, to *natychmiast*! Są zawzięte, bardzo głośne i często uparte, ich nastroje są nieprzewidywalne, szybko przechodzą ze smutku w radość i odwrotnie. Uwielbiają działanie, ale często *przesadzają*, co prowadzi do wybuchu złości. Takie wybuchy ciężko jest zatrzymać, gdy już się rozpoczną. Zmiany również mogą być problemem.

JAK JE SIĘ CZĘSTO OPISUJE: Żywe srebro. Zawsze za czymś goni. Nie mam siły, żeby za nią nadążyć. Mój mały nie wie, co to strach.

Maruda

JEDZENIE: Są bardzo niecierpliwe. Jeśli karmione piersią, nie lubią czekać na wypływ mleka mamy; czasami lepiej sobie radzą z butelką. Jednak w obu przypadkach karmienie trwa długo i zazwyczaj bardzo je męczy. Niełatwo przyzwyczajają się do pokarmów stałych, a gdy w końcu to nastąpi, akceptują tylko niektóre potrawy i domagają ich się w kółko.

AKTYWNOŚĆ: Zdecydowanie nie są aktywne, wolą bawić się samodzielnie i wykorzystywać raczej wzrok i słuch niż resztę ciała. Jeśli zajmą się jakąś zabawką lub rozrywką, nienawidzą, by im przerywać, i trudno im zakończyć jedno i zacząć drugie.

SEN: Zasypianie przysparza problemów. Takie dzieci często są przemęczone, ponieważ stawiają tak wielki opór, a potem usypiają w końcu, umęczone płaczem. W ciągu dnia często ucinają sobie tylko krótkie, czterdziestopięciominutowe drzemki, co napędza błędne koło niewyspania (patrz strony 258 – 261).

NASTRÓJ: Jak mawia się u nas, w Yorkshire, te niemowlęta zawsze są „gotowe do awantury". Jak na garnek na kuchence, którego trzeba pilnować, żeby nie wykipiał, na nie też trzeba zawsze mieć baczenie i obserwować różne sygnały emocjonalne. Najmniejsze odstępstwo od planu może je wytrącić z równowagi: przegapiona drzemka, stymulująca zabawa, zbyt dużo towarzystwa. Bez planu ich życie jest chaosem, a w końcu zaczynają przejmować kontrolę nad Twoim życiem.

JAK JE SIĘ CZĘSTO OPISUJE: Wiecznie ma kwaśną minę. Woli bawić się sam. Czuję się tak, jakbym była w ciągłym pogotowiu, czekając, aż znów zacznie płakać. Zawsze musi postawić na swoim.

Wychowanie — jak rodzice przezwyciężają temperament

Temperament nie jest wyrokiem na całe życie. Chociaż natura wyposaża je w to, z czym przychodzą na świat, doświadczenia dzieci — ich wychowanie, zaczynające się w okresie niemowlęcym — mają równie wielki wpływ. Innymi słowy, emocjonalne życie Twojego dziecka jest zdeterminowane zarówno jego temperamentem, który objawia się już kilka dni po urodzeniu, jak i historią jego życia — wydarzeniami, doświadczeniami, i co najważniejsze — wpływem osób, które je otaczają. Rodzice mogą mieć dobroczynny wpływ na temperament dziecka, albo wręcz przeciwnie, ponieważ mózg dziecka wciąż jest podatny na zmiany. Wiemy o tym, ponieważ różne badania wykazały, że zachowania rodziców mogą w istocie zmodyfikować umysł dziecka. Na przykład dzieci matek cierpiących na depresję nawet w ciągu pierwszego roku życia stawały się bardziej nerwowe i zamknięte w sobie i rzadziej się uśmiechały niż dzieci matek zdrowych. Podobnie układ limbiczny dzieci będących ofiarami przemocy różni się od dzieci niemających takich doświadczeń.

To bardzo ekstremalne przykłady tego, skąd wiemy, że otoczenie może mieć wpływ na temperament. Ta „plastyczność" mózgu może również objawiać się w bardziej subtelny sposób. Widywałam niemowlęta należące do kategorii Wrażliwców, które wyrastały na spokojnych, towarzyskich nastolatków. Obserwowałam niemowlęta — Marudy, które dorastały i odnajdowały spokój. Znam również wiele Wiercipięt, które dorastały na odpowiedzialnych przywódców, a nie na łobuzów. Ale może być również odwrotnie. Każdy typ dziecka, niezależnie od tego, jak dobre są jego wrodzone predyspozycje, może się zmienić na gorsze, jeśli rodzice nie biorą jego potrzeb pod uwagę. Aniołek może stać się marudny, Dziecko Książkowe może zmienić się w terrorystę.

Cały czas dostaję e-maile rozpoczynające się od słów: „Moje dziecko kiedyś było takim aniołkiem...". Zatem co się stało? No cóż, można przywołać smutną opowieść o Yancym, który był zdrowym, ponad trzyipółkilogramowym noworodkiem. Jego mama, Amanda, jest prawniczką specjalizującą się w branży rozrywkowej, ma prawie czterdzieści lat. Jak wiele współczesnych kobiet, Amanda rozpoczęła karierę tuż po studiach i była tak na niej skupiona, że lata jej młodości pochłonęła praca. Po osiągnięciu swojego wymarzonego stanowiska i pozyskaniu klientów w postaci największych gwiazd Hollywood poznała Matta, kolegę po fachu. Po ślubie oboje chcieli dzieci „kiedyś", zatem gdy Amanda zaszła w ciążę w wieku trzydziestu siedmiu lat, odłożyła wątpliwości na bok i stwierdziła: „Teraz albo nigdy".

Amanda wykorzystała w projekcie „dziecko" te same umiejętności menedżerskie, które stosowała w pracy zawodowej. Zanim urodził się Yancy, miała wyposażony pokój dziecinny i szafki zapełnione mlekiem dla niemowląt i butelkami. Planowała karmić piersią, ale chciała elastyczności... na wszelki wypadek. Zamierzała wrócić do pracy po sześciu tygodniach urlopu.

Na szczęście Yancy nie sprawiał problemów. „Dobry jak aniołek" — to zdanie najczęściej słychać było w domu podczas pierwszych tygodni życia chłopca. Dobrze spał, dobrze jadł i ogólnie był szczęśliwym niemowlęciem. Gdy Amanda wróciła do pracy zgodnie z planem, karmiła synka piersią rano, potem niania dawała mu butelkę w ciągu dnia, a po powrocie z domu znów dostawał pierś. Ale gdy Yancy miał mniej więcej trzy miesiące, Amanda straciła kontrolę. „Nie wiem, co się stało" — powiedziała mi przez telefon, prawie płacząc. „Nie śpi już tak ładnie jak kiedyś. Wcześniej wytrzymywał od jedenastej do szóstej, ale teraz budzi się dwa albo trzy razy w ciągu każdej nocy. Musiałam wrócić do karmienia piersią w nocy, bo wydaje mi się, że jest głodny, a nie chce ode mnie butelki. No i teraz jestem wykończona, a on robi się coraz gorszy".

Ponieważ Amanda tak szybko wróciła do pracy, miała poczucie winy, bo nie spędzała z synkiem tyle czasu, co wcześniej. Zamiast konsekwentnie przestrzegać stałego planu dnia, poinstruowała nianię, żeby dłużej przytrzymywała małego wieczorem bez spania, tak by mogła spędzać z nim więcej czasu po powrocie do domu i aby karmienie piersią było jego ostatnim posiłkiem. Przez większość wieczorów, zamiast spać od siódmej, mały był przytrzymywany do ósmej lub dziewiątej. Mimo że Amanda stosowała karmienie łączone i karmiła go przez sen, te strategie zawiodły z powodu zaburzenia planu dnia. Jego sen nocny był bardzo kapryśny, ponieważ kładł się spać przemęczony. A gdy budził się w nocy, Amanda sięgała po najprostsze rozwiązanie — pierś — ponieważ nie wiedziała, co innego mogłaby zrobić. To, co zaczęło się jako próba szybkiego rozwiązania problemu, zakończyło się pełnoobjawowym przypadkiem przypadkowego rodzicielstwa. Nagle jej Aniołek stał się Marudą, ponieważ płakał i nie można było go uspokoić. Był coraz gorszy — bo jego plan dnia się pogorszył. Odkąd Amanda zaczęła karmić w nocy, Yancy nauczył się tego oczekiwać. Podczas dnia, gdy była w pracy, zaczął także odmawiać butelki. Wyczekiwał, aż pojawi się pierś mamy (niektóre niemowlęta naprawdę stosują strajk głodowy; patrz ramka na stronie 137).

Ponieważ wrodzony temperament Yancy'ego był łagodny, nie było trudno przestawić go z powrotem na poprawny plan dnia. Amanda zgodziła się wracać wcześniej z pracy przez przynajmniej dwa tygodnie, zatem mogłyśmy „odkręcić" efekty jej przypadkowego rodzicielstwa. Ponieważ budził się nieregularnie, podejrzewałam, że przechodzi okres skoku wzrostu. Zatem zamiast pozwalać mu na posiłki w nocy, chciałam zwiększyć liczbę kalorii przyjmowanych przez niego w dzień, zatem dodałyśmy po dwadzieścia gramów do każdej butelki wypijanej w dzień i wróciłyśmy do karmień częściowych o 17:00 i 19:00, a także do karmienia przez sen o 23:00. Przesunęłyśmy porę kładzenia chłopca spać na 19:00. Zadbałyśmy również o to, żeby nie pozwalano mu spać w ciągu dnia dłużej niż dwie i pół godziny w sumie, aby nie „okradać" jego snu nocnego.

Pierwsza noc była małym piekiełkiem, ponieważ zmusiłam Amandę do obietnicy, że nie będzie karmić synka, gdy się obudzi. Wyjaśniłam, że poprzez zwiększenie kalorii, jakie przyjmuje w ciągu dnia, Yancy poszedł spać, mając bardziej pełny brzuszek niż zwykle, i nie będzie cierpiał z głodu. Obudził się trzykrotnie, i za każdym razem Amanda stosowała smoczek i moją metodę „poklepywania cicho-sza" (strona 192), aby go uspokoić. Nikt się dobrze nie wyspał tej nocy. Ale kolejnej, po dniu wypełnionym porządnymi posiłkami i drzemkami, Yancy obudził się tylko raz, i zamiast czterdziestu pięciu minut na uśpienie go wystarczyło dziesięć. Trzeciej nocy spał do rana, i zgadnijcie, co się stało? Mały Aniołek Matta i Amandy wrócił, a wraz z nim spokój w domu.

Oczywiście, mimo że rodzice mogą „zepsuć" temperament dobrego dziecka, odwrotność na szczęście również się zdarza. Możemy zrobić wiele, aby pomóc dzieciom w przezwyciężeniu nieśmiałości, przekierowaniu agresji, nauce samokontroli i nabraniu większej ochoty na udział w sytuacjach towarzyskich. Na przykład Betty wiedziała i akceptowała fakt, że Ilana, jej trzecie dziecko, plasuje się gdzieś pomiędzy Wrażliwcem i Marudą. Gdy Ilana wydała z siebie pierwszy krzyk w sali porodowej, popatrzyłam na jej mamę i powiedziałam: „Chyba mamy małą Marudę". Byłam przy wystarczającej liczbie porodów i odwiedzałam wystarczająco dużo dzieci w domu, żeby zdawać sobie sprawę z tego, o czym świadczy zachowanie przy narodzinach: niemowlęta z gatunku Marud *oraz* Wrażliwców zachowują się tak, jakby nie chciały się urodzić.

Gdy Ilana rosła, jej temperament okazał się zgodny z moim wczesnym proroctwem. Była nieśmiałym, często opornym dzieckiem, które mogło wybuchnąć w każdej chwili. Betty, doświadczona matka, wiedziała, że być może Ilana nigdy nie będzie radosnym, szczęśliwym dzieckiem. Ale zamiast skupiać się na tym, czego jej brakowało, albo starać się zmieniać charakter małej, Betty pracowała z Ilaną taką, jaką naprawdę była. Pilnowała stałego porządku dnia i godzin snu, a także zwracała baczną uwagę na emocjonalność córeczki. Nigdy nie zmuszała jej do uśmiechania się do obcych albo do angażowania się w jakieś zajęcia. Nie przejmowała się, że Ilana niechętnie próbuje nowości — a czasem nawet wcale nie chce spróbować. Zauważyła, że Ilana jest kreatywna i inteligentna, i starała się wzmacniać te jej cechy. Grała z nią w wiele gier wymagających wyobraźni, czytała jej, i w rezultacie Ilana miała bardzo duży zasób słownictwa. Cierpliwość Betty opłaciła się. Wśród znanych jej osób Ilana była bardzo rozmowna, jeśli tylko dało się jej szansę na ośmielenie się.

Ilana ma niedługo pójść do przedszkola. Wciąż jest bardzo nieśmiała, ale w odpowiednim środowisku wychyla się ze swojej skorupki. Na szczęście jej mama również podejmuje odpowiednie kroki, by życie małej było łatwiejsze. Betty rozmawiała już z nową wychowawczynią Ilany i przekazała jej informacje na temat podejścia, które dobrze się sprawdza w przypadku jej dziecka. Ponieważ Betty wie, jaka jest jej córka, spodziewa się również, że pierwszy tydzień w nowej grupie może być trudny dla Ilany. Ale jestem pewna, że z tak czujną i troskliwą matką Ilana świetnie sobie poradzi.

Widywałam wielu innych rodziców, których cierpliwość i świadomość pomogły w przezwyciężeniu cech charakteru, jakie mogły sprawiać problemy. Na przykład jeszcze przed urodzeniem Kathy jej mama, Lilian, wiedziała, że może się spodziewać bardzo aktywnej i asertywnej dziewczynki. Jeszcze w brzuchu mamy Katha nieustannie kopała, jakby chciała wysłać mamie wiadomość: „Tu jestem, lepiej się przygotuj". Po narodzinach te przewidywania okazały się słuszne. Była typowym niemowlęciem Wiercipiętą, które domagało się piersi i płakało natychmiast, jeśli trzeba było czekać chwilę na wypływ mleka. Najwyraźniej bardziej zainteresowana czuwaniem niż spaniem — w końcu coś mogło ją ominąć — Katha protestowała przeciwko układaniu jej w łóżeczku i zazwyczaj udawało jej się rozkopać z becika. Na szczęście Lilian przestrzegała sensownego planu dnia od momentu narodzin. Gdy mała iskierka wyrosła z wieku niemowlęcego, Lilian zadbała o to, by Katha, która zaczęła chodzić w wieku dziewięciu miesięcy, miała o poranku wystarczająco dużo okazji do wyładowania energii. Spędzały dużo czasu poza domem, co jest zdecydowanie nietrudne w słonecznej Kalifornii. Po południu Lilian wymyślała raczej spokojniejsze zajęcia, ponieważ wiedziała, jak trudno dziewczynce przychodzi wyciszenie się. Było to szczególnie trudne, gdy na scenie pojawiła się młodsza siostrzyczka Kathy. Chyba nie zdziwi nikogo wiadomość, że Katha chciała mieć mamę tylko dla siebie. Ale Lilian wyznaczyła w domu specjalne miejsca „tylko dla dużych dziewczynek", gdzie nie wolno było wpuszczać malucha, i zadbała o to, by spędzać trochę czasu sam na sam z energiczną starszą córeczką. Dzisiaj Katha ma pięć lat i wciąż jest śmiałym i awanturniczym dzieckiem, ale jest również dobrze wychowana i dość uprzejma, ponieważ rodzice zawsze kontrolowali jej zachowanie, gdy ona nie potrafiła kontrolować się sama. Katha jest również bardzo wysportowana — bez wątpienia jest to efekt zabaw i gier ruchowych, do jakich zachęcała ją mama. Lilian nie miała złudzeń, że jej pierworodna córka wyrośnie ze swojego charakteru, ale pracowała nad nim — a tę strategię polecam wszystkim rodzicom.*

Dlaczego niektórzy rodzice nie widzą

Dzieci takie jak Katha są od urodzenia bardziej problematyczne od innych, ale wszystkie dzieci odnoszą korzyści przy rodzicach „PC" takich jak Lilian, którzy rozumieją i akceptują charakter ich dziecka, a jeśli trzeba, dopasowują odpowiednio plan dnia i dyscyplinę. Oczywiście taka sytuacja to ideał. Ale rodzice nie zawsze są w stanie, a czasami nawet nie chcą zobaczyć tego, co mają przed nosem.

Gdy rodzice przywożą do domu noworodka, ich wzrok czasem przysłaniają oczekiwania. Prawie każda para oczekująca dziecka, w tym również rodzice spodziewający się drugiego lub trzeciego potomka, ma wcześniejsze wyobrażenia tego, jakie będzie ich dziecko i co będzie potrafiło robić. Zazwyczaj nasze fantazje odzwierciedlają to, kim jesteśmy. Zatem sportowiec wyobraża sobie siebie z dzieckiem na boisku albo na korcie tenisowym. Ambitna prawniczka myśli o tym, jak mądre będzie jej dziecko, gdzie pójdzie do szkoły, a także jakie wspaniałe dyskusje będzie można z nim prowadzić.

W rzeczywistości jednak nasze dzieci często nie dorównują tym, które widzieliśmy w marzeniach. Być może rodzice wyobrażali sobie małego aniołka, a okazuje się, że mają wrzeszczące i wierzgające małe diablę, przerywające im obiad i zakłócające sen. W takich przypadkach przypominam im: „Macie dziecko. Niemowlęta płaczą. To jedyny sposób komunikowania się, jaki znają". Nawet Aniołki lub Książkowe Dzieci potrzebują czasu na dostosowanie się, a to zajmuje więcej niż kilka dni.

Gdy Twoje dziecko rośnie i pewne cechy jego charakteru stają się bardziej widoczne — marudzenie, wrażliwość, nerwowość — z pewnością również będą nasuwać skojarzenia z Tobą, Twoim partnerem albo ciocią Teresą. Zatem powiedzmy, że Twoje dziecko jest Wiercipiętą. Jeśli należysz do gatunku zdobywców i masz pozytywne skojarzenia z ludźmi, których rozpiera energia, prawdopodobnie będziesz się przechwalać: „Mój Charlie jest tak asertywny jak ja". Ale jeśli przytłacza Cię zestaw cech, którymi charakteryzują się Wiercipięty (a może nawet trochę się ich boisz), najpewniej będziesz reagować dokładnie odwrotnie: „Mam nadzieję, że Charlie nie będzie tak agresywny jak jego ojciec. Obawiam się, że wyrośnie z niego łobuz". Oczywiście wszyscy dopatrujemy się w dzieciach rodzinnych cech charakteru, ale nie mamy przecież szklanej kuli. Nawet jeśli Twoje dziecko *przypomina Ci* krewnego, za którym nie przepadasz, lub jakąś cechę Twoją czy partnera, która Ci nie odpowiada, nie masz pojęcia, jakie naprawdę będzie, gdy podrośnie. *To inna osoba, inne czynniki będą miały na nią wpływ, będzie szła własną ścieżką życiową.* A co ważniejsze, jeśli nauczysz swojego Wiercipiętę, jak kontrolować emocje i na co kierować energię, nie musi wyrosnąć na łobuza.

Problem z obawami lub fantazjami polega na tym, że zachowujemy się zgodnie z nimi, a nie zgodnie z tym, co widzimy przed sobą, a wtedy nasze dziecko cierpi. Zatem oto jeden z pierwszych rozkazów zaklinaczki dzieci:

**Przyglądaj się dziecku, które masz,
a nie fantazjom na temat dziecka, które *chciałaś* mieć.**

Grace, która była bardzo nieśmiałą kobietą, zadzwoniła do mnie któregoś dnia, ponieważ niepokoił ją „lęk przed obcymi" jej synka, Macka. Wyjaśniła, że jej siedmiomiesięczny syn okazuje się być „taki jak ja w jego wieku". Ale gdy poznałam Macka, zobaczyłam Książkowe Dziecko, które po prostu było nieco płochliwe podczas poznawania nowych osób. Gdy dałam mu kilka chwil na przyzwyczajenie do sytuacji, z zadowoleniem siedział mi na kolanach. „Nie mogę uwierzyć, że dał ci się wziąć na kolana" — powiedziała Grace z buzią szeroko otwartą ze zdziwienia. „On nigdy nie chce do nikogo iść".

Poprosiłam Grace, by uczciwie przyjrzała się własnym zachowaniom, i prawda wyszła na jaw: Grace nigdy *nie pozwalała* Mackowi zbliżyć się do nikogo. Ciągle trzęsła się nad synkiem, trzymając wszystkich na dystans, ponieważ wierzyła, że tylko ona rozumie, jak bardzo bolesna jest taka wrażliwość. W jej rozumieniu była jedyną osobą, która mogła go obronić i która wiedziała, jak się z nim obchodzić. Nawet tatę spychała na margines. Co gorsza, Grace postępowała tak, jak wielu zmartwionych rodziców: wygłaszała swoje obawy w obecności Macka.

Och, powiesz pewnie, że Mack był tylko *niemowlęciem*. Nie rozumiał tak naprawdę, co Grace miała na myśli, mówiąc: „On nigdy nie chce do nikogo iść". Bzdura! Niemowlęta uczą się, słuchając i obserwując. Nawet naukowcy nie mają pewności, od kiedy zaczyna się prawdziwe zrozumienie. Ale wiemy, że małe dzieci przejmują emocje opiekunów; wiemy też, że rozumieją znacznie wcześniej, niż potrafią mówić. Zatem dlaczego mielibyśmy zakładać, że możemy przy nich bezkarnie mówić wszystko? Gdy Mack słyszy: „On nigdy nie chce do nikogo iść", rozumie, że wszyscy stanowią dla niego zagrożenie.

Inna częsta pułapka, w którą wpadają rodzice, gdy nie dostrzegają emocjonalności dziecka, polega na tym, że czasami próbują zmusić dziecko do dostosowania się. Zdarza się to często, gdy niemowlęta stają się bardziej niezależne. Ten post z mojego forum internetowego jest świetnym tego przykładem:

> *Moja Chloe nienawidzi, gdy się ją przytrzymuje. Gdy tylko ją podniosę, zaczyna się wyrywać, żeby z powrotem znaleźć się na podłodze i odkrywać świat. Doprowadziła do perfekcji technikę raczkowania, więc teraz zawsze chce się sama poruszać. Czasami chciałabym, żeby poprzytulała się do mnie albo przynajmniej usiadła mi na kolanach i posłuchała, jak jej śpiewam albo czytam, ale nie jest zbytnio zainteresowana. Zdecydowanie nie jest „małą przylepą", raczej wręcz przeciwnie. Jest bardzo niezależna i chce robić swoje. Czy ktoś ma niezależne dziecko, które nienawidzi przytrzymywania?*

Zgaduję, że Chloe jest w wieku od dziewięciu do jedenastu miesięcy. Oczywiście jest Wiercipiętą. Problem polega na tym, że choć niektóre dzieci należące do tego gatunku nie mają nic przeciwko przytulaniu, gdy są młodsze, to później, gdy umieją już poruszać się samodzielnie, przytulanie za bardzo je ogranicza. Mama takiego dziecka jak Chloe musi zaakceptować to, że *jej* maluch nie będzie spokojnie siedział i obserwował świata z jej kolan, jak to robią niektóre dzieci. Być może będzie jej brakowało bliskości, a może nawet uda jej się od czasu do czasu ukraść parę chwil, gdy jej żywe dziecko będzie w spokojniejszym nastroju, może przed wieczornym kładzeniem się spać, gdy Chloe wycisza się i jest gotowa na słuchanie bajki. Ale tymczasem musi nauczyć się doceniać, co potrafi jej córka, zwłaszcza gdy aktywnie odkrywa otaczający ją świat.

Pewna mama z Tennesee miała podobny problem ze swoim Wrażliwcem, który miał zaledwie pięć tygodni, gdy napisała do mnie: „Mój mąż i ja jesteśmy bardzo towarzyscy i lubimy odwiedzać przyjaciół. Keith niezbyt dobrze się czuje podczas takich wizyt. Próbowaliśmy go nawet umieścić u opiekunki zajmującej się też innymi dziećmi, ale cały czas płakał. Co można na to poradzić?". No cóż, skarbie, może Twój syn jest zbyt młody na tak duże przeżycia. Są one „duże" z jego punktu widzenia: jazda samochodem, a potem spędzanie wieczoru w obcym domu z wszystkimi tymi dużymi ludźmi, którzy zagadują do niego cały czas. Niestety, czasem może to powodować ograniczenia, ale musisz zaakceptować to, jaki on jest, przynajmniej na razie. Litości, on ma tylko pięć tygodni. Daj chłopcu trochę czasu na dostosowanie się. Następnie pracuj z nim stopniowo; dbaj o niego i rozwijaj jego mocne strony, a także skupiaj się na pozytywnych cechach, które chcesz wzmocnić. Jednak i tak niektóre dzieci są po prostu bardziej towarzyskie niż inne, i zawsze tak będzie.

Pewien typ rodziców bierze cechy dzieci do siebie, a wtedy *ich* emocje również wchodzą w grę. Pamiętam, jak zadzwoniła do mnie Dora. Za każdym razem, gdy próbowała przytrzymać Evana, jej synka należącego do kategorii Marud, uderzał ją w twarz. Dora traktowała te uderzenia jak odrzucenie i czuła się zraniona. Czasami gdy tak się działo, Dora, sama będąc bardzo wrażliwa, jeszcze bardziej potrzebowała bliskości z synkiem, ale czasem miała ochotę oddać małemu diabełkowi (który miał wtedy zaledwie siedem miesięcy!).

„Jak mam go nauczyć dyscypliny?" — zapytała. Prawda jest taka, że dzieci w wieku siedmiu miesięcy nie potrafią jeszcze zrozumieć związków przyczynowo-skutkowych. Uderzenie Evana było jego sposobem zakomunikowania: „Puść mnie". Nie mówię, że Dora powinna po prostu pozwolić się bić. Powinna przytrzymać jego ręce i powiedzieć: „Nie wolno bić", ale nie może się spodziewać, że naprawdę „załapie" jeszcze przez kolejnych sześć miesięcy (więcej na ten temat w rozdziale 8.).

Dobro dopasowania

Historia Evana i Dory nie jest wcale wyjątkowa. Rodzice często nie potrafią zrozumieć emocjonalnego życia ich dziecka, gdy jego temperament nie zgrywa się z ich własnym stylem emocjonalnym. Tak było na przykład w przypadku mamy Chloe — kobieta sama wydawała się być osobą, która potrzebuje przytulenia, a jej potrzeba fizycznej bliskości zaburzyła jej postrzeganie, kim jest jej córka. Prawda jest taka, że Ty, moja droga Czytelniczko, masz swój własny styl emocjonalny — podobnie jak każdy rodzic czytający tę książkę. Sama kiedyś byłaś niemowlęciem i pasowałaś do jednej z pięciu podanych przeze mnie kategorii, a może byłaś mieszanką dwóch lub więcej typów. Różne doświadczenia ukształtowały Cię od tamtej pory, ale Twój temperament — Twój styl emocjonalny — wciąż jest czynnikiem, który decyduje o tym, jak odnosisz się do ludzi i sytuacji.

Stella Chess i Alexander Thomas, znani psychiatrzy, będący pionierami badań nad temperamentem niemowląt w roku 1956, wymyślili zwrot „dobro dopasowania", aby określić stopień, w jakim rodzice i ich dzieci są do siebie podobni. Innymi słowy, zdrowy rozwój nie dotyczy tylko temperamentu dziecka, ale również Twoich wymagań i oczekiwań — tego, czy postrzegasz swoje dziecko takim, jakie naprawdę jest, i potrafisz dostosować swoją strategię, by pasowała do jego potrzeb, a nie tylko do Twoich. Chociaż nie prowadziłam żadnych naukowych badań odnośnie typów rodziców, które przedstawiam poniżej, moje doświadczenia z tysiącami rodziców dały mi dość niezłe pojęcie na temat tego, co się dzieje, gdy rodzic o konkretnym stylu emocjonalnym styka się z każdym z typów niemowląt.

Pewni siebie rodzice są zazwyczaj spokojni i wyluzowani, zatem dobrze pasują do każdego typu niemowlęcia. Gdy mają dziecko po raz pierwszy, zazwyczaj cieszą się ze zmian w życiu i dobrze sobie radzą z blaskami i cieniami rodzicielstwa. Są dość beztroscy — mają „wrodzony talent", który pozwala im ufać intuicji i bardzo dobrze rozpoznawać sygnały wysyłane przez dziecko. Ponieważ zazwyczaj są zrelaksowani i cierpliwi, dobrze sobie radzą z Marudami, chętnie poświęcają więcej czasu Wrażliwcom i mają wytrzymałość i kreatywność, by wychowywać Wiercipięty. Pewni siebie rodzice zazwyczaj myślą o wszystkich jak najlepiej, zatem szukają też tego, co najlepsze, w swoim dziecku. Chociaż mają własne zdanie na temat różnych praktyk w wychowywaniu dzieci, są otwarci na nowe pomysły i szybko rozpoznają sytuacje, w których przypisują własne motywy zachowaniom dziecka.

Podręcznikowi rodzice robią wszystko dokładnie tak, jak kazano w podręczniku na temat niemowląt. Czasami z tego powodu popadają w frustracje, ponieważ oczekują, że ich dziecko nie będzie odbiegać od normy. Gdy pojawiają się problemy, tacy rodzice gorączkowo przeszukują różne książki i czasopisma, a także internet, aby znaleźć sytuację dokładnie taką, jak ich, wraz z receptą na jej rozwiązanie. Trafiają na moją stronę internetową i narzekają, że ich dziecko nie robi tego czy owego. Próbują zmusić niemowlę do dostosowania się do tego, co typowe — niekoniecznie dlatego, że to dobre dla dziecka, ale ponieważ to „normalne". Idealnym niemowlęciem dla takich rodziców byłoby Książkowe Dziecko, które osiąga wszystkie etapy rozwoju na czas. Dobrze poradzą sobie również z Aniołkami, które łatwo się dostosowują. Ale Podręcznikowi rodzice, ponieważ tak bardzo chcą się trzymać sztywnego harmonogramu, mogą nie zauważać sygnałów wysyłanych przez dziecko. Zatem niezbyt dobrze będą pasować do delikatnego Wrażliwca albo Wiercipięty, który z pewnością nie jest konformistą. Podręcznikowi rodzice sami zapędzają się w kozi róg, usiłując wypróbować wszystkie techniki i strategie, o jakich przeczytali w książkach lub usłyszeli od ekspertów. Chyba najgorzej jest, jeśli trafi im się niemowlę typu Maruda, które będzie coraz bardziej marudne przy każdej kolejnej zmianie. Mocną stroną takich rodziców jest ich zdolność do poszukiwania informacji i radzenia sobie z problemami. Są niezwykle otwarci na sugestie.

Zestresowani rodzice sami są wrażliwcami. Mogą być nieśmiali, zatem trudno im zasięgnąć opinii czy szukać towarzystwa innych. Zestresowane mamy często płaczą i czują się niekompetentne w pierwszych dniach macierzyństwa. Zestresowani ojcowie boją się wziąć na ręce niemowlę. Jeśli mają dziecko z gatunku Aniołków lub Książkowych, radzą sobie nieźle, chociaż jeśli dziecko ma akurat zły dzień, uważają zwykle, że to pewnie ich wina, bo zrobili coś źle. Mają niską tolerancję na hałas i bardzo ich denerwuje płacz, zatem Maruda czy Wrażliwiec nie będzie do nich pasować. Przez większość czasu są sfrustrowani i nerwowi. Jeśli mają Marudę, prawdopodobnie będą brać jego nastroje do siebie. Spotkałam rodziców, którzy mówili mi: „On się do nas nigdy nie uśmiecha, bo nas nienawidzi". Zestresowani rodzice najgorzej radzą sobie z Wiercipiętami, które szybko uczą się, że to one rządzą w domu. Ich wrażliwość ma jednak również pozytywną stronę: są niezwykle dostrojeni do dziecka.

Przebojowi rodzice są zawsze w ruchu, zawsze biorą udział w jakimś projekcie. Nie potrafią usiedzieć na miejscu, zatem mogą mieć problem z tym, że dziecko ich spowalnia; mogą nawet z tego powodu wpadać w złość. Przebojowi rodzice zazwyczaj odrzucają rady. Choć wielu z nich dzwoni do mnie, by zapytać, co zrobić, to jeśli podaję im plan, zaczynają rzucać zdaniami typu: „Tak, ale..." i pytaniami zaczynającymi się od: „A co, jeśli...". Ponieważ najczęściej chcą wszędzie brać ze sobą dziecko, mogą doprowadzić do przemęczenia nawet zrównoważonego Aniołka lub Książkowego Dziecka albo co gorsza sprawić, że stracą poczucie bezpieczeństwa w chaosie. Nie dostrzegają tego, co mają przed nosem: radości z posiadania niemowlęcia, którego większość rodziców mogłaby im pozazdrościć. Przebojowi rodzice mogą wściekać się na Wrażliwca, obrażać się na złe nastroje lub brak elastyczności Marudy i próbować zamykać na klucz Wiercipiętę. Często są dość nieugięci i preferują ekstremalne rozwiązania, takie jak pozwalanie dziecku na wypłakanie się zamiast bardziej elastycznego i współczującego podejścia do problemów ze snem. Są surowi, interesują ich własne potrzeby i postrzegają wszystko jako czarne lub białe. Nie radzą sobie zbyt dobrze z planem PROSTE, ponieważ gdy słyszą „stały plan", kojarzą to z *harmonogramem*. Z drugiej strony jednak są bardzo kreatywni i dają dzieciom możliwość kontaktu z różnymi doświadczeniami, a także zachęcają je do wypróbowania nowych rzeczy i podejmowania nowych wyzwań.

Uparci rodzice sądzą, że sami wiedzą wszystko najlepiej, i denerwują się, gdy ich niemowlę nie reaguje tak, jak ich zdaniem powinno. Są bardzo uparci i zawzięci i trudno jest im pójść na kompromis. Tacy rodzice zawsze się skarżą i narzekają na swoje dziecko. Nawet jeśli mają Aniołka lub Książkowe Dziecko, odnajdują tę jedną jedyną cechę, która odbiega od ideału (jeśli nie naprawdę, to przynajmniej ich zdaniem), i na niej się skupiają. Uparci rodzice nie mogą znieść płaczu Wrażliwca. Nie cierpią tego, że muszą ciągle się starać, by uspokoić Wiercipiętę lub za nim biegać. I nienawidzą tego, że ich Maruda upiera się przy swoim i niezbyt często się uśmiecha, być może dlatego, że przypomina im to ich własny charakter. Krótko mówiąc, tacy rodzice znajdą sposób, by krytykować swoje dzieci, niezależnie od tego, jakie są. Co gorsza, krytykują i skarżą się innym, gdy dzieci są w zasięgu głosu, a przez to maluchy nabierają dokładnie takich cech, na jakie rodzice się uskarżają. Dobrą cechą upartych rodziców jest ich siła przetrwania. Gdy już rozpoznają problem, są otwarci na sugestie i chcą się ich trzymać, nawet gdy nie jest to proste.

Pamiętaj o tym, że powyższe style emocjonalne są przykładami bardzo ekstremalnymi. Nikt z nas nie pasuje dokładnie do żadnej z tych kategorii, najczęściej znajdujemy jakąś część siebie w każdym z typów. Ale jeśli przyjrzymy się sobie uczciwie, dowiemy się, jacy bywamy najczęściej. Nie mam też zamiaru twierdzić, że rodzicom nie wolno popełniać błędów. Rodzice są tylko ludźmi. Ich potrzeby są zawsze obecne gdzieś pod powierzchnią, mają też życie i zainteresowania poza dziećmi (i bardzo dobrze!). Celem, który przyświecał przedstawieniu potencjalnych „źle dopasowanych" scenariuszy, było podniesienie świadomości na temat tego, jak Twój własny charakter może wpływać na emocjonalność dziecka. Niestety, gdy rodzice nie potrafią dostrzec nic poza własnymi zainteresowaniami, a także gdy ich oczekiwania nie odpowiadają temperamentowi i umiejętnościom dziecka, ich podejście może mocno zakłócić emocjonalność dziecka, a zwłaszcza rozwój zaufania.

Zaufanie — klucz do rozwoju emocjonalnego

Życie emocjonalne Twojego dziecka jest początkowo wyrażane czystą emocją, w większości poprzez różne rodzaje płaczu i kontakty w Tobą; to są jego pierwsze doświadczenia komunikacji i kontaktów ze światem, a także jego rosnące przywiązanie do Ciebie. Gaworząc do Ciebie, niemowlę próbuje „porozmawiać", by utrzymać z Tobą relację (naukowcy nazywają to „protorozmową"). Ale do emocjonalnego i towarzyskiego tanga trzeba dwojga, zatem Twoja reakcja jest niezmiernie ważna. Gdy uśmiechasz się w odpowiedzi na jego uśmiech i gaworzenie lub pocieszasz, gdy żałośnie płacze, niemowlę wie, że jesteś przy nim, i zaczyna Ci ufać. Patrząc pod tym kątem, może zrozumiesz, dlaczego płacz jest czymś dobrym: oznacza, że dziecko spodziewa się, że zareagujesz. I odwrotnie — liczne badania wykazały, że niemowlęta zaniedbywane w końcu przestają płakać. Płacz nie ma sensu, jeśli nikt nie przychodzi pocieszyć dziecka albo zaspokoić jego potrzeb.

Zaufanie jest podstawą dla emocjonalnego rozwoju Twojego dziecka w kolejnych latach, jego zdolności do zrozumienia emocji, panowania nad sobą, szacunku dla uczuć innych ludzi. A ponieważ emocje mogą podnieść lub zahamować inteligencję i talenty Twojego dziecka, zaufanie jest również kluczem do uczenia się i nabywania umiejętności społecznych. Wiele długofalowych badań pokazało, że dzieci mające dobre relacje z dorosłymi, na których mogą liczyć, nie tylko mają mniej problemów w szkole, ale również posiadają wiarę w siebie, rozwijają ciekawość świata i są zmotywowane do jego odkrywania (ponieważ czują się bezpiecznie, wiedząc, że rodzice są przy nich i podniosą je, jeśli upadną). Lepiej również radzą sobie w kontaktach z rówieśnikami i dorosłymi niż dzieci, którym brakuje silnych więzów we wczesnym okresie życia, ponieważ ich pierwsze relacje udowodniły, że można polegać na innych.

Budowanie zaufania rozpoczyna się od zrozumienia i zaakceptowania temperamentu niemowlęcia. Reakcje emocjonalne każdego dziecka są inne. Na przykład w nowej sytuacji Aniołki, Książkowe Dzieci albo Wiercipięty zazwyczaj szybciej się adaptują, natomiast Marudy i Wrażliwce mogą być wytrącone z równowagi. Dzieci z gatunku Wiercipięt, Marud i Wrażliwców nie ukrywają swoich emocji i powiadamiają Cię o nich głośno i wyraźnie. Aniołki i Książkowe Dzieci potrzebują niewiele czasu, by się uspokoić, ale Wrażliwce, Wiercipięty i Marudy czasami płaczą niepowstrzymanie. Niezależnie od tego, w jaki sposób Twoje niemowlę wyraża siebie, nigdy nie staraj się namawiać go, by czuło coś innego („Oj, nie ma się czego bać"), albo nakłaniać, by było inne, niż naprawdę jest. W takich przypadkach to rodzice źle się czują z intensywnymi emocjami dziecka, zatem próbują mu je wyperswadować.

Zamiast negować uczucia dziecka — nawet niemowlęcia — *opisz* emocję („Och, słoneczko, musisz być zmęczona i pewnie dlatego tak płaczesz"). Nie martw się, czy Twoje dziecko zrozumie; w końcu tak się stanie. Równie ważne jest, by dostosować swoją reakcję do tego, czego *ono* potrzebuje w danej chwili — Wrażliwca dobrze byłoby ciasto owinąć kocykiem i ułożyć, ale w przypadku Wiercipięty lub Marudy taki sposób nie zadziała, ponieważ te dzieci nienawidzą braku swobody. W każdej wypełnionej emocjami chwili i z każdą właściwą reakcją pogłębiasz zbiornik zaufania.

Wszystkie niemowlęta potrzebują Twoich reakcji na ich płacz i zaspokajania ich potrzeb, ale Wrażliwce, Wiercipięty i Marudy są szczególnie wymagające. Oto, co należy zapamiętać o każdym z tych trzech typów:

Wrażliwiec. Zabezpiecz jego przestrzeń życiową. Przyjrzyj się jego otoczeniu i spróbuj sobie wyobrazić świat odczuwany wrażliwymi oczyma, uszami i skórą. Każda stymulacja zmysłów — drażniąca metka przy koszulce, głośno grający telewizor, jasne światło nad głową — może stanowić zbyt wiele. Daj mu wiele wsparcia w nowych sytuacjach, ale nie próbuj mu ich oszczędzać, ponieważ to może wzmocnić jego obawy. Wyjaśniaj wszystko, co masz zamiar zrobić — od zmiany pieluszki do przygotowywania do jazdy samochodem — nawet jeśli sądzisz, że Twoje dziecko jest za małe, żeby zrozumieć. W nowych sytuacjach zapewniaj, że jesteś obok. Ale pozwól dziecku wyjść na prowadzenie — czasami małe Wrażliwce potrafią zaskoczyć. Zapoznaj go początkowo tylko z jednym lub dwojgiem dzieci o łagodnym usposobieniu.

Wiercipięta. Nie spodziewaj się, że długo usiedzi w jednym miejscu. Nawet w wieku niemowlęcym Wiercipięty potrzebują zmiany pozycji i otoczenia częściej niż inne dzieci. Zapewniaj mnóstwo okazji do aktywnej zabawy, ale uważaj, by go nie przemęczyć. Pamiętaj, że przemęczony może łatwo paść ofiarą własnych emocji. Szukaj sygnałów „przeciążenia" i staraj się zapobiegać atakom złości, które u tych dzieci najtrudniej jest zatrzymać, gdy już się rozpoczną. Jeśli odciągnięcie uwagi nie poskutkuje, gdy dziecko jest na krawędzi wybuchu, usuń je z miejsca akcji, dopóki się nie uspokoi. Zadbaj o to, by krewni i opiekunowie dziecka zrozumieli i zaakceptowali intensywność jego przeżyć.

Maruda. Zaakceptuj to, że Twoje dziecko może nie uśmiechać się tak często jak inne maluchy. Zapewniaj mu szanse na wykorzystywanie oczu i uszu, nie tylko ciała. Wycofaj się, gdy się bawi, i pozwól mu samodzielnie podjąć decyzję co do rodzaju zabawek. Maruda może doznawać frustracji lub złości, jeśli ma do czynienia z nieznanymi zabawkami albo sytuacjami. Zadbaj o stopniowe dokonywanie zmian. Jeśli dziecko się bawi, a zbliża się czas drzemki, poinformuj je o tym wcześniej („Już prawie pora na koniec zabawy"), by miało kilka minut na zaakceptowanie tego faktu. Zapoznaj je początkowo tylko z jednym lub dwojgiem dzieci o łagodnym usposobieniu.

Przerwanie zaufania

Pewnego popołudnia poproszono mnie o przyjście do grupy dzieci bawiących się wspólnie, ponieważ matki, które niedawno zdecydowały spotykać się dwa razy w tygodniu, obawiały się, że ich dzieci „niezbyt się lubią". Trzy matki, Martha, Paula i Sandy, były dobrymi przyjaciółkami, a ich synowie, Brad, Charlie i Anthony, mieli od dziesięciu do dwunastu miesięcy. Niemowlęta oczywiście tak naprawdę nie „bawiły się" ze sobą. Raczej bawiły się same, a ich mamy mogły w tym czasie spokojnie porozmawiać. Takie grupy są dla mnie minilaboratoriami, pozwalającymi obserwować, jakie są relacje między dziećmi i jak ich matki sobie z nimi radzą.

Brad, dziesięciomiesięczny Wrażliwiec, nie chciał dołączyć do innych dzieci, a jego matka już wcześniej mówiła mi o tym „problemie". Wciąż marudził i podnosił rączki do Marthy, w oczywisty sposób domagając się wzięcia na kolana. Im bardziej Martha próbowała mu wyperswadować jego uczucia („No przestań, Brad. Lubisz przecież chłopców. Zobacz, jak fajnie się bawią"), tym głośniej jęczał. Mając nadzieję, że w końcu się podda i dołączy do kolegów, Martha próbowała go zignorować. Wróciła do rozmowy z koleżankami. Ale żadna z jej strategii nie podziałała — Brad wciąż marudził, a w końcu zaczął głośno płakać. Martha w końcu wzięła go na kolana, ale trudno go było uspokoić.

Po drugiej stronie pokoju Charlie, Wiercipięta, szalał z podniecenia, biegając od zabawki do zabawki. Wreszcie zauważył piłkę, którą koniecznie chciał mieć, i zaczął ją wyrywać Anthony'emu, który za nic w świecie nie chciał mu jej oddać. W końcu Charlie popchnął Anthony'ego, który przewrócił się i dołączył do Brada, płacząc równie głośno. Gdy Sandy porwała synka w ramiona, by go uspokoić, rzuciła znaczące spojrzenie na pozostałe kobiety: *nigdy więcej.*

Paula, mama Charliego, była przerażona. Zdecydowanie widać było, że doświadczyła już wcześniej takich sytuacji. Próbowała przytrzymać synka, ale jej się wyrywał. Im mocniej starała się go trzymać, tym głośniej krzyczał, protestując, i próbował się uwolnić. Paula próbowała mu przemówić do rozsądku, ale on zupełnie nie zwracał na nią uwagi.

Idealny przykład przerwania zaufania! Po pierwsze, wepchnięcie Brada w tłum dzieci (dla dziecka takiego jak on troje to już tłum) było jak wrzucenie nieumiejącego pływać dziecka do głębokiego basenu. A próba przytrzymania albo przemówienia do rozsądku Wiercipięcie poddanego takiemu natłokowi wrażeń była jak plucie na pożar!

Co mogłaby zrobić każda z tych matek, by poradzić sobie z sytuacją, a jednocześnie zbudować zaufanie, zamiast je niszczyć? Jak wyjaśniłam, Martha przede wszystkim powinna uświadomić sobie — jeszcze zanim przyjechała z synkiem — że „problem" Brada nie zniknie jak za dotknięciem magicznej różdżki. Powinna zapewnić swojego syna, że nie będzie go do niczego zmuszać („W porządku, kochanie, nie musisz się bawić, jeśli nie jesteś na to gotowy"). Powinna pozwolić mu siedzieć na swoich kolanach, *dopóki nie będzie gotowy*. Nie mówię, że nie mogła go nieco zachęcić. Ale zamiast go zmuszać czy ignorować, powinna delikatnie zachęcić go do udziału w zabawie. Mogła usiąść z nim na podłodze, może pokazać mu zabawkę, jaką lubi się bawić. Nawet jeśli bała się, że przyłączenie się do chłopców zajmie mu pół roku, powinna pozwolić mu na jego własne tempo.

Powiedziałam też Pauli, że powinna zaplanować pewne rzeczy z góry. Wiedząc, że Charlie jest bardzo aktywny i podatny na nadmierną ekscytację, powinna wkroczyć, gdy tylko zobaczyła, że zaczyna zbytnio szaleć. Znaki ostrzegawcze nadchodzącego wybuchu zazwyczaj zaczynają się od uniesionego głosu dziecka, machania rękoma i nogami oraz marudzenia. Zamiast pozwolić, by emocje Charliego nad nim zapanowały, powinna go wyprowadzić z pokoju wcześniej, by dać mu szansę na ochłonięcie, a tym samym na całkowite uniknięcie sceny. Gdy zaczyna się wybuch,

Pogromcy zaufania

Oto najczęstsze błędy popełniane przez rodziców niemowląt i starszych dzieci, które mogą zniszczyć zaufanie.

- Niedostrzeganie — albo, co gorsza, negowanie — uczuć dziecka („Przecież lubisz pieski. Przestań płakać").
- Zmuszanie dziecka, by jadło, gdy ma już dość („No, jeszcze łyżeczka „za mamusię").
- Nakłanianie dziecka, by zmieniło zdanie („Przestań, przecież kolega przyszedł specjalnie po to, żebyś się z nim pobawił").
- Brak komunikacji (jeszcze zanim Twoje niemowlę zacznie mówić, powinnaś prowadzić z nim dialog).
- Wprowadzanie nowych sytuacji, takich jak regularne spotkania z innymi dziećmi, bez ostrzeżenia, i zakładanie, że dziecku się to spodoba.
- Wymykanie się z domu, by uniknąć sceny (gdy wychodzisz do pracy lub chcesz sobie zrobić wolny wieczór).
- Mówienie jednego („Nie możesz dostać cukierka") i robienie czegoś innego (poddawanie się, gdy zaczyna płakać).

zwłaszcza w przypadku Wiercipięty, nie ma sensu próba przemawiania do rozsądku dziecka albo przytrzymywanie go. Podkreślam, że wyprowadzenie go z pokoju nie ma być karą — to tylko sposób na pomoc w opanowaniu emocji. Umysł niemowląt w tym wieku nie jest w stanie dostrzec powiązania przyczyny ze skutkiem, zatem nie można się spodziewać, że przemówimy dzieciom do rozsądku! Gdyby Paula wyprowadziła go z pokoju, delikatnie biorąc go za rękę, zamiast go przytrzymywać, mogłaby powiedzieć: „Chodźmy do sypialni, przeczytam ci bajkę. Możesz wrócić i dalej bawić się z dziećmi, gdy się trochę uspokoisz".

Żadnych występów solo!

Nigdy nie zostawiaj wrażliwego dziecka samemu sobie. Niemowlęta nie potrafią zapanować nad emocjami, więc musimy im w tym pomóc. Jeśli Twoje dziecko płacze, bije, kopie lub w jakikolwiek inny sposób okazuje, że straciło nad sobą panowanie, zmiana otoczenia prawie zawsze pomaga, zwłaszcza jeśli niedaleko są inne dzieci. Pozwoli to na usunięcie dziecka z miejsca akcji i odwróci jego uwagę, co jest jednym z najlepszych sposobów opanowania emocji dziecka. Zawsze wyjaśniaj, co czuje, nawet jeśli sądzisz, że nie rozumie. Być może dzisiaj nie, ale w końcu zrozumie, co do niego mówisz.

W swoim czasie i w swoim tempie Wrażliwiec Brad być może stanie się odważniejszy, bardziej aktywny i w końcu nauczy się interakcji z innymi ludźmi — ale tylko wtedy, gdy poczuje się bezpiecznie i komfortowo. Wiercipięta Charlie może się nauczyć, że męczenie innych dzieci nie jest w porządku, ale wyłącznie wtedy, jeśli ukróci się mu cugle, gdy straci kontrolę. Charlie będzie musiał poczekać jeszcze kilka miesięcy, zanim zrozumie, co znaczy „uspokoić się", ale nie jest za młody, by zacząć się tego uczyć. Martha i Paula muszą być bezpieczną przystanią dla swoich chłopców, a nie karzącymi policjantkami. Nawet jeśli chłopcy są za mali, by panować nad własnymi reakcjami, poczują się bezpieczniej, gdy ich matki wkroczą do akcji, by pomóc im zachować kontrolę. Będą wiedzieć, że na mamę można liczyć, gdy sytuacja staje się trudna do opanowania lub przerażająca.

I najważniejsze: powiedziałam trzem matkom, a zwłaszcza Marcie i Pauli, że muszą wyciągnąć wnioski z tego doświadczenia — nauczyć się, co wyzwala emocjonalne reakcje ich dzieci, a co je uspokaja. Następnym razem, miejmy nadzieję, wkroczą, *zanim* któryś chłopiec straci nad sobą panowanie. Jednak najważniejsza lekcja polega na tym, że nie mogą zarażać się emocjami dziecka. Muszą je przejrzeć i wyjaśnić dzieciom, co się z nimi dzieje, bez brania udziału w przedstawieniu i bez tracenia panowania nad sobą.

Zamiast spotykania się po południu mogłyby również zmienić porę na poranek, po pierwszej drzemce chłopców, gdy bardziej prawdopodobne jest, że dzieci będą wypoczęte, a poza tym spotykać się raz w tygodniu zamiast dwa razy, bo dla dzieci poniżej roku to może być za dużo. Ponadto, mimo że matki przyjaźnią się ze sobą, muszą pamiętać o dzieciach i zadać sobie pytanie: „Czy to naprawdę jest najlepsza sytuacja dla mojego dziecka?". Być może Charlie się wyciszy, ale zanim to nastąpi, jego temperament może być zbyt przytłaczający dla dziecka takiego jak Brad. A nawet Anthony, Książkowe Dziecko, może na tym nie wyjść najlepiej. Oczywiście spotkania poranne mogą sprawić, że Charlie będzie spokojniejszy, bo po południu nie pokazuje się z najlepszej strony. Ale również dla jego dobra lepsza mogłaby być zabawa z aktywniejszymi dziećmi — gdzieś na placu zabaw albo w parku. Wtedy nie będzie jedynym Wiercipiętą, a ten rodzaj otoczenia pozwoli mu na „wybieganie" odrobiny nadprogramowej energii.

Strach w gabinecie lekarskim

Wiele niemowląt zaczyna płakać, gdy tylko docierają przed drzwi przychodni lekarskiej. I któż by się dziwił. Kojarzą to miejsce z rozbieraniem do naga w zbyt jasno oświetlonym pomieszczeniu, a potem kłuciem igłą! Nie bądź jedną z tych matek, które przepraszają, gdy ich dziecko krzyczy na widok lekarza: „Och, on nie zawsze się tak zachowuje. Naprawdę pana lubi". Takie kłamstwa negują uczucia dziecka. Lepsze byłoby następujące podejście:

- Spróbuj umówić się z pediatrą kilka razy przed pierwszym szczepieniem.
- Bądź szczera: „Wiem, że ci się tu nie podoba, ale jestem przy tobie".
- Zapytaj pielęgniarkę, kiedy lekarz przyjdzie badać dziecko, i rozbierz je w ostatniej chwili. Potrzymaj je aż do wejścia lekarza.
- Stój przy główce dziecka, gdy lekarz je bada, i mów do niego.
- Jeśli to pora szczepienia, nie mów: „Oj, jaki niedobry pan doktor". Mów prawdę: „Musimy to zrobić, bo nie chcemy, żebyś zachorował".
- Nie bój się zmienić pediatry, jeśli masz wrażenie, że lekarz traktuje Twoje dziecko jak obiekt — nie odzywa się do niego i nie nawiązuje kontaktu wzrokowego.

Dwanaście wskazówek dotyczących budowania zaufania

W rozdziale 8. omawiam sposoby, w jakie rodzice mogą pomóc dzieciom w wieku powyżej roku uniknąć tego, co nazywam „uciekającymi emocjami", czyli uczuciami, które je pochłaniają i mogą przysłonić wszystkie ich talenty i zalety. Jednak prawidłowy rozwój emocjonalny, który umożliwia dziecku zrozumienie własnych emocji i zdolność do panowania nad nimi, zaczyna się od bezpiecznych relacji w rodzinie. Budowanie zaufania ma początek w wieku niemowlęcym, a następuje na dwanaście różnych sposobów.

1. ***Dostrój się***. Interpretuj płacz i mowę ciała, by zrozumieć, dlaczego dziecko płacze i czego „dotyczy" jego nastrój. Jeśli Twoje niemowlę płacze, zadaj sobie pytanie: „Czy wiem, kim jest moje dziecko?". Czy jest bardzo aktywne, wrażliwe, humorzaste, płaczliwe, w złym nastroju przez większość czasu? Czy ta reakcja jest dla niego nietypowa? Jeśli nie potrafisz opisać emocjonalnej bazy swojego dziecka, oznacza to, że nie zwracasz wystarczająco uwagi na wysyłane przez nie sygnały, a to z kolei może oznaczać, że jego potrzeby nie są zaspokajane.
2. ***Przestaw dziecko na plan PROSTE*** (patrz rozdział 1.). Wszystkie niemowlęta odnoszą korzyści, jeśli ich życie jest spokojne i przewidywalne, ale stały plan jest szczególnie istotny w przypadku niemowląt należących do typu Wrażliwców, Wiercipięt i Marud. Zaplanuj przewidywalne rytuały na wszelkie momenty „przejścia" od jednego rodzaju aktywności do drugiego — posiłki, drzemka i sen nocny, kąpiel, odkładanie zabawek na miejsce — aby dziecko wiedziało, czego się spodziewać.
3. ***Rozmawiaj ze swoim dzieckiem, a nie tylko mów do niego.*** Lubię traktować mówienie do niemowląt jak *dialog*, a nie monolog. Utrzymuj kontakt wzrokowy za każdym razem, gdy rozmawiasz z dzieckiem, niezależnie od jego wieku. Mimo że nie będzie Ci odpowiadać przez kilka pierwszych miesięcy, rok albo nawet dłużej, dostrzega Twoje wypowiedzi i „odpowiada" gaworzeniem i płaczem.
4. ***Szanuj przestrzeń fizyczną Twojego dziecka.*** Nawet jeśli sądzisz, że niemowlę Cię nie rozumie, zawsze wyjaśniaj, co masz zamiar zrobić. Na przykład, gdy chcesz założyć mu nową pieluszkę, powiedz: „Podniosę teraz twoje nóżki i założę ci nowego pampersa". Gdy idziecie na spacer: „Idziemy teraz do parku, więc założę ci ciepły kombinezon". A jeśli idziesz do lekarza, koniecznie powiedz mu, co się dzieje: „Pani doktor musi cię zbadać. Będę cały czas z tobą". (Patrz ramka na stronie 85, „Strach w gabinecie lekarskim").
5. ***Nigdy nie ignoruj płaczu dziecka i zacznij nazywać jego emocje, na długo zanim będzie w stanie zrozumieć.*** Dziecko próbuje Ci powiedzieć, co czuje. Możesz wcześnie zacząć uczyć je języka emocji, podpowiadając mu słowa pasujące do różnych rodzajów płaczu („Jesteś głodna — nie jadłaś od trzech godzin" albo „Jesteś zmęczony, chce ci się spać").

6. ***Pozwól, by emocje dziecka kierowały Twoimi działaniami.*** Na przykład, jeśli za każdym razem, gdy włączasz mobil nad głową swojego Wrażliwca, on zaczyna płakać, to chce Ci w ten sposób powiedzieć: „To za dużo". Pozwól dziecku obserwować zabawkę bez muzyki.
7. ***Dowiedz się, jakie metody pozwalają uspokoić dziecko.*** Ciasne owijanie jest świetną techniką dla większości dzieci, ale Maruda i Wiercipięta tylko jeszcze bardziej się rozzłoszczą. Podobnie metoda „poklepywania cicho-sza" (strona 192) zazwyczaj pomaga uśpić niemowlę, ale dla Wrażliwca może być zbyt obcesowa. Odwrócenie uwagi dobrze działa w przypadku większości dzieci, ale Wiercipiętę, Marudę lub Wrażliwca prawdopodobnie trzeba będzie usunąć z nadmiernie stymulującej sytuacji, by się uspokoili.
8. ***Zadbaj o to, by dziecko się najadało, od samego początku.*** Jeśli masz problemy z karmieniem piersią, a rady zawarte w tej książce nie pomagają, natychmiast skontaktuj się z doradcą laktacyjnym. Trudny okres nauki karmienia piersią może sprawić, że Aniołek czy Książkowe Dziecko staną się nieco bardziej nerwowe, ale Wrażliwiec, Wiercipięta i Maruda mogą być niezwykle wytrącone z równowagi.
9. ***Pilnuj pór spania w dzień i w nocy.*** Niemowlę, które się wysypia, jest w stanie lepiej poradzić sobie z trudnymi, codziennymi sytuacjami. Zwłaszcza jeśli masz małego Wrażliwca, postaw łóżeczko

POMOC w rozwoju dziecka

Rodzicielstwo zawsze oznacza balansowanie na linie pomiędzy dbaniem o bezpieczeństwo dziecka a pozwalaniem mu na samodzielne odkrywanie świata. Aby rodzice zapamiętali tę równowagę, proponuję technikę POMOC.

POstaw się w cieniu: nie wkraczaj natychmiast do akcji. Odczekaj kilka minut, by dowiedzieć się, dlaczego dziecko płacze albo dlaczego wczepia się w Ciebie i nie chce puścić.

Motywuj do poszukiwań: pozwól dziecku na samodzielne odkrywanie cudu swoich paluszków albo nowej zabawki, którą właśnie zawiesiłaś nad łóżeczkiem. Dziecko powie Ci, gdy będzie potrzebowało Twojej pomocy.

Określaj granice: prawdopodobnie wiesz, ile bodźców stanowi nadmiar dla Twojego niemowlęcia. Ograniczaj stymulację, czas czuwania, liczbę otaczających dziecko zabawek i wybór, którego może dokonać. Wkraczaj, zanim nastąpi przeciążenie.

Chwal: zacznij już w wieku niemowlęcym chwalić wysiłki dziecka, a nie rezultaty („Świetnie, włożyłaś rękę do rękawa"). Jednak nie przesadzaj z pochwałami. (Twoje dziecko nie jest „najmądrzejsze na świecie", choćby było bardzo inteligentne!). Właściwa pochwała nie tylko rozwija poczucie własnej wartości dziecka, ale też motywuje do dalszych starań.

w bezpiecznym, cichym miejscu i zadbaj o zaciemnienie pokoju podczas drzemek.

10. ***Nie roztaczaj przesadnego parasola ochronnego; pozwól dziecku na odkrywanie świata i cieszenie się niezależnością***. Pomyśl o haśle ilustrowanym akronimem POMOC (patrz ramka na poprzedniej stronie), gdy obserwujesz swoje dziecko podczas zabawy. Zobacz, co lubi robić, i szanuj jego własne tempo. Jeśli Twoja córeczka chce schować się bezpiecznie na Twoim ramieniu, pozwól jej na to. Wrażliwiec czy Maruda chętniej powędrują w świat samodzielnie, jeśli będą wiedzieć, że jesteś obok, by dodać im pewności siebie, gdy będą tego potrzebować.
11. ***Planuj aktywność w porach najlepszego samopoczucia Twojego dziecka***. Przemęczenie i nadmiar bodźców prawie zawsze gwarantują, że pojawią się „uciekające emocje". Weź pod uwagę temperament i porę dnia, gdy planujesz zająć się obowiązkami, odwiedzić krewnych lub spotkać się z innymi matkami z dziećmi. Nie planuj zabawy z innymi maluchami zbyt blisko pory drzemki. Zwłaszcza w przypadku starszych niemowląt, które potrafią już się w miarę swobodnie poruszać, a także uderzać i popychać, nie planuj kontaktów Wrażliwca z Wiercipiętą.
12. ***Zadbaj o to, by inne osoby zajmujące się Twoim dzieckiem zrozumiały i zaakceptowały jego temperament***. Jeśli zatrudniasz opiekunkę, spędź z nią kilka dni, by zobaczyć, jak na nią reaguje dziecko. Być może uwielbiasz Waszą nianię, ale nie można się spodziewać, by dziecko zaakceptowało nową osobę bez okresu przygotowawczego (zobacz „Lęk przed obcymi", strona 396).

Przedłużony lęk separacyjny — gdy przywiązanie prowadzi do braku pewności

Wzbudzenie zaufania dziecka i dostrojenie się do jego potrzeb to niezwykle ważne czynniki. Ale wielu rodziców myli wrażliwość z nadmierną troską, zwłaszcza ci, którzy przychodzą do mnie, ponieważ ich dzieci mają problemy separacyjne. Gdy zadaję pytania na temat typowego dnia, staje się dla mnie jasne, że ci ludzie wierzą, iż bycie dobrym rodzicem oznacza noszenie dziecka przez cały dzień, spanie z nim w jednym łóżku i nigdy, przenigdy niedopuszczanie do jego płaczu. Reagują natychmiast na każdy dźwięk i piśnięcie, nie czekając, czy to normalny odgłos wydawany przez niemowlę, czy też oznaka gorszego samopoczucia. Gdy nie noszą swoich niemowląt, trzęsą się nad nimi jak kwoki. Nie mogą wyjść z pokoju, bo ich maluch zaczyna płakać, i gdy do mnie w końcu dzwonią, nie pamiętają już, co to sen, wolność i przyjaciele. A jednocześnie racjonalizują to, co się dzieje, mówiąc: „Ale my wiemy, że rodzicielstwo wymaga poświęceń" takim tonem, jakby mówili o religii.

Jasne, niemowlęta potrzebują poczucia przywiązania i bezpieczeństwa, aby się nauczyć, jak wsłuchać się we własne uczucia i jak czytać wyraz twarzy innych osób. Ale takie poświęcające się rodzicielstwo czasami wymyka się spod kontroli. Niemowlęta czują się dobrze, jeśli się je rozumie. Możesz trzymać swoje dziecko w ramionach przez całą dobę, pozwalać mu zasypiać na swoich rękach i dzielić z nim łóżko aż do okresu dojrzewania. Ale jeśli nie rozpoznajesz jego wyjątkowych potrzeb, nie dostrajasz się do niego, nie będzie się czuło bezpieczne, niezależnie od noszenia i tulenia. Badania nie pozostawiają złudzeń: niemowlęta, których matki są nadopiekuńcze, czują się mniej bezpieczne niż dzieci matek reagujących właściwie i bez pośpiechu.

Dostrzegamy to najwyraźniej gdzieś w wieku od siedmiu do dziewięciu miesięcy, gdy prawie każde niemowlę przechodzi *normalny lęk separacyjny*. Dziecko jest w takim okresie rozwoju, gdy jego pamięć pozwala mu dostrzec, jak ważna jest matka, ale jego mózg nie dojrzał jeszcze wystarczająco, by zrozumieć, że gdy mama wychodzi, nie oznacza to, że znika na zawsze. Przy odpowiednim zapewnieniu pozytywnym tonem („Hej, w porządku, jestem tutaj"), a także odrobinie cierpliwości rodziców, normalny lęk separacyjny mija w ciągu miesiąca lub dwóch.

Ale zastanów się, co się dzieje z niemowlęciem, którego rodzice są nadopiekuńczy i cały czas się nad nim trzęsą. Dziecku nie wolno okazać frustracji i nigdy nie nauczono go uspokajać się samodzielnie. Nie umie się też samodzielnie się bawić, ponieważ rodzice uważają, że to ich rolą jest zabawianie go. Gdy zaczyna odczuwać normalny lęk separacyjny i płacze za swoimi rodzicami, oni natychmiast biegną mu na pomoc, niechcąco wzmacniając jego obawy. Mówią niespokojnie: „Tu jestem, tu jestem", tonem głosu odzwierciedlającym panikę dziecka. Jeśli takie sytuacje dzieją się przez dłuższy czas niż tydzień lub dwa, prawdopodobnie mamy do czynienia z tym, co nazywam *przedłużonym lękiem separacyjnym*.

Jednym z najbardziej dramatycznych przypadków tego zjawiska była Tia, dziewięciomiesięczna dziewczynka z Anglii, której mama desperacko poszukiwała pomocy, a gdy poznałam jej rodzinę, natychmiast zrozumiałam, dlaczego. To był najpoważniejszy przypadek przedłużonego lęku separacyjnego, jaki widziałam w ciągu wielu lat pomagania rodzicom. Określenie Tii jako „przylepnej" byłoby eufemizmem. „Od momentu, gdy się budzę" — wyjaśniła Belinda — „muszę ją wszędzie nosić. Sama bawi się góra dwie lub trzy minuty. A jeśli jej nie wezmę na ręce, wpada w histerię, może sobie zrobić krzywdę lub zwymiotować". Belindzie przypomniała się sytuacja, gdy wracała samochodem od babci. Tia czuła się porzucona, ponieważ siedziała w foteliku samochodowym, a nie w ramionach mamy, zaczęła płakać. Belinda zaczęła ją uspokajać, ale Tia płakała coraz głośniej. „W końcu postanowiłam, że nie będę co chwila zatrzymywać samochodu. Dojechałyśmy, chociaż Tia wymiotowała całą drogę".

Z pomocą kilku przyjaciółek Belinda kilkakrotnie próbowała wyjść z pokoju, podczas gdy przyjaciółka trzymała jej córkę. Nawet dwuminutowa nieobecność mamy wprawiła jej córkę w histerię. Oczywiście, chociaż przyjaciółki były gotowe ją wesprzeć, Belinda poddawała się i wracała do swego zwykłego rozwiązania: „Gdy tylko biorę ją na ręce, krzyki kończą się jak zaczarowane".

Ponadto, żeby nie było tak łatwo, Tia wciąż jeszcze budzi się w nocy; jeśli zdarza się to dwukrotnie, noc jest uznawana za „dobrą". Martin, który przez ostatnie pół roku starał się wspomagać żonę, nie potrafił uspokoić córeczki, która akceptowała wyłącznie mamę. W ciągu dnia, z Tią wiecznie na rękach albo płaczącą, Belinda była nie tylko wykończona, ale również nie mogła nic zrobić, a co dopiero poświęcić trochę czasu Jasmine, trzyletniej siostrze Tii. Oczywiście o czasie spędzanym tylko z mężem również nie było mowy. Belinda i Martin praktycznie nie mogli liczyć na chwilę spokoju lub prywatności sam na sam.

W ciągu kilku chwil rozmowy z Belindą i obserwowania, jak zajmuje się córeczką, zauważyłam, że Belinda niechcąco wzmaga najgorsze obawy Tii za każdym razem, gdy wraca biegiem i „ratuje" Tię zalewającą się łzami. Nosząc ją tak często, przekazywała córce komunikat: „Masz rację: jest się czego bać". Trzeba było zaradzić coś także na problemy ze snem Tii, ale najpierw należało się zająć poważnym lękiem separacyjnym.

Powiedziałam Belindzie, żeby postawiła Tię na ziemi, ale żeby wciąż do niej mówiła podczas zmywania naczyń. A także by w razie potrzeby wyjścia z pokoju odzywała się, żeby córka słyszała jej głos. Musiałam również przekonać Belindę, żeby przestała używać tonu głosu pełnego użalania się nad „biednym dzieckiem". Musiała doprowadzić do perfekcji ton wesołego zapewnienia zamiast: „No już dobrze, Tia, nigdzie nie idę". Za każdym razem, gdy Tia będzie za nią płakać, poleciłam jej, by ukucnęła, zniżając się do poziomu wzroku córeczki, zamiast ją podnosić. Mogła pocieszać córkę i przytulać, ale nie podnosić. To kolejny sposób powiedzenia dziecku: „W porządku, jestem przy tobie". Gdy Tia zaczęła się uspokajać, Belinda miała odciągnąć jej uwagę zabawką lub piosenką — czymkolwiek, co mogłoby pomóc jej zapomnieć o strachu.

Powiedziałam, że wrócę za sześć dni. Zadzwonili do mnie po trzech. Moje rady chyba nie działały. Belinda była jeszcze bardziej wyczerpana niż zazwyczaj i szybko skończyły jej się pomysły, jak odwrócić uwagę Tii. Jasmine, która czuła się jeszcze bardziej zaniedbana, zaczynała mieć ataki złości, starając się przyciągnąć choć na chwilę uwagę mamy. Podczas mojej drugiej wizyty, choć Belinda i Martin nie dostrzegali postępów, zauważyłam, że Tia zachowuje się nieco lepiej, zwłaszcza w salonie. Ale w kuchni, gdy Belinda próbowała wykonywać prace domowe, Tia wciąż zachowywała się okropnie. Uświadomiłam sobie, na czym polega różnica: w salonie Tia bawiła się na dywanie, otoczona mnóstwem zabawek — czyli wiele rzeczy odwracało jej uwagę — natomiast w kuchni siedziała w krzesełku edukacyjnym. Znacznie trudniej było Belindzie odciągnąć uwagę Tii, gdy siedziała w krzesełku, bo mała znudziła się już grzechotami, pokrętłami i innymi gadżetami, które nie stanowiły już dla niej atrakcji. Zatem nie tylko była odseparowana od mamy — choć tylko o kilka kroków — ale też nie mogła się poruszać.

Zasugerowałam, żeby położyć w kuchni dużą matę do zabawy i przynieść ulubione zabawki Tii. Mama kupiła jej również nowy stolik interaktywny, z klawiszami pianina i przyciskami, które Tia uwielbiała. Nowa zabawka ułatwiła odwracanie uwagi Tii. Poza tym teraz, jeśli mama nie chciała wziąć jej na ręce, Tia mogła

Pocieszanie i odwracanie uwagi

Jeśli Twoje niemowlę jest w wieku od siedmiu do dziewięciu miesięcy i nagle zaczyna marudzić, gdy wychodzisz z pokoju, albo ma problemy z zasypianiem w dzień albo snem w nocy, być może zaczyna się okres normalnego lęku separacyjnego. Zdarza się to wielu dzieciom, gdy po raz pierwszy uświadamiają sobie, że ich mamy są od nich oddzielone. Normalny lęk separacyjny nie musi przerodzić się w jego przedłużoną formę, jeśli zadbasz o następujące sprawy:

- Schylanie się do poziomu dziecka, gdy jest zdenerwowane i pocieszanie go słowami i przytuleniem, bez brania na ręce.
- Reagowanie na płacz dziecka spokojnie i bez nerwów.
- Uważaj na ton głosu — nie odzwierciedlaj paniki dziecka.
- Gdy dziecko się trochę uspokoi, odwróć jego uwagę.
- *Nigdy* nie uciekaj się do podejścia pozwalającego na „wypłakiwanie się" w przypadku problemów ze snem. Zniszczysz zaufanie dziecka i udowodnisz mu, że miało rację: rzeczywiście je opuściłaś.
- Baw się z dzieckiem w „a kuku", żeby zobaczyło, że mimo iż nie ma Cię przez chwilę, to wracasz.
- Wychodź do innego pomieszczenia, a później przed dom, żeby przyzwyczaić dziecko do krótkich okresów Twojej nieobecności.
- Gdy wychodzisz z domu, poproś partnera lub opiekunkę o wzięcie dziecka do drzwi, by mogło Ci pomachać na pożegnanie. Być może cały czas będzie płakać — to normalne, jeśli jest do Ciebie przywiązane. Ale musisz zbudować jego zaufanie.

przynajmniej podpełznąć do niej bliżej. Pomału okres skupienia uwagi na jednej rzeczy wydłużył się, a umiejętność samodzielnej zabawy również wzrosła.

Wciąż jeszcze został nam problem ze snem. Tia nigdy nie spała dobrze, i tak jak wiele innych matek, Belinda wybrała pójście po linii najmniejszego oporu i pozwalała, by dziecko zasypiało jej na rękach. Teraz była to jedyna metoda, by uśpić Tię. Gdy Belinda była pewna, że córeczka mocno śpi, powoli wstawała i przekładała ją do łóżeczka, które stało... gdzie? Oczywiście w sypialni rodziców. Zatem mamy dziecko, które w ciągu dnia boi się, że mama je zostawi, budzące się w nocy w łóżeczku. „Skąd się tu wzięłam? Gdzie mama? Przecież spałam u niej na rękach? Pewnie już nigdy nie wróci".

Przestawiliśmy łóżeczko Tii z powrotem do jej pokoju, a żeby włączyć tatę do gry, nauczyłam go techniki PP („podnieś – połóż", strony 229 – 232). Poleciłam Martinowi, by podczas wykonywania PP cały czas mówił córeczce: „Wszystko w porządku, idziesz tylko spać". Wymagało to poświęcenia kilku nocy wypełnionych płaczem i mnóstwa wytrwałości, ale Martin się nie poddał.

Po kilku dniach uczenia Tii samodzielnego zasypiania i pomagania jej w przetrwaniu nocy we własnym łóżku (więcej na ten temat w rozdziale 6.) Tia budziła się tylko raz w ciągu nocy, a czasami, ku zdumieniu jej rodziców, spała do rana. Jej drzemki w ciągu dnia również się poprawiły. Teraz, gdy nie była już przemęczona, problemy separacyjne również były znacznie mniej poważne.

Miesiąc później miałam wrażenie, że odwiedzam zupełnie inną rodzinę. Ponieważ Belinda nie musiała już uspokajać Tii przez całą dobę, mogła poświęcić więcej czasu Jasmine. Martin, który wcześniej czuł się bezradny, teraz stał się *pełnoprawnym* rodzicem. A ponadto wreszcie zaczął poznawać swoją młodszą córkę.

Samodzielna zabawa — podwaliny prawidłowego rozwoju emocjonalnego

Rodzice często pytają mnie: „Jak mam zabawiać moje dziecko?". Dla małych dzieci sam świat jest cudem. Dzieci z natury rzadko się „nudzą", chyba że rodzice niechcąco nauczyli je, żeby polegały na dorosłych w sprawie własnej rozrywki. Jeśli wziąć pod uwagę liczbę produkowanych dziś zabawek, które grzechoczą, trzęsą się, wibrują, gwiżdżą, śpiewają i mówią, częściej widzę dzieci cierpiące z powodu nadmiaru bodźców niż nudy. Wciąż jednak ważne jest, by osiągnąć równowagę: zadbaj o to, by Twoje dziecko miało stymulację odpowiedniego rodzaju, ale wprowadź również momenty wyciszenia i czas na odpoczynek. W końcu Twoje niemowlę nauczy się rozpoznawać sytuację, gdy będzie zbyt zmęczone na zabawę — co jest bardzo ważnym elementem prawidłowego rozwoju emocjonalnego — ale na początku musisz je poprowadzić.

Aby umożliwić dziecku rozwój „mięśni" emocjonalnych potrzebnych do samodzielnej zabawy, musisz balansować pomiędzy pomocą i wyręczaniem dziecka. Chcesz stworzyć taką atmosferę w domu, która da mu szanse do bezpiecznego odkrywania świata i eksperymentowania, ale jednocześnie musisz uważać, by nie wejść w rolę Reżysera Rozrywki. Poniżej znajdziesz wskazówki dostosowane do wieku dziecka, które pomogą Ci utrzymać tę równowagę.

Od urodzenia do sześciu tygodni. W tak młodym wieku karmienie i spanie jest wszystkim, czego można oczekiwać od dziecka — nic więcej nie udźwignie. Podczas karmienia mów do dziecka, by nie zasnęło. Postaraj się powstrzymać je od snu przez piętnaście minut po karmieniu, aby nauczyło się odróżniać okresy snu i jedzenia. Nie panikuj, jeśli zacznie zasypiać. Niektóre niemowlęta mogą początkowo wytrzymać bez snu jedynie przez kilka minut, ale w końcu czas czuwania się wydłuży. Jeśli chodzi o zabawki, noworodek chce widzieć przede wszystkim Twoją twarz i innych ludzi. Dużą „rozrywką" może być wizyta u babci albo po prostu chodzenie z nim na rękach po domu i pokazywanie mu różnych rzeczy w domu lub na podwórku. Mów do niego, jakby rozumiało każde słowo: „Widzisz, to jest kurczak, którego przygotuję na obiad", „Popatrz, jakie śliczne drzewo". Schowaj na razie te śliczne książeczki w obrazkami, które dostaliście w prezencie. Zamiast tego lepiej połóż dziecko niedaleko okna, by mogło wyglądać na zewnątrz, albo połóż do łóżeczka pod mobilem.

Od sześciu do dwunastu tygodni. Teraz Twoje maleństwo może bawić się samodzielnie przez piętnaście minut lub dłużej, ale uważaj, by nie przesadzić ze stymulacją. Możesz na przykład nie kładź dziecka na macie edukacyjnej na dłużej niż dziesięć lub piętnaście minut. Niemowlę w tym wieku uwielbia siedzieć na leżaczku, ale nie włączaj wibracji, jeśli taka funkcja istnieje, tylko po prostu pozwól mu siedzieć i obserwować otoczenie bez drgawek. Nie sadzaj też dziecka przed telewizorem, który jest *zdecydowanie* zbyt stymulujący. Zabieraj je ze sobą, gdy robisz pranie albo gotujesz, albo po prostu siedzisz przy biurku, czytając e-maile — niech sobie siedzi obok. Nadal mów do dziecka, wyjaśniaj, co masz zamiar zrobić, i dostrzegaj jego obecność. („A co ty tam robisz? Oj, widzę, że jesteś zmęczona"). Wcześnie zacznij naukę, że odpoczynek jest czymś dobrym.

Od trzech do sześciu miesięcy. Jeśli nie przesadzałaś z *nad*opiekuńczością, masz teraz dziecko, które nie śpi przez mniej więcej godzinę i dwadzieścia minut (łącznie z czasem karmienia). Niemowlę w tym wieku powinno być w stanie zabawić się samodzielnie przez piętnaście lub dwadzieścia minut, a potem zacznie marudzić. W tym momencie jest już blisko drzemki, więc dobrze byłoby odłożyć je do łóżeczka. Jeśli jeszcze nie potrafi się samodzielnie bawić, oznacza to zazwyczaj, że dopuściłaś się jakiejś formy przypadkowego rodzicielstwa, uzależniając dziecko od siebie. To nie tylko ograniczy Twoją wolność, ale również ograbi Twoje dziecko z niezależności i w końcu może sprawić, że straci poczucie bezpieczeństwa.

Nadal unikaj nadmiaru bodźców. Teraz jest właściwa pora, gdy możesz — a także dziadkowie, ciocie, i sąsiadki — zachwycać się reakcjami dziecka. Babcia się uśmiecha i robi śmieszne miny, i zanim się zorientujesz, maluch też zaczyna się śmiać. Ale nagle, z niewiadomego powodu, może się rozpłakać. Próbuje powiedzieć: „Zostawcie mnie w spokoju i włóżcie do łóżeczka. Już się napatrzyłem na nos babci!". Dziecko ma teraz większą kontrolę nad tułowiem, potrafi panować nad główką i rękoma, więc zamiast nieruchomo leżeć na macie, sięga po zawieszone nad nią zabawki. Ale jego nowa aktywność fizyczna ma pewną wadę: może próbować zjeść swoją rączkę i się zakrztusić albo pociągnąć się boleśnie za ucho, albo się zadrapać. Wszystkie niemowlęta badają swoje ciała, ale rodzice często wpadają w panikę. Biegną na pomoc, podnoszą dziecko tak szybko, że nie tylko zraniona część ciała boli, ale dziecko wpada również w przerażenie z powodu nagłej utraty podłoża. Dla takiego malucha szybkie uniesienie przypomina lot z parteru na ostatnie piętro drapacza chmur z prędkością światła. Zatem nie padaj ofiarą syndromu „biednej dzidzi" (patrz strona 256), ale daj znać, że dostrzegasz ból, jednocześnie nie robiąc z niego problemu. („Głuptasek! Pewnie, bolało, co?").

Od sześciu do dziewięciu miesięcy. Twoje niemowlę może teraz wytrwać bez snu przez mniej więcej dwie godziny, łącznie z czasem karmienia. Powinno być w stanie zabawić się samodzielnie przez pół godziny lub nawet dłużej, ale zmieniaj mu pozycje — powiedzmy z leżaczka na leżenie na plecach pod mobilem w łóżeczku. Gdy będzie już potrafiło siedzieć, wkładaj je do krzesełka. Maluch lubi manipulować różnymi przedmiotami. Będzie też wkładać wszystko do buzi, łącznie z głową psa. Teraz jest najlepszy moment, by wprowadzić książeczki w obrazkami, recytować wierszyki dla dzieci i śpiewać piosenki.

To wiek, gdy dzieci po raz pierwszy dostrzegają powiązanie między własnym zachowaniem a następującym po nim łańcuchem wydarzeń, a także moment, gdy złe nawyki łatwo utrwalić. Gdy rodzice mówią mi, że ich dziecko w wieku od sześciu do dziewięciu miesięcy płacze, żeby je wziąć na ręce po pięciu minutach zabawy, mówię: „No to go nie bierzcie". Inaczej uczycie malucha, że jeśli wyda taki dźwięk, mama go podniesie. To nie tak, że dziecko myśli sobie: „Och, wiem, jak sobie okręcić mamusię dookoła małego paluszka". Nie potrafi Tobą świadomie manipulować... jeszcze nie teraz. Zamiast pędzić, by je podnieść, usiądź obok i zapewnij je: „Hej, wszystko jest w porządku. Jestem tutaj. Możesz się jeszcze pobawić". Odwróć uwagę dziecka piszczącą zabawką albo pajacykiem.

Chciałabym również przypomnieć, żeby upewnić się, że dziecko nie płacze ze zmęczenia albo z nadmiaru różnych rzeczy dziejących się obok — hałasującego odkurzacza, rodzeństwa, telewizora, komputera, a także jego własnych zabawek. Jeśli tak jest, zabierz dziecko do jego pokoju. Jeśli nie ma własnego pokoju, stwórz bezpieczną przestrzeń w salonie albo w sypialni, gdzie może się ukryć, gdy zmęczy je nadmiar bodźców. Innym sposobem uspokojenia niemowlęcia w takiej sytuacji jest wyniesienie go na dwór i łagodne opowiadanie („Popatrz na drzewka, zobacz, jakie ładne"). Niezależnie od pogody, zabieraj dziecko na świeże powietrze. Zimą nie martw się za bardzo ubraniem — po prostu zawijaj dziecko w ciepły koc.

Teraz powinno zacząć się życie towarzyskie. Chociaż dzieci w tym wieku tak naprawdę jeszcze nie „bawią się" razem, to dobry moment, by zacząć spotkania ze znajomymi mającymi pociechy w podobnym wieku. Wiele amerykańskich matek, już wychodząc ze szpitala położniczego albo w momencie, gdy dziecko ma tydzień, zapisuje się do „grup matek", ale są to spotkania raczej dla mamy niż dla dziecka. Dzieci uwielbiają się obserwować, a kontakt z innymi dobrze na nie wpływa. Nie spodziewaj się jednak, że Twój maluch będzie dzielił się zabawkami. Na to przyjdzie jeszcze pora.

Od dziewięciu do dwunastu miesięcy. Twoje niemowlę powinno być już bardzo niezależne i bawić się samodzielnie przez *co najmniej* czterdzieści pięć minut, jak również powinno być zdolne do bardziej złożonych zadań. Może nakładać kółka na patyk albo wciskać klocek do otworów w pudełku. Zabawa wodą i piaskiem jest dla niego olbrzymią przyjemnością. Duże pudła i poduszki do rzucania też są świetną rozrywką, podobnie jak garnki i miski. Im częściej Twoje dziecko bawi się samo, tym bardziej będzie miało na to ochotę i tym bardziej będzie ufne, że jesteś tuż obok i nawet jeśli znikasz mu z oczu, to za chwilę się pojawisz. W tym wieku dzieci nie mają poczucia czasu, zatem gdy czują się bezpiecznie, nie ma dla nich znaczenia, czy znikasz na pięć minut, czy na pięć godzin.

Gdy jakaś matka mówi mi: „On nie chce się sam bawić" albo „Muszę obok niego cały czas siedzieć i nie mogę nic zrobić w domu", lub też „Nie mogę nawet podejść do innego dziecka", podejrzewam od razu, że mam do czynienia z przypadkowym rodzicielstwem, które prawdopodobnie zaczęło się całe miesiące wcześniej. Niemowlę płakało, mama je natychmiast brała na ręce, zamiast zachęcić je do samodzielnej zabawy. Krótko mówiąc, matka zawsze była na widoku dziecka i nigdy nie pozwalała mu na rozwój niezależności. Pewnie nie odwiedzała z nim innych dzieci, więc nie doświadczyło świata innego niż bezpieczne, domowe królestwo i boi się innych dzieci. A może mama pracuje i ma ambiwalentne uczucia na temat zostawiania dziecka z kimś innym, co spowodowało tę sytuację. Kobieta *zachowuje się* tak, jakby była winna, gdy wychodzi do pracy, i mówi rzeczy w rodzaju: „Przykro mi, kochanie. Mamusia musi iść do pracy. Będziesz za mną tęsknić?”.

Jeśli Twoje dziecko skończyło już roczek i wciąż nie potrafi się bawić, spróbuj zorganizować małą grupkę dzieci, z którymi mogłoby się bawić. To także moment, by zacząć pozbywać się niemowlęcych zabawek. Dzieci nie lubią bawić się zabawkami, które już dobrze znają. A dziecko, które jest znudzone swoimi zabawkami, najprawdopodobniej zacznie polegać na dorosłych w kwestii rozrywki. Jeśli Twoje dziecko wciąż cierpi na lęk separacyjny, delikatnie usuń się w cień i zacznij próbować zwiększać jego niezależność (patrz ramka „Pocieszanie i odwracanie uwagi”, strona 91). Przyjrzyj się również swojej postawie. Gdy zostawiasz dziecko pod opieką innej osoby, czy przedstawiasz tatę, nianię lub babcię jako kogoś zabawnego i potrafiącego o nie zadbać, czy też może w jakiś sposób dajesz do zrozumienia, że inni dorośli są jedynie gorszymi zastępcami mamusi? Być może lubisz czuć się najważniejsza w oczach swojego dziecka, ale oboje za to zapłacicie (emocjonalnie).

Pamiętaj również, że zabawa to dla dzieci poważna sprawa. Podstawy uczenia się kryją się w prawidłowym rozwoju emocjonalnym. Początek ma miejsce w okresie niemowlęcym, a gdy stopniowo zwiększasz czas na samodzielną zabawę swojego dziecka, wzmacniasz również jego umiejętności emocjonalne — umiejętność zapewniania sobie rozrywki, odkrywania świata bez obaw, eksperymentowania. Zabawa uczy dzieci, jak posługiwać się różnymi przedmiotami. Poprzez zabawę uczą się związków przyczynowo-skutkowych. Uczą się również, jak się uczyć — jak radzić sobie z frustracją, gdy coś się nie udaje za pierwszym razem, jak zachować cierpliwość i ćwiczyć wielokrotnie. Jeśli będziesz zachęcać dziecko do zabawy, a następnie się wycofasz i będziesz obserwować, jak interesuje się światem, może zostać naukowcem lub odkrywcą, dzieckiem, które bawi się samo i nigdy Ci nie powie: „Mamo, nudzę się!”.

ROZDZIAŁ TRZECI

PŁYNNA DIETA TWOJEGO DZIECKA

— KWESTIA KARMIENIA W PIERWSZYCH SZEŚCIU MIESIĄCACH

Jedzenie, cudowne jedzenie!

W ciągu pierwszych sześciu miesięcy życia Twojego dziecka litera P w planie PROSTE odnosi się do płynnej diety — mleka matki, mleka w proszku lub połączenia tych dwóch rodzajów pokarmu. Truizmem byłoby przypominanie, że jedzenie jest bardzo ważne dla Twojego dziecka. Wszyscy wiemy, że każde żyjące stworzenie potrzebuje pożywienia, by przetrwać. Zatem nic dziwnego, że problemy z karmieniem ustępują miejsca tylko kłopotom ze snem, gdy przeglądam e-maile, wątki na forum i odsłuchuję nagrania na automatycznej sekretarce. A jeśli czytałaś książkę od początku, wiesz też, że kłopoty ze snem można powiązać z problemami z karmieniem — i odwrotnie. Dobrze wypoczęte niemowlę lepiej je; właściwie karmione dziecko lepiej śpi.

Jeśli jesteś szczęściarą, Twoje niemowlę miało dobry start w pierwszych dniach życia. Niemowlęta początkowo przypominają maszynki do jedzenia, trzeba je prawie cały czas karmić. Zazwyczaj większość dzieci wyrównuje apetyt i zaczyna przyjmować mniej płynów mniej więcej w szóstym miesiącu życia. Niektórzy rodzice mówią mi: „Nasza córka kiedyś jadła równo co trzy godziny" albo „Moje dziecko przybierało ponad kilogram, a teraz 600 – 700 gramów". No cóż, słoneczko, dzieci dorastają! Rozwojowi towarzyszy również zmiana planu. Pamiętaj, zasada „cztery na cztery" dotyczy następującej zmiany: w wieku czterech miesięcy element P w planie PROSTE zaczyna występować co cztery godziny podczas dnia (patrz strona 40).

Wolność wyboru

To, jak karmią matki, jest kwestią *wyboru*. Chociaż wspieram każdą kobietę, która chce karmić piersią, i wierzę w zalety mleka matki, jeszcze mocniej wierzę w korzyści wynikające z przemyślanej, rozsądnej — i pozbawionej poczucia winy — decyzji na temat tego, jak chce karmić, zamiast przymuszania się do czegoś, co ją frustruje lub nawet unieszczęśliwia. Niektóre matki nie mogą karmić piersią z powodu cukrzycy, stosowania leków antydepresyjnych i innych powodów fizycznych. Inne po prostu *nie chcą*. Karmienie piersią nie pasuje do ich temperamentu albo jest zbyt stresujące, lub staje się koszmarem logistycznym w ich konkretnej sytuacji. Jeszcze inne miały złe doświadczenia z pierwszym dzieckiem i nie chcą znów tego przeżywać. Niezależnie od powodów nie ma w tym nic złego. Mleko w proszku ma obecnie wszystkie składniki odżywcze, których potrzebuje dziecko.

Moim zdaniem karmienie piersią jest zdecydowanie w modzie. Ankiety przeprowadzone w 2001 roku przez czasopismo „Pediatrics" wykazały, że 70% wszystkich matek karmiło piersią w momencie wypisu ze szpitala. Mniej więcej połowa odstawiła dziecko od piersi w ciągu sześciu miesięcy, inne karmiły rok lub dłużej (na stronie 117 wyjaśniam również, dlaczego dobrze jest łączyć karmienie piersią z butelką).

Zarówno mamy karmiące piersią, jak i butelką informują o podobnych problemach (zwłaszcza na początku): „Skąd mam wiedzieć, czy moje dziecko się najada? Jak często mam karmić córeczkę? Skąd mam wiedzieć, czy mój synek jest głodny? Ile mleka mu wystarczy? Jeśli wydaje mi się, że mała jest głodna godzinę po jedzeniu, to co to oznacza? Czy straci orientację, jeśli będę go karmiła raz piersią, a raz *butelką*? Dlaczego moje dziecko płacze po jedzeniu? Jak odróżnić kolki od gazów i refluksu — i skąd mam wiedzieć, czy moje dziecko na to cierpi?". Ten rozdział jest miejscem, w którym znajdziesz odpowiedzi na te i inne pytania związane z karmieniem. Tutaj (i w kolejnych czterech rozdziałach) zobaczysz wiele częstych skarg rodziców, które wprowadziłam w rozdziale 1. Ale teraz podam Ci mnóstwo strategii i wskazówek, podpowiadających, co w każdym przypadku zrobić.

Czy moje dziecko się najada? Ile wynosi norma?

Wszyscy chcą konkretów — ile powinno jeść dziecko i jak długo powinno trwać karmienie? Przeczytaj „Karmienie dla początkujących" na stronie 103, tabelę, która przeprowadzi Cię przez pierwszych dziewięć miesięcy, a do tego momentu Twoje dziecko będzie już jadło rozmaite rodzaje pożywienia stałego (patrz rozdział 4.) jako dodatek do swojej płynnej diety.

Gdy przywozisz dziecko do domu ze szpitala położniczego, element P planu PROSTE często łączy się z eksperymentowaniem, często na zasadzie „dwa kroki w przód i jeden w tył". Jeśli karmisz butelką, może będziesz próbowała smoczków różnego kształtu lub wielkości, aby zobaczyć, które najlepiej pasują do buzi dziecka. Albo jeśli Twoje dziecko jest malutkie i wydaje się dławić mlekiem, może wypróbujesz smoczki o wolniejszym przepływie — takie, w których samo niemowlę, a nie siła ciężkości, kontroluje przepływ mleka. Jeśli karmisz piersią, będziesz musiała zadbać o to, by dziecko potrafiło się właściwie przyssać, a także sprawdzić, czy mleko wypływa. Niezależnie od tego, co robisz, karmienie noworodka może być sporym wyzwaniem.

Najczęstszym zmartwieniem świeżo upieczonych mam jest: „Czy moje dziecko się najada?". Jedynym pewnym sposobem, by to sprawdzić, jest przyjrzenie się, jak przybiera na wadze. W Anglii można często usłyszeć zalecenia, by matka kupiła wagę i ważyła dziecko co trzy dni. Norma dobowa przybierania na wadze noworodka rozciąga się od piętnastu do pięćdziesięciu gramów. Ale jeśli Twoje niemowlę przybiera, powiedzmy, siedem gramów, wszystko może być w porządku — może po prostu masz drobne dziecko. Zawsze dobrze jest upewnić się u pediatry, czy przybieranie na wadze jest właściwe (a także przyjrzeć się sygnałom ostrzegawczym wymienionym w ramce na tej stronie).

W przypadku starszych niemowląt przybieranie na wadze może być kapryśne. Jeśli zajrzysz do siatek centylowych, zobaczysz, że niektóre niemowlęta są większe, a inne mniejsze. Stare karty wzrostu, zaprojektowane w latach pięćdziesiątych, były wyznaczane dla dzieci karmionych butelką, zatem nie wpadaj w panikę, jeśli Twoje karmione piersią dziecko nie rośnie tak szybko. Dzieci karmione mlekiem matki często mniej przybierają na wadze, zwłaszcza w ciągu pierwszych sześciu tygodni. W zależności od zdrowia i diety matki — jeśli nie spożywa wystarczającej ilości węglowodanów, jej mleko może nie mieć dość tłuszczu — mleko może być mniej „tuczące" niż mleko w proszku, które niezmiennie zawiera tę samą wartość odżywczą. Podobnie jeśli Twoje dziecko urodziło się z wagą poniżej 2700 gramów, na siatce centylowej prawdopodobnie odnajdziesz je na dole skali.

Kiedy martwić się wagą noworodka

Możesz ważyć dziecko, jeśli się martwisz, ale nie codziennie. Normalne jest, że noworodek traci do 10% swojej wagi urodzeniowej w ciągu pierwszych dni po urodzeniu, ponieważ do tej pory miał stały dopływ pożywienia przez pępowinę. Teraz musi polegać na zewnętrznym źródle — Tobie — by się najeść. Jednak powinnaś zasięgnąć opinii pediatry, a także konsultanta laktacyjnego, gdy karmisz piersią, jeżeli Twoje dziecko...

... traci więcej niż 10% wagi urodzeniowej,

... nie odzyskuje utraty wagi w ciągu pierwszych dwóch tygodni,

... utrzymuje wagę urodzeniową przez dwa tygodnie (klasyczna „porażka żywieniowa").

Jak już wyjaśniałam w rozdziale 1., mniejsze niemowlęta z naturalnych przyczyn jedzą mniejsze ilości pożywienia, zatem początkowo muszą być karmione częściej. Przypomnij sobie tabelę „PROSTE na kilogramy" na stronie 37, żeby upewnić się, czy bierzesz pod uwagę masę ciała dziecka przy urodzeniu i nie masz nierealistycznych oczekiwań odnośnie do ilości mleka, jaką powinno wypijać Twoje niemowlę. Noworodki przedwcześnie urodzone albo z niską wagą urodzeniową po prostu nie pomieszczą dużej ilości pożywienia — ich brzuszki są za małe. Takie maluchy muszą jeść co dwie godziny. Aby uświadomić to sobie *wizualnie*, napełnij foliową torebkę wodą w ilości takiej, jak mleko, które Twoje dziecko zazwyczaj wypija przy jednym posiłku, prawdopodobnie 30 – 60 mililitrów. Potrzymaj torebkę w pobliżu brzuszka dziecka. Łatwo dostrzec, że po prostu nie ma tam miejsca na większą ilość płynu. Nie oczekuj więc, że dziecko będzie jadło tak, jak czterokilogramowy noworodek.

Oczywiście niezależnie od wagi urodzeniowej niemowlęcia pojemność jego brzuszka codziennie się zwiększa. Trzeba również wziąć pod uwagę czynnik rozwojowy i aktywność, zatem nie porównuj swojego noworodka z czteromiesięcznym niemowlakiem siostry!

Pamiętaj, że tabela zawiera tylko *przybliżone wytyczne*. Każdego dnia inne czynniki mogą wpływać na apetyt dziecka, takie jak kiepski sen w nocy lub zbyt wiele bodźców. Niemowlęta są podobne do nas: w niektóre dni jesteśmy bardziej głodni niż w inne, zatem jemy więcej. Czasami zaś jemy mniej — na przykład jeśli jesteśmy zmęczeni lub po prostu nie w nastroju. W takich „złych" dniach Twoje dziecko też będzie mniej jadło. Z drugiej strony, jeśli dziecko jest w okresie skoku wzrostu (strona 124), który po raz pierwszy pojawia się w wieku sześciu tygodni, możliwe, że będzie jadło więcej. Podobnie wiek w tabeli jest tylko przybliżony, a podział na grupy — dość dowolny. Nawet w przypadku dzieci donoszonych jedno niemowlę w wieku sześciu tygodni może wyglądać tak, jakby miało osiem tygodni, a inne, jakby miało cztery.

Poczytaj ten post z mojego forum internetowego. Komentarze w nawiasach kwadratowych są moje!

Mój syn, Harry, ma sześć tygodni i waży pięć kilo. Chce jeść 170 mililitrów mieszanki co trzy godziny. Powiedziano mi, że to zdecydowanie za dużo. [Zastanawiam się, kto tak powiedział — jej przyjaciółki, sąsiadka, pani w sklepie? Zauważ, że nie wspomina o lekarzu!]. Mówią, że powinien wypijać maksymalnie 900 mililitrów mleka dziennie, niezależnie od wagi. [Jak można nie brać pod uwagę, ile waży dziecko?]. Harry wypija mniej więcej 1100 – 1200 mililitrów. Nie wiemy, co zrobić, żeby pomóc Harry'emu odróżnić głód od potrzeby uspokojenia się.

Ta bystra mama za dużo słucha porad innych osób zamiast swojej własnej, wewnętrznej zaklinaczki niemowląt. Ma rację, że martwi się, żeby nie uspokajać synka mlekiem, ale musi dostroić się do dziecka, a nie do przyjaciółek. Jak dla mnie nawet 1200 mililitrów mleka to nie jest za dużo jak na spore niemowlę. Nie wiem, ile Harry ważył przy urodzeniu, ale zgaduję, że jest mniej więcej na siedemdziesiątym piątym centylu, według uniwersalnych siatek centylowych. Poza tym wypija tylko około 200 mililitrów więcej niż to, co zdaniem „ktoś" powinien. To mniej więcej 20% więcej, a masa jego ciała pozwala na przyjęcie takiej ilości pożywienia. Ponadto nie „przekąsa" między posiłkami (patrz ramka strona 106) — potrafi wytrzymać bez jedzenia trzy godziny. Być może zacznie wypijać ponad 200 mililitrów, gdy zbliży się do ośmiu tygodni życia. Może również potrzebować stałych pokarmów nieco wcześniej (patrz ramka, strona 151). Mówię tej mamie: „Ty i Twój syn radzicie sobie całkiem nieźle — przestań słuchać innych!".

Podstawowa zasada jest prosta: obserwuj *swoje dziecko*. Zawsze powinniśmy przyglądać się konkretnemu przypadkowi, a nie wyznaczonym normom. Książki i tabele (łącznie z tą na stronie 103) są oparte na przeciętnych dzieciach. Obawiam się, że matki czasem dostają takiej obsesji na punkcie liczb i opinii innych ludzi, że trudno im zachować zdrowy rozsądek. Od wszystkich zasad są wyjątki — niemowlęta mogą jeść szybciej lub wolniej, niż przewiduje norma, a są także takie, które jedzą więcej lub mniej. Niektóre są pulchniejsze, inne szczupłe. Zatem jeśli dziecko wydaje się być głodne, wytrzymuje trzy godziny między karmieniami, a jego waga sięga siedemdziesiątego piątego centyla, czy nie powinno się mu po prostu dawać więcej jeść? Posunęłabym się nawet do stwierdzenia, że nie ma sposobu, by *przekarmić* dziecko, jeśli je co trzy lub cztery godziny. Jeśli znasz swoje niemowlę, reagujesz na wysyłane przez nie sygnały, uczysz się, co jest typowe dla jego etapu rozwoju, a potem wykorzystujesz zdrowy rozsądek, by ocenić zachowanie swojego dziecka, to prawdopodobnie wiesz, co jest dla niego najlepsze. Zaufaj sobie!

Tankowanie do pełna

Jednym ze sposobów na zadbanie o to, by niemowlę się najadało, jest zwiększenie ilości pożywienia w ciągu dnia, przed jedenastą wieczorem. Dzięki „tankowaniu do pełna", jak nazywam tę strategię, napełniasz jego brzuszek większą ilością mleka, co z kolei pozwala mu dłużej spać w nocy. Tankowanie do pełna jest również świetne podczas skoków wzrostu, tych dwu- lub trzydniowych okresów, gdy niemowlę je więcej niż zwykle (patrz strony 124 – 128).

Tankowanie do pełna składa się z dwóch części: *karmienia cząstkowego*, które następuje w dwugodzinnych odstępach wczesnym wieczorem, o siedemnastej i dziewiętnastej lub osiemnastej i dwudziestej, a także *karmienia przez sen*, mającego miejsce gdzieś pomiędzy dwudziestą drugą a dwudziestą trzecią (w zależności od tego, o której godzinie kładziesz się spać Ty lub Twój partner). Karmienie przez sen należy rozumieć dosłownie — karmi się dziecko, gdy śpi. Nie powinno się nic do niego mówić ani zapalać światła. Łatwiej je nakarmić butelką, bo wtedy po prostu wciska mu się smoczek do buzi, a to aktywuje odruch ssania. Gdy karmisz piersią, jest to odrobinę bardziej skomplikowane. Zanim podasz mu pierś, szturchnij dolną wargę dziecka sutkiem lub smoczkiem, by zadziałał odruch ssania. Tak czy owak, pod koniec karmienia przez sen niemowlę będzie tak zrelaksowane, że można je odłożyć do łóżeczka bez unoszenia go, by mu się odbiło.

Zalecam stosowanie tankowania do pełna po raz pierwszy, gdy tylko przywieziesz noworodka do domu ze szpitala, ale można wykorzystać obie strategie w każdym momencie podczas pierwszych ośmiu tygodni, a karmienie przez sen aż do siódmego lub ósmego miesiąca (gdy niemowlę wypija od 170 do 220 mililitrów mleka przy każdym karmieniu, a ponadto dostaje już sporo pokarmów stałych). Niektóre niemowlęta trudniej jest „zatankować" niż inne. Mogą przyjmować karmienie cząstkowe, ale odmawiać jedzenia przez sen. Jeśli takie właśnie jest Twoje dziecko, skup się *wyłącznie na karmieniu przez sen*. Nie zawracaj sobie głowy karmieniem cząstkowym. Na przykład, karmisz dziecko o osiemnastej, kąpiesz je i wykonujesz rytuał wieczorny, a następnie kończysz karmienie o dziewiętnastej — pewnie wypije niewiele. Następnie o dwudziestej drugiej lub dwudziestej trzeciej (jeśli zazwyczaj nie śpisz jeszcze o tej porze albo jeśli Twój partner czuwa) spróbuj nakarmić je przez sen — nigdy nie rób tego później niż o dwudziestej trzeciej. Ale nie poddawaj się po jednej nocy czy dwóch. Nierealistyczne byłoby oczekiwanie, że możesz zmienić nawyki niemowlęcia w okresie krótszym niż trzy dni, a w przypadku niektórych dzieci trwa to aż tydzień. Nie ma co się spodziewać cudów, ale wytrwałość zazwyczaj popłaca.

Karmienie dla początkujących

Poniższa tabelka jest zaprojektowana dla niemowlęcia ważącego powyżej 2700 gramów przy urodzeniu. Jeśli karmisz piersią, założenie jest takie, że nie masz problemów z przystawianiem dziecka lub wypływem mleka, a niemowlę nie ma problemów natury trawiennej, anatomicznej lub neurologicznej. Jeśli dziecko urodziło się przed czasem, możesz korzystać z tabeli, ale dostosuj ją odpowiednio do jego *wieku rozwojowego*. Zatem, na przykład jeśli termin porodu miałaś na pierwszego stycznia, ale dziecko urodziło się pierwszego grudnia, możesz je uważać za noworodka, gdy będzie miało miesiąc. Albo jeśli ważyło mniej przy urodzeniu, sprawdzaj tabelę według jego wagi, a nie wieku.

Wiek	**Jeśli karmione butelką — ile je?**	**Jeśli karmione piersią — jak długo je?**	**Jak często?**	**Uwagi**
Pierwsze trzy dni	Ok. 50 mililitrów co dwie godziny (w ciągu dnia mniej więcej 450 – 500 mililitrów)	Pierwszy dzień: 5 minut z każdej piersi Drugi dzień: 10 minut z każdej piersi Trzeci dzień: 15 minut z każdej piersi	Cały dzień, na żądanie Co dwie godziny Co dwie i pół godziny	Matki karmiące piersią muszą karmić częściej, by zwiększyć produkcję mleka, co zazwyczaj następuje w ciągu pierwszych kilku dni; w dniu czwartym przestaw się na karmienie z jednej piersi (patrz strona 110)
Do sześciu tygodni	Od 50 do 150 mililitrów na jeden posiłek (siedem lub osiem karmień dziennie — zazwyczaj 500 – 700 mililitrów dziennie)	Do 45 minut	Co dwie i pół do trzech godzin w ciągu dnia; karmienie cząstkowe wczesnym wieczorem (strony 101 – 102). Twoje dziecko powinno wytrzymać w nocy 4 – 5 godzin bez karmienia, w zależności od wagi i temperamentu	Na początku niemowlęta karmione butelką potrafią dłużej wytrzymać między karmieniami; te karmione piersią zazwyczaj je doganiają po trzech – czterech tygodniach, jeśli matka nie ma problemu z przystawianiem dziecka lub produkcją mleka
Od sześciu tygodni do czterech miesięcy	100 – 170 mililitrów (sześć karmień plus karmienie przez sen, zazwyczaj 700 – 900 mililitrów)	Do pół godziny	Co trzy – trzy i pół godziny; do szesnastego tygodnia życia dziecko powinno wytrzymywać 6 – 8 godzin w nocy. Nie stosuj karmienia cząstkowego w wieku powyżej ośmiu tygodni	Twoim celem powinno być wydłużenie czasu pomiędzy karmieniami w ciągu dnia, by w wieku czterech miesięcy dziecko wytrzymywało około czterech godzin. Ale jeśli przechodzi okres intensywnego wzrostu i jest karmione piersią, może będziesz musiała „tankować do pełna” (strona 101) i (lub) wrócić do planu trzygodzinnego
Od czterech do sześciu miesięcy	140 – 220 mililitrów podczas jednego karmienia (pięć karmień dziennie plus karmienie przez sen — zazwyczaj 750 – 1000 mililitrów)	Do dwudziestu minut	Co cztery godziny; dziecko powinno wytrzymywać bez jedzenia 10 godzin w ciągu nocy	W tym wieku na apetyt niektórych niemowląt ma wpływ ząbkowanie i ruchliwość, zatem nie wpadaj w panikę, jeśli Twoje dziecko je mniej

Karmienie dla początkujących — ciąg dalszy				
Wiek	**Jeśli karmione butelką — ile je?**	**Jeśli karmione piersią — jak długo je?**	**Jak często?**	**Uwagi**
Od sześciu do dziewięciu miesięcy	Pięć karmień dziennie, łącznie z pokarmami stałymi. Typowa ilość płynów wynosi 900 – 1400 mililitrów. Gdy wprowadzasz pokarmy stałe, ilość płynów maleje o taką samą liczbę gramów — czyli niemowlę, które kiedyś wypijało 1100 mililitrów płynów, teraz zjada 420 gramów pokarmów stałych i 680 mililitrów płynów. Uwaga: łyżka stołowa pokarmów stałych równa się mniej więcej 15 mililitrów płynu; dwie łyżki piure z owoców lub warzyw to mniej więcej jedna czwarta stumilitrowego słoiczka, jeśli sama nie przygotowujesz jedzenia	Podawaj najpierw jedzenie, a potem butelkę lub 10 minut piersi. Niemowlęta w tym wieku potrafią już dość szybko przełykać, zatem w ciągu 10 minut wypiją więcej niż kiedyś w ciągu pół godziny	Typowy plan: 7:00 — mleko (140 – 220 mililitrów z butelki lub piersi) 8:30 — pokarmy stałe, „śniadanie" 11:00 — mleko 12:30 — pokarmy stałe, „drugie śniadanie" 15:00 — mleko 17:30 — pokarmy stałe, „obiad" 19:30 — butelka lub pierś przed snem	Niektóre dzieci początkowo mają trudności w przyzwyczajeniu się do pokarmów stałych. Twoje niemowlę może mieć katar, zaczerwienione policzki lub pupę, a może nawet biegunkę, co może wskazywać na alergię pokarmową; skonsultuj się z pediatrą. Ślinienie niekoniecznie oznacza ząbkowanie. Niemowlęta zaczynają się ślinić mniej więcej w wieku czterech miesięcy, gdy rozwijają się ich gruczoły ślinowe. Gdy wprowadzasz pokarmy stałe (patrz rozdział 4.), zmniejsza się ilość mleka wypijanego przez dziecko. Na każde 50 gramów pokarmów stałych odejmij 50 mililitrów mleka

Pierwsze sześć tygodni — problemy z karmieniem

Nawet jeśli Twoje dziecko przybiera na wadze, podczas pierwszych sześciu tygodni mogą pojawić się inne problemy z karmieniem. Oto najczęstsze na tym etapie skargi.

Moje dziecko zasypia podczas karmienia i godzinę później wydaje się być głodne.

Moje dziecko chce jeść co dwie godziny.

Moje dziecko cały czas marudzi, a ja wciąż myślę, że jest głodne, ale przy każdym karmieniu zjada tylko troszeczkę.

Moje dziecko płacze podczas karmienia albo wkrótce po nim.

To wszystko są problemy z karmieniem, kwestie, które zazwyczaj można rozwiązać, jeśli zadbamy o to, by niemowlę miało stały plan dnia, odpowiedni dla jego wagi urodzeniowej. Ważne jest również, byś nauczyła się odróżniać płacz z głodu od innych rodzajów płaczu, tak byś mogła karmić dziecko do syta, zamiast pozwalać mu na „przekąski" (patrz niżej). A co jeszcze ważniejsze, jeśli Twoje dziecko cierpi z powodu refluksu żołądkowo-przełykowego, gazów lub kolki, dzięki dostrojeniu się możesz uniknąć przekarmiania go, co tylko pogorszyłoby problem.

To dość łatwe dla mnie, bo widziałam dosłownie tysiące niemowląt, ale zdecydowanie trudniejsze dla świeżo upieczonych, niewyspanych rodziców! Aby pomóc Ci w ustaleniu, co dzieje się z Twoim dzieckiem i co na to poradzić, oto pytania, które zadaję rodzicom, wraz ze szczegółowymi strategiami pozwalającymi rozwiązać każdy problem.

Jaka była masa urodzeniowa Twojego dziecka? Zawsze biorę pod uwagę wagę urodzeniową dziecka, a także inne „okoliczności łagodzące" mające miejsce podczas porodu lub tuż po nim. Jeśli Twoje dziecko było wcześniakiem albo urodziło się z niską wagą urodzeniową, lub też ma inny problem zdrowotny, prawdopodobnie potrzebuje karmienia co dwie godziny. Z drugiej strony, jeśli dziecko ważyło ponad trzy kilogramy przy narodzinach i nie wytrzymuje więcej niż dwie godziny między karmieniami, oznacza to, że coś innego musi wchodzić w grę. Albo nie najada się wystarczająco przy każdym posiłku, albo używa piersi czy butelki jako uspokajacza, a wtedy jest na najlepszej drodze do stania się „przekąsaczem" — dzieckiem, które je po troszeczku naraz, ale nigdy nie najada się do syta (patrz ramka na stronie 106).

Butelkowe mamy: czytajcie instrukcje!

Poznałam matki, które dodawały więcej mleka w proszku do butelki, mając nadzieję, że dziecko zacznie szybciej przybierać na wadze lub otrzyma podwójną dawkę składników odżywczych. Zatem zamiast jednej miarki na 50 mililitrów wody sypały dwie. Jednak dawkowanie mleka w proszku jest bardzo ściśle określone. Jeśli dajesz mniej wody, Twoje dziecko może się odwodnić lub dostać zatwardzenia, zatem przestrzegaj sposobu dawkowania.

Karmisz piersią czy butelką? Przy karmieniu butelką ryzyko jest mniejsze, bo dokładnie *widać*, ile wypija dziecko. Jeśli waży ponad trzy kilo i wypija od 50 do 150 mililitrów mleka, ale wciąż wydaje się głodne godzinę po posiłku, źle odczytujesz jego płacz. Najprawdopodobniej po prostu chce sobie possać. Daj mu smoczek. Jeśli wciąż wydaje się być głodne, może nie dostaje wystarczająco dużej porcji mleka.

Jeśli karmisz piersią, musisz ocenić, ile je Twoje dziecko, na podstawie tego, *jak długo* trwa karmienie. Większość niemowląt w wieku do sześciu tygodni ssie pierś przez co najmniej piętnaście lub dwadzieścia minut — jeśli trwa to krócej, dziecko prawdopodobnie tylko sobie „przekąsza". Musisz jednak upewnić się, czy dobrze przystawiasz je do piersi, a także czy mleko jest produkowane w wystarczającej ilości (bardziej szczegółową pomoc w karmieniu piersią znajdziesz na stronach 109 – 117).

Czy Twoje dziecko jest „przekąsaczem"?

Niemowlęta mogą wyrobić w sobie wzorzec jedzenia, w którym nigdy nie najadają się do syta, ale po prostu „przekąszają" sobie co chwila.

Jak do tego może dojść: Jeśli dziecko nie ma stałego planu dnia, rodzice mylą potrzebę ssania z głodem i zamiast podać mu smoczek między posiłkami, dają pierś lub butelkę. Zaczyna się to w pierwszych sześciu tygodniach, ale może trwać całymi miesiącami, jeśli niemowlę wyrobi sobie nawyk.

Jak rozpoznać: Niemowlę waży ponad trzy kilogramy, ale nie wytrzymuje dłużej niż dwie i pół — trzy godziny między karmieniami *lub* nigdy nie wypija więcej niż powiedzmy sto mililitrów mleka z butelki, albo nie ssie piersi dłużej niż 10 minut przy każdym karmieniu.

Co zrobić: Jeśli karmisz piersią, sprawdź, czy właściwie przystawiasz dziecko, i zbadaj produkcję mleka (strona 112), żeby wykluczyć związane z tym problemy. Dopilnuj również, by karmić tylko z jednej piersi naraz, dzięki czemu niemowlę otrzyma bardziej tłuste mleko produkowane w końcowej fazie karmienia (strona 111). Jeśli Twoje dziecko zaczyna płakać po dwóch godzinach od karmienia, daj mu smoczek, by je uspokoić — tylko na 10 minut pierwszego dnia, 15 drugiego, by wytrwało dłużej między posiłkami. W ten sposób zwiększysz również napływ mleka do piersi. Jeśli nie możesz uspokoić dziecka, pozwól mu na malutką przekąskę — na krótko przystaw do piersi albo daj trochę mleka z butelki — a wtedy wytrzyma do następnego karmienia. Być może potrwa to trzy lub cztery dni, ale jeśli będziesz wytrwała, maluch zacznie jeść normalnie... zwłaszcza jeśli wyłapiesz ten nawyk w ciągu pierwszych sześciu tygodni życia.

Jak często karmisz dziecko? Niemowlęta przeciętnie duże i większe potrzebują początkowo jedzenia co dwie i pół lub trzy godziny, nie mniej i nie więcej — nawet jeśli są naprawdę duże. (Polecam także tankowanie do pełna wieczorem, patrz strona 101).

Jeśli jesteś podobna do tej matki, która skarżyła mi się: „Moje dziecko jest głodne co godzinę", być może karmienia trwają za krótko (patrz niżej) albo dziecko nie dostaje wystarczającej ilości mleka przy każdym posiłku, zatem musisz zwiększyć dawkę. Dodaj 30 mililitrów do każdego karmienia. Jeśli karmisz piersią, możliwe jest, że dziecko potrzebuje więcej mleka, niż jesteś w stanie wyprodukować, albo nie przystawiasz go właściwie i dlatego niewiele mleka trafia do jego buzi. Przez to Twoje piersi mogą również zacząć wytwarzać mniej pokarmu. Gdy niemowlęta jedzą tylko przez 10 minut, piersi otrzymują sygnał, że nie potrzeba więcej mleka, zatem produkcja spada, aż w końcu całkiem zanika (patrz strony 109 – 115, gdzie znajdziesz więcej informacji na temat produkcji mleka). Możliwe jest również, że

Twoje dziecko przechodzi właśnie okres skoku wzrostu, chociaż to nie ma zazwyczaj miejsca w ciągu pierwszych sześciu tygodni (patrz strony 124 – 128).

Jak długo zazwyczaj trwa karmienie? Podczas pierwszych sześciu lub ośmiu tygodni karmienie niemowlęcia o przeciętnej wadze powinno trwać od dwudziestu do czterdziestu minut. Zatem jeśli na przykład dziecko zaczyna jeść o dziesiątej, kończy za piętnaście jedenasta, a o jedenastej piętnaście powinno być w łóżeczku i spać przez półtorej godziny. Dzieci karmione butelką również mogą zasypiać przy jedzeniu, ale jeśli ważą ponad trzy kilogramy, jest to mniej prawdopodobne niż w przypadku dzieci karmionych piersią. Niemowlęta karmione mlekiem matki zazwyczaj robią się senne po dziesięciu minutach ssania, ponieważ mleko, które wypływa na początku, jest bogate w oksytocynę, hormon działający jak pigułka nasenna (patrz ramka na stronie 111, „Gdyby pokarm matki miał nalepkę ze składnikami...”). Niemowlęta urodzone przedwcześnie i chorujące na żółtaczkę również mają tendencję do zasypiania, zanim się najedzą. W obu przypadkach dzieci zdecydowanie potrzebują snu, ale trzeba je też budzić na karmienie.

Zasypianie podczas jedzenia co jakiś czas nie oznacza zatem końca świata. Ale jeśli ciągnie się to przez trzy karmienia z rzędu, dziecko może zmienić się w „przekąsacza”. Ponadto jeśli niemowlę skojarzy ssanie ze snem, trudniej będzie nauczyć je samodzielnego zasypiania. A wtedy trudno będzie ustalić jakikolwiek stały plan dnia, jeśli nie będzie to niemożliwe (patrz strony 114 – 115, aby przeczytać więcej na temat tego, jak to błędne koło wygląda w przypadku dzieci karmionych piersią).

Postaraj się powstrzymać dziecko od snu po karmieniu, chociaż przez pięć minut. Możesz tego dokonać, delikatnie masując jego dłonie (nigdy nie łaskocz stópek dziecka) albo trzymając je pionowo (niemowlę zareaguje jak lalka — otworzą mu się oczy). Możesz również położyć je na stoliku do przewijania, zmienić mu pieluszkę albo po prostu mówić do niego. Gdy położysz malucha, wykonuj okrężne ruchy jego rączkami i nóżkami. Poświęć na próby budzenia tylko dziesięć lub piętnaście minut, bo przez ten czas oksytocyna opuści już jego organizm. Następnie możesz uznać, że nadeszła pora na element S planu PROSTE. I podejmij kolejną próbę przy następnym karmieniu. Bądź wytrwała. Musimy nauczyć niemowlęta efektywnego jedzenia.

Problem polega na tym, że rodzice mają często mieszane uczucia co do budzenia dziecka. Mówią: „Oj, ona jest taka zmęczona, trzeba pozwolić jej spać. Nie spała całą noc, biedulka”. A dlaczego Twoim zdaniem nie spała całą noc, domagając się jedzenia? Ponieważ nadrabia porcje, których nie dostała w ciągu dnia. Jeśli pozwolisz na to, by ten wzorzec się utrwalił, uczysz niemowlę, jak przekąszać, zamiast jeść, a gdy będzie miało cztery miesiące, będziesz się zastanawiać, czy kiedykolwiek uda Ci się doprowadzić do tego, by dziecko przespało noc.

Czy pomiędzy karmieniami dajesz dziecku okazje do ssania? Niemowlęta potrzebują ssania, zwłaszcza w ciągu pierwszych trzech miesięcy, zatem to pytanie pozwala mi na ocenę, czy Twoje dziecko wystarczająco długo ssie. Znam mnóstwo matek, które „nie wierzą" w smoczki. Zdecydowanie nie podoba mi się, gdy widzę dwulatka maszerującego z buzią zapchaną smoczkiem. Ale rozmawiamy tu o *niemowlętach*. Korzystanie ze smoczka (strona 207) pozwoli zapobiec temu, że dziecko chce bez przerwy przysysać się do Ciebie (lub do butelki). Zatem spróbuj użyć smoczka między karmieniami. Jest to sposób na stopniowe wydłużenie przerw między karmieniami, by niemowlę nie nauczyło się przekąszać. Smoczek jest również przydatny w przypadku niemowląt karmionych piersią, które mają tendencję do opróżniania piersi, a następnie dalej miętoszą sutek, bo chcą jeszcze possać.

Czy Twoje dziecko płacze często po posiłkach albo do godziny po? Głodne niemowlę przestaje płakać, gdy jest najedzone. Powiedziało Ci, czego chce — jedzenia — a Ty mu to dałaś. Niemowlęta, które płaczą podczas posiłków lub krótko po nich, nie zachowują się tak z głodu. Coś innego wchodzi tu w grę. Po pierwsze, wyklucz problemy ze swojej strony, takie jak niewłaściwe przystawianie do piersi, słabą produkcję mleka lub zablokowany kanalik mleczny, co może frustrować dziecko próbujące ssać. Jeśli tu wszystko jest w porządku, prawdopodobnie maluch cierpi z powodu gazów lub refluksu żołądkowo-przełykowego, czyli niemowlęcej „zgagi" (strony 119 – 122).

Jak długo trwa okres aktywności dziecka? Pamiętaj, że mówimy tu o niemowlętach w wieku poniżej sześciu tygodni. W ich przypadku RO, czyli ROzrywka, w planie PROSTE nie będzie polegała na grze w piłkę. Niektóre niemowlęta, zwłaszcza mniejsze, mogą wytrzymać tylko pięć minut bez snu po karmieniu. Zobacz przypadek trzytygodniowej Lauren, która przy urodzeniu ważyła 2700 gramów, tylko ciut mniej, niż wynosi przeciętna: „Staramy się wprowadzić jej plan PROSTE od kilku dni" — napisali jej zatroskani rodzice. „Oto nasz problem: Lauren kończy ssanie z piersi po dziesięciu minutach, staramy się zapewnić jej rozrywkę przez pół godziny, ale to zazwyczaj kończy się przemęczeniem, i próbujemy położyć ją spać. Ale ona śpi tylko przez dwadzieścia lub trzydzieści minut. W tym momencie mija dopiero półtorej godziny, zatem to za krótko, by od nowa zacząć cykl PROSTE. Co mamy z nią robić w ciągu dnia?".

Wypróbuj swoje umiejętności zaklinania niemowląt na tym dziecku. Można zauważyć z powyższego opisu, że Lauren tak naprawdę się nie najada. Ponieważ mama Lauren karmi piersią, chciałabym się dowiedzieć, czy ma wystarczającą produkcję mleka. Zatem zaleciłabym jej badanie produkcji (patrz strona 112), żeby sprawdzić, ile mleka można wycisnąć z każdej piersi. Poza tym półgodzinny okres aktywności to za dużo jak na tak małe dziecko. Czy to dziwne, że Lauren jest przemęczona? Śpi tak krótko, bo jest głodna. Pomyśl o tym w odniesieniu do dorosłych: jeśli zjem tylko kawałek chleba z masłem, a potem pójdę biegać i położę się, żeby się zdrzemnąć, z pewnością obudzę się głodna. To samo dzieje się z Lauren — nie je wystarczająco dużo, by wytrzymać tak długi okres aktywności, i nie może się porządnie wyspać, bo ma pusty brzuszek. Jej rodzice muszą wrócić do początku, wydłużając czas karmienia Lauren i skracając czas jej aktywności. Wtedy prawdopodobnie będzie się lepiej najadać i spać dłużej w ciągu dnia.

Alarm dla matek karmiących — jak uniknąć (lub poprawić) niewłaściwe przystawianie do piersi i niską produkcję mleka

Ciało kobiety jest zadziwiającym tworem. Jeśli jesteś zdrowa, to w czasie ciąży Twoje ciało przygotowuje się do produkcji mleka, a gdy rodzi się dziecko, wszystkie mechanizmy są na miejscu, by je nakarmić. Jest to naturalny proces, ale nie każda kobieta i nie każde dziecko potrafią natychmiast „załapać", o co w tym chodzi, pomimo tego, co twierdzą niektóre książki propagujące karmienie naturalne. Mnóstwo kobiet ma problemy. Nawet te, które współpracują z konsultantem laktacyjnym już w szpitalu, czasem mają problemy po powrocie do domu. Nie ma nic złego w tym, że potrzebujesz pomocy.

Gdy świeżo upieczone mamy przychodzą do mnie z tak zwanymi problemami z karmieniem podczas pierwszych sześciu tygodni — czyli w czasie połogu, który jest czasem przyzwyczajania się (noworodka do świata, mamy do dziecka) — zazwyczaj sprowadza się to albo do *niewłaściwego przystawiania*, gdy buzia dziecka nie ujmuje sutka wystarczająco ściśle, by mleko zaczęło płynąć, albo *niewystarczającej produkcji mleka*. Te dwa problemy mogą być oczywiście powiązane ze sobą. Gdy dziecko jest dobrze przystawione do piersi i zaczyna ssać, Twoje ciało wysyła sygnał do mózgu: „Dziecko jest głodne. Trzeba wyprodukować więcej mleka". Oczywiście jeśli takiego sygnału nie ma, pokarmu nie będzie wystarczająco dużo.

Jak można się domyślić, patrząc na tabelę „Karmienie dla początkujących" na stronie 103, pierwszych kilka dni różni się w przypadku niemowląt karmionych piersią, ponieważ piersi mamy na początku wytwarzają siarę (patrz ramka na stronie 111), a dopiero potem zaczyna płynąć mleko. Aby maksymalnie wykorzystać zalety siary, pierwszego dnia karmi się *na żądanie*, po pięć minut z każdej piersi. Drugiego dnia zaczynamy karmić co dwie godziny, dziesięć minut z każdej piersi, a trzeciego dnia co dwie i pół godziny, po dwadzieścia lub dwadzieścia pięć minut z każdej piersi. Gdy dziecko pije siarę, musi zużyć mnóstwo energii, by ją wyssać. Siara jest bardzo gęsta, więc przypomina to próbę przelania miodu przez uszko od igły. Może to być szczególnie trudne w przypadku noworodków ważących mniej niż 2700 gramów. Ale to częste ssanie jest niezmiernie ważne na początku, ponieważ im szybciej zacznie płynąć mleko, tym mniejsze jest ryzyko zastoju.

Gdy w piersiach pojawi się mleko, zacznij karmić tylko z jednej piersi. Innymi słowy, nie przekładaj dziecka do drugiej piersi, gdy już opróżni jedną. Niektórzy eksperci zalecają zmianę piersi po dziesięciu minutach, ale ja się z nimi nie zgadzam. Wyjaśnienia znajdziesz w ramce. Pokarm kobiecy składa się z trzech części. Jeśli zostawisz odciągnięte mleko w butelce na mniej więcej pół godziny, zobaczysz, że bardziej wodnisty płyn opada na dno, niebieskobiałe mleko jest w środkowej części, a częstsza, żółtawa substancja wypływa na wierzch. Ta wodnista część wypływa przez pierwsze dziesięć minut karmienia. Zatem jeśli przestawisz dziecko do drugiej piersi po dziesięciu minutach, nie tylko uśpisz dziecko, ale też dasz mu podwójną porcję płynu gaszącego pragnienie, niezawierającego składników odżywczych znajdujących się w gęstszym mleku, które zaczyna płynąć później. Moim zdaniem niemowlęta, których matki zmieniają piersi przy jednym karmieniu, dostają mnóstwo „zupy", ale nigdy nie mają szans na wysokokaloryczny „deser". Są to często te właśnie dzieci, które wydają się być głodne po godzinie od karmienia i zmieniają się w „przekąsaczy". Takie niemowlęta mogą mieć również problemy z trawieniem, ponieważ mleko wypływające na początku ma również dużo laktozy, której nadmiar może powodować bóle brzuszka.

Która strona następna?

Pewna mama napisała do mnie: „Mam problem z zapamiętaniem, z której piersi karmiłam. Co mogę zrobić?".

Pewnie, mama cierpiąca z powodu braku snu może mieć problemy z zapamiętywaniem najprostszych rzeczy. Przypinaj sobie agrafkę do koszulki albo biustonosza, żeby zaznaczyć pierś, z której karmiłaś. Polecam również prowadzenie notatek, przynajmniej na początku, i zapisywanie, z której piersi było karmienie i jak długo trwało. W ten sposób nie będziesz mieć problemów ze zrozumieniem, co się dzieje.

Zadbaj o to, by dziecko było właściwie przystawione do piersi. Kup sobie małe okrągłe plasterki, mogą być takie na odciski, o średnicy od centymetra do dwóch. Przed karmieniem przyklej jeden plaster mniej więcej dwa i pół centymetra nad brodawką, a drugi tyle samo pod — to będzie Twój „cel". Podnieś dziecko na ręku lub na specjalnej poduszce do karmienia i umieść je w zagłębieniu ramienia, na poziomie piersi, by nie musiało się wytężać. Umieść kciuk na górnym „celu", a palec wskazujący na „dolnym" i naciśnij. Następnie delikatnie przysuń główkę dziecka i wetknij mu sutek do buzi. Jeśli chcesz się upewnić, czy dobrze to robisz, siądź przed lustrem albo poproś partnera, mamę (nawet jeśli nigdy nie karmiła) albo przyjaciółkę, żeby zobaczyli, w jaki sposób usta dziecka chwytają brodawkę. Oto, na co trzeba zwracać uwagę. Buzia dziecka powinna być szeroko otwarta i znajdować się prostopadle do brodawki. Wargi dziecka powinny być wywinięte ciasto dookoła otoczki sutka. Jeśli niemowlę nie jest dobrze przystawione do piersi, jego dolna warga może być wessana do środka albo dziecko może się przyssać nad brodawką. Jeśli Twoje palce nie znajdują się w odpowiednim miejscu, mniej więcej dwa centymetry pod i nad brodawką, niemowlę nie będzie w stanie chwycić całej brodawki wraz z otoczką.

Najpewniejszą oznaką niewłaściwego przystawiania dziecka jest *Twoje* własne ciało. Widziałam mnóstwo matek przechodzących nieopisane cierpienia z powodu bolesnych, a nawet krwawiących brodawek. Kobieta myśli: „Och, robię to dla dziecka". Prawdopodobnie próbuje być najlepszą matką świata, ale smutna prawda jest taka, że jej dziecko nie może się najeść. Jeśli karmienie piersią *wydaje się* dziwne i bolesne, zaufaj sygnałom wysyłanym przez swoje ciało. Coś

Gdyby piersi miały naklejki ze składem...

Gdy kupujesz mleko modyfikowane w proszku, zawsze wiesz, co jest w środku dzięki naklejce na opakowaniu. Ale pokarm kobiecy zmienia się tak samo, jak Twoje dziecko. Oto jego składniki:

Siara: Przez pierwsze trzy do czterech dni Twoje dziecko odżywia się siarą, gęstą żółtawą substancją bogatą w laktozę, która działa jak napój energetyczny i zawiera wszystkie przeciwciała, których dziecko potrzebuje dla zdrowia.

Mleko początkowe: Gdy mleko zaczyna wypływać, przez pierwsze pięć do dziesięciu minut płynie wodnista substancja bogata w laktozę zaspokajająca pragnienie. Ten rodzaj pokarmu zawiera również sporą dawkę oksytocyny, która działa jak pigułka nasenna — i to dlatego właśnie niemowlęta (i ich mamy) czasem zasypiają w ciągu pierwszych dziesięciu minut karmienia.

Mleko środkowe: Przez kolejne 5 – 10 minut płynie mleko bogate w białka, sprzyjające rozwojowi kości i mózgu.

Mleko końcowe: 15 – 18 minut później zaczyna się wypływ tłustego, śmietankowego pokarmu. Gęste i pełne kalorii pozwala dziecku rosnąć.

musi być nie w porządku. Lekka bolesność brodawek podczas pierwszych dwóch lub trzech dni jest normalna, ale jeśli ten stan trwa dłużej lub się pogarsza, prawdopodobnie coś idzie *źle*. Jeśli podczas ssania dziecka czujesz kłucie albo ból, to znaczy, że nie przystawiasz go właściwie. Jeśli na brodawce pojawia się pęcherz, oznacza to, że Twoje dłonie są w złej pozycji. Jeśli czujesz się chora fizycznie — masz gorączkę, dreszcze, pocisz się w nocy — i bolą Cię lub puchną Ci piersi, to prawdopodobnie cierpisz z powodu zastoju pokarmu lub zablokowanego kanalika mlecznego, co może doprowadzić do zapalenia piersi. Jeśli masz gorączkę lub inne objawy przez ponad tydzień, powinnaś pójść do lekarza. Prawdopodobnie warto również poszukać pomocy konsultantki laktacyjnej, aby pomogła Ci w przystawianiu dziecka.

Jeśli Twoje dziecko ważyło mniej niż 2700 gramów przy urodzeniu, karm je częściej, nawet po upływie pierwszych czterech dni. Problemy z produkcją mleka są częste w przypadku mniejszych noworodków, ponieważ Twoje ciało zostało zaprojektowane tak, by sprostać oczekiwaniom trzykilogramowego lub większego dziecka. Gdy niemowlę nie ssie tak mocno lub nie wypija tyle mleka, co większy noworodek, ciało matki reaguje odpowiednio i zmniejsza produkcję pokarmu. Rozwiązaniem jest karmienie co dwie godziny, co nie tylko pozwoli na podniesienie masy ciała dziecka, ale także zwiększy ilość mleka mamy. W wyjątkowych przypadkach, takich jak wcześniaki, noworodki urodzone o czasie, ale o wadze poniżej dwóch kilogramów, lub noworodki zatrzymane w szpitalu z powodu kłopotów ze zdrowiem, radzę również matkom, by odciągały mleko między karmieniami, by utrzymać laktację

Jak zwiększyć laktację

Kluczem jest stymulacja zatok mlecznych — albo laktatorem, albo buzią dziecka.

Metoda bez laktatora: Jeśli nie chcesz używać laktatora, przystawiaj dziecko do piersi co dwie godziny przez kilka dni, a ilość pokarmu się zwiększy. Przysysając się, niemowlę stymuluje zatoki mleczne, które wysyłają sygnał do mózgu: produkować mleko. Twoje dziecko będzie wtedy w stanie wytrzymać dwie i pół do trzech godzin bez jedzenia, ponieważ otrzymuje wystarczającą ilość przy jednym posiłku.
Jeśli karmienia nie wydłużą się w naturalny sposób w ciągu następnych czterech dni, zadbaj o to, by dziecko nie stało się „przekąsaczem" (patrz strona 106).

Metoda z laktatorem: Odciągaj mleko tuż po karmieniu albo poczekaj godzinę. Jeśli dziecko je co dwie godziny, odciąganie mleka tuż po karmieniu może wydawać się dziwne, ale dzięki odciąganiu kompletnie opróżniasz zbiorniki. A przy kolejnym karmieniu ssanie dziecka zasygnalizuje, że trzeba produkować więcej pokarmu, bo nie będzie mogło wypijać zapasów pozostałych po poprzednim karmieniu.

Tak czy owak, w ciągu trzech dni produkcja pokarmu powinna wzrosnąć.

(patrz ramka na poprzedniej stronie). To ciężka praca dla matki, ale warto się jej podjąć, jeśli ma się zamiar karmić piersią.

Jeśli martwisz się laktacją, zrób pomiar, aby dowiedzieć się, ile mleka produkują Twoje piersi. Gdy mama nie jest pewna, czy dziecko „przekąsza" albo czy produkuje wystarczającą ilość pokarmu, sugeruję „pomiar", podobny do tego, który wykonywaliśmy na naszej farmie w Yorkshire. Raz dziennie, piętnaście minut przed karmieniem, odciągnij mleko, żeby zobaczyć, ile go jest. Powiedzmy, że udało Ci się odciągnąć 50 mililitrów — można zatem założyć, że dziecko wyssałoby 75 (ssanie dziecka jest znacznie skuteczniejsze od najlepszego laktatora). Potem podaj dziecku odciągnięte mleko butelką. Jeśli jeszcze nie wprowadzałaś butelki, możesz podać mleko strzykawką lub pipetką. Możesz również dostawić dziecko do piersi, pozwolić mu wyssać resztę, a następnie podać mu odciągnięty pokarm.

Zadbaj o to, by wystarczająco się wysypiać i dobrze się odżywiać. Jedną z zalet mleka w proszku jest to, że ma zawsze taki sam skład. To, co widzisz na opakowaniu, jest tym, co otrzymuje niemowlę. Pokarm kobiecy zmienia się w zależności od stylu życia matki. Zbyt mało snu może zmniejszyć laktację lub zmniejszyć wartość kaloryczną mleka. Podobnie oczywiście dieta matki. Musisz pić dwukrotnie więcej niż normalnie — wypijaj szesnaście szklanek wody lub innych płynów dziennie. Powinnaś spożywać o 500 kalorii więcej — 50% powinny stanowić węglowodany i po ok. 25% tłuszcze i białka — aby uzupełnić energię wykorzystaną na produkcję mleka. Weź również pod uwagę swój wiek, normalną wagę i wzrost. Skonsultuj się z lekarzem lub dietetykiem, jeśli masz wątpliwości. Ostatnio zadzwoniła do mnie Maria, która zastanawiała się, dlaczego jej ośmiotygodniowe dziecko, które wcześniej przestawiła na trzygodzinny plan, wraca do jedzenia co półtorej godziny. Jak się okazało, problemem była uboga w węglowodany dieta mamy. Kobieta zaczęła również ćwiczyć dwie godziny każdego dnia. Gdy powiedziałam jej, że prawdopodobnie brakuje jej mleka, chciała otrzymać jakieś ekspresowe porady na poprawienie laktacji. Ale jak wyjaśniłam, nie tylko o to chodziło. Jej styl życia był zbyt aktywny jak na matkę karmiącą. Nawet gdyby podjęła kroki zmierzające do zwiększenia laktacji, i tak potrzebowałaby więcej wypoczynku i węglowodanów, by poprawić *jakość* jej pokarmu.

Uzupełniaj karmienie naturalne butelką, jeśli musisz. Miałam klientkę, Patricię, której lekarz powiedział, że jej mały synek Andrew nie przybiera na wadze oraz że jest ospały i słabo reaguje. Lekarz jednak nie pytał o jej pokarm, a gdy zrobiłyśmy pomiar (patrz strona 112), okazało się, że Patricia może odciągnąć tylko 25 mililitrów. Patricia była załamana.

„Ale ja chcę karmić!" — upierała się. No cóż, nie miała wyjścia — *musiała* uzupełnić jego posiłki mlekiem w proszku, przynajmniej dopóki jej laktacja nie uległaby poprawie. Dodałyśmy mleko w proszku do diety Andrew, a Patricia zaczęła odciągać pokarm, mimo że nie chciała. W ciągu tygodnia laktacja Patricii się poprawiła, zatem można było zmniejszyć ilość mleka w proszku, a zwiększyć ilość pokarmu mamy. Do końca drugiego tygodnia Patricia wróciła do wyłącznego karmienia piersią, chociaż za moją radą nadal odciągała mleko, aby tata również mógł karmić synka z butelki (zawsze doradzam takie rozwiązanie, patrz strona 117).

WAŻNA UWAGA: Niektóre mamy lubią robić zapasy z własnego mleka „na wszelki wypadek". Jeśli nie masz przed sobą operacji, po której fizycznie nie będziesz w stanie karmić, nie przechowuj porcji mleka dłużej niż trzy dni. W miarę jak Twoje dziecko rośnie, zmienia się też skład Twojego mleka. Pokarm z zeszłego miesiąca niekoniecznie musi odpowiadać potrzebom dziecka w tym miesiącu!

Uważaj, jeśli karmienia regularnie trwają krócej niż dziesięć lub piętnaście minut. Gdy mama karmiąca piersią mówi mi: „Karmienie mojego sześciotygodniowego dziecka trwa tylko dziesięć minut", natychmiast zapala mi się czerwona lampka. Ale zanim wyciągnę jakieś wnioski, najpierw wykluczam niewłaściwe przystawianie do piersi lub problemy z laktacją, pytając mamę: **Czy robiłaś pomiar, żeby sprawdzić, ile mleka produkują Twoje piersi? Czy masz poranione brodawki? Czy robią Ci się zastoje?** Odpowiedź twierdząca na drugie lub trzecie pytanie może świadczyć o niewłaściwym przystawianiu dziecka do piersi. Matka znosi to cierpliwie, ale prawdopodobnie ma zablokowane kanaliki. Polecam wtedy konsultacje u doradcy laktacyjnego lub sama odwiedzam taką matkę.

Ale wiele matek karmiących piersią popełnia ten sam błąd w ciągu pierwszych sześciu tygodni życia dziecka: nie trzymają niemowlęcia przy piersi wystarczająco długo, by się najadło. W przypadku noworodka, zwłaszcza małego, można doprowadzić do poważnych problemów, jeśli takie postępowanie się utrzyma. Weźmy przypadek Yasmin, mamy czterotygodniowego Lincolna. Zadzwoniła do mnie, bo Lincoln miał najróżniejsze problemy. Nie przybierał na wadze, jego najdłuższe drzemki trwały zaledwie czterdzieści pięć minut — a najczęściej spał tylko dwadzieścia lub dwadzieścia pięć minut — i, oczywiście, Yasmin nie miała pojęcia, jak przestawić Lincolna na stały plan dnia. „Czuję się jak na rodeo i mam wrażenie, że za moment spadnę. Nie panuję nad tym, co się dzieje" — powiedziała mi.

Spędziłam poranek z Yasmin, której powiedziałam, żeby postępowała jak zwykle, jakby mnie tam nie było. Jej problem stał się dla mnie jasny w ciągu pierwszej godziny. Po dziesięciu minutach karmienia oczy Lincolna zaczęły się zamykać. Yasmin, zakładając, że karmienie się skończyło i pora na część S planu PROSTE, odłożyła go do łóżeczka. Nie zdawała sobie sprawy z tego, że Lincoln napił się tylko początkowego, wodnistego mleka, a nie dostał końcowego, tłustszego pokarmu, który zaczyna płynąć mniej więcej po piętnastu minutach od początku karmienia. Zasypiał pod wpływem naturalnej oksytocyny! Dziesięć minut później mały się obudził. Nie tylko oksytocyna opuściła jego organizm, ale miał za mało mleka w brzuszku, by spać dłużej. To tak, jakby całym posiłkiem dorosłego miała być szklanka odtłuszczonego mleka. Wtedy Yasmin zdziwiła się na głos: „No przecież dopiero cię karmiłam — o co chodzi?". Zatem podjęła planowe czynności w rodzaju zmiany pieluchy, owinięcia Lincolna ciasno w kocyk i spróbowała go z powrotem uśpić, szepcząc do niego i głaszcząc go. Ale on dalej płakał, przez dwadzieścia lub trzydzieści minut. Dlaczego? Bo był głodny. Yasmin próbowała go uspokoić, chodząc z nim po pokoju i kołysząc go. Po pół godzinie takiego krzyku każde niemowlę byłoby wyczerpane, niezależnie od tego, co by się robiło, i zasnęłoby ze zmęczenia — i dokładnie to zrobił Lincoln. Ale — i to właśnie doprowadzało jego mamę do szaleństwa — nie *spał*. Oczywiście po jakichś dwudziestu minutach Lincoln znów się obudził, a jego biedna mama nie miała pojęcia, co począć.

„Karmiłam go przecież zaledwie godzinę temu, a powinien wytrzymywać trzy albo przynajmniej dwie i pół" — skarżyła się. „Tracy, musisz mi pomóc". Przypomniałam jej zatem, jakie były jej działania, i wyjaśniłam, że problem pojawił się, bo nie zdawała sobie sprawy z tego, że Lincoln nie najadał się do syta. Gdy już zrozumiała, o co chodziło, i zdecydowała się wykorzystać moje techniki budzenia dziecka (patrz strony 107 – 108), by nie dać spać Lincolnowi podczas karmienia, jej synek zaczął normalnie jeść, przybierać na wadze i oczywiście lepiej spać.

Morał tej opowieści jest taki, by zwracać uwagę na czas trwania karmienia. Ale muszę również przypomnieć Ci — po raz kolejny — że niemowlęta są różne. Niektóre jedzą efektywnie od samego początku. Na przykład Sue z Michigan napisała:

Moja DD ma trzy tygodnie, a karmię ją tylko po pięć minut z każdej piersi. Je mniej więcej co trzy godziny, ale powiedziano mi, że powinnam ją karmić przez przynajmniej dziesięć minut. Czy mogę liczyć na jakąś poradę w tej sprawie?

Twoja ukochana córeczka może jeść efektywnie, droga Sue. Widywałam różne niemowlęta, od smakoszy delektujących się piersią przez czterdzieści pięć minut po maluchy takie jak Twoja córka, które po prostu błyskawicznie łykają swoją porcję. Kluczem tutaj jest wytrzymywanie trzech godzin między posiłkami, co świadczy o tym, że się najada. Jeśli jej waga nie jest zbyt niska, musimy założyć, że zjada wystarczająco dużo, by się rozwijać (sugerowałabym jednak, żeby nie zmieniać piersi w czasie karmienia; patrz strona 110).

Nie trzeba chyba mówić, że pierwsze sześć tygodni to niezwykle ważny czas dla wszystkich niemowląt, a szczególnie tych karmionych piersią. Chociaż wymienione problemy mogą trwać dłużej lub pojawić się później, teraz jest dobry moment, by je naprawić.

Bolesne posiłki — gazy

Niemowlęta nie rodzą się całkowicie dojrzałe — czasami ich układ trawienny potrzebuje nieco więcej czasu na rozwój. Najgorsze w problemach gastrycznych jest to, że jednocześnie z nimi pojawia się seria wydarzeń i emocji, które tylko pogarszają sprawę i utrudniają jej rozwiązanie. Mama i tata często czują się bezsilni, ponieważ nie mogą zrozumieć, na czym polega problem. Zaczynają kwestionować własne umiejętności; ten brak pewności z kolei wpływa na ich zachowanie. Rodzice odczuwają napięcie, a podczas karmienia są zdenerwowani i zmartwieni.

Gdy rodzice mówią mi, że ich niemowlę „płacze bez przerwy", pierwszą rzeczą, jaką podejrzewam, jest jakaś dolegliwość natury gastrycznej: gazy, refluks żołądkowo-przełykowy (niemowlęca „zgaga") albo kolki (pierwsze dwie przyczyny są często mylone z tą ostatnią, ale to nie jest to samo!). Układ trawienny niemowląt jest bardzo niedojrzały. Przez dziewięć miesięcy były żywione przez pępowinę, a teraz muszą jeść samodzielnie, zatem pierwsze sześć tygodni to trudny czas.

Gazy, refluks i kolka to trzy różne rzeczy, ale początkującym rodzicom może być niezmiernie trudno je odróżnić. Co gorsza, pediatrzy czasem używają uogólnionego rozpoznania „kolki" na określenie wszystkich trzech zjawisk, między innymi dlatego, że nie wszyscy zgadzają się co do natury kolek. Następujące informacje powinny pomóc w zrozumieniu tych zjawisk.

Najlepsze rady zaklinaczki niemowląt: pierś *oraz* butelka!

Zawsze mówię mamom karmiącym piersią, by wprowadzały również karmienie butelką. Radzę zacząć, gdy tylko nauczysz się właściwie przystawiać niemowlę, a ono nauczy się efektywnie ssać, co w większości przypadków trwa dwa lub trzy tygodnie. Następnie podawaj butelkę przynajmniej raz dziennie. Zrób z tego codzienny rytuał — powiedzmy, niech tata podaje butelkę na noc albo babcia po południu. W tym momencie Twoje dziecko wciąż dość łatwo akceptuje zmiany. Wiem, że ta rada jest sprzeczna z tym, co mówi wiele innych autorytetów. Niektórym mamom radzi się, by karmiły wyłącznie piersią albo przynajmniej wstrzymały się z wprowadzaniem butelki, dopóki dziecko nie skończy sześciu miesięcy. Ostrzega się je, że jeśli dziecko przyzwyczai się do butelki, nie będzie umiało ssać piersi, albo że ich laktacja zaniknie. Bzdury! Nigdy nie natknęłam się na żaden z tych problemów u moich niemowląt.

Poza tym, nie chodzi tylko o zdrowie Twojego dziecka. Musisz również wziąć pod uwagę Twoje własne potrzeby i Twój styl życia. Niektóre mamy z radością karmią wyłącznie piersią — być może jesteś jedną z nich — ale przynajmniej myśl z wyprzedzeniem. Oto kilka niezwykle ważnych pytań, które należy sobie zadać. Jeśli odpowiesz twierdząco na którekolwiek z nich, zastanów się nad wprowadzeniem butelki w pierwszych kilku tygodniach życia dziecka (jeśli ten okres już minął, patrz „Od piersi do butelki", strony 133 – 137).

Czy chciałabyś, żeby ktoś poza Tobą mógł karmić Twoje dziecko — tata, babcia, niania? Niemowlę, które akceptuje i pierś, i butelkę, pozwala mamie zrobić sobie przerwę, a co ważniejsze, może być karmione przez innych. Inne bliskie osoby mają okazję, by przytulić dziecko, porozmawiać z nim, a także nawiązać głębszą więź.

Czy planujesz wrócić do pracy lub pracować na część etatu, zanim dziecko skończy rok? Jeśli wracasz do pracy, a Twoje dziecko nie jest przyzwyczajone do piersi i butelki, ryzykujesz, że zastosuje strajk głodowy (patrz ramka na stronie 137).

Czy planujesz oddać dziecko do żłobka, zanim skończy roczek? Większość placówek nie przyjmuje dzieci, które nie potrafią pić z butelki.

Teraz, gdy zaczęłaś już karmić, czy jesteś pewna, że chcesz kontynuować? Dostaję niezliczone e-maile z prośbami o „zgodę" na odstawienie dziecka od piersi po pewnym czasie, powiedzmy po sześciu tygodniach, trzech miesiącach lub pół roku. Ale nie ma tak naprawdę żadnej magicznej daty, nie istnieje coś takiego jak optymalny czas na odstawienie niemowlęcia od piersi. Kiedykolwiek podejmiesz decyzję, że nie chcesz już karmić, pójdzie Ci łatwiej, jeśli dziecko będzie już przyzwyczajone do butelki.

Czy planujesz karmić przez rok lub krócej? Zdecydowanie nie powinnaś wprowadzać butelki po raz pierwszy w wieku ośmiu czy dziesięciu miesięcy. Jeśli spróbujesz, trafisz na spory opór dziecka.

Gra w płacz

Aby rozstrzygnąć powód płaczu dziecka, zadaję konkretne pytania na jego temat. Oczywiście jest to tylko część informacji. Pytam o wagę urodzeniową, karmienie, rozrywkę czy aktywność, sen — aby wykluczyć głód, zmęczenie, nadmiar bodźców albo bardzo prawdopodobną kombinację tych trzech czynników.

Kiedy dziecko zwykle płacze? Jeśli krzyczy po jedzeniu, prawdopodobnie cierpi z powodu gazów lub refluksu. Jeśli płacze codziennie o tej samej porze, punktualnie jak w zegarku, może to być kolka (jeśli pozostałe dwa powody został wykluczone). Jeśli jego płacz jest kapryśny i występuje nieregularnie, może to być kwestia temperamentu — niektóre niemowlęta płaczą częściej niż inne.

Jak wygląda ciało dziecka podczas płaczu? Jeśli podciąga stópki w górę, do klatki piersiowej, prawdopodobną przyczyną są gazy. Jeśli sztywnieje i wygina plecy, może to refluks, ale możliwe też, że jest to jego sposób na wyłączenie się ze świata.

Jak można go uspokoić, kiedy płacze? Jeśli pomaga potrzymanie go do odbicia lub pedałowanie jego nóżkami, prawdopodobnie przyczyną płaczu były gazy. Jeśli ulgę przynosi posadzenie — powiedzmy w foteliku samochodowym albo leżaczku — być może to refluks. Ruch, odgłos cieknącej wody lub odkurzacz może odwrócić uwagę dziecka cierpiącego na kolki, ale częściej niestety niewiele można zrobić w tym przypadku.

Gazy

CO TO JEST: Powietrze, które niemowlę przełyka podczas jedzenia. Niektóre niemowlęta lubią uczucie towarzyszące przełykaniu, więc przełykają powietrze, gdy nie jedzą. Gazy u niemowlęcia mogą być bardzo bolesne, podobnie jak u dorosłego. Gdy powietrze utknie w jelitach, powoduje ból, ponieważ ciało nie może go wydalić. Twoje niemowlę musi się pozbyć nagromadzonego powietrza, oddając gazy lub „bekając".

CZEGO SZUKAĆ: Pomyśl o swoim własnym ciele i przypomnij sobie, jakie to uczucie, gdy cierpisz z powodu wzdęć. Twoje niemowlę prawdopodobnie będzie podkurczać nóżki i wykrzywiać buzię. Jego płacz będzie miał również zdecydowany ton i wysokość – jest to przerywany krzyk, a dziecko wygląda, jakby dyszało – jakby miało wybuchnąć. Może również przewracać oczami i mieć wyraz twarzy (w momentach, gdy nie płacze), jakby się uśmiechało (dlatego właśnie babcia często upiera się, że pierwszy uśmiech dziecka to tak naprawdę „gazy").

CO ZROBIĆ: Gdy podnosisz niemowlę, by mu się odbiło, pomasuj delikatnie jego lewy bok (miękką część pod żebrami, gdzie znajduje się żołądek). Jeśli to nie pomaga, połóż je sobie na ramieniu w taki sposób, żeby rączki miało na Twoich plecach, a nóżki zwisały swobodnie. W ten sposób powietrze łatwiej znajdzie ujście. Masuj w górę, jakbyś miała wygładzać tapetę, aby usunąć pęcherzyk powietrza. Możesz również pomóc dziecku, kładąc je na plecach, podnosząc mu nóżki i delikatnie nimi pedałując. Innym sposobem jest trzymanie dziecka pionowo i poklepywanie po pupie. Aby ulżyć cierpieniu, możesz również położyć sobie malucha na ramieniu, twarzą w dół, i delikatnie naciskać dłonią jego brzuszek. Wykonanie prowizorycznej opaski ze złożonej pieluchy i owinięcie dość ciasno brzuszka także może pomóc. Uważaj tylko, żeby nie zacisnąć zbyt mocno.

Refluks żołądkowo-przełykowy

CO TO JEST: Niemowlęca zgaga, której często towarzyszy ulewanie. W ekstremalnych przypadkach mogą się pojawić komplikacje i niemowlę zwraca płyn podbarwiony krwią. Zgaga u dorosłych jest niezwykle uciążliwa, a jeszcze gorszy jest refluks u niemowląt, które przecież nie rozumieją, co się dzieje. Gdy dziecko je, pokarm spływa mu do przełyku. Jeśli układ trawienny działa dobrze, zwieracz przełyku — mięsień, który otwiera i zamyka dojście do żołądka — pozwala pokarmowi na wpłynięcie do żołądka i zatrzymuje go tam. Jeśli przewód pokarmowy jest w pełni rozwinięty, pojawia się rytmiczność przełykania, a otwieranie i zamykanie zwieracza działa tak, jak powinno. Ale w przypadku refluksu zwieracz jest niedojrzały i nie zamyka się po otwarciu. Jedzenie nie zostaje w żołądku, ale cofa się do przełyku, a co gorsza, razem z nim kwasy żołądkowe, które palą przełyk dziecka.

CZEGO SZUKAĆ: Jeden czy dwa przypadki ulewania nie powinny budzić paniki. Wszystkie niemowlęta cierpią na refluks w którymś momencie, zwłaszcza po jedzeniu. Niektóre częściej, inne mają po prostu bardziej wrażliwy układ trawienny. Gdy podejrzewam refluks, najpierw pytam: **Czy dziecko było w ułożeniu pośladkowym lub poprzecznym? Czy miało pępowinę owiniętą dookoła szyi podczas porodu? Czy było wcześniakiem? Miało żółtaczkę? Czy jego waga urodzeniowa była niska? Czy poród był przez cięcie cesarskie? Czy inne dzieci lub dorośli w rodzinie cierpieli na refluks żoładkowo-przełykowy?** Odpowiedź twierdząca na którekolwiek z tych pytań zwiększa prawdopodobieństwo refluksu.

Jeśli dziecko cierpi z powodu refluksu, będzie miało problemy z jedzeniem. Może się dławić lub prychać mlekiem, ponieważ zwieracz przełyku nie otwiera się i jedzenie nie może trafić do żołądka. Albo może ulewać czy nawet wymiotować chlustająco, ponieważ zwieracz nie zamknął się po tym, jak pokarm trafił do żołądka. Czasami można również zauważyć ulewanie czymś w rodzaju wodnistego twarożku aż w godzinę po posiłku, ponieważ żołądek się kurczy i to, co jest na górze, trafia z powrotem do przełyku. Stolce mogą być oddawane gwałtownie. Podobnie jak niemowlę cierpiące z powodu wzdęć i gazów, dzieci z refluksem również mogą łykać powietrze, ale w tym przypadku połykaniu towarzyszy lekko piskliwy dźwięk. Trudno jest sprawić, by niemowlęciu z refluksem się odbiło. Inną ważną oznaką jest jedyna pozycja, w której czują się dobrze — gdy siedzą lub są podtrzymywane na rękach w pozycji pionowej. Każda próba położenia skutkuje histerycznym płaczem, i dlatego właśnie zapala mi się czerwona lampka ostrzegawcza, gdy rodzic mówi: „Ona jest zadowolona tylko wtedy, gdy posadzimy ją w leżaczku" albo „On zasypia tylko w foteliku samochodowym".

To mit

To nie jest refluks, jeśli dziecku się nie ulewa.

W dawnych czasach diagnoza refluksu żołądkowo-przełykowego wymagała stwierdzenia ulewania oraz (lub) chlustających wymiotów. Obecnie wiemy, że niektóre niemowlęta cierpią z powodu bólu spowodowanego refluksem, mimo że nie mają tych objawów. Z powodu tych problemów z diagnozą refluks wciąż może być mylnie wzięty za kolkę. Wielu pediatrów sugeruje również refluks w przypadku kolki, ale lekarze starszej daty automatycznie mówią „kolka", gdy płacz niemowlęcia wydaje się nie mieć żadnej innej przyczyny (patrz „Kolka", strona 122). Inni twierdzą, że refluks jest rodzajem kolki. To może tłumaczyć, dlaczego niektóre przypadki kolki „magicznie" znikają po czterech miesiącach. Wtedy właśnie niedojrzały mięsień zwieracza przełyku zaczyna się wzmacniać
— im częściej jest używany, tym silniejszy się staje
— a niemowlęciu coraz łatwiej przychodzi jedzenie i trawienie.

Błędne koło refluksu żołądkowo-przełykowego polega na tym, że im bardziej napina się dziecko z powodu płaczu, tym bardziej prawdopodobny jest skurcz i wypływ kwasów żołądkowych do przełyku, co jeszcze bardziej pogarsza jego stan. Próbujesz wszystkiego, co napisano w mądrych książkach, i nic nie jest w stanie go uspokoić. Prawdopodobne jest, że próbujesz nie tych sztuczek, co trzeba. Może chcesz je kołysać w pionie, aby je uspokoić, ale to tylko ułatwia przepływ kwasów do przełyku. Albo myślisz: „Pewnie musi mu się odbić", zatem klepiesz je po pleckach, co również przepycha kwasy przez nierozwinięty w pełni zwieracz przełyku. Możesz przypisywać jego płacz temu czy owemu — zazwyczaj kolce lub wzdęciom — nie zdając sobie sprawy z tego, że ma „zgagę", co wymaga specyficznych działań. Gubisz się i przestajesz przestrzegać planu dnia, ponieważ masz problemy z odczytaniem sygnałów dziecka. A tymczasem Twoje niemowlę jest wyczerpane. Znów zgłodniało od krzyku (który zużywa mnóstwo energii), zatem próbujesz ponownie je nakarmić. Ale zanim skończysz, dziecko znów zaczyna czuć się źle, może mu się ulewać, i cykl zaczyna się od nowa.

CO ZROBIĆ: Jeśli Twój pediatra twierdzi, że to kolka, zasięgnij drugiej opinii, najlepiej pediatry gastrologa, zwłaszcza jeśli dorośli w Twojej rodzinie lub inne dzieci cierpią z powodu problemów z układem pokarmowym. Refluks jest dziedziczny. Często historia rodzinna i dokładne badanie wystarcza, by zdiagnozować problem. Większość niemowląt diagnozuje się bez wykonywania testów laboratoryjnych. W wyjątkowych przypadkach lub jeśli lekarz spodziewa się komplikacji, można przeprowadzić różne dodatkowe badania — zdjęcie rentgenowskie wykonane po połknięciu papki barowej, USG, endoskopię, badanie pH przełyku. Specjalista, gdy stwierdzi, że niemowlę cierpi na refluks, określi jego stopień i zazwyczaj oceni, jak długo potrwają dolegliwości. Zapisze również leki i udzieli wskazówek.

Najczęstszą metodą leczenia refluksu jest podawanie leków: środków zobojętniających kwasy i uspokajających. Ta część należy do lekarza. Ale Ty również możesz działać, poza zabieraniem dziecka na przejażdżki samochodem i uzależnianiem go od tej cholernej mechanicznej huśtawki.

Podnieś materacyk w łóżeczku. Ustaw pod kątem 45 stopni tę część łóżeczka, gdzie dziecko ma główkę, używając trójkątnej poduszki włożonej pod materacyk lub kilku książek podłożonych pod nogi łóżeczka — czegokolwiek, byle tylko główka była wyżej. Niemowlęta z refluksem najlepiej czują się w pozycji nie całkiem płaskiej i ciasno owinięte w kocyk.

Nie poklepuj dziecka, gdy trzymasz je, by mu się odbiło. Poklepywanie może doprowadzić do wymiotów lub płaczu, co nakręca błędne koło. Zamiast poklepywać, delikatnie pomasuj okrężnymi ruchami jego lewy bok. Jeśli będziesz poklepywać plecy, czyli miejsce, gdzie znajduje się przełyk, dodatkowo podrażnisz i tak już zaogniony organ. Masuj, przesuwając rękę w górę, trzymając niemowlę „przewieszone" przez ramię, z rączkami na Twoich plecach. Jeśli po trzech minutach dziecku się nie odbije, zaprzestań prób. Jeśli zostało tam jakieś powietrze, zacznie marudzić. Delikatnie podnieś je wtedy do góry, a powietrze prawdopodobnie wyleci.

Zwracaj uwagę na karmienia. Unikaj przekarmiania dziecka lub karmienia go za szybko (co jest bardziej prawdopodobne przy karmieniu butelką). Jeśli karmienie z butelki trwa krócej niż dwadzieścia minut, być może dziurka w smoczku jest zbyt duża. Zmień smoczek na taki z wolnym przepływem. Jeśli niemowlę zaczyna marudzić po karmieniu, skorzystaj ze smoczka, zamiast ponownie je karmić, co tylko pogłębi jego złe samopoczucie.

Nie spiesz się z wprowadzaniem stałych pokarmów. Niektórzy eksperci doradzają podawanie stałych pokarmów wcześniej niż w wieku sześciu miesięcy, jeśli niemowlę cierpi na refluks żołądkowo-przełykowy, ale ja się nie zgadzam (patrz „Stałe rady", strona 149). Jeśli za bardzo wypełnisz mu brzuszek, będzie cierpiało jeszcze bardziej. Przestanie całkiem jeść, jeśli będzie go bolało.

Postaraj się zachować spokój. Refluks zazwyczaj mija mniej więcej w wieku ośmiu miesięcy, gdy zwieracz przełyku jest bardziej dojrzały, a niemowlę je więcej pokarmów stałych. Większość dzieci „wyrasta" z refluksu w pierwszym roku życia; najpoważniejsze przypadki mogą trwać do dwóch lat, ale są zdecydowanie rzadkie. W tych poważniejszych przypadkach po prostu musisz zaakceptować fakt, że Twoje dziecko nie będzie normalnie jadło — przynajmniej jeszcze nie teraz. Tymczasem możesz podjąć kroki, by mu ulżyć, pamiętając o tym, że w końcu z tego wyrośnie.

Kolka

CO TO JEST: Nawet lekarze nie zgadzają się co do tego, czym jest kolka lub jak ją zdefiniować. Większość uznaje ją za złożoną grupę symptomów takich jak żałosny płacz, któremu wydaje się towarzyszyć ból i zdenerwowanie. Niektórzy uważają, że jest to zespół objawów obejmujący: *problemy trawienne* (alergie pokarmowe, wzdęcia i gazy lub refluks), *problemy neurologiczne* (nadwrażliwość lub nadmierna reaktywność) i *nieprzyjazne warunki otoczenia* (nerwowi lub zaniedbujący rodzice, napięcie w domu). Niemowlęta, u których zdiagnozowano kolkę, mogą mieć którekolwiek z tych objawów (lub wszystkie z wymienionych), ale nie wszystkie naprawdę cierpią na kolkę. Niektórzy pediatrzy wciąż stosują starą zasadę 3/3/3: trzy godziny nieprzerwanego płaczu przez trzy dni w tygodniu i przez trzy tygodnie, co statystycznie dotyczy około 20% wszystkich niemowląt. Pediatra prowadzący badania nad kolkami, Barry Lester, autor książki *For Crying Out Loud*, nazywa kolkę „zaburzeniem płaczu". Ujmuje to bardzo prosto: „Coś sprawia, że dzieciak płacze w nietypowy sposób, i cokolwiek to jest, wpływa także na życie innych członków rodziny". Lester zgadza się, że tylko mniej więcej 10% niemowląt cierpi na prawdziwą kolkę — wybuchy głośnego płaczu, które trwają kilka godzin, często o tej samej porze każdego dnia, i bez wyraźnego powodu. Dzieci pierworodne wydają się cierpieć na nią częściej. Zazwyczaj zaczyna się w ciągu dziesięciu dni lub dwóch tygodni po urodzeniu i trwa do ukończenia trzech lub czterech miesięcy, kiedy po prostu znika bez śladu.

CZEGO SZUKAĆ: Gdy mama przypuszcza, że jej niemowlę ma „kolkę", najpierw wykluczam gazy i refluks. Nawet jeśli niektórzy uznają je za warianty kolki, można przynajmniej podjąć pewne kroki, by ulżyć dziecku, a w przypadku kolki nie jest to takie proste. Jedną z ważniejszych różnic między kolką a refluksem jest to, że pomimo płaczu dzieci cierpiące na kolkę przybierają na wadze, natomiast wiele niemowląt z refluksem nie. Poza tym w przypadku refluksu niemowlę często wygina się w łuk podczas ataku płaczu; w przypadku wzdęć i gazów podkurcza nóżki; a oba te problemy pojawiają się zazwyczaj w ciągu godziny od ostatniego karmienia, podczas gdy kolka nie musi być związana z karmieniem. Niektóre badania sugerują, że kolka w ogóle nie ma nic wspólnego z bólem brzucha (mimo że nazwa może się kojarzyć z greckim określeniem jelita grubego). Kolka jest raczej powodowana brakiem umiejętności niemowlęcia do uspokojenia się, gdy ma do czynienia z nadmiarem bodźców.

CO ZROBIĆ: Problem polega na tym, że wszystkie niemowlęta płaczą. Płaczą, gdy są głodne czy zdenerwowane albo gdy zmienia im się plan dnia. Pomagałam „wyleczyć" tak zwane kolki u dzieci, ustalając im stały plan dnia, ucząc rodziców, jak dostroić się do sygnałów niemowlęcia, modyfikując technikę karmienia, jeśli to jest konieczne (na przykład zmieniając smoczek w butelce albo pozycję ciała podczas karmienia, zmianę sposobu trzymania dziecka, by mu się odbiło) i wykluczając alergie pokarmowe (zmieniając rodzaj mleka w proszku). Ale w tych przypadkach oczywiście nie mieliśmy do czynienia z prawdziwą kolką.

Twój pediatra być może przepisze delikatny środek uspokajający, doradzi Ci, by unikać nadmiaru bodźców, albo zaproponuje różne sztuczki, takie jak odgłos bieżącej wody, odkurzacza lub suszarki do włosów, by odwrócić uwagę niemowlęcia. Niektórzy polecają również częstsze przystawianie niemowlęcia do piersi, czemu jestem kategorycznie *przeciwna*, ponieważ jeśli problem leży w układzie pokarmowym dziecka, przekarmianie go tylko zaszkodzi. Niezależnie od porad prawda jest taka, że na kolkę nie ma lekarstwa. Po prostu trzeba to przetrzymać. Niektórzy rodzice radzą sobie lepiej niż inni. Jeśli nie należysz do „pewnych siebie" rodziców (patrz strony 76 – 79), niemowlę cierpiące na kolkę może do Ciebie nie „pasować". W takim przypadku wezwij posiłki. Poproś o pomoc, kogo tylko możesz. Rób sobie przerwy, by nie znaleźć się na krawędzi załamania nerwowego.

Od sześciu tygodni do czterech miesięcy — skoki wzrostu

Teraz wiele z początkowych trudności w karmieniu mamy już za sobą. Twoje niemowlę prawdopodobnie jest trochę bardziej przewidywalne, lepiej je i śpi — oczywiście jeśli nie cierpi na problemy natury gastrycznej albo nie jest nadwrażliwe. W takim przypadku i tak można mieć nadzieję, że już zaakceptowałaś jego temperament i jesteś lepiej dostrojona do jego sygnałów. Znasz również najlepszy sposób karmienia i dbania o niego po posiłkach, a także korzystasz ze zdrowego rozsądku, by uczynić życie niemowlaka odrobinę łatwiejszym. Na tym etapie dostaję różne wersje dwóch skarg:

Nie mogę sprawić, by moje dziecko spało dłużej niż trzy lub cztery godziny w ciągu nocy.

Moje dziecko spało przez pięć lub sześć godzin w nocy,
ale teraz budzi się częściej, zawsze o różnych porach.

Rodzicom wydaje się, że dzwonią do mnie w sprawie kłopotów ze snem, ale ku ich zdziwieniu oba wymieniane na tym etapie problemy wiążą się z jedzeniem. Do ośmiu tygodni większość niemowląt (*moich* niemowląt) przesypia w nocy przynajmniej pięć godzin, jeśli nie sześć. Oczywiście zależy to również od ich masy ciała i temperamentu, ale po szóstym tygodniu życia powinniśmy przynajmniej zbliżać się do tego wyniku, zachęcając niemowlęta do przesypiania dłuższego czasu w nocy. A w przypadku niemowląt, które wcześniej spały dłużej, nagłe budzenie się jest zazwyczaj związane ze *skokiem wzrostu — okresem intensywnego wzrostu, zazwyczaj trwającego dzień lub dwa, gdy organizm niemowlęcia domaga się większej ilości pożywienia.* Stara Zaklinaczka ma w rękawie parę asów na takie okazje.

Jeśli Twoje niemowlę nie jest mniejsze niż przeciętne i *nigdy* nie udało mu się przespać więcej niż trzy lub cztery godziny, najpierw pytam: ile razy i jak długo śpi w ciągu dnia? Może być tak, że drzemki w dzień kradną mu sen nocny (wyjaśniam tę kwestię na stronach 185 – 186, gdzie radzę, by nigdy nie pozwolić dziecku spać dłużej niż dwie godziny w ciągu dnia). Ale jeśli drzemki nie są zbyt długie, a mimo to niemowlę i tak nie jest w stanie przespać jednym ciągiem więcej niż trzy lub cztery godziny w ciągu nocy, prawdopodobnie oznacza to, że dziecku potrzeba więcej jedzenia w ciągu dnia, by miało pełen brzuszek przed pójściem spać. Jeśli jeszcze tego nie robiłaś, proponuję tankowanie do pełna (patrz strony 103 i 203).

W tej drugiej sytuacji, gdy dziecko przesypiało pięć lub sześć godzin w nocy, a teraz zaczyna się budzić o różnych porach, zazwyczaj mamy do czynienia ze skokiem wzrostu. Okresy intensywnego wzrostu zdarzają się po raz pierwszy, gdy niemowlę ma od sześciu do ośmiu tygodni, a potem pojawiają się cyklicznie, mniej więcej co miesiąc lub sześć tygodni. Skok wzrostu w wieku pięciu lub sześciu miesięcy jest zazwyczaj sygnałem, że czas wprowadzić pokarmy stałe.

Okresy intensywnego wzrostu mogą pojawić się wcześniej u większych niemowląt, co może zbijać z tropu. Pewna mama zadzwoniła do mnie i powiedziała: „Moje dziecko ma cztery miesiące, waży ponad osiem kilo i wypija 220 mililitrów mleka przy każdym posiłku, ale i tak budzi się w nocy przynajmniej raz. Nie powinnam dawać mu jeszcze pokarmów stałych". W tym przypadku wykorzystaj własną zdolność oceny. Nie możesz podawać mu większej ilości płynów, a dziecko zdecydowanie potrzebuje więcej jedzenia, by przetrwać noc.

Skoki wzrostu u niemowląt karmionych piersią nie powinny być mylone z niewłaściwym przystawianiem lub problemami z laktacją, co też może powodować budzenie się w nocy, ale zwykle występuje wcześniej niż po sześciu tygodniach. Pytanie, które pozwala mi zdecydować, czy niemowlę przechodzi skok wzrostu, brzmi: **Czy dziecko budzi się o tej samej godzinie każdej nocy, czy też pory budzenia się zmieniają?** Jeśli budzenie się jest chaotyczne, zazwyczaj wskazuje to na skok wzrostu. Ten e-mail ilustruje typowy scenariusz:

Właśnie wprowadziłam mojej siedmiotygodniowej Olivii plan PROSTE, co przyjęła bardzo dobrze. Ale odkąd zaczęłyśmy realizować plan, jej sen w nocy stał się bardziej nieprzewidywalny. Wcześniej budziła się zawsze o 2:45. A ostatnio nie można nic przewidzieć, poza porządkiem dnia, bo je i zasypia o stałych porach. Prowadzę notatki, i naprawdę nie mogę tam znaleźć nic, co mogłoby powodować jej budzenie się czasem o pierwszej w nocy, a czasem o wpół do piątej. Czy jest coś, co moglibyśmy zrobić, żeby spała przynajmniej do 2:45, jak kiedyś?

W przypadku takim jak Olivii wiem, że z pewnością chodzi o skok wzrostu, ponieważ wcześniej mała dobrze jadła i spała, a jej rodzice instynktownie przestrzegali pewnego planu dnia. Kolejna wskazówka polega na tym, że chociaż zazwyczaj Olivia budziła się o 2:45, jej mama napisała: „(...) odkąd zaczęłyśmy realizować plan, jej sen w nocy stał się *bardziej nieprzewidywalny* [wyróżnienie moje]". Ponieważ jej budzenie się przypadkiem zbiegło się w czasie z wprowadzeniem planu PROSTE, rodzice oczywiście założyli, że nagłe zaburzenia snu muszą mieć jakiś związek z nowym planem. Ale tak naprawdę dziecko było po prostu głodne. A powodem, dla którego rodzice nie mają pojęcia, co *oni sami* mogli zrobić źle, jest fakt, że nie chodzi w ogóle o nich, ale o ich córeczkę!

Powiedzmy, że rozmawiamy o niemowlęciu, które nigdy dobrze nie spało. Wciąż budzi się dwa razy w nocy. Ono również może przechodzić przez okres wzrostu, ale mogło również nabrać nawyku budzenia się w nocy, który wzmacniają rodzice, karmiąc je, gdy się budzi. Widzisz różnicę? Wyraźną wskazówką jest sposób budzenia się — ogólnie biorąc, niemowlęta budzące się nawykowo zazwyczaj zaczynają płakać o tej samej porze, prawie jak w zegarku. Dzieci, które budzą się o różnych porach, są zazwyczaj głodne. Ale najlepszą wskazówką jest ilość zjadanego pokarmu: podczas skoku wzrostu dziecko zje pełną porcję, ponieważ jego ciało domaga się zwiększonej dawki pokarmu. Jeśli nie wypije więcej niż kilkadziesiąt mililitrów, można z prawie całkowitą pewnością założyć, że mamy do czynienia z zaburzeniem snu, a nie z głodnym niemowlęciem (patrz strony 199 – 200, gdzie znajdziesz więcej informacji na temat nawykowego budzenia się).

Moją receptą na budzenie się spowodowane skokiem wzrostu jest zawsze to samo: zwiększyć ilość pokarmu w ciągu dnia, a także wprowadzić karmienie przez sen, jeśli jeszcze tego nie robiłaś. W przypadku dzieci karmionych butelką dołóż 30 mililitrów mleka do każdego karmienia. U dzieci karmionych piersią problem jest trochę większy, ponieważ nie wiadomo, ile dokładnie zjada niemowlę, więc trzeba zwiększyć *czas* karmienia, a nie ilość. Zatem jeśli Twoje dziecko ma trzygodzinny plan PROSTE, ściśnij go trochę do dwuipółgodzinnego. W przypadku starszego dziecka, które ma plan „cztery na cztery" (strona 40), musisz wrócić do karmienia co trzy i pół godziny. Niektóre mamy nie rozumieją sensu tej rady, jak Joanie, mama z Florydy, która powiedziała mi: „To tak, jakbyśmy się cofali. W końcu udało mi się wprowadzić karmienie co cztery godziny, a teraz mam się z tego wycofać?". Wyjaśniłam, że to tylko *tymczasowa* zmiana. Karmiąc częściej, da znać organizmowi, że musi produkować więcej mleka dla czteromiesięcznego Matthew, a za kilka dni będzie miała wystarczająco dużo pokarmu, by zaspokoić jego nowe potrzeby.

Skoki wzrostu mogą zaburzyć plan dnia dziecka w porze kładzenia się spać, w środku nocy lub przy odkładaniu dziecka na drzemkę. Nawet rodzice, którzy są świadomi cyklicznego występowania okresów intensywnego wzrostu, mogą nie zdawać sobie sprawy z tego, że tak zwane problemy ze snem lub „łóżeczkofobia" tak naprawdę dotyczą jedzenia. Pewna matka, której syn, David, miał sześć tygodni, przestrzegała planu PROSTE przez trzy dni. Pierwsze dwa dni, napisała, „działało jak magia. Przestrzegaliśmy planu, i byłam taka dumna, że mały potrafi zasypiać w łóżeczku (ze smoczkiem).

Jednak dzisiaj (trzeciego dnia) płakał mocno od momentu, gdy weszliśmy do jego pokoju i zaczęliśmy przygotowywania do rytuałów na dobranoc. Od wczorajszej nocy więcej je, więc przypuszczam, że przechodzi okres intensywnego wzrostu. Czy ten opór przed kładzeniem się do łóżka może mieć z tym związek?".

Oczywiście. Mały David mówi (za pomocą łez): „Nie chcę iść spać. Chcę jeszcze jeść. Nakarm mnie". Jeśli nie dostanie jeść, będzie kojarzył swój pokój z głodem. Niemowlęta są niezbyt skomplikowanymi stworzeniami, ale uczą się metodą skojarzeń. Gdyby odesłano Cię do pokoju przed skończeniem obiadu, prawdopodobnie też nie chciałabyś tam iść! Pokój zacząłby Ci się źle kojarzyć.

Jeśli Twoje niemowlę jest oporne w kwestii karmienia przez sen, możesz również ocenić, jak karmisz je w ciągu dnia. Pewien chłopczyk, którym się opiekowałam, Christian, miał wtedy dziewięć tygodni, i niezależnie od tego, jak bardzo jego mama i ja się starałyśmy, nie chciał jeść o dwudziestej trzeciej. Przez kilka tygodni mama dawała mu jeść o siedemnastej i dwudziestej, a potem próbowała nakarmić go ponownie trzy godziny później. Chris ważył wtedy cztery kilogramy, więc nic dziwnego, że nie był jeszcze głodny. Ale budził się o pierwszej w nocy, umierając z głodu. Zdecydowałyśmy się zmienić jego wcześniejsze karmienia. O siedemnastej dawałyśmy mu tylko 50 mililitrów zamiast dwustu, które zazwyczaj wypijał, i przesunęłyśmy karmienie o dwudziestej o godzinę wcześniej, dając mu tylko 150 mililitrów. Innymi słowy, z jego wieczornych karmień odjęłyśmy w sumie 200 mililitrów. Potem Chris miał czas rozrywki — kąpiel — i po masowaniu, owijaniu i wkładaniu do łóżeczka był już zmęczony. Wtedy spróbowałyśmy karmienia przez sen, o dwudziestej trzeciej, czyli po czterech godzinach od ostatniego karmienia wieczornego, i patrzcie państwo — Chris wypił pełne 200 mililitrów mleka. W tym momencie wpadłyśmy również na to, że mały potrzebuje więcej jedzenia w ciągu dnia, zatem zwiększyłyśmy ilość mleka w każdym karmieniu o 30 mililitrów. Później był w stanie wytrzymać całą noc, od karmienia przez sen do pobudki o 6:30.

Pamiętaj, że karmienie przez sen nie powinno mieć miejsca później niż o godzinie dwudziestej trzeciej. Jeśli jest inaczej, karmisz już w nocy, czego staramy się unikać, ponieważ karmienie w nocy oznacza, że niemowlę będzie jadło mniej w dzień i nabierze nawyku budzenia się w nocy z głodu. To uwstecznianie się. Nie chcemy wracać do planu dnia takiego, jaki dziecko miało w wieku sześciu tygodni.

Reflektor w okopach

Karmienie przez sen zbyt późno

Janet zadzwoniła do mnie, ponieważ jej syn budził się o 4:30 lub 5:00 każdego poranka. „A przecież karmię go przez sen" — upierała się. Problem polegał na tym, że karmiła czteromiesięcznego Kevina między północą a pierwszą w nocy. W tym wieku i przy jego wadze (ważył ponad trzy i pół kilo przy urodzeniu), powinien spać przynajmniej pięć, jeśli nie sześć godzin w ciągu nocy. Ale ponieważ Janet niechcąco zaburzała mu sen zbyt późnym karmieniem, mały spał niespokojnie. W końcu na sen niemowlęcia wpływają różne czynniki, podobnie jak na nas, gdy jesteśmy przemęczeni lub coś nam przeszkadza. Jeśli nas budzą, nie śpimy zbyt mocno i bardziej prawdopodobne jest, że będziemy się wiercić i budzić co chwila. A co gorsza, Janet karmiła Kevina, gdy budził się o świcie, wzmacniając jego *nawyk* (pamiętaj: budzenie się równo jak w zegarku to nawyk, budzenie się kapryśne, o różnych porach, to głód). Zasugerowałam, żeby stopniowo przesuwała karmienie przez sen aż do godziny 22:00 lub 22:30, ale nie karmiła go, gdy się obudzi (więcej na ten temat znajdziesz w rozdziale 5., strony 206 – 207). Ponadto miała mu dawać trochę więcej jeść w ciągu dnia, dodając 30 mililitrów do każdego karmienia.

Od czterech do sześciu miesięcy — bardziej dojrzały smakosz

To etap względnego spokoju, jeśli chodzi o jedzenie — to znaczy jeśli przestrzegasz stałego planu dnia. Jeśli nie, prawdopodobnie wciąż doświadczasz problemów, które pojawiały się na wcześniejszych etapach, tyle tylko, że teraz trudniej sobie z nimi poradzić. Niemowlę wciąż płacze, gdy chce jeść, ale w zależności od jego temperamentu i Twojej reakcji ton płaczu jest mniej rozpaczliwy. Niektóre niemowlęta potrafią nawet bawić się same o poranku, zamiast wzywać rodziców rozpaczliwym wrzaskiem, oznaczającym: „Nakarmcie mnie!".

Oto skargi, jakie często otrzymuję od rodziców niemowląt w tym wieku. Mogą wydawać się różne, ale wszystkie trzy rozwiązujemy, stosując lub zmieniając stały plan dnia i pomagając rodzicom w dostrzeżeniu, że ich maluch rośnie i zmienia się:

Moje dziecko nigdy nie je o tych samych porach.

Moje dziecko za wcześnie kończy jeść, obawiam się, że się nie najada. Poza tym krótki czas karmienia zaburza nasz plan.

Moje dziecko chyba nie jest już zainteresowane jedzeniem. Pory posiłków to czas harówki.

Założę się, że zgadniesz, jakie jest pierwsze pytanie, które zadaję, gdy klientka przychodzi do mnie z jedną z powyższych spraw: **Czy twoje dziecko ma stały plan dnia?** Jeśli odpowiedź jest przecząca — a zazwyczaj tak jest, jeśli rodzice mówią, że ich niemowlę nigdy nie je o stałych porach — nie można winić dziecka za problemy z jedzeniem. To rodzice muszą się za to wziąć. Oczywiście, *pewne* odstępstwa od planu są normalne. Ale jeśli Twoje dziecko zawsze je o różnych porach, założę się, że również się nie wysypia. Potrzebuje stałego planu dnia (patrz: „Rozpoczynanie planu PROSTE w wieku czterech miesięcy lub później", strony 47 – 54).

Jeśli klientka upiera się, że jej dziecko *ma* stały plan dnia, moje następne pytanie brzmi: **Jak długo trwają przerwy między karmieniami?** Jeśli karmi co dwie godziny, wiem, że to problem z „przekąszaniem", ponieważ żadne niemowlę w wieku powyżej trzech miesięcy nie musi jeść tak często. To był problem małej Maury. W wieku prawie pięciu miesięcy wciąż jadła co dwie godziny, nawet w nocy. Koleżanka zasugerowała dodawanie jej kaszki do butelki, „żeby przespała noc" — stara bajka, która się nie sprawdza (patrz „To mit", strona 150). Ponieważ Maura nigdy wcześniej nie jadła pokarmów stałych, jedyne, co udało się osiągnąć, to zatwardzenie, a i tak budziła się w nocy, szukając piersi mamy. Poradziłam jej rodzicom, Jessice i Billowi, by „tankowali ją do pełna" o 18:00, 20:00 i 22:00, a potem *nie* karmili jej w nocy — niezależnie od wszystkiego. W końcu Maura nie była noworodkiem. Była niemowlęciem, a jej rodzice przypadkowo nauczyli ją przekąszania. Pierwszej nocy oczywiście budziła się z krzykiem kilkakrotnie między 22:00 a 5:00, ale Jessica i Bill się nie poddali. Tata wykorzystał moją metodę PP („podnieś - połóż", rozdział 6.), aby za każdym razem uśpić małą. Ale to była ciężka noc dla całej trójki, zwłaszcza dla mamy, która sądziła, że zagłodzą dziecko. Jessica jednak dostrzegła różnicę o poranku, ponieważ po raz pierwszy od długiego czasu (a może po raz pierwszy w życiu) Maura najadła się porządnie, ssąc przez pełne pół godziny o piątej rano. Przez resztę dnia Maura również jadła lepiej, co cztery godziny. Druga noc była nieco lepsza. Maura obudziła się dwukrotnie, tata za każdym razem ją uśpił, i kolejnego poranka spała do szóstej. Od tamtego czasu problemy się skończyły. Zasugerowałam, żeby rodzice nadal stosowali karmienie przez sen, do sześciu miesięcy, gdy zaczną wprowadzać pokarmy stałe.

Jeśli niemowlę na tym etapie wciąż je co trzy godziny, być może nie przekąsza, ale podejrzewam, że rodzice starają się przestrzegać planu, który został zaprojektowany dla młodszego dziecka. Muszą wydłużyć przerwy między karmieniami do czterech godzin. Jednak trzeba to zrobić stopniowo. Nie byłoby w porządku nagłe zmuszanie niemowlęcia do czekania dodatkową godzinę na posiłek. Zatem wydłuża się przerwę o piętnaście minut w ciągu dnia przez cztery dni. Zaletą niemowląt z tej grupy wiekowej jest to, że łatwiej jest je czymś zająć. Można je zabawić zabawkami lub robieniem min, albo spacerem po parku, nie tylko smoczkiem, którego trzeba by użyć w przypadku młodszego dziecka, żeby poczekało na karmienie.

Podobnie rodzice, którzy martwią się, że ich dziecko „za szybko" je, mogą zapominać, że ich maluch rośnie. Niemowlęta na tym etapie potrafią jeść już znacznie efektywniej. Zatem Twoje dziecko być może otrzymuje właściwą porcję pokarmu, ale po prostu mniej czasu zajmuje mu jej połknięcie. To, oczywiście, zależy od tego, czy jest karmione mlekiem matki, i w takim przypadku mierzymy czas, czy mlekiem modyfikowanym, gdy mierzymy jego ilość.

Jeśli pije mleko modyfikowane, łatwo jest ocenić, czy zjada wystarczająco wiele, ponieważ można zmierzyć liczbę mililitrów wypitego płynu. Prowadź notatki przez kilka dni. Niemowlę powinno pić od 150 do 220 mililitrów mleka naraz, *co cztery godziny*. Włączając karmienie przez sen, da to od 700 mililitrów do litra mleka w ciągu dnia.

Jeśli Twoje dziecko jest karmione piersią, powinno na tym etapie ssać przez mniej więcej dwadzieścia minut, ponieważ łatwiej mu teraz w krótszym czasie wyssać tę samą porcję mleka, na którą kiedyś potrzebowało czterdziestu pięciu minut. Jeśli jednak chcesz się upewnić, zrób pomiar (strony 112 – 113). Na tym etapie z laktacją nie ma zazwyczaj problemów.

W obu przypadkach, jeśli dziecko zbliża się do wieku sześciu miesięcy, czas wprowadzić pokarmy stałe, ponieważ gdy niemowlę zacznie naprawdę się poruszać, będzie potrzebowało czegoś więcej niż tylko mleko, by zaspokoić wzmożone potrzeby energetyczne (patrz rozdział 4.).

Jeśli chodzi o niemowlę, które „wydaje się już nie interesować" jedzeniem, obawiam się, że to normalne. W wieku od czterech do sześciu miesięcy niemowlęta doświadczają rozwojowego skoku w przód. Są bardziej ciekawe świata i bardziej ruchliwe. Chociaż mogą jeść efektywnie, siedzenie spokojnie podczas karmienia jest nudne w porównaniu ze wszystkimi cudami otaczającego je świata. Kiedyś pierś czy butelka były wszystkim, czego niemowlę

Za chude — czy może po prostu bardziej aktywne?

Często gdy niemowlęta robią się bardziej ruchliwe, tracą również częściowo zainteresowanie jedzeniem. Wiele zaczyna nabierać smuklejszych kształtów z powodu większej aktywności. Gdy niemowlęcy tłuszczyk zaczyna znikać, wyglądają bardziej jak starsze dzieci. W zależności od budowy ciała dziecka, którą odziedziczyło po przodkach, podobieństwo do małego Buddy może być mniej rzucające się w oczy. Jeśli jest zdrowe, nie martw się tym. Jeśli mimo wszystko się przejmujesz, skonsultuj się z pediatrą.

potrzebowało do szczęścia. Być może rzucało okiem na mobil zawieszony nad łóżeczkiem podczas karmienia, ale to już przeszłość. Teraz może odwracać główkę i sięgać po różne rzeczy, więc jedzenie niekoniecznie jest priorytetem. Może nawet trafi Ci się tydzień lub dwa, gdy w ogóle nie będzie chciało współpracować podczas karmienia. Poczyń pewne prewencyjne kroki. Karm dziecko w pomieszczeniu relatywnie wolnym od rzeczy mogących odwracać jego uwagę. Wetknij jego rączkę za siebie, by nie zaczęło się wiercić. Jeśli Twoje dziecko jest bardzo aktywne, możesz je owinąć w kocyk, by powstrzymać wiercenie się. Powieś jaskrawy, kolorowy materiał z jakimiś wzorami nad swoim ramieniem, by niemowlę miało na co patrzeć. Czasami, muszę przyznać, jedyne, co można zrobić, to przetrzymać — i patrzeć z podziwem na tego małego człowieka, którym staje się Twoje niemowlę.

Od sześciu do dziewięciu miesięcy i dalej — ryzyko przypadkowego rodzicielstwa

Tu dopiero mamy do czynienia z olbrzymimi skokami w rozwoju! Teraz Twoje niemowlę wchodzi w prawdziwy świat, przynajmniej jeśli chodzi o jedzenie. No dobrze, prawie. Mimo że niektóre skargi związane z jedzeniem na tym etapie dotyczą płynów — są to w większości te problemy, które nie zostały rozwiązane wcześniej — w centrum zainteresowania jest teraz Jedzenie Dużych Ludzi. Koniec ścisłej diety płynnej. Teraz dziecko musi

Jak przestać karmić przez sen?

Proces wykluczania karmienia przez sen (zazwyczaj mniej więcej w wieku siedmiu miesięcy) należy przejść stopniowo, w trzydniowych odcinkach, aby dziecko nadrobiło w ciągu dnia to, co zabierasz w nocy.

Dzień 1.: Dodaj 30 mililitrów do pierwszego karmienia porannego i odejmij 30 mililitrów od karmienia przez sen. Jeśli karmisz piersią, wróć do karmień cząstkowych, by dziecko otrzymało więcej kalorii. Karmienie przez sen (teraz o 30 mililitrów mniej) podaj o pół godziny wcześniej, o 22:30 zamiast o 23:00.

Dzień 4.: Dołóż po 30 mililitrów do pierwszego karmienia i do drugiego oraz odejmij 60 mililitrów od karmienia przez sen. Nakarm przez sen (mniej mleka o 60 mililitrów) o 22:00.

Dzień 7.: Dodaj po 30 mililitrów do pierwszego, drugiego i trzeciego karmienia w dzień, odejmij 90 mililitrów od karmienia przez sen, które powinno nastąpić o 21:30.

Dzień 10. (karmienie przez sen o 21:00), *14.* (20:30), *17.* (20:00) i *20.* (19:30): Nadal co trzy dni dodajesz po 30 mililitrów do posiłków w dzień i taką samą ilość odejmujesz od karmienia przez sen, aż w końcu będziesz karmić o 19:30, podając tylko trochę mleka.

nauczyć się przeżuwać, najpierw papki, potem małe kawałeczki jedzenia, a w końcu wszystko to, co i Wy jecie (odpowiedzi na wszystkie pytania związane ze zmianą diety znajdziesz w kolejnym rozdziale).

Proponuję również rezygnację z karmienia przez sen w wieku mniej więcej siedmiu miesięcy (patrz ramka powyżej), gdy Twoje dziecko będzie już jadło pokarmy stałe. Jeśli nadal będziesz karmić przez sen, działasz na szkodę wprowadzania stałych pokarmów, ponieważ dziecko nie będzie głodne. Jednak — jak pokazano w ramce — gdy rezygnuje się z karmienia przez sen, trzeba to zrównoważyć obfitszymi posiłkami w dzień. Jeśli tego nie zrobisz, dziecko będzie budzić się w nocy.

Inne najpopularniejsze skargi rodziców niemowląt w tym wieku to na przykład:

Moje dziecko wciąż budzi się głodne w nocy.

Próbuję przestawić dziecko na butelkę, ale nie chce z niej pić.

Moje dziecko używa kubeczka-niekapka, ale nie chce pić z niego mleka, tylko wodę lub sok.

Podobnie jak inne problemy, które pojawiają się w drugim półroczu życia dziecka, te również najprawdopodobniej są skutkami przypadkowego rodzicielstwa. Rodzice nie zaczęli w taki sposób, jakby mieli zamiar doprowadzić sprawy do końca. Albo po prostu nie przemyśleli sobie wszystkiego.

Weźmy pierwszy przykład: gdy dziecko w wieku sześciu miesięcy — a Bóg mi świadkiem, że widziałam przypadki prawie dwulatków — wciąż budzi się z głodu w nocy, jest to najprawdopodobniej spowodowane tym, że rodzice reagowali na wcześniejsze przypadki budzenia się w nocy, podając jedzenie, mimo że niemowlę wypijało tylko odrobinę. Jak już mówiłam wcześniej, jeśli niemowlęta budzą się o różnych porach, przyczyną jest prawdopodobnie głód. W wieku sześciu miesięcy ma to miejsce rzadko, poza okresami skoków wzrostu lub w momencie, gdy czas wprowadzić pokarmy stałe. Ale gdy dzieci budzą się regularnie jak w zegarku, chodzi najczęściej o przypadkowe rodzicielstwo. Nietrudno zmienić dziecko półroczne lub starsze w „przekąsacza", jeśli zaczyna budzić się w nocy i dostaje pierś lub butelkę. W takich przypadkach dzieci niechcący są uczone przekąszania w nocy, co oczywiście wpływa na ich posiłki w ciągu dnia, i tak naprawdę jest to kwestia zaburzeń snu, a nie odżywiania. Zamiast karmienia trzeba je „przetrzymać" przy wykorzystaniu mojej techniki „podnieś – połóż" (patrz rozdział 6.). Dobra wiadomość? Mniej czasu zabiera zmiana tego nawyku w przypadku starszych niemowląt, ponieważ mają już dość tłuszczu w organizmie, by przetrwać noc.

Druga i trzecia skarga również jest spowodowana przypadkowym rodzicielstwem. Jak wiesz, sugeruję wprowadzanie butelki już w wieku dwóch tygodni (patrz ramka na stronie 117). Z wielu powodów — rady znajomych, coś, co przeczytali — wielu rodziców sądzi, że to „za wcześnie". Potem, trzy, sześć lub dziesięć miesięcy później, dostaję rozpaczliwe telefony w stylu: „Jestem więźniem, bo nikt inny nie może jej nakarmić" albo „Muszę wrócić do pracy za tydzień i boję się, że mała umrze z głodu", lub „Mój mąż sądzi, że nasz synek go nienawidzi, bo wrzeszczy, jeśli próbuje podać mu butelkę". To właśnie moja niania miała na myśli, gdy mówiła, żeby zaczynać, jeśli się ma zamiar skończyć. Przez brak poświęcenia kilku chwil na refleksję: „Hm. Jak moje życie ma wyglądać za kilka miesięcy? Czy chcę być jedyną osobą w domu — na świecie — która może karmić moje dziecko, dopóki nie nauczy się pić samo z kubka?" świeżo upieczona mama może przygotowywać sobie wielkie problemy na dalszej drodze.

To samo jest z przejściem do picia z kubka z dzióbkiem. Jest to częsty scenariusz — mama wprowadza dziecku bardziej „dorosłą" formę picia, dając mu coś innego niż mleko z piersi lub modyfikowane. Często jest to sok, ponieważ ma wrażenie, że niemowlę chętniej wypije słodki płyn o dziwnym smaku niż stare, nudne mleko. Niektóre mamy podają również wodę, ponieważ martwią się, że dieta dziecka zawiera zbyt wiele cukru (i tu się zgadzam). No cóż, niemowlęta są jak psy Pawłowa. Po kilku miesiącach smakowania przez dziecko tego „innego" płynu mama próbuje mu podać mleko, a ono krzywi się, jakby chciało powiedzieć: „Hej, mama, o co chodzi? To nie jest *to*, co miałem dostać!". I kategorycznie odmawia picia (patrz strona 140, gdzie znajdziesz sposoby rozwiązania tego problemu).

Jeśli czytasz tę książkę, zanim zeszłaś na jakiekolwiek wymienione tu manowce, świetnie. Powiedz innym matkom o pułapkach. Jeśli nie, czytaj dalej. Może czeka Cię trudna walka, ale nie wszystko jeszcze stracone.

Od piersi do butelki — pierwsze kroki odstawiania

Są dwa czynniki, które wpływają na to, co się dzieje, gdy starasz się wprowadzić butelkę: reakcja dziecka i Twoja, wpływ na Twoje ciało i umysł. Może chcesz wprowadzić butelkę, ponieważ jesteś gotowa do całkowitego odstawienia dziecka od piersi, a może chcesz tylko ułatwić sobie życie, zastępując jedno lub więcej karmień podawaniem butelki. Tak czy owak, musisz wziąć pod uwagę oba czynniki. Im starsze dziecko, tym trudniej będzie przyzwyczaić je do butelki, jeśli cały czas piło tylko z piersi. Ale w przypadku starszych dzieci łatwiej będzie Twojemu organizmowi zaadaptować się do zmiany, ponieważ mleko szybciej zaniknie (patrz ramka na stronie 134). Jednocześnie jednak mnóstwo mam reaguje bardzo emocjonalnie na ograniczenie liczby karmień piersią, a zwłaszcza na całkowite odstawienie dziecka.

Zatem zajmijmy się najpierw dzieckiem. Procedura jest taka sama dla tych niemowląt, które nigdy nie piły z butelki, i dla tych, które próbowały kilka miesięcy wcześniej, a teraz chyba zapomniały, jak z niej pić. Dostaję mnóstwo telefonów i e-maili od mam, które zmagają się z obydwoma problemami. Oto post z mojej strony internetowej:

Witam, jestem mamą półrocznego chłopca. Czy ktoś ma jakieś rady co do wprowadzenia butelki? Nie chcę całkiem przestać karmić, ale potrzebuję trochę oddechu. Mały nie chce butelki, próbowaliśmy od dwunastu tygodni. Próbowałam prawie wszystkiego, kubków, butelek, różnych rodzajów mleka modyfikowanego, mleka z piersi itp.

Dwanaście tygodni! To mnóstwo prób, starań i frustracji — Twojej i Twojego dziecka. Oczywiście tej mamie się nie spieszy, ale wyobraź sobie, że musiałaby wracać do pracy, jak wiele z nas! Na przykład pamiętam mamę Barta, Gail, która karmiła syna przez pierwsze trzy miesiące, a potem

Kończenie z karmieniem
Jak mama to robi?

Niezależnie od tego, czy chcą całkiem odstawić dziecko od piersi, czy ograniczyć liczbę karmień, wiele mam martwi się, jak będą reagować ich piersi na pierwsze opuszczone karmienie. Poniższy plan zakłada, że dziecko chętnie pije z butelki, a Ty chcesz karmić tylko dwa razy dziennie, rano i po pracy. Jeśli chcesz całkiem odstawić niemowlę od piersi, po prostu eliminuj kolejne karmienia. Twoje ciało się dostosuje, ale musisz je wspomóc.

Odciągaj pokarm zamiast opuszczać karmienia. Aby uniknąć zastoju, przez kolejnych 12 dni nadal przystawiaj dziecko do piersi rano i w porze drugiego karmienia, które chcesz utrzymać. W ciągu dnia odciągaj pokarm w porach, gdy normalnie karmiłabyś dziecko. Odciągaj przez piętnaście minut przez pierwsze trzy dni. Od czwartego do szóstego dnia odciągaj tylko 10 minut, od siódmego do dziewiątego przez pięć, a od dziesiątego do dwunastego przez dwie do trzech minut. Do tego czasu piersi będą się napełniać tylko przed dwoma karmieniami i nie będziesz już potrzebować odciągania pokarmu.

Noś ciasny stanik między karmieniami. Przylegający sportowy stanik pozwoli zatrzymać wypływ mleka.

Wykonuj od trzech do pięciu sesji ćwiczeń ramion w ciągu dnia. Wykonuj ruchy, jakbyś rzucała piłkę. To również pozwoli zatrzymać pokarm. Jeśli to konieczne, co cztery lub sześć godzin zażywaj środek przeciwbólowy. Zastój nie pojawia się raczej, jeśli dziecko ma powyżej ośmiu miesięcy, bo laktacja zatrzymuje się wcześniej niż, powiedzmy, przy niemowlęciu w wieku trzech miesięcy.

zadzwoniła do mnie: „Wracam do pracy za trzy tygodnie i chciałabym karmić piersią rano, późnym popołudniem i wieczorem, a przy innych karmieniach stosować butelkę".

Niezależnie od tego, czy przestawiasz dziecko na butelkę, bo nie masz zamiaru już karmić, czy też chcesz utrzymać kilka karmień dziennie, radzę, by dobrze się do tego przygotować i oczywiście nastawić się na dwa lub trzy trudne dni. Oczywiście, jeśli niemowlę ma pół roku lub więcej, możesz zdecydować, że chcesz przejść od razu do kubka i ominąć butelkę. Ale jeśli zaczynasz...

Znajdź typ smoczka, który najbardziej przypomina sutek kobiecy. Niektórzy napuszeni eksperci od karmienia piersią straszą, że dziecko nie będzie umiało pić z piersi, i wykorzystują to jako argument, by nie podawać butelki niemowlętom poniżej trzech lub sześciu miesięcy (w zależności od książki, jaką czytałaś). Jeśli już, niemowlęta tracą orientację z powodu *przepływu* płynu, a nie samego smoczka. Wybierz odpowiedni rodzaj,

Za duże na butelkę?

Matkom często doradza się, by zrezygnowały z butelki najpóźniej wtedy, gdy dziecko ma rok lub półtora, ale moim zdaniem dwa lata to mnóstwo czasu. Świat się nie zawali, jeśli dziecko przez kilka minut będzie piło butelkę na dobranoc, przytulając się do mamy lub taty.

Pozostawione same sobie, wiele dzieci samoistnie rezygnuje z butelki w wieku dwóch lat. Gdy chcą pić z niej dłużej, to zazwyczaj dlatego, że pozwalano im traktować butelkę jak smoczek-uspokajacz — na przykład mama dawała ją dziecku jako szybką metodę na uciszenie dziecka w centrum handlowym albo tata wtykał mu ją do buzi, by uniknąć wybuchu złości w towarzystwie. Albo rodzice wykorzystują butelkę, by uśpić dziecko. Niektórzy zostawiają butelkę w łóżeczku dziecka, mając nadzieję na dodatkową godzinę snu, co nie tylko sprzyja tworzeniu się złych nawyków, ale jest również niebezpieczne. Dziecko może się zadławić. Ponadto, gdy dziecku pozwala się na chodzenie z butelką przez cały dzień, wypełnia brzuszek płynem i nie chce jeść.

Jeśli Twoje dziecko ma dwa lata lub więcej i wciąż chodzi po domu z butelką, czas na interwencję.

Wypracuj jakieś sensowne zasady dotyczące butelki — tylko na dobranoc albo tylko w swoim pokoju.

Noś ze sobą przekąski zamiast butelki i w inny sposób radź sobie z atakami złości (patrz rozdział 8.).

Spraw, by butelka była mniej atrakcyjna. Wytnij podłużną dziurkę w smoczku, na mniej więcej pół centymetra. Odczekaj cztery dni i natnij smoczek prostopadle, by powstał znak X. Po kolejnym tygodniu wytnij pierwsze trzy, a potem wszystkie cztery narożniki. W końcu będziesz mieć wielką kwadratową dziurę, a dziecko całkiem straci zainteresowanie.

a jeśli niemowlę go zaakceptuje, nie zmieniaj smoczka. Wystarczy, by przyzwyczaiło się do butelki, niepotrzebne jest eksperymentowanie ze smoczkami — *chyba że* zacznie się dławić, ulewać albo krztusić. W takim przypadku trzeba kupić smoczek, z którego wolniej płynie mleko, specjalnie opracowany, by reagował na ssanie, w przeciwieństwie do standardowych typów, z których cieknie płyn, nawet gdy dziecko nie ssie.

Zacznij pierwszy raz podawać butelkę, gdy dziecko jest bardzo głodne. Nie zgadzam się z ludźmi, którzy twierdzą, że butelkę należy podać, gdy dziecko nie jest zbyt głodne. Dlaczego miałoby się nią zainteresować, jeśli nie czuje głodu? Nastaw się, że będziesz się denerwować, a dziecko będzie stawiać opór.

Nigdy nie wmuszaj butelki. Popatrz na nią z dziecięcego punktu widzenia. Wyobraź sobie, że po raz pierwszy od wielu miesięcy ssania ciepłego, miękkiego ciała masz posmakować zimnego, gumowego smoczka. Aby zachęcić dziecko, polej smoczek ciepłą wodą, by miał temperaturę zbliżoną do ludzkiego ciała. Wetknij go delikatnie do buzi niemowlęcia i poszturchaj jego dolną wargę, co powinno pobudzić odruch ssania. Jeśli dziecko nie zacznie ssać po pięciu minutach, zaprzestań prób, żeby go całkiem nie zrazić. Odczekaj godzinę i spróbuj ponownie.

Pierwszego dnia próbuj co godzinę. Bądź wytrwała. Każda mama, która mówi, że próbowała od dwunastu tygodni, a nawet czterech, tak naprawdę nie starała się. Bardziej prawdopodobne jest, że próbuje przez dzień lub dwa — a nawet kilka minut — a potem zapomina o sprawie. Następnie zaczyna czuć zmęczenie karmieniem albo martwi się, jak poradzi sobie z opiekunką. Zatem próbuje ponownie. Jeśli nie podejmie zobowiązania, by starać się codziennie, niewiele z tego wyjdzie.

Pozwól spróbować tacie albo babci, lub przyjaciółce czy niani, ale tylko wtedy, gdy pierwszy raz wprowadzisz butelkę. Niektóre niemowlęta przyjmują butelkę od innych i zdecydowanie odmawiają, gdy mama próbuje zrobić to samo. To dobry sposób, by zacząć, ale to nie o to w tym chodzi. Sens podawania butelki tkwi w tym, że chcesz zyskać większą elastyczność. Powiedzmy, że wychodzisz z dzieckiem i nie chciałabyś karmić piersią w miejscu publicznym. Nie będziesz przecież dzwonić do taty lub babci za każdym razem! Gdy już dziecko zaakceptuje butelkę, możesz mu ją podawać sama.

Spodziewaj się strajku głodowego — i bądź na to gotowa. Jeśli dziecko całkowicie odmawia butelki, nie wyciągaj piersi. Obiecuję, Twoje niemowlę nie zagłodzi się na śmierć, czego obawia się wiele matek. Większość niemowląt wypije przynajmniej część mleka po trzech czy czterech godzinach od ostatniego karmienia piersią. Widywałam niemowlęta, które cały dzień odmawiały picia z butelki, czekając, aż mama wróci do domu, ale to są wyjątki (i one też się nie zagłodziły na śmierć). Jeśli będziesz wytrwała, trauma spowodowana wprowadzeniem butelki skończy się w ciągu doby. Niektóre starsze niemowlęta, zwłaszcza należące do Marud, mogą buntować się przez dwa lub trzy dni.

Po wprowadzeniu butelki zawsze podawaj ją przynajmniej raz dziennie. Częstym błędem matek jest nietrzymanie się przynajmniej jednego posiłku dziennie podawanego butelką. Niemowlęta zawsze wracają do swoich oryginalnych metod karmienia. Zatem jeśli dziecko zaczyna być karmione piersią i, powiedzmy, mama musi iść do szpitala na tydzień, a ono dostaje w tym czasie butelkę, będzie wiedziało, jak ssać pierś po powrocie mamy. Chociaż to rzadziej spotykane, to jednak zdarza się, że noworodek zaczyna na butelce, a potem mama decyduje się karmić piersią. Takie dziecko zawsze bez oporu będzie piło butelkę. Ale dzieci nie zapamiętują drugiej metody, której ich uczymy, chyba że będziemy się jej trzymać. Cały czas mam kontakty z matkami, które mówią mi: „Moje dziecko kiedyś piło z butelki, ale chyba zapomniało". Oczywiście, że tak — to było dawno temu. W takich przypadkach matka musi zaczynać od początku, wykorzystując powyższą metodę na *ponowne* wprowadzenie butelki.

Reflektor w okopach

Przestawianie

Janna, producentka telewizyjna, z którą pracowałam, wychodziła z pracy codziennie i jechała 50 kilometrów, by nakarmić swojego siedmiomiesięcznego syna, Justina. Była bliska obłędu, ponieważ naprawdę chciała swobody, jaką daje butelka. Za moją radą karmiła Justina, zanim wychodziła do pracy, i zostawiała butelkę odciągniętego mleka dla niani na posiłek w południe, ale Justin nie chciał pić i zastosował strajk głodowy. Za każdym razem, gdy Janna dzwoniła do domu, by sprawdzić, jak się sprawy mają, słyszała płacz Justina. „Myślałam, że się zagłodzi na śmierć. Nie sądzę, żebym kiedykolwiek cierpiała tak bardzo, jak wtedy". Gdy Janna weszła do domu o szesnastej, Justin krzyczał, ile sił w płucach, bo chciał piersi. Jednak mama zaproponowała mu butelkę, a gdy wpadł w histerię, powiedziała spokojnie: „No dobrze, po prostu nie jesteś jeszcze głodny". O szóstej zdecydował się napić z butelki. Janna zadzwoniła do mnie i powiedziała, że chciałaby go nakarmić piersią wieczorem. Powiedziałam jej, że nie może: „Chyba że chcesz kolejnego strajku głodowego jutro". Powiedziałam jej, żeby wytrzymała z butelką przez dwa dni, a po tym czasie mogła wrócić do karmienia piersią na dobranoc.

„Ale moje dziecko…" — poczucie straty i winy mamy z powodu odstawienia od piersi

Mam jeszcze jedną radę na temat odstawiania od piersi: upewnij się, czy naprawdę *chcesz* wprowadzić butelkę. Na przykład obawy Janny (patrz ramka powyżej), że Justin zagłodzi się na śmierć, nie dotyczyły wyłącznie jego fizycznego zdrowia. Janna czuła się winna z powodu jego „cierpienia" i miała, moim zdaniem, ambiwalentne uczucia co do całego procesu. Wiele karmiących piersią mam ma podobnie mieszane uczucia, gdy mają podać dziecku butelkę.

Karmienie piersią może być bardzo emocjonującym przeżyciem dla matek, zwłaszcza jeśli decydują, że chcą odzyskać swobodę. Obecnie, przy nacisku kładzionym na karmienie piersią, wiele kobiet czuje się złymi matkami, jeśli myślą o odstawieniu niemowlęcia od piersi. Jest to podwójna pułapka: z jednej strony czują się winne, a z drugiej, gdy zrezygnują, mają poczucie straty.

Przeglądając ostatnio moją stronę internetową, natknęłam się na kilka postów w odpowiedzi na post matki, która przez dziewięć miesięcy miała problemy z laktacją i karmieniem synka. Zdecydowana, by „dotrwać przynajmniej do roku", kobieta czuła się winna, bo „chciała odrobiny swobody", i zastanawiała się, czy „ktoś się kiedyś tak czuł". Biedactwo! Gdyby wiedziała, ile kobiet cierpi z powodu identycznych uczuć! Z zadowoleniem odkryłam, że odpowiadające jej mamy zareagowały tak, jak ja bym to zrobiła. Oto przykłady:

> *W końcu to Twoja decyzja. Wiesz, co najlepsze dla Ciebie i dla Twojego dziecka.*
>
> *Dziewięć miesięcy to i tak cudownie. To spore poświęcenie, by w ogóle karmić piersią, i podziwiam matki, którym się udaje, nawet przez krótki okres.*
>
> *Też miałam mieszane uczucia. Z jednej strony chciałam dalej karmić jak najdłużej. Z drugiej, chciałam wolności i dawnej siebie. Chciałam być Rosą, a nie tylko Matką Karmicielką Mariny. Gdy odstawiłam małą od piersi, brakowało mi naszej bliskości. Jednak odzyskałam moje dawne piersi. Nie musiałam się martwić, że mleko zacznie mi wyciekać. Nie musiałam już zakładać biustonosza na noc, do snu. A mój M nie miał już zakazu wstępu w te rejony!*

Karmienie piersią jest cudownym doświadczeniem dla niektórych matek, i jestem jak najbardziej za tym. Ale przychodzi pora z tym skończyć. Być może łatwiej Ci będzie znieść poczucie winy, że nie odstawiasz dziecka z powodu cieknącego z piersi mleka lub odciągania pokarmu z pracy, ale dlatego, że pora, by Twoje dziecko przeszło na kolejny etap rozwoju. Pewna mama przyznała: „Gdy pierwszy raz podałam córce butelkę, a ona ją zaakceptowała — serce mi pękło". Jej dziecko zrezygnowało z piersi w wieku dziewięciu miesięcy. „Oczekiwanie na odstawienie w sumie okazało się trudniejsze niż samo odstawianie" — podsumowała. „Gdy już zaakceptowałam fakt, że butelki są a) zdrową alternatywą i b) nie zajmą mojego miejsca, wszystko wróciło do normy".

Kubeczki z dzióbkiem — „Jestem już dużym dzieciakiem!"

Mniej więcej w czasie, gdy zaczynasz wprowadzać pokarmy stałe, powinnaś również pomyśleć o nauczeniu dziecka picia z kubeczka z dzióbkiem, by mogło przejść od ssania z butelki do picia jak duże dzieciaki. Jest to również element zezwolenia dziecku na dorastanie, przejście od bycia karmionym do samodzielnego posilania się. Jak już wspomniałam, niektóre mamy karmiące piersią przechodzą od razu od piersi do kubka. Inne wprowadzają butelkę wcześniej lub później i jednocześnie podają dziecku kubek.

Gdy matka mówi do mnie: „Nie mogę nakłonić dziecka do picia z kubeczka z dzióbkiem", zastanawiam się, jak bardzo się starała, jakie błędy popełniła w próbach uczenia dziecka, jak korzystać z kubka, oraz czy spodziewa się błyskawicznych efektów. Jak zawsze zadaję pytania.

W jakim wieku po raz pierwszy próbowałaś wprowadzić kubek? Nawet jeśli dziecko pije z piersi i z butelki, w wieku sześciu miesięcy powinno również spróbować kubka. Możesz również dać mu papierowy lub plastikowy kubeczek, ale kubki z dzióbkiem są lepsze, ponieważ można w nich kontrolować przepływ płynu. Dziecko może też samodzielnie go trzymać, co wzmacnia jego poczucie niezależności (*nigdy* nie dawaj niemowlęciu lub małemu dziecku szklanki, nawet cztero- lub pięcioletniemu. Widziałam zbyt wiele dzieci na pogotowiu ze szkłem w wargach i języku).

Jak często próbowałaś dawać kubek? Musisz dać dziecku trzy tygodnie do miesiąca *codziennych* ćwiczeń z kubkiem z dzióbkiem, by się do niego przyzwyczaiło. W sprzedaży jest mnóstwo takich kubeczków — niektóre mają dzióbek, inne rurkę. Niemowlęta karmione piersią często lepiej radzą sobie z rurką. Niezależnie od tego, jaki kubek kupisz najpierw, wypróbuj jeden i trzymaj się go przez miesiąc. Oprzyj się pokusie stosowania raz jednego, raz drugiego.

Czy próbowałaś różnych typów? Niewiele niemowląt od razu akceptuje kubek z dzióbkiem. Jeśli Twoje do nich należy, pamiętaj, że to dla niego coś nowego. Na rynku jest wiele rodzajów takich kubeczków — niektóre mają dzióbek, inne rurkę. Niemowlęta karmione piersią często lepiej sobie radzą z rurką. Niezależnie od tego, jaki kubek kupisz najpierw, trzymaj się stosowania go przez co najmniej miesiąc. Nie poddawaj się chęciom, by ciągle zmieniać rodzaje kubków.

Ile płynu w ciągu dnia?

Gdy już Twoje dziecko dostaje stałe pokarmy trzy razy dziennie, powinno dostawać przynajmniej 500 mililitrów mleka matki lub modyfikowanego dziennie (do litra w przypadku dużych dzieci). Większość mam dzieli tę ilość i podaje mleko po posiłkach, a także jako płyn zaspokajający pragnienie po bieganiu. Ale nie marudź, jeśli dziecko będzie pić tylko mleko z piersi, dopóki nie opanuje picia z kubka lub nie będzie chciało pić z butelki.

W jakiej pozycji trzymasz dziecko, gdy podajesz mu kubek? Wielu rodziców daje kubek dziecku siedzącemu w wysokim krzesełku lub foteliku i spodziewa się, że będzie wiedziało, co ma zrobić. Posadź sobie lepiej dziecko na kolana, plecami do siebie. Poprowadź jego dłonie do uchwytów i pomóż podnieść kubek do buzi. Zrób to delikatnie i wtedy, gdy maluch jest w dobrym nastroju.

Ile płynów — i jakiego rodzaju — wlewać do kubka? Tu właśnie sporo rodziców popełnia błąd: wlewają za dużo płynu do kubka, i dziecku ciężko go utrzymać. Radziłabym na początek nie więcej niż 30 mililitrów wody, odciągniętego pokarmu lub mleka modyfikowanego. Unikaj soku, bo dziecko nie potrzebuje dodatkowego cukru. Ryzykujesz również, że będzie kojarzyło kubek ze słodkim płynem i będzie odmawiać picia czegoś innego.

No dobrze, ale powiedzmy, że już popełniłaś ten błąd. Teraz dziecko opanowało technikę picia z kubka, ale nie chce z niego pić mleka. Możesz się upierać — dziecko prawdopodobnie się zdenerwuje, być może skojarzy kubek z negatywnym doświadczeniem, może nawet się odwodnić (zwłaszcza jeśli zostało odstawione od piersi i nie chce pić z butelki). Zacznij od zaproponowania dwóch kubków płynu przy posiłku. W jednym masz 30 mililitrów płynu, który podawałaś wcześniej — powiedzmy wody czy soku — a w drugim dwa razy tyle mleka. Po łyknięciu przez dziecko wody zabierz kubek i spróbuj podać mleko. Jeśli dziecko odmawia, spróbuj godzinę później. Nawet jeśli dziecko jest już samodzielne, posadź je na swoich kolanach. Jak w większości przypadków — jeśli będziesz wytrwała i spróbujesz zrobić z tego zabawę i miłe doświadczenie zamiast umiejętności, którą dziecko musi posiąść *natychmiast*, prawdopodobnie Ci się uda.

Tak jak przy odstawianiu od piersi, gdy widzisz dziecko z kubkiem, możesz mieć mieszane uczucia, bo wygląda na starsze. To nic złego — większość mam tak się czuje. Po prostu zaakceptuj to i ruszaj w dalszą drogę.

ROZDZIAŁ CZWARTY

JEDZENIE TO COŚ WIĘCEJ NIŻ ODŻYWIANIE

— „I JEDLI DŁUGO I SZCZĘŚLIWIE"

Wspaniała podróż od bycia karmionym do samodzielnego jedzenia

Niemowlęta to niesamowite istoty. Obserwowanie, jak rosną i się rozwijają, czasem zapiera mi dech. Poświęć chwilę na zachwyt nad tym, jak niemowlę dokonuje postępów w jedzeniu (pomocna będzie tabela na stronach 144 – 145, która pokazuje postępy dzieci w jedzeniu w pierwszych trzech latach życia). Na początku Twoje dziecko jest karmione przez całą dobę w zaciszu Twej macicy. Dostaje wszystko, czego potrzebuje, za pośrednictwem pępowiny, nie martwiąc się o konieczność ssania. A Ty, mamo, nie musisz się przejmować, czy Twoje mleko się pojawi albo czy trzymasz butelkę pod odpowiednim kątem. Prostota kończy się jednak wraz z narodzinami dziecka, gdy musicie zacząć ciężką pracę, aby zadbać o to, by dziecko otrzymywało odpowiednie ilości pożywienia o właściwych porach i żeby jego wrażliwy układ pokarmowy nie został przeciążony.

Przez pierwszych kilka miesięcy po urodzeniu kubki smakowe nie są jeszcze rozwinięte. Płynna dieta jest dość delikatna, składa się z pokarmu kobiecego albo mleka modyfikowanego, zapewniającego niemowlęciu wszystkie składniki odżywcze, których potrzebuje. To niesamowity okres. Jak już wspominałam, noworodki są jak małe prosiaczki — jedzą, jedzą i jedzą. Nigdy później dziecko nie będzie tak raptownie przybierać na wadze. Gdybyś ważyła 70 kilo i miała przybierać na wadze w takim samym tempie, jak Twoje dziecko, po dwunastu miesiącach ważyłabyś około 200 kilogramów!

Trzeba trochę czasu, żebyś razem z dzieckiem znalazła odpowiedni rytm, ale większość rodziców w końcu odkrywa, że karmienie niemowlęcia jest mało skomplikowane. Następnie, gdy maluch ma mniej więcej około sześciu miesięcy — akurat wtedy, gdy zaczynasz czuć się swobodnie przy płynnej diecie dziecka — nadchodzi pora na wprowadzenie pokarmów stałych. Musisz teraz pomóc dziecku dokonać olbrzymiej zmiany — od bycia karmionym do samodzielnego jedzenia. Nie stanie się to oczywiście w ciągu jednego dnia, a droga do celu może być wyboista. W tym rozdziale przyjrzymy się radościom i kłopotom, jakie towarzyszą tej zadziwiającej podróży. Kubki smakowe dziecka się rozbudzą, zatem będzie ono doznawać nowych wrażeń w buzi, dzięki którym życie stanie się ciekawsze — Twoje również. Jeśli Twoja postawa w tym okresie będzie pełna optymizmu i cierpliwości, obserwowanie eksperymentów niemowlęcia z każdym nowym rodzajem pożywienia i nieudolnych i niezgrabnych na początku prób jedzenia samodzielnego może być bardzo zabawne.

W Anglii nazywamy tę zmianę „odstawianiem", mając na myśli rezygnację z podawania dziecku piersi czy butelki i przejście na pokarmy stałe. Jak mi wiadomo, w Stanach Zjednoczonych i w innych krajach odstawianiem nazywa się wyłącznie rezygnację z piersi lub butelki — co niekoniecznie musi nastąpić w momencie wprowadzania pokarmów stałych. Zatem tutaj będziemy mówić o tych dwóch zjawiskach jako o dwóch odrębnych procesach. Są one oczywiście powiązane, ponieważ gdy niemowlę uczy się jeść pokarmy stałe, ilość wypijanych przez nie płynów maleje.

Odstawianie od piersi czy rezygnacja z butelki i wprowadzanie pokarmów stałych są ze sobą powiązane w jeszcze jeden sposób: oba te zjawiska są oznakami, że Twoje dziecko rośnie. Ponownie mamy do czynienia z postępem: najpierw musisz trzymać niemowlę, by je nakarmić; dziecko je w pozycji prawie horyzontalnej. Później, gdy maluch staje się silniejszy fizycznie i ma lepszą koordynację, może się wiercić, odwracać głowę, odpychać pierś lub butelkę — krótko mówiąc, może bronić swoich granic. W wieku sześciu miesięcy, gdy niemowlę siedzi już dość pewnie i chwyta różne rzeczy — łyżkę, butelkę, Twoją pierś — staje się jasne, że chce być bardziej partnerem w tej całej akcji jedzeniowej.

Może z zadowoleniem witasz te zmiany, a może Cię one smucą. Wiele matek, z którymi rozmawiałam, miało mieszane uczucia albo było wprost wytrąconych z równowagi. Nie chcą, żeby ich dzieci dorastały „za" szybko. Niektóre czekają z wprowadzeniem pokarmów stałych, aż dziecko skończy dziewięć czy dziesięć miesięcy, bo nie chcą „przyspieszać" tego procesu. Można zrozumieć takie uczucia, ale są to również matki, które dzwonią to mnie, gdy ich piętnastomiesięczny potomek (a może nawet dwulatek) ma „problemy" z jedzeniem. Mówią mi, że ich dziecko wciąż nie chce jeść pokarmów stałych albo „kiepsko je". Inne są zdenerwowane, bo ich maluch odmawia siedzenia w wysokim krzesełku albo demonstruje inne przejawy walki o władzę w porze posiłków. Jak wyjaśniam w tym rozdziale, niektóre z tych problemów dotyczą buntu dwulatka. Inne są tym, co nazywam „niewłaściwym zarządzaniem karmieniem" — konkretnym rodzajem przypadkowego rodzicielstwa, które ma miejsce, gdy rodzice nie zdają sobie sprawy z tego, że dany nawyk trzeba wykorzenić, albo gdy nie wiedzą, jak to zrobić. Ale problemy mogą też się pojawiać dlatego, że rodzice tak naprawdę nie chcą, żeby ich niemowlę dorastało.

Zatem czas na pobudkę, złotko. Trzeba odpuścić i pozwolić swojemu dziecku na samodzielne jedzenie. Pewnie, maluch będzie musiał jeszcze ciężej pracować, by osiągnąć cel, niż na początku swojej życiowej drogi żywieniowej — a Ty będziesz musiała wykazać jeszcze większą cierpliwość. Ale nagrodą będzie dziecko, które lubi jeść, chce eksperymentować i kojarzy jedzenie z przyjemnością.

Zarządzanie posiłkami, czyli ZUPKA

Zarządzanie posiłkami, czyli dbanie o to, by dziecko dostawało odpowiednie ilości pożywienia o właściwych porach, jest niezmiernie ważne od dnia jego narodzin. Wyjaśniałam w poprzednim rozdziale, że już w wieku sześciu tygodni można mówić o *niewłaściwym* zarządzaniu posiłkami, co może powodować zaburzenia snu, płacz, gazy i inne problemy. Jednak wciąż wielu rodziców odkrywa (czasem przy niewielkiej pomocy), że pierwsze tygodnie i miesiące są dość proste, gdy już ma się dobry plan dnia. Jednak po włączeniu pokarmów stałych właściwe zarządzanie posiłkami znów staje się nieco trudniejsze.

W przypadku starszych dzieci największe znaczenie mają cztery składniki: **Z**achowanie (Twojego dziecka), **U**waga (na to, jak sama się zachowujesz), **P**lan dnia i odpowiednie **KA**rmienie. Jak widać, z pierwszych liter tych istotnych czynników wychodzi nam ZUPKA — bardzo zdrowy posiłek. Większość problemów z jedzeniem, o których mówią mi rodzice, dotyczy jednego z tych elementów (lub więcej niż jednego). Omówię teraz każdy z nich szczegółowo.

Od karmienia do jedzenia: przygody ciąg dalszy

Ta tabela przedstawia skrótowy przebieg zmiany od karmienia do samodzielnego jedzenia, podstawowy plan prowadzący do tego celu oraz najczęstsze troski rodziców (poza typowym: „Czy moje dziecko się najada?"). W tym rozdziale znajdziesz bardziej szczegółowe informacje na temat wprowadzania pokarmów stałych i sposoby rozwiązania problemów, które mogą się pojawić w trakcie tego procesu.

Wiek	Ilość pokarmu	Sugerowany plan	Najczęstsze obawy
Od urodzenia do sześciu tygodni (szczegóły na stronie 95)	80 mililitrów płynu	Co dwie do trzech godzin, w zależności od wagi urodzeniowej dziecka	Zasypianie podczas posiłków i głód godzinę później. Jedzenie co dwie godziny. Mnóstwo płaczu, ale dziecko zjada tylko odrobinę. Płacz podczas karmienia lub krótko po nim
Od sześciu tygodni do czterech miesięcy (szczegóły na stronie 95)	100 – 150 mililitrów płynu	Co trzy lub trzy i pół godziny	Budzenie się w nocy na karmienie (pozornie problem ze snem, lecz można się go pozbyć odpowiednim rozkładem posiłków)
Od czterech do sześciu miesięcy (szczegóły na stronie 96)	170 – 220 mililitrów płynu Jeśli już w tym wieku zaczniesz wprowadzać pokarmy stałe, sadzaj dziecko w leżaczku lub na swoich kolanach, podtrzymując mu główkę. Jedzenie powinno być dokładnie zmielone na papkę i dość wodniste. Ograniczaj pokarmy stałe do przecierów z gruszek, jabłek i jednozbożowych kaszek niemowlęcych (z wyłączeniem pszennych), które najłatwiej strawić. Podawaj 1 – 2 łyżeczki przed butelką lub piersią	Co cztery godziny. Jeśli w tym wieku wprowadzasz już pokarmy stałe (czego raczej nie polecam), płyny i tak powinny być podstawą diety niemowlęcia	Zbyt szybkie kończenie picia z piersi lub butelki — czy się najada? Kiedy zacząć podawać pokarmy stałe? Jakie rodzaje jedzenia powinniśmy wypróbować? Jak doprowadzić do tego, by dziecko żuło? Jak powinniśmy je karmić?
Od sześciu do dwunastu miesięcy	Wszystko na początku powinno mieć konsystencję gładkiej papki. Zacznij od 1– 2 łyżeczek, tylko na śniadanie, w drugim tygodniu na śniadanie i obiad, a w trzecim także na podwieczorek. Dodawaj nowe rodzaje jedzenia raz w tygodniu — zawsze na śniadanie — a sprawdzone potrawy przesuwaj na obiad i kolację. Podawaj pokarmy stałe, gdy dziecko jest w pełni rozbudzone. Jeśli na początku będzie się frustrowało, zaspokój jego pierwszy głód piersią lub butelką. Gdy już załapie, o co chodzi, zawsze najpierw podawaj pokarmy stałe. Gdy Twoje dziecko się dostosuje i będzie w stanie przeżuwać, możesz podawać pokarmy mniej rozdrobnione.	Potrzeba dwóch miesięcy lub najwyżej czterech, by dziecko w pełni zaakceptowało pokarmy stałe. Do wieku dziewięciu miesięcy większość niemowląt je pokarmy stałe na śniadanie (około 9:00), obiad (12:00 lub 13:00) i podwieczorek (17:00 lub 18:00). Podawaj pierś lub butelkę z samego rana, po obudzeniu się dziecka, między posiłkami i przed pójściem spać. Do końca pierwszego roku życia dziecka powinnaś ograniczyć ilość wypijanego mleka o połowę, gdyż zwiększa się ilość pokarmów stałych, a to one powinny być podstawą diety. Twoje dziecko będzie wypijać od pół litra do litra mleka dziennie, w zależności od jego wagi i apetytu.	Jakie pokarmy stałe wprowadzać najpierw i jak to robić? Ile jedzenia dawać w porównaniu z ilością płynów? Ma problemy z przyzwyczajeniem się do pokarmów stałych (zaciska buzię, więc mama nie może go nakarmić łyżeczką, dławi się i krztusi). Obawa przed alergią pokarmową

Od karmienia do jedzenia: przygody ciąg dalszy			
	Stopniowo przechodź do 30 – 40 gramów pokarmów stałych przy jednym posiłku, w zależności od apetytu może to być więcej lub mniej. Jedzenie do rączki można podawać w wieku dziewięciu miesięcy lub wtedy, gdy dziecko potrafi siedzieć samodzielnie. Sugerowane rodzaje pożywienia w wieku 6 – 9 miesięcy: delikatne owoce i warzywa (jabłka, gruszki, śliwki, banany; kabaczek, ziemniaki, marchewka, fasolka szparagowa, groszek); kaszki przeznaczone dla niemowląt w tym wieku; ryż, obwarzanki, kurczak, indyk, gotowana ryba (na przykład flądra), tuńczyk z puszki. Po dziewiątym miesiącu można dawać jedzenie do ręki. Można również dodać makaron, inne owoce (np. suszone śliwki) i warzywa (awokado, szparagi, cukinia, brokuły, buraczek, rzepa, szpinak, bakłażan), rosół z wołowiny, baraninę. Jeśli Ty lub Twój partner cierpicie na alergię, skonsultuj się z pediatrą w sprawie wprowadzania nowych pokarmów	Gdy już będzie potrafiło jeść rączką, zawsze od tego zaczynaj posiłek, a potem podawaj mu łyżeczką inne pokarmy. W wieku mniej więcej dziewięciu miesięcy możesz zacząć podawać przekąski między posiłkami — obwarzanki, biszkopty, kawałki sera — ale uważaj, by nie najadało się nimi za bardzo (patrz strony 156 – 158)	
Od roku do dwóch lat	Jedzenie nie powinno być już przecierane na papkę; Twój maluch powinien jeść dużo rzeczy rączką i zaczynać używać samodzielnie łyżeczki. Raz w tygodniu możesz również zacząć wprowadzać produkty, które są na mojej liście „Wprowadzać ostrożnie", takie jak nabiał, w tym jogurt, ser i mleko krowie (patrz ramka na stronie 153), a także całe jajka, miód, wołowinę, melony, owoce jagodowe, owoce cytrusowe inne niż różowy grejpfrut, soczewicę, wieprzowinę i cielęcinę. Wciąż byłabym bardzo ostrożna albo nawet unikała orzechów, które są ciężkostrawne i łatwo się nimi zadławić, a także owoców morza i czekolady, ponieważ często powodują alergie	Trzy posiłki dziennie; butelka lub pierś rano i na noc, dopóki całkiem nie odstawisz dziecka, zazwyczaj w wieku 18 miesięcy, jeśli nie wcześniej. Możesz podawać zdrowe, lekkie przekąski między posiłkami, jeśli to nie wpływa na apetyt dziecka na inne potrawy. Zaplanuj przynajmniej jeden własny posiłek dziennie zgodnie z potrzebami malucha i pozwól mu siedzieć z Wami przy stole w wysokim krzesełku, by zaczęło przyzwyczajać się do rodzinnych posiłków	Nie je tyle, co kiedyś. Wciąż woli butelkę od innych pokarmów. Nie chce jeść ______ [wstaw nazwę produktu, np. marchewki]. Nie daje sobie założyć śliniaka. Nie chce siedzieć w wysokim krzesełku, próbuje wyjść górą. Nie próbuje nawet jeść samo. Pora posiłku to katastrofa — i totalny bałagan. Rzuca albo upuszcza jedzenie
Od dwóch do trzech lat	Do półtora roku, a zdecydowanie do dwóch dziecko powinno już mieć bardzo zróżnicowaną dietę, chyba że jest alergikiem lub ma inne problemy z układem pokarmowym. To, ile je, zależy od budowy ciała i apetytu dziecka — niektóre jedzą więcej, inne mniej. Dziecko powinno zawsze jeść razem z resztą rodziny, unikaj przygotowywania mu innych posiłków	Trzy posiłki dziennie, z lekkimi przekąskami między nimi. Twoje dziecko ma już swoje zdecydowanie ulubione i nielubiane potrawy. Nie podawaj zbyt wiele przekąsek między posiłkami ani przekąsek, które mają niewielką wartość odżywczą lub zbyt dużo cukru, bo wpłynie to na jego apetyt na inne potrawy.	Je wybrednie i kapryśnie. Ma swoje zachcianki (czasem w kółko chce jeść to samo). Ma dziwaczne „zasady" co do posiłków (płacze, jeśli coś się połamie, groszek nie może się stykać z ziemniakami itp.).

Od karmienia do jedzenia: przygody ciąg dalszy			
		Przynajmniej jeden posiłek dziennie kilka razy w tygodniu dziecko powinno jeść z całą rodziną, by nauczyło się, że jedzenie to nie tylko odżywianie, ale także sposób budowania relacji z ludźmi	Je tylko przekąski. Nie chce siedzieć przy stole. Ma fatalne maniery. Rzuca jedzeniem. Specjalnie robi bałagan. Ma napady złości w porze posiłków.

Zachowanie: Każda rodzina ma zestaw wartości związanych z jedzeniem; każda ma własną definicję tego, jak należy się zachowywać. **Jeśli chodzi o jedzenie, co dla Ciebie jest do przyjęcia, a na co nie pozwalasz?** Musisz sama ustalić, jakie są *Twoje* zasady, i się ich trzymać — nie dopiero wtedy, gdy dziecko wejdzie w wiek nastoletni, *teraz*. Zacznij w momencie, gdy pierwszy raz sadzasz niemowlę w wysokim krzesełku. Na przykład państwo Kowalscy mają dość luźne podejście do manier przy stole. Ich dzieci nigdy nie są upominane, jeśli bawią się jedzeniem, a u Nowakowskich kazano by im odejść od stołu, gdyby się tak zachowały. Dotyczy to również dziewięciomiesięcznego Pawełka, który jest wyjmowany z wysokiego krzesełka, gdy tylko zaczyna rozgniatać jedzenie albo rozmazywać je po stole. Mama i tata traktują jego złe zachowanie jako znak, że już się najadł, i mówią mu: „Nie, nie bawimy się jedzeniem. Siedzimy przy stole, żeby jeść". Być może chłopczyk nie rozumie dokładnie, co mówią do niego rodzice (a może i tak), ale szybko zacznie kojarzyć to, że wysokie krzesełko jest miejscem, gdzie się je, a nie bawi. To samo z dobrymi manierami — jeśli sądzisz, że są ważne, a moim zdaniem są, zanim jeszcze dziecko będzie na tyle duże, żeby mówić „proszę" i „dziękuję", i „czy mogę wstać od stołu", powinnaś mówić to za niego. Wierz mi, dziecko, które już rozumie zasady zachowania w domu, można z radością zabrać do restauracji. Ale jeśli w domu wolno mu wychodzić z krzesełka albo kłaść stopy na stoliku, czego można się spodziewać w miejscu publicznym?

Uwaga: Dzieci nas naśladują. Jeśli jesteś wybredna co do jedzenia albo jeśli zawsze jesz w biegu, dziecko może również nie doceniać jedzenia. Zadaj sobie pytanie: **Czy jedzenie jest dla Ciebie ważne? Czy dbasz o właściwe podawanie posiłków i delektujesz się jedzeniem?** Jeśli nie, prawdopodobnie będziesz przygotowywać posiłki w mniej apetycznej formie. Może mieszasz wszystko ze sobą albo Twoje dania są nijakie. Albo powiedzmy, że wiecznie jesteś na diecie i bardzo uważasz na to, co jesz. Może byłaś pulchna jako dziecko, może rówieśnicy się z Ciebie wyśmiewali.

Widywałam matki, które przestawiały niemowlęta na dietę niskokaloryczną albo wpadały w panikę, bo ich dwulatek „jada za dużo węglowodanów". Takie postawy są zdecydowanie nierozsądne; niemowlęta i małe dzieci potrzebują innych składników odżywczych niż dorośli. Podobnie brak akceptacji dla niektórych rodzajów pożywienia (lub typów budowy ciała) daje dziecku sygnał, który później może prowadzić do poważnych zaburzeń odżywiania.

Innym aspektem, na który trzeba uważać, jest pozwalanie dzieciom na eksperymentowanie przy posiłkach. Niestety, niektórzy rodzice są niecierpliwi oraz (lub) niechętni temu, by pozwolić dziecku na eksperymentowanie i odrobinę bałaganu przy okazji uczenia się samodzielnego jedzenia. Jeśli zawsze wycierasz buzię dwulatkowi i wygłaszasz komentarze na temat tego, jaki „bałagan" robi, Twoje dziecko zacznie kojarzyć jedzenie z czymś nieprzyjemnym.

Hej, chłopaki — co na obiad?
Zalecana lektura

Gdy zabraknie Ci pomysłów, możesz znaleźć je w tych trzech książkach:

- *Super Baby Food*, autorstwa Ruth Yarrow;
- *Mommy Made and Daddy Too: Home Cooking for a Healthy Baby and Toddler*, autorzy: Martha i David Kimmel;
- *Anabel Karmel's Complete Baby and Toddler Meal Planner: 200 Quick and Easy Recipes*.

Plan: Wiem, że masz już dość zwrotu „plan dnia", ale to ważne: konsekwencja co do tego, kiedy i gdzie dziecko je zamiast pozwalania mu na jedzenie „w biegu" uczy dziecko, że nie tylko jedzenie jest ważne, ale ono samo również. Niech pora posiłków będzie priorytetem, a nie czymś, co wciskasz między rozmowy telefoniczne i umówione spotkania. A jeśli to możliwe, jedzcie obiad całą rodziną przynajmniej dwa razy w tygodniu. Jeśli Twoje dziecko jest jedynakiem, to Ty jesteś dla niego wzorcem do naśladowania. Jeśli ma rodzeństwo, tym lepiej — więcej osób, od których może się uczyć. Zachowaj również konsekwencję w kwestii używanych słów. Na przykład, jeśli sięga po kawałek chleba, powstrzymaj go i zademonstruj, co powinno powiedzieć: „Czy mogę prosić o chleb?". Jeśli będziesz to robić za każdym razem, będzie wiedziało, czego od niego oczekujesz, zanim jeszcze nauczy się wymawiać te słowa.

KArmienie: Chociaż nie możemy za bardzo wpłynąć na apetyt dziecka, kontrolujemy *wybór* potraw, przynajmniej w tak młodym wieku. Twoje dziecko może mieć szczególne (albo szczególnie dziwne) upodobania, ale w końcu to Ty dbasz o to, by dokonywało wyboru spośród zdrowych składników odżywczych. Jeśli sama dbasz o to, co jesz, prawdopodobnie nie będziesz mieć problemu, by karmić dziecko tym, co jest mu potrzebne. Ale jeśli tak nie jest, poczytaj trochę na temat właściwego odżywiania. Nie mam tu na myśli tylko okresu niemowlęcego. Gdy dorośnie do momentu (zazwyczaj mniej więcej w wieku dwóch lat), że będzie jadło wszystko to, co i Ty, możesz chcieć zaciągnąć go do restauracji sieci fast food, która kusi darmowymi zabawkami i „szczęśliwymi posiłkami". Ale jeśli będziesz to robić zbyt często, możesz zaburzyć właściwe odżywianie dziecka. Prowadzenie notatek na temat tego, czym karmisz dziecko, może być również pomocne, ponieważ dzięki temu będziesz bardziej świadoma jego diety. Porozmawiaj z pediatrą. Możesz również czerpać pomysły od przyjaciół, którzy dobrze się odżywiają, albo poczytać książki na ten temat. W ramce na stronie 146 znajdują się trzy, które szczególnie polecam.

Właściwe odżywianie jest niezmiernie ważne, a akronim ZUPKA pozwala pamiętać o całościowym obrazie, jednak chcę również podkreślić, że dziecko pewnie będzie miało dni, w których będzie świetnie jadło, i takie, w których nie będzie mogło patrzeć na jedzenie. Może upodobać sobie szczególne danie przez miesiąc, a potem nagle odmówić wzięcia go do ust. Albo może zaskoczyć Cię i zjeść coś, co próbowałaś mu wetknąć od miesiąca. Ale nie nalegaj i nie denerwuj się, gdy nie chce jeść. Po prostu proponuj mu wybór, jak ta mądra mama dziewiętnastomiesięcznego chłopca:

Dexter jest zadowolony niezależnie od tego, co ugotuję albo do jakiej restauracji pójdziemy. Nie je zbyt dużo, ale zjada prawie wszystko — a wiem o tym, ponieważ od początku podawaliśmy mu najróżniejsze rodzaje pożywienia. Nigdy nie zmuszaliśmy go do jedzenia, tylko proponowaliśmy mu to, co sami jedliśmy, a on mógł zdecydować, czy też chce. Jednym z przykładów są brokuły: nienawidził niemowlęcych dań z brokułami ze słoiczka, nie chciał jeść tego warzywa przez pierwsze kilkanaście razy, gdy mu je kładłam na talerzu (czasem spróbował odrobinkę, czasami nie), a potem pewnego dnia po prostu zjadł wszystko, i teraz je uwielbia.

Nie robimy również zamieszania z powodu tego, co je. Nie mówimy: „Grzeczny chłopczyk, zjadł całego ogórka" ani „Jeśli zjesz kapustkę, dostaniesz cukierka", ponieważ to sugerowałoby, że kryje się tam coś niedobrego, jak w przykrym obowiązku, za który wypada nagrodzić.

Chodzi mi o to... PROPONUJCIE dzieciom nowe rodzaje jedzenia! Będziecie zadziwieni, jak różne mogą być gusta maluchów. Cebula, papryka, tofu, ostry sos salsa, kuchnia indyjska, kapusta, łosoś, kotleciki z jajek, pełnoziarnisty chleb, bakłażan, mango i sushi — to wszystko są rzeczy, które nasz syn jadł w ciągu ostatnich kilku dni!

Pamiętaj o elementach akronimu ZUPKA — **Z**achowanie (dziecka), **U**waga (na to, jak sama się zachowujesz), **P**lan dnia i odpowiednie **KA**rmienie — gdy będziesz czytać następne podrozdziały. Zaczynając od przedziału wiekowego od czterech do sześciu miesięcy, potem od sześciu miesięcy do roku, od roku do dwóch i od dwóch do trzech lat, omawiam to, co zazwyczaj się dzieje na każdym etapie, i poruszam kwestię najczęstszych skarg rodziców. Jak zawsze, zachęcam do przeczytania *wszystkich* części, ponieważ niektóre problemy mogą pojawić się zarówno w wieku sześciu miesięcy, jak i roku.

Od czterech do sześciu miesięcy — zaczynamy

Gdy dziecko ma mniej więcej cztery miesiące, niektórzy rodzice zaczynają już myśleć o podawaniu mu pokarmów stałych. Niekoniecznie postrzegają to jako problem, ale raczej jako zestaw wątpliwości:

Kiedy powinniśmy zacząć podawać pokarmy stałe?

Jakie rodzaje jedzenia powinniśmy wypróbować?

Jak nauczyć dziecko przeżuwania?

W jaki sposób powinniśmy je karmić?

Większość z tych pytań dotyczy gotowości do rozszerzania diety. Niemowlęta rodzą się z odruchem wypychania języka, który początkowo pomaga im w przyssaniu się do sutka. Gdy to instynktowne wystawianie języczka zanika, mniej więcej w wieku od czterech do sześciu miesięcy, niemowlęta są w stanie przełknąć gęste papki, takie jak kaszki czy przetarte owoce i warzywa. W innych społeczeństwach rodzice przeżuwają pokarm dla niemowląt, gdy rozszerzają im dietę. My mamy szczęście — jedzenie dla niemowlęcia można zmiksować, można też kupić gotowe dania w słoiczkach.

Twoje dziecko prawdopodobnie nie będzie jeszcze na to gotowe w wieku czterech miesięcy. Podobnie jak wielu pediatrów uważam, że lepiej jest być konserwatystą i zacząć rozszerzać niemowlęciu dietę, gdy ma około pół roku. Powód jest prosty: wcześniej układ pokarmowy niemowląt nie jest wystarczająco dojrzały, by przetrawić pokarmy stałe. Ponadto większość dzieci nie potrafi jeszcze siedzieć prosto, zatem

Porady stałe

Czasami pediatrzy sugerują wprowadzanie pokarmów stałych u dzieci cierpiących na refluks żołądkowo-przełykowy, argumentując, że „cięższe" jedzenie łatwiej zostanie w żołądku. W takich przypadkach radzę skonsultować się z gastrologiem, który określi, czy układ pokarmowy dziecka jest wystarczająco dojrzały na rozszerzenie diety. W innym przypadku niemowlę może dostać zatwardzenia, a Ty po prostu wymienisz jeden problem natury gastrycznej na inny.

trudniej jest im jeść. Perystaltyka, czyli proces, dzięki któremu jedzenie przesuwa się przez układ pokarmowy, jest bardziej efektywna w pozycji wyprostowanej. Pomyśl o sobie: czy łatwiej byłoby Ci zjeść łyżkę ziemniaków na siedząco, czy na leżąco? Poza tym młodsze niemowlę jest bardziej narażone na alergie, zatem ostrożność ma tutaj sens.

Jednak nie ma nic złego, jeśli zaczynasz *myśleć* o podawaniu pokarmów stałych i obserwujesz, czy dziecko jest na to gotowe. Zadaj sobie następujące pytania:

Czy moje dziecko wydaje się bardziej głodne niż zwykle? Jeśli dziecko nie jest chore albo nie ząbkuje, zwiększony apetyt często jest oznaką gotowości do rozszerzania diety. Codziennie przeciętne niemowlę w tym wieku wypija mniej więcej litr mleka z piersi lub modyfikowanego. Dla dużego, aktywnego dziecka, zwłaszcza takiego, które szybko rozwija się fizycznie, płynna dieta może nie być wystarczająca, by pokryć zwiększone zapotrzebowanie energetyczne. W moich doświadczeniach z dziećmi przeciętnej wielkości aktywność fizyczna wchodziła w grę w wieku pięciu czy sześciu miesięcy, zwykle nie wcześniej. Ale jeśli Twoje dziecko jest większe — na przykład w wieku czterech miesięcy waży ponad siedem kilogramów — i wypija wszystko do ostatniej kropli przy każdym karmieniu, a mimo to wciąż wydaje się być głodne, to może być to dobra chwila na rozszerzenie diety.

To mit

Żadne badania naukowe nie poparły popularnego przekonania, że pokarmy stałe pozwalają dziecku dłużej spać. Pełen brzuszek pomaga w spaniu, ale ten brzuszek nie musi być pełen kaszki. Pokarm matki lub mleko modyfikowane wystarcza, bez ryzyka, że doprowadzimy do problemów z trawieniem albo alergii.

Czy Twoje dziecko budzi się w środku nocy, bo chce jeść? Jeśli niemowlę wypija po obudzeniu się pełną butelkę, to prawdopodobnie budzi się z głodu. Ale czteromiesięczne dziecko nie powinno już jeść w nocy, więc najpierw trzeba zadbać o to, by nie budziło się głodne (przypomnij sobie historię Maury, opisaną na stronie 128). Jeśli zwiększyłaś ilość pożywienia *w ciągu dnia*, a maluch wciąż wydaje się być głodny, może to również świadczyć o tym, że potrzebuje już stałych pokarmów.

Czy Twoje dziecko straciło już odruch wypychania języka? Odruch wypychania języka jest doskonale widoczny, gdy niemowlę płacze lub wyciąga język w poszukiwaniu jedzenia. Dzięki niemu niemowlęta potrafią ssać, ale utrudnia im to przyjmowanie pokarmów stałych. Aby zobaczyć, czy dziecko jest gotowe, włóż mu do buzi łyżeczkę i obserwuj reakcję. Jeśli odruch nie zanikł, niemowlę automatycznie wypchnie z buzi łyżeczkę. Nawet jeśli dziecko nie ma już tego odruchu, i tak potrzebuje czasu na nauczenie się, jak jeść z łyżki. Na początku prawdopodobnie będzie próbowało ją ssać, tak jak smoczek czy sutek.

Czy Twoje dziecko patrzy na Ciebie, kiedy jesz, jakby chciało powiedzieć: „Hej, a czemu ja takiego nie dostaję?”? Już w wieku czterech miesięcy niektóre niemowlęta zaczynają zauważać nasze jedzenie, większość zdaje sobie sprawę z jego istnienia, gdy kończy pół roku. Niektóre nawet naśladują żucie pokarmu. Często wtedy właśnie rodzice decydują się potraktować te sygnały poważnie i dać dziecku parę łyżeczek pierwszej papki.

Czy dziecko siedzi bez podtrzymywania? Najlepiej jest, jeśli niemowlę potrafi już dobrze panować nad szyją i mięśniami pleców, zanim wprowadzimy pokarmy stałe. Zacznij karmić je w leżaczku, a potem przenieś dziecko do wysokiego krzesełka.

Czy dziecko sięga po różne przedmioty i wkłada je do buzi? To dokładnie te umiejętności, jakie są potrzebne do jedzenia rączką.

Od sześciu do dwunastu miesięcy — ratunku! Potrzebujemy konsultanta do spraw pokarmów stałych!

Większość niemowląt jest gotowa na rozszerzenie diety właśnie w tym wieku. Chociaż niektóre zaczynają wcześniej, a inne później, sześć miesięcy to najlepszy okres. Ponieważ dzieci są teraz bardziej aktywne, nawet

Reflektor w okopach

Pokarmy stałe zanim dziecko skończy pół roku?

Jest kilka przypadków, w których polecam rozszerzenie diety dziecka nawet w wieku czterech miesięcy, ale jeden szczególnie przychodzi mi na myśl: Jack ważył w tym wieku ponad osiem kilogramów, jego rodzice też byli wysocy — mama mierzyła 1,79m, a tata 1,98. Jack wypijał 220 mililitrów mleka co cztery godziny, a ostatnio zaczął budzić się w nocy, zawsze wypijając pełną butelkę. Chociaż w ciągu doby pochłaniał ponad litr mleka, najwyraźniej mu to nie wystarczało. Było dla mnie jasne, że Jack potrzebuje pokarmów stałych.

Widywałam podobne sytuacje u innych niemowląt. Ale zamiast budzić się w nocy, wydawały się być głodne w trzy godziny po pełnym posiłku. Zamiast przestawiać dziecko z powrotem na plan trzygodzinny, który nie jest odpowiedni dla niemowlęcia w wieku czterech miesięcy, wprowadzaliśmy pokarmy stałe, tak jak u Jacka.

Niezależnie od przyczyn, jeśli wprowadzasz dziecku pokarmy stałe już w wieku czterech miesięcy, muszą to być idealnie gładkie papki, a co ważniejsze, powinny stanowić wyłącznie uzupełnienie diety, a nie zastępować mleko matki czy modyfikowane, tak jak to się dzieje u niemowląt powyżej szóstego miesiąca życia.

ponad litr mleka dziennie może im nie wystarczać. Proces ten potrwa kilka miesięcy, ale w końcu Twoje dziecko będzie jadło trzy posiłki złożone z pokarmów stałych dziennie. Wciąż będzie pić mleko z piersi lub butelki o poranku, między posiłkami i na dobranoc. W wieku ośmiu lub dziewięciu miesięcy będzie już znało smak wielu różnych rodzajów pokarmu — kaszek, owoców i warzyw, kurczaka, ryb — i powinno być na dobrej drodze do zostania wszechstronnym smakoszem. Gdy skończy rok, pokarmy stałe zastąpią połowę mleka w jego diecie.

Mniej więcej w tym okresie sprawność manualna dziecka również znacznie się poprawia, co oznacza, że będzie w stanie koordynować ruch palców i wykorzystywać je do podnoszenia małych przedmiotów tak zwanym chwytem pęsetkowym. Jego ulubioną rozrywką może być zbieranie kłaczków z dywanu. Ale idealnie byłoby, gdyby zachęcić je, by wykorzystywało tę nową umiejętność do jedzenia palcami (patrz ramka na stronie 158).

Ten półroczny okres jest prawdopodobnie najbardziej ekscytujący, a dla niektórych mam także najbardziej frustrujący, ponieważ wszystko opiera się na metodzie prób i błędów. Twoje dziecko testuje nowe smaki i uczy się przeżuwać — nawet jeśli nie ma jeszcze ząbków, będzie zaciekle gnieść pokarm dziąsłami. Gdy zacznie już dostawać jedzenie do rączki, będzie musiało mieć dobrą koordynację, by odnaleźć buzię i włożyć do niej jedzenie. Początkowo więcej może znaleźć się w jego włosach i kieszonce śliniaka albo na podłodze, co z pewnością doceni Wasz pies. Ty z kolei musisz być zarówno kreatywna, jak i cierpliwa — oraz szybka (by łapać latające przedmioty). Może będzie to czas, gdy dobrze byłoby zaopatrzyć się w fartuch ochronny albo gumowy strój rybaka, byś przynajmniej Ty była sucha!

No dobrze, żarty na bok, jest to również okres, gdy odbieram mnóstwo telefonów od sfrustrowanych rodziców, którzy mają mnóstwo pytań. Jak zauważyła pewna matka siedmiomiesięcznego niemowlęcia: „Pełno konsultantów laktacyjnych oferuje swoje usługi, ale moje przyjaciółki i ja potrzebujemy teraz konsultanta do spraw pokarmów stałych!". Częste problemy, które zgłaszają mi rodzice, dotyczą zazwyczaj wprowadzania nowych pokarmów albo trudności z tym związanych od samego początku. Oto najczęstsze z nich:

Nie wiem, od czego zacząć — jakie jedzenie podawać najpierw i jak to robić.

Ile pokarmów stałych powinno jeść moje dziecko w porównaniu z wypijanym mlekiem?

Gdy patrzę na tabele w różnych książkach, nabieram obaw, że moje dziecko je za mało.

Moje dziecko ma problemy z przyzwyczajeniem się do nowego jedzenia (różne odmiany tego problemu dotyczą zaciskania ust, tak że mama nie może w nie wepchnąć łyżeczki, dławienia się i krztuszenia).

Martwię się alergią pokarmową, która — jak słyszałam — często dotyka dzieci jedzące pokarmy stałe.

Jeśli odnajdujesz swoje rozterki w którymś z powyższych zdań, pozwól mi wziąć się za rękę i zostać Twoją konsultantką do spraw pokarmów stałych. Jak zwykle zaczniemy od serii pytań. Odpowiedź na nie pozwoli Ci upewnić się, od czego masz zacząć lub gdzie wprowadzić zmiany. Ważne jest, byś pamiętała, że na tym etapie prawie wszyscy się gubią albo mają jakieś problemy. Nie jesteś sama. Ponadto znacznie łatwiej jest poprawić błędy teraz, zanim złe nawyki — Twoje i dziecka — się zakorzenią.

W jakim wieku zaczęłaś rozszerzać dietę dziecka? Jak już mówiłam, doradzam rodzicom, by wprowadzali pokarmy stałe w wieku sześciu miesięcy. Jednym z powodów takiego a nie innego przekonania jest to, że często odbieram telefony od rodziców niemowląt w wieku sześciu, siedmiu lub nawet ośmiu miesięcy, którzy próbowali wcześniej — powiedzmy w wieku czterech miesięcy. Przez jakiś czas wszystko szło gładko, ale potem dziecko się zbuntowało i odmówiło jedzenia. Często, choć nie zawsze, zbiegło się to z ząbkowaniem, przeziębieniem lub innym trudnym momentem. Gdy rodzice do mnie dzwonią, mówią: „Wydawało się, że świetnie je. Wprowadziliśmy kaszki oraz niektóre owoce i warzywa. Ale teraz nie chce nic z tych rzeczy przełknąć". W większości takich przypadków powodem był następująca sytuacja: gdy rodzice wprowadzali pokarmy stałe, zmniejszyli również niemowlęciu czas ssania. Zbyt mocno i zbyt szybko popchnęli je do przodu. A gdy niemowlakowi brakuje czasu ssania, są wielkie szanse, że będzie chciał to nadrobić i będzie częściej domagał się piersi lub butelki.

Bądź cierpliwa i wciąż proponuj pokarmy stałe. Nadal podawaj dziecku pierś lub butelkę. Jeśli podejdziesz do tego ze spokojem, bunt nie powinien trwać dłużej niż tydzień, do dziesięciu dni. Nigdy nie zmuszaj do jedzenia, ale jeśli dziecko wciąż wydaje się być głodne, *nie karm w nocy*. Lepiej wciąż proponuj pokarmy stałe w ciągu dnia. Nie panikuj. Jeśli maluch jest głodny, w końcu po nie sięgnie.

Czy Twoje dziecko urodziło się przed czasem? Jeśli tak, nawet ukończone sześć miesięcy może być niewystarczającym wiekiem do wprowadzania pokarmów stałych. Pamiętaj, że wiek metrykalny wcześniaka, licząc od dnia narodzin, nie jest tym samym, co jego wiek rozwojowy, który decyduje o gotowości do rozszerzania diety. Zatem na przykład jeśli dziecko urodziło się dwa miesiące przed terminem, to w wieku sześciu miesięcy tak naprawdę powinno mieć dopiero cztery. Pamiętaj, że podczas dwóch pierwszych miesięcy życia taki wcześniak powinien być jeszcze w macicy. Teraz potrzebuje czasu, by to nadrobić. Chociaż jak większość wcześniaków będzie prawdopodobnie wyglądać jak dziecko urodzone o czasie, gdy skończy osiemnaście miesięcy, a z pewnością w wieku dwóch lat, teraz, gdy ma pół roku, jego układ pokarmowy może nie być jeszcze gotowy na rozszerzanie diety. Wróć do karmienia samym mlekiem, a za miesiąc lub półtora spróbuj jeszcze raz.

Jaki jest temperament Twojego dziecka? Pomyśl o tym, jak Twoje dziecko reagowało na inne nowe okoliczności czy zmiany. Temperament zawsze ma wpływ na zachowanie dziecka, łącznie z reakcją na rozszerzanie diety. Dostosuj odpowiednio swoje postępowanie.

Aniołki są generalnie otwarte na nowe doświadczenia. Wprowadzaj nowe pokarmy stopniowo, a nie będzie problemów.

Książkowe Dzieci mogą potrzebować ciut więcej czasu, ale większość przyzwyczaja się do nowego jedzenia zgodnie z planem.

Wrażliwce początkowo odmawiają jedzenia nowych produktów. Ma to sens — jeśli te dzieci są wrażliwe na światło i dotyk, potrzebują również więcej czasu na przyzwyczajenie się do nowych doznań w buzi. Musisz rozszerzać dietę bardzo powoli. Nigdy ich nie zmuszaj, ale bądź wytrwała.

Wiercipięty bywają niecierpliwe, ale chętne na nowe doznania. Zadbaj o to, by mieć wszystko gotowe, zanim posadzisz je w wysokim krzesełku, i uważaj na obiekty latające.

Marudy niełatwo przyzwyczajają się do stałych pokarmów i niechętnie próbują nowych potraw. Gdy już odkryją, że lubią niektóre produkty, najchętniej jadłyby w kółko to samo.

Jak długo próbowałaś wprowadzać pokarmy stałe? Może to nie niemowlę jest przyczyną problemów — być może masz za wysokie oczekiwania. Jedzenie pokarmów stałych nie przypomina picia z butelki lub opróżniania piersi. Wyobraź sobie, jakie wrażenie musi wywierać gęsta papka na języku po diecie składającej się wyłącznie z mleka matki lub modyfikowanego,. Niektóre dzieci potrzebują aż dwóch lub trzech miesięcy, by przyzwyczaić się do przeżuwania pokarmów stałych. Musisz to przetrwać i zachować cierpliwość.

Czym karmisz swoje dziecko? Wprowadzanie pokarmów stałych jest procesem stopniowym, od bardzo rzadkich produktów na początku po jedzenie podawane do rączki. Po pierwsze, Twoje dziecko spędziło pierwsze pół roku życia w pozycji leżącej lub półleżącej, a teraz jego przełyk musi się przyzwyczaić do jedzenia w innej pozycji. Radzę zacząć od owoców; gruszki należą do produktów lekkostrawnych. Niektórzy eksperci polecają również kaszki na początek, ale ja wolę owoce, z powodu ich wartości odżywczych. Niewiele niemowląt od razu akceptuje wszystkie potrawy. Musisz zacząć od łyżeczki, i pewnie będzie trzeba wielokrotnie próbować.

Jak widać w tabeli „Od karmienia do jedzenia" na stronach 144 – 146, proces jest stopniowy i bardzo powolny. Gdy zaczynasz wprowadzać pokarmy stałe, przez pierwsze dwa tygodnie podajesz jedynie łyżeczkę czy dwie gruszek na śniadanie i obiad i nadal dajesz dziecku pierś i butelkę na „dzień dobry", na drugie śniadanie i przed pójściem spać. Jeśli niemowlę nie zareaguje odczynem alergicznym lub problemami z trawieniem, możesz wprowadzić drugi produkt, na przykład ziemniaki, znów w porze śniadania, gruszki przesuwając na podwieczorek. Zawsze wprowadzaj nowe warzywo czy owoc o poranku. W trzecim tygodniu Twoje dziecko będzie jadło już trzy nowe rodzaje pokarmu. W czwartym tygodniu możesz wprowadzić kaszkę i podawać dziecku pokarmy stałe również na obiad, zwiększając ich ilość do trzech lub czterech łyżeczek, w zależności od wagi i apetytu dziecka. W kolejnych czterech tygodniach możesz dodać kleik ryżowy, brzoskwinie, banany, marchewkę, groszek, fasolkę szparagową i śliwki.

Możesz kupować gotowe słoiczki dla niemowląt lub robić obiadki samodzielnie. Gdy gotujesz ziemniaki lub warzywa dla całej rodziny, przetrzyj je dla malca. Nie mieszaj wszystkiego w jedną papkę. Pamiętaj, że próbujesz doprowadzić do rozwinięcia się jego kubków smakowych. Skąd dziecko ma wiedzieć, co lubi, jeśli wszystko mu miksujesz w jedną papkę? Nie oznacza to, że nie powinnaś dodawać odrobiny soku z jabłek do kaszki, żeby była smaczniejsza, ale widywałam matki gotujące ryż z warzywami i kurczakiem dla rodziny i wrzucające to danie w mikser dla niemowlęcia. Podają dokładnie taką samą miksturę dziecku dzień za dniem. Karmimy niemowlę, nie psa.

Jeśli chcesz robić własne obiady dla niemowlęcia, najpierw odpowiedz sobie na pytanie: „Ile czasu chcę — i muszę — na to poświęcić?". Jeśli nie masz czasu, nie panikuj. Etap papek trwa tylko parę miesięcy. Dziecku nic nie będzie, jeśli dostanie trochę jedzenia ze słoiczków. Ponadto nawet duże firmy produkują teraz jedzenie dla niemowląt z mniejszą ilością sztucznych dodatków. Wystarczy po prostu czytać etykietki.

Jeśli należysz do tych rodziców, którzy martwią się, czy dziecko „je dość dużo", przeznacz tydzień na robienie notatek. Zdecydowanie łatwiej było liczyć przyjęte płyny, po prostu dodając zawartość kolejnych butelek. Teraz jest trudniej — jak liczyć łyżeczki kaszki i dodanego do niej soku jabłkowego? Trzeba przeliczać na mililitry. Jeśli sama robisz obiadki dla niemowlęcia, zamrażaj gotowe jedzenie na tacce do lodu, dzięki czemu łatwiej będzie policzyć — jedna kostka to trzydzieści gramów (patrz ramka na tej stronie) — i będzie Ci wygodniej. Jeśli korzystasz z kuchenki mikrofalowej, by rozmrażać i podgrzewać jedzenie, zachowaj ostrożność; zawsze mieszaj zawartość i sprawdzaj temperaturę, zanim dasz dziecku jeść. Łatwiej jest również w przypadku gotowych dań dla niemowląt. Jeśli dziecko zjada całą zawartość słoiczka, po prostu popatrz na etykietkę, żeby zobaczyć, ile tego było. Jeśli zjada połowę czy ćwierć porcji, zwróć uwagę na liczbę łyżeczek i przelicz ją na gramy.

Jak liczyć pokarmy stałe w porównaniu do mililitrów płynu?

1 kostka do lodu = 30 mililitrów

3 łyżeczki = 1 łyżka stołowa = 15 mililitrów

2 łyżki stołowe = 30 mililitrów

1 słoiczek z gotowym daniem dla niemowląt = zazwyczaj 80, 130 lub 150 mililitrów, ale sprawdź etykietkę

Można zrobić to samo z jedzeniem podawanym do rączki. Jeśli na przykład kupujesz 100 gramów indyka w czterech plasterkach, wiesz, że każdy plasterek waży 25 gramów (oczywiście, jeśli plasterków jest więcej, liczysz inaczej!). Można również przeliczyć ser i inne produkty, które dziecko je ręką, albo przynajmniej określić ich przybliżoną wagę. Może się wydawać, że jest z tym mnóstwo zamieszania albo nawet że jest to zbyt skomplikowane (jeśli jesteś tak kiepska z matematyki, jak ja). Zazwyczaj radzę takie przeliczanie tylko tym rodzicom, którzy martwią się, bo ich dziecko straciło od 15 do 20% masy ciała (drobne wahania są w normie) albo ma mniej energii niż zwykle (a w takim przypadku dodatkowo radzę im skonsultować się z pediatrą lub dietetykiem).

Ważne jest, by dziecko miało zrównoważoną dietę składającą się z owoców, warzyw, produktów mlecznych, białek i produktów zbożowych. Pamiętaj, że mówimy tu o malutkich brzuszkach. Można do „porcji" podchodzić w ten sposób, by podawać jedną lub dwie łyżki pokarmu na każdy rok życia dziecka — w pierwszym roku od łyżki do dwóch, w drugim od dwóch do czterech, w trzecim od trzech do sześciu. „Posiłek" składa się zazwyczaj z dwóch lub trzech porcji. Twoje dziecko może jeść więcej lub mniej, w zależności od budowy ciała i apetytu.

Czy dziecko odmawia jedzenia z łyżeczki? Gdy wprowadzasz łyżeczkę, podawaj jedzenie na wargi dziecka, nie za głęboko do buzi, bo może się zakrztusić. Jeden lub dwa takie przypadki mogą wystarczyć, by niemowlę skojarzyło sobie łyżeczkę z nieprzyjemnym doświadczeniem. Jeśli chcesz się przekonać, jakie to uczucie, poproś przyjaciółkę lub partnera, żeby *Ciebie* tak nakarmili!

Jeśli Twoje dziecko nie ma problemu z łyżeczką, nie potrwa długo, nim zacznie samo po nią sięgać. Pozwól na to. Nie spodziewaj się, że na tym etapie będzie potrafiło właściwie się nią posługiwać. Ale nawet zabawa pozwoli mu przygotować się do samodzielnego jedzenia. Oczywiście może Cię to doprowadzać do szału, bo dziecko będzie Ci wyrywać łyżkę, ponieważ chce *samo*. Dlatego właśnie zawsze radzę rodzicom, by mieli pod ręką trzy albo nawet cztery łyżeczki. Karmisz jedną, pozwalasz ją sobie zabrać i wykorzystujesz rezerwową. Możliwe też, że dziecko swoją upuści i potrzebna będzie następna.

Czy Twoje dziecko często się dławi lub krztusi? Jeśli dopiero zaczęłaś wprowadzać pokarmy stałe, może to wynikać z tego, że za głęboko wpychasz dziecku łyżeczkę do buzi (patrz strona 156), za dużo nabierasz na łyżeczkę albo je poganiasz — wpychasz kolejną porcję, zanim zdąży przełknąć poprzednią. Możliwe również, że jedzenie nie jest wystarczająco rozdrobnione. Niezależnie od przyczyny nie potrwa długo, nim niemowlę dojdzie do wniosku: „To nie jest zabawne. Wolę butelkę". Dławienie się może mieć również związek z Twoją niecierpliwością lub nieodpowiednią techniką karmienia. Niektóre niemowlęta, zwłaszcza Wrażliwce, potrzebują więcej czasu na przyzwyczajenie się do stałych pokarmów i jeszcze więcej cierpliwości ze strony rodziców (patrz strona 67). Jeśli Twoje dziecko dławi się lub sprawia wrażenie, że zupełnie nie odpowiada mu smak nowych pokarmów, przerwij próby. Wróć do nich kilka dni później. Cały czas próbuj, ale do niczego go nie zmuszaj.

Jeśli Twoje dziecko ma już za sobą ten początkowy etap i zaczęłaś mu już podawać jedzenie do rączki, też może się dławić lub krztusić od czasu do czasu, zwłaszcza w przypadku nieznanego rodzaju jedzenia. Możesz sprowadzić liczbę takich przypadków do minimum, jeśli uważasz na to, co mu podajesz. Oto przykładowy post jednej z mam na mojej stronie internetowej:

> *Ellie ma już prawie sześć miesięcy, więc mam zamiar zacząć podawać jej jedzenie do rączki. Powiedziano mi, żeby dawać tylko takie rzeczy, które w buzi łatwo się zmieniają w papkę, jak małe kawałki sucharków albo biszkopty.*

No cóż, ktokolwiek udzielił tej matce takiej rady, miał rację co do pożywienia, które mięknie w buzi, ale sześciomiesięczne niemowlę prawie na pewno zadławi się twardym sucharkiem. Po pierwsze, sucharki mają okruchy, które mogą wpaść Ellie do nosa lub utknąć w gardle. Po drugie, sześć miesięcy to za wcześnie dla większości niemowląt na jedzenie podawane do rączki. Dzieci muszą potrafić pewnie siedzieć bez podtrzymywania, co

Instrukcja obsługi jedzenia podawanego do rączki

Kiedy: W wieku ośmiu lub dziewięciu miesięcy, gdy dziecko potrafi już samo siedzieć w wysokim krzesełku.

Jak: Najpierw połóż po prostu jedzenie na tacce krzesełka. Być może dziecko tylko je rozgniecie albo wetrze w blat. To nic, to część procesu uczenia się. *Nie* wtykaj mu nic do buzi — chodzi przecież o to, żeby nauczyło się jeść samo. Lepiej się poczęstuj jego posiłkiem. Niemowlęta nas naśladują, więc dziecko szybko załapie, o co chodzi, zwłaszcza jeśli jedzonko będzie smaczne. Podawaj najpierw jedzenie do rączki, a dopiero potem nakarm je normalnym posiłkiem. Jeśli nie będzie chciało się poczęstować, nie przejmuj się. Po prostu podawaj takie pokarmy na początku każdego posiłku, a w końcu dziecko po nie sięgnie.

Co: Jeśli masz wątpliwości, co się nadaje, spróbuj sama. Jedzenie powinno łatwo rozpływać się w ustach, ma nie mieć żadnych twardych cząstek, ziarenek ani okruchów, którymi dziecko mogłoby się zakrztusić. Udawaj, że nie masz zębów, i spróbuj językiem przepchnąć jedzenie głębiej do buzi i rozgnieść je. Bądź kreatywna. Nawet kaszka (odrobinę gęstsza niż zwykle), piure z ziemniaków lub duża bryłka twarogu może się nadawać na jedzenie do rączki, w zależności od Twojej tolerancji na bałagan. Surowe owoce też są świetne, ale czasem lepiej je pociąć na większe kawałki albo słupki, bo mogą się wyślizgiwać z małych rączek. A jeśli idziecie do restauracji, weź dla dziecka coś do jedzenia z domu, ale jeśli patrzy tęsknym wzrokiem na Wasze talerze (i zdało powyższy test), daj mu trochę spróbować. Widywałam niemowlęta jadające rozmaite potrawy. Im częściej pozwalasz dziecku na samodzielne jedzenie, tym szybciej będzie się uczyć i tym bardziej będzie lubiło jeść. Poniżej jeszcze kilka sugestii:

Płatki Cheerios albo inne chrupiące płatki śniadaniowe (na początku unikaj zwykłych płatków kukurydzianych).

- Makaron o różnych kształtach (spaghetti, rurki, wstążki) — wymieszaj z papką warzywną, by miały lepszy smak i wartość odżywczą.
- Parówki drobiowe dla dzieci.
- Plasterki kurczaka lub indyka.
- Tuńczyk w puszce albo inne rodzaje ryb (takie, które *Wy* jecie na obiad).
- Kawałki awokado.
- Niezbyt twardy ser żółty.
- „Szalone kanapki" — wytnij kawałek kromki (wielkości herbatnika) i posmaruj niskosłodzonym dżemem, twarożkiem lub serkiem topionym. Możesz też je zapiec.
- Obwarzanki, suche lub posmarowane wyżej wymienionymi składnikami.

zazwyczaj nie następuje wcześniej niż w wieku ośmiu lub dziewięciu miesięcy. I jak już mówiłam, niemowlęta potrzebują miesiąca czy dwóch na przyzwyczajenie się do nowych wrażeń, jakie daje papka w buzi, zanim zaczną wypróbowywać pożywienie o innej konsystencji. Muszą nabrać wprawy w przesuwaniu jedzenia w buzi i mieszaniu języczkiem, by zmienić je w papkę (patrz ramka na stronie 158).

Czy byłaś konsekwentna we wprowadzaniu pokarmów stałych, czy też czasem podajesz mu pierś (albo butelkę), bo to prostsze, bo lubisz karmić piersią albo masz poczucie winy? Jeśli tak, możesz niechcąco sabotować wprowadzanie pokarmów stałych. Przy obecnym pospiesznym stylu życia wielu osób zdecydowanie łatwiej jest wyciągnąć pierś albo przygotować mleko modyfikowane niż trudzić się przygotowywaniem obiadu. Ponadto, jak wspomniałam w poprzednim rozdziale, niektóre mamy karmiące piersią mają opory przed odstawieniem dziecka, ponieważ lubią tę szczególną więź. Szczególnie po powrocie do pracy, jeśli matka ma wyrzuty sumienia z powodu pozostawiania dziecka z opiekunką, może starać się mu to wynagrodzić, karmiąc je piersią, gdy tylko wejdzie do domu. Niezależnie od tego, jaki jest powód braku konsekwencji mamy, problem polega na tym, że dzieci uczą się przez powtarzanie i dzięki wiedzy, czego mogą się spodziewać. Jeśli w niektóre dni podajesz dziecku trzy posiłki złożone z pokarmów stałych, a w inne jeden lub dwa, dziecko się w tym pogubi. A gdy niemowlę czuje się zagubione, wraca do tego, co już zna i co je uspokaja — do ssania.

Reflektor w okopach

Niechęć matki do wprowadzania pokarmów stałych

Lisa, lat 28, pracownik socjalny, wróciła do pracy, gdy Jenna miała sześć miesięcy. Miała świetną nianię, ale i tak czuła się winna, że zostawia córkę. Jedną z pierwszych sugestii niani było, aby zacząć podawać Jennie pokarmy stałe. Lisa, która dotąd karmiła córeczkę wyłącznie piersią, zaoponowała: „Myślę, że jest za mała. Mleko z piersi jest dla niej lepsze, a ja planuję je odciągać i wracać do domu w południe, żeby w przerwie w pracy ją nakarmić". Trzy tygodnie później Jenna zaczęła budzić się w nocy na karmienie. Lisa narzekała, że pewnie niania pozwala jej „za długo spać" w ciągu dnia. Opiekunka wyjaśniła, że mała śpi tak samo długo, jak wcześniej. Dodała jednak: „Obawiam się, że problem polega na tym, że mleko z piersi już jej nie wystarcza". Po konsultacji z pediatrą Lisa poddała się i niechętnie zgodziła na rozszerzenie diety córeczce. Jenna, niemowlę z gatunku Aniołków, natychmiast się przyzwyczaiła do nowego pożywienia i w ciągu kilku tygodni jadła już wiele różnych rzeczy — i oczywiście przesypiała noc. Lisie brakowało karmienia piersią, ale pogodziła się z tym i karmiła Jennę tylko na dzień dobry i na dobranoc — co było szczególnym czasem, tylko dla nich obu.

Czy po jedzeniu Twoje dziecko wymiotuje, ma wysypkę, biegunkę lub bardzo luźne stolce? Jeśli tak, jakie pokarmy mu wprowadziłaś i jak często je podawałaś? Dziecko może źle reagować na określony składnik pokarmu, może nawet ma alergię. Chociaż *nie* skojarzy związku stałych pokarmów ze złym samopoczuciem, jeśli będzie je coś bolało albo po prostu będzie się czuło nieswojo, i tak będzie reagowało opornie na nowe doświadczenia. Dlatego właśnie doradzam rodzicom, by postępowali bardzo ostrożnie, gdy wprowadzają pokarmy stałe. Przez pierwszy tydzień (albo nawet dziesięć dni, jeśli Twoje dziecko należy do tych bardziej wrażliwych) podawaj jeden składnik rano. Trzymaj się tego jednego składnika przez cały tydzień, a potem przesuń go na porę południową, natomiast rano podaj kolejny nowy składnik. Gdy każde nowe pożywienie „zda" ten test, możesz zacząć je łączyć ze sobą.

Zawsze sugeruję wprowadzanie nowych rodzajów pożywienia rano, żeby w razie problemów nie doszło do zaburzenia snu dziecka — i Twojego również. Ponadto dzięki izolowaniu produktów w ten sposób łatwiej określić, co stało się przyczyną złego samopoczucia dziecka.

Oczywiście, jeśli niemowlę jest Wrażliwcem albo w Twojej rodzinie zdarzały się alergie, powinnaś być szczególnie ostrożna, ponieważ Twoje dziecko może być również skłonne do reakcji alergicznych. Liczba alergii u dzieci bardzo wzrosła w ciągu ostatnich dwudziestu lat; eksperci oceniają, że ma je od pięciu do ośmiu procent dzieci. *Dzieciom wcale się nie poprawia, jeśli podaje im się więcej produktów wywołujących reakcje alergiczne — wręcz przeciwnie.* Zatem prowadź skrupulatne notatki na temat tego, kiedy i jakie jedzenie wprowadzasz. Potem, jeśli dziecko będzie reagowało niepokojąco, będziesz uzbrojona w szczegółowe informacje, które możesz przekazać pediatrze.

Mleko

Napój dużych dzieciaków

Po ukończeniu przez dziecko roku życia niektórzy pediatrzy zalecają przejście z mleka matki czy modyfikowanego na mleko krowie. Rób to jednak powoli i ostrożnie, tak jak z każdym nowym rodzajem pożywienia, aby dostrzec ewentualną niewłaściwą reakcję dziecka. Zacznij od podania mleka pełnotłustego rano. Po kilku dniach, do tygodnia (w zależności od wrażliwości dziecka), jeśli nie pojawi się jakaś reakcja — biegunka, wysypka, wymioty — możesz podać mu mleko także po południu i w końcu wieczorem. Niektórzy rodzice, wprowadzając mleko krowie, najpierw mieszają je z pokarmem kobiecym albo z mlekiem modyfikowanym. Jestem temu przeciwna, ponieważ zmienia się wtedy skład mleka kobiecego czy modyfikowanego. Jeśli dziecko zareaguje źle, skąd będziesz wiedziała, czy to reakcja na mleko krowie, czy na dziwną mieszankę?

Od roku do dwóch lat — złe zarządzanie karmieniem i olimpiada żywieniowa

Pytanie: „Ile powinno jeść moje dziecko?" staje się trochę bardziej problematyczne w okolicach pierwszych urodzin dziecka, ponieważ dzieci bywają różne — jedne są większe, inne mniejsze — a także dlatego, że zaczynają w tym wieku wolniej rosnąć. Ich apetyt w naturalny sposób maleje, ponieważ nie trzeba im już tyle energii potrzebnej na ten niewiarygodny rozwój, który nastąpił w pierwszym roku życia. Jak napisała na mojej stronie internetowej pewna matka rocznej dziewczynki: „To właśnie Brittany je w tej chwili, chociaż jeszcze dwa tygodnie temu odmawiała jakiegokolwiek pożywienia, więc jakikolwiek jadłospis jest dla mnie czymś nowym!". Mama Brittany potrafiła się śmiać z niekonsekwencji swojej córki i spokojnie ją przeczekać. Ale wielu rodziców wpada w panikę: „Dlaczego moje dziecko nie je tyle, ile wcześniej?". Wyjaśniam, że ma inne rzeczy do roboty, a nie potrzebuje już tak dużo pożywienia. Ponadto ząbkowanie w pierwszym roku może zaburzać jedzenie (patrz ramka na stronie 165). Musisz pamiętać o tym, że każde dziecko je na tym etapie mniej.

Jednocześnie Twoje dziecko prawdopodobnie ma już znacznie poszerzony jadłospis. Powinno już posmakować różnych rodzajów pożywienia stałego, łącznie z jedzeniem rączkami. Niektóre dzieci jedzą samodzielnie właśnie w okolicach roczku, inne próbują już w wieku dziewięciu miesięcy. Ale teraz są już daleko na drodze do dorosłego jedzenia. Większość pediatrów zachęca rodziców do wprowadzenia mleka krowiego do diety dziecka w okolicach roczku (patrz ramka, strona 160), podobnie jak wiele produktów, które wcześniej nie były polecane, jak jajka czy wołowina, ponieważ ryzyko alergii maleje (chyba że skłonności do alergii są rodzinne).

Twoje dziecko powinno teraz jeść pięć razy dziennie, trzy posiłki składające się głównie z pokarmów stałych i dwa składające się z mniej więcej 220 mililitrów płynu każdy, tak by razem wypijało około pół litra. Innymi słowy, połowę wypijanych przez niego płynów zastąpiły pokarmy stałe. Jeśli jednak wciąż wypija około litra mleka z piersi, modyfikowanego albo krowiego (na które

Właściwe jedzenie = właściwe przybieranie na wadze

Podczas okresowych wizyt w gabinecie lekarskim pediatra najprawdopodobniej zbada dziecko, zważy je i sprawdzi, czy właściwie dla swojego wieku i wzrostu przybiera na wadze. Powiadom lekarza, jeśli zauważyłaś u dziecka spadek energii. W wieku od roku do osiemnastu miesięcy niski poziom energii może oznaczać, że dziecko dostaje za mało produktów stałych w porównaniu do płynów. Jeśli jest starsze, może ma za mało białka w diecie — składnika, który pozwala na aktywny tryb życia dziecka.

pediatrzy zezwalają już po ukończeniu roku), musisz to zmienić, zmniejszając ilość płynów i wprowadzając w zamian więcej pokarmów stałych. Jeśli wszystko pójdzie zgodnie z planem, w wieku około czternastu miesięcy dziecko nabierze koordynacji ruchowej potrzebnej do samodzielnego jedzenia i będzie rozwijało tę umiejętność (z Twoją pomocą). Oczywiście nie wszystko zawsze idzie zgodnie z planem. Problemy na tym etapie należą do jednej z dwóch kategorii: niewłaściwego zarządzania karmieniem albo tego, co nazywam „olimpiadą żywieniową", a wyjaśniam szerzej w tym podrozdziale (strony 165 – 171).

Niewłaściwe zarządzanie karmieniem. Gdy dziecko ma ponad rok i wciąż woli butelkę od pokarmów stałych, zazwyczaj oznacza to, że mamy do czynienia z jakąś formą złego zarządzania karmieniem, często wynikającą z poprzednich nierozwiązanych lub nie do końca rozwiązanych problemów. Dlatego też zadaję wiele z tych samych pytań, które zadawałam rodzicom młodszych dzieci: **W jakim wieku zaczęłaś wprowadzać dziecku pokarmy stałe? Czym karmisz dziecko? Jak długo próbowałaś wprowadzać pokarmy stałe? Czy konsekwentnie podawałaś dziecku pokarmy stałe?**

Jeśli zaczęłaś zbyt wcześnie, może spotkała Cię reakcja dziecka opisana na stronie 153. Jeśli zaczęłaś niedawno albo nie byłaś konsekwentna, być może wystarczy odrobina cierpliwości i wszystko się wyprostuje. Chociaż najlepszym wiekiem jest pół roku, Twoje dziecko być może potrzebuje trochę więcej czasu na przyzwyczajenie się do pokarmów stałych. Pamiętaj tylko, że celem jest zastąpienie połowy wypijanego przez dziecko mleka pokarmami stałymi. Zatem musisz dodać ilości wypijane na śniadanie, obiad i podwieczorek i wymienić na pokarmy stałe. Na przykład, jeśli mały Dominik zazwyczaj wypija 220 mililitrów mleka z butelki na śniadanie, trzeba podać mu równowartość tej ilości w pokarmach stałych — powiedzmy 80 mililitrów kaszki, 80 mililitrów przecieru owocowego i 70 mililitrów jogurtu dla dzieci (patrz ramka na stronie 156, gdzie znajdziesz przelicznik).

Zawsze podawaj dziecku najpierw pokarmy stałe podczas trzech głównych posiłków w ciągu dnia. Dopóki dziecko nie przestanie pić mleka z piersi lub z butelki, co w większości przypadków ma miejsce mniej więcej w osiemnastym miesiącu życia, butelka lub pierś może być jego „przekąską" między posiłkami. Gdy już przyzwyczai się do pokarmów stałych, możesz również podać dziecku kubek z dzióbkiem

Taktyka chomika

Niektóre dzieci, jeśli dostają do jedzenia coś, co im nie smakuje, trzymają pożywienie w buzi. Ta „taktyka chomika" często powoduje dławienie się. Jeśli widzisz, że policzki dziecka wypełniają się jedzeniem, każ mu wypluć. Nie podawaj tego pokarmu przez tydzień, a potem spróbuj ponownie.

napełniony wodą lub mlekiem *podczas* posiłku, by zaspokoiło pragnienie *po* jedzeniu.

Czasami problem nie dotyczy *wszystkich* pokarmów stałych, ale jednego produktu — powiedzmy brzoskwiń. Jeśli Twoje dziecko niezbyt śmiało próbuje nowych pokarmów albo wydaje się być „wybredne" i odmawia jedzenia niektórych produktów, jest to spowodowane tym, że dzieci na tym etapie zaczynają wykazywać swoje preferencje w jedzeniu. Może również być tak, że po prostu mały potrzebuje więcej czasu, by przyzwyczaić się do nowego smaku i doznań w buzi, a Ty musisz konsekwentnie (ale spokojnie) podawać mu nowe pokarmy.

Niektóre dzieci są rzeczywiście wybredne — nie lubią wielu pokarmów i nigdy ich nie polubią. Jedzą również mniej niż inne dzieci. To, co wydaje się być „normalne" dla jednego dziecka, może stanowić zbyt wiele lub zbyt mało dla innego. Jeśli dziecko nie chce zjadać wszystkiego z miseczki, pozwól mu na to. Jeśli nie, nigdy nie nauczy się rozpoznawać, kiedy się już najadł. Z moich doświadczeń wynika, że jeśli dziecko ma stały plan dnia, będzie jadło. Wybredny maluch wypróbuje nawet nowe pokarmy. Po prostu podawaj zaledwie dwie łyżeczki nowego produktu — w ten sposób pozwolisz mu się z nim przynajmniej zapoznać.

Moją złotą zasadą jest podawanie jednego nowego produktu przez cztery dni z rzędu. Jeśli dziecko nie chce go jeść, daj spokój i spróbuj tydzień później. Jeśli dziecko nie lubi wielu pokarmów (patrz „Fanaberie jedzeniowe", strona 174), nie martw się tym — niektórzy dorośli też są tacy. Ale z moich doświadczeń wynika, że jeśli dieta rodziców jest zróżnicowana i jeśli dziecko ma okazję spróbować różnych smaków bez przymusu, zazwyczaj dość dobrze je. Nie zdziw się również, jeśli dziecko przez dwa miesiące będzie chciało jeść tylko ziemniaki, a potem je znienawidzi. Po prostu się dostosuj.

Nie wmuszaj!

Próba zmuszania dziewięcio- lub jedenastomiesięcznego dziecka, by otworzyło buzię, jest jak próba wyrwania ryby ze szczęk rekina. Jeśli dziecko nie otworzy buzi po następną porcję jedzenia, proszę, bardzo proszę — przyjmij do wiadomości, że już skończyło jeść i więcej nie chce.

Jeśli dziecko niechętnie je pokarmy stałe, pytam również: **Czy Twoje dziecko budzi się w nocy i jest karmione piersią albo dostaje butelkę?** Wypijane płyny, zwłaszcza w nocy, mogą wpływać na ochotę dziecka do jedzenia stałych pokarmów (dlatego właśnie nie popieram pozwalania, by dwulatek chodził wszędzie z butelką). Niestety, niezliczeni rodzice nadal karmią swoje roczne czy dwuletnie dzieci w nocy — a w najgorszych przypadkach przez *całą* noc. Zastanawiają się, czemu dziecko nie je, a odpowiedź nie wymaga wybitnej inteligencji: jeśli dziecko napełnia sobie brzuszek mlekiem z piersi albo modyfikowanym, nie ma miejsca na inne pokarmy! Nic dziwnego, że nie jest głodne w porach posiłków. Po prostu jest pełne. Poza tym, podając dziecku butelkę czy pierś w środku nocy, nawet jeśli jest głodne, cofasz się do planu dwudziestoczterogodzinnego (aby wyeliminować nocne karmienia u dzieci powyżej roku, zastosuj technikę PP, patrz rozdział 6.).

Czy dziecko je dużo rzeczy między posiłkami? Jeśli tak, również może wystarczająco się najadać samymi przekąskami. Ten problem może się pojawić w pierwszym lub drugim roku życia dziecka. Może chodzić o zbyt wiele przekąsek albo o niewłaściwy ich rodzaj. Nie jestem przeciwna temu, by maluch od czasu do czasu zjadł sobie ciasteczko, ale wolę zdrowsze przekąski, jak owoce lub kawałki żółtego sera. Zamiast wymyślać wymówki, gdy dziecko nie chce jeść („Jest zmęczona", „Mały ma zły dzień", „Wychodzą jej nowe zęby", „Zwykle tak się nie zachowuje"), zadbaj z wyprzedzeniem o to, by dziecko nie dostawało zbyt wielu napełniających żołądek przekąsek, zwłaszcza takich, które zawierają same puste kalorie.

Jak pewnie pamiętasz, mówiłam o niemowlętach, zwłaszcza karmionych piersią, które stały się „przekąsaczami" — jadły często przez dziesięć minut zamiast najadać *się* do syta co trzy lub cztery godziny (patrz ramka na stronie 106). No cóż, to samo może się przytrafić w późniejszym okre-

Atak na przekąski

Oto trzydniowy plan zmiany nawyków żywieniowych małego dziecka.

Gdy maluch obudzi się o siódmej, daj mu pierś lub butelkę. Na śniadanie, około 9:00, pewnie zje raczej przekąskę niż pełen posiłek — jak zwykle. Ale dzisiaj będzie inaczej, ponieważ gdy jego energia około 10:30 zacznie opadać, zamiast dawać mu ciastka czy owoce, czy cokolwiek zazwyczaj podajesz, odwrócisz jego uwagę. Może zabierz go na spacer. Gwarantuję, że na obiad zje więcej, ponieważ będzie bardzo głodny. Jeśli naprawdę będzie nie w humorze, możesz podać mu obiad trochę wcześniej niż zwykle.

Po południu również opuszczasz zwyczajową przekąskę po drzemce. Jeśli normalnie wypija butelkę po obudzeniu się, daj połowę porcji. Wielu rodziców martwi się, gdy to słyszą: „Czy mała nie potrzebuje więcej kalorii? Nie zagłodzimy jej?". Odpowiedź brzmi: absolutnie nie ma się czego obawiać. Pamiętaj, że robimy to tylko przez *trzy dni*. Nie zagłodzisz malucha na śmierć. Dajesz mu posiłki wtedy, kiedy powinien je jeść.

Wierz mi, trudniej będzie to znieść Tobie niż jemu. Pamiętaj o naszym celu: czy nie wolałabyś poczekać godzinę i dać dziecku porządny posiłek, zamiast pozwalać na zapychanie się słodyczami? Jeśli się nie poddasz, po trzech dniach — a nawet wcześniej w większości przypadków — Twoje dziecko będzie zjadać normalne posiłki, a nie tylko przekąski.

sie, jeśli dziecko cały dzień pogryza chipsy lub ciasteczka. Jeśli Twoje dziecko jest „przekąsaczem", daj sobie trzy dni na zmianę jego nawyków. Aby wróciło na właściwe tory, musisz się nastawić na to, by trzymać się regularnych pór posiłków i nie podawać mu przekąsek między nimi (patrz ramka poniżej).

Nie oznacza to wcale, że przekąski są czymś złym. W przypadku niektórych drobniejszych dzieci mogą zapewniać większą liczbę kalorii niż normalne posiłki (patrz ramka „Dobra wiadomość dla wybrednych", strona 172). Niektóre małe brzuszki trzeba napełniać częściej. W takich przypadkach przekąski (ale tylko zdrowe) przypominają raczej mniejsze posiłki. Obserwuj, jak dziecko je. Jeśli ma trudności z dokończeniem obiadu, a budowa jego ciała jest drobna, być może to dla niego normalne. Jednak nie zaszkodziłoby podawanie przekąsek o wyższej kaloryczności, na przykład awokado, sera, lodów. Porozmawiaj też z pediatrą o częstszym karmieniu. Właściwe pokarmy, w niewielkich ilościach, świetnie dodają energii, a także odciągają uwagę dziecka w sklepach. Poza tym przekąski są sposobem na życie, gdy już dziecko zacznie się bawić z innymi. Każda mama je przynosi. Zatem nawet jeśli świadomie podajesz dziecku tylko zdrową żywność, i tak w miarę jak jego życie towarzyskie będzie się rozwijać, będzie narażone na kontakt z różnymi przekąskami, również niezdrowymi. Przynoś własne jedzenie, żebyś mogła kontrolować, co dziecko je, a także żeby dziecko nie żebrało u innych matek!

Inne pytanie na tym etapie brzmi: **Czy bierzesz jego niejedzenie do siebie?** W wieku poniżej roku brak chęci do jedzenia rzadko bywa oznaką złośliwości czy premedytacji. Niemowlęta nie wykorzystują karmienia do manipulowania rodzicami. Zatem zazwyczaj chodzi o coś innego, na przykład o ząbkowanie (patrz ramka), niewyspanie,

Ząbkowanie — pogromca apetytu

Objawy: Dziecko może mieć jeden albo kilka z wymienionych objawów: zaczerwienione policzki, odparzoną pupę, katar, gorączkę, zagęszczony mocz, może się ślinić i wkładać palce do buzi. Jeśli da mu się butelkę lub pierś, natychmiast ją wypluwa, bo ma obolałe dziąsła. Apetyt może znacznie się zmniejszyć, ponieważ jedzenie sprawia dyskomfort. Jeśli dotkniesz dziąsła, możesz wyczuć zgrubienie lub zobaczyć zaczerwienienie. Jeśli karmisz piersią, możesz wyczuć świeży ząbek.

Czas trwania: Ząbkowanie następuje w trzydniowych odcinkach — najpierw okres wyrzynania się ząbka, potem przebicie zęba przez dziąsło i okres tuż po. Najgorsze trzy dni to moment przebijania się zęba przez dziąsło.

Co zrobić: Można podać środek przeciwbólowy dla niemowląt w odpowiedniej dawce oraz posmarować dziąsła dziecka żelem na ząbkowanie. Niemowlę potrzebuje też czegoś, na czym mogłoby zaciskać dziąsła. Może będzie chciało possać schłodzony gryzaczek wypełniony wodą, zimnego obwarzanka albo zmrożoną ściereczkę.

chorobę albo po prostu gorszy dzień. Ale jeśli dziecko ma ponad rok, jego odmowa jedzenia może stanowić broń, którą wykorzystuje przeciwko Tobie. Jeśli bardzo się przejmujesz tym, co je, gwarantuję, że najdalej w wieku piętnastu miesięcy dziecko będzie grało na Twoich uczuciach. A wiedza o tym, że masz wobec niego wysokie oczekiwania, nie pomoże w uczynieniu jedzenia czymś przyjemnym. W takich przypadkach widywałam, jak dzieci odmawiają próbowania nowych potraw albo całkiem przestają jeść.

Olimpiada żywieniowa. Odpowiedź rodziców na pytanie: **Czy Twoje dziecko często źle się zachowuje podczas posiłków?** mówi mi, czy rodzice są uczestnikami „olimpiady żywieniowej", jak to nazywam. Problemy w tej kategorii zawierają kwestie takie jak:

Muszę gonić dziecko po kuchni, żeby je nakarmić.

Moje dziecko nie chce siedzieć w wysokim krzesełku albo próbuje się z niego wydostać.

Moje dziecko nie chce nawet spróbować jeść samodzielnie.

Moje dziecko nie chce nosić śliniaka.

Moje dziecko ciągle upuszcza jedzenie na podłogę — albo wciera je sobie we włosy.

Nowo odkryte przez Twoje dziecko umiejętności przy stole pojawiają się w tym samym czasie, co olbrzymi skok rozwojowy. Wiele dzieci w tym roku potrafi chodzić. Te, które nie umieją, przynajmniej raczkują i wstają. I mają nieskończoną ciekawość. Jedzenie nie należy do najbardziej ulubionych rozrywek malucha. Kto chciałby siedzieć w wysokim krzesełku, nawet przez dziesięć minut, jeśli świat czeka na odkrywców? I kto chciałby jeść, gdy rzucanie i mazanie jedzeniem jest o wiele zabawniejsze? W wielu domach, gdzie mieszkają dzieci roczne czy dwuletnie, pory posiłków są czasem wyzwania, jeśli nie katastrofy, i olbrzymiego bałaganu. Rodzice, którzy mają problemy z utrzymaniem dziecka w ryzach podczas posiłku, przychodzą do mnie z kwestiami, które odzwierciedlają rosnącą niezależność, umiejętności, a bliżej dwóch lat życia dziecka także silną wolę. W istocie czasami odmowa jedzenia konkretnego produktu jest bardziej związana z potrzebą eksperymentu z władzą niż ze smakiem potrawy. Często lepiej jest wycofać się w sprawie jedzenia, by uniknąć walki o władzę (a przy następnym posiłku podaj coś równie odżywczego).

Nawet dziecku rocznemu można zacząć wprowadzać jakieś podstawowe zasady. Już słyszę, jak niektóre mamy protestują: „Ale on jest za mały na uczenie się *zasad*". Nieprawda, moje miłe. To właśnie *teraz* należy zacząć, przed okresem buntu dwulatka, gdy wszystko może przerodzić się w walkę o władzę.

Pamiętaj mój akronim ZUPKA — a przynajmniej pierwsze trzy litery — gdy będziesz czytać o częstych problemach związanych z olimpiadą żywieniową. Litera Z reprezentuje różne niepożądane zachowania, które pojawiają się w tym wieku, a które mogą się utrwalić, jeśli nie wkroczysz.

Litera U — uwaga na to, jak sama się zachowujesz — jest niezmiernie ważna. Zauważ, że każde ze zdań powyżej opisujących troski rodzica dotyczące zachowań dziecka jest sformułowane tak, jakby to *dziecko* rządziło w domu. Wyraźną wskazówką dla mnie jest wygłaszanie przez rodziców zdań w stylu: „Moje dziecko odmawia...” i „Moje dziecko nie chce...”. Jasne, wkraczamy na terytorium „buntu dwulatka”, ale nie zakładajmy, że podczas posiłków to dziecko panuje nad sytuacją. To Ty musisz przejąć kontrolę. (Dwulatki naprawdę nie muszą być takie koszmarne, jeśli im na to nie pozwolisz; patrz rozdział 8.).

Aby poradzić sobie z tymi problemami i wyznaczyć pewne zasady, musimy przyjrzeć się planowi posiłku — litera P — który daje nam sposób podejścia do problemu, *robiąc* pewne rzeczy inaczej. Ważne jest wyznaczenie struktury i granic, szczególnie w wieku poniżej osiemnastu miesięcy, gdy zaczynają się prawdziwie uparte zachowania.

Sztuczka na tym etapie polega na tym, by zachować zdrową równowagę, pozwalając dziecku na eksperymentowanie i wiedząc, czego możesz się spodziewać. Na przykład, jeśli dziecko nie chce pozwolić na założenie sobie śliniaka, doprowadź do sytuacji, w której będzie miało coś do powiedzenia w tej kwestii. Pokaż mu dwa śliniaki i zapytaj: „Który chcesz założyć?”. Z drugiej strony, jeśli musisz gonić dziecko po kuchni, aby je zmusić do jedzenia, być może pozostawiasz mu zbyt wielkie pole wyboru. Zamiast pytać: „Czy chcesz jeść?”, jak słyszę z ust wielu rodziców małych dzieci, powiedz po prostu: „Pora jeść”. Nie dajesz dziecku wyboru w kwestii jedzenia. Po prostu oświadczasz, że nadszedł czas posiłku.

Żadnych zabaw! Żadnego wmuszania!

Niektórzy rodzice zmieniają posiłki w zabawę, a potem zastanawiają się, czemu ich dzieci bawią się jedzeniem. Jeśli robisz na przykład „samolocik” z łyżki, nie dziw się, gdy Twój maluch też spróbuje sprawić, żeby jedzenie latało, ale *bez* łyżki.

Ponadto dzieciom nigdy nie powinno się wmuszać jedzenia. Będą jadły, jeśli będą głodne. Będą jadły, jeśli pojawi się przed nimi jedzenie, które lubią. Ale nie będą jeść, jeżeli będziesz się starała je przechytrzyć. Gdy próbujemy je przekupić albo nawet zmusić do jedzenia większych ilości, niechcący powodujemy, że jedzenie będzie kojarzone z czymś nieprzyjemnym. A gdy dzieci zobaczą, że się denerwujemy ich odmową jedzenia, niedużo czasu zajmie im dojście do wniosku: „Och, mogę wykorzystać tę broń”.

Jeśli dziecko odmawia, i tak sadzasz je przy stole. Jeśli jest głodne, będzie jeść. Jeśli jednak zacznie się w jakikolwiek sposób się buntować, wyciągasz je z krzesełka i odstawiasz od stołu. Daj mu dwie szanse, a potem poczekaj do następnego planowanego posiłku, kiedy będzie zdecydowanie głodne.

Do pewnego stopnia wiercenie się przy posiłkach, odmowa wejścia do wysokiego krzesełka lub próby wstawania w nim są po prostu częścią tego wieku i wielu z nich po prostu nie da się uniknąć. Zauważyłam jednak, że mamy, które angażują się w kontakt i rozmowę z dziećmi, mają mniej problemów. Pomaga to zaangażować dziecko podczas posiłku. Spróbuj pytać: „Gdzie są ziemniaki?" albo pokaż: „Groszek jest zielony". Uśmiechaj się, rozmawiaj z dzieckiem, powiedz, że świetnie sobie radzi. Gdy przestanie jeść albo gdy tylko zauważysz, że przymierza się do wstawania, przejmij prowadzenie: natychmiast wyjmij je z krzesełka i powiedz: „No dobrze, koniec obiadu. Czas umyć rączki".

Gdy dziecko jest niezwykle ruchliwe lub wydaje się, że jest mu niewygodnie w jego krzesełku, przypuszczam, że rodzice mogą od niego za wiele wymagać. **Czy wkładasz dziecko do krzesełka i zmuszasz do czekania, aż skończysz przygotowywać obiad? Jeśli tak, jak długo musi czekać?** Nawet pięć minut dla aktywnego roczniaka czy dwulatka jest jak wieczność. Przygotuj jego posiłek i wszystko, co jest potrzebne, *zanim* wsadzisz dziecko do krzesełka. Czy zostawiasz dziecko w krzesełku po jedzeniu? Jeśli je tam przetrzymujesz, gdy już skończyło jeść, wysokie krzesełko może w oczach dziecka być więzieniem. Ostatnio pracowałam z mamą, która próbowała zmusić swojego półtorarocznego syna, by siedział w krzesełku, dopóki nie skończy posiłku, i — cóż za niespodzianka — dziecko odmówiło wchodzenia do krzesełka. Co gorsza, mały ma kiepski apetyt i wrzeszczy jak opętany, gdy tylko ktoś próbuje go wsadzić do krzesełka.

No i mamy dziecko, które w ogóle odmawia siadania w krzesełku, a jego mama za każdym razem wpada w rozpacz lub złość. Może z nim walczyć, ale to tylko wzmocni jego opór, albo może się poddać i karmić małego w biegu. Widywałam to ostatnie zjawisko wielokrotnie: matka goniąca za dzieckiem po pokoju i próbująca mu wetknąć do buzi łyżkę kaszki. Mama prosi się o kłopoty. Znacznie lepiej jest pomyśleć, *dlaczego* dziecko nienawidzi wysokiego krzesełka, a następnie delikatnie spróbować go do niego przekonać. Zatem zadaję pytania: **W jakim wieku pierwszy raz je do niego włożyłaś? Czy umiało już wtedy siedzieć samodzielnie?** Jeśli wkładasz dziecko do wysokiego krzesełka, zanim potrafi samodzielnie usiedzieć przynajmniej dwadzieścia minut, może czuć niewygodę i zmęczenie. Nic dziwnego, że ma negatywne skojarzenia z wysokim krzesełkiem.

Ważne jest, by zauważyć niechęć lub obawy dziecka. Jeśli maluch kopie, wygina plecy albo wyrywa się, gdy tylko próbujesz go włożyć do krzesełka, natychmiast przestań. Powiedz: „Widzę, że nie jesteś jeszcze gotowy do jedzenia". Spróbuj ponownie po piętnastu minutach. Czasami problem wynika z tego, że rodzice nie proponują dzieciom odpowiedniego przygotowania na przejście — w tym przypadku od zabawy do jedzenia. Nie jest dobrze, jeśli porywasz nagle dziecko zajęte jakąś czynnością i wpychasz do krzesełka. Tak samo, jak potrzebuje czasu na przystosowanie się do położenia się spać (więcej o tym w kolejnym rozdziale), potrzebuje też czasu na przejście do jedzenia. Mów do niego. („Pora na obiad! Jesteś głodny? Posprzątajmy klocki i umyjmy ręce"). Daj mu kilka chwil, by dotarły do niego Twoje słowa, podejdź do niego, a potem przejdź do działania — odłóż klocki i pomóż dziecku umyć rączki. Zanim włożysz je do krzesełka, powiedz: „Dobrze, a teraz włożę cię do krzesełka".

To wszystko, czego potrzebuje większość dzieci. Ale jeśli Twoje dziecko nabawiło się prawie fobii, ponieważ ma negatywne skojarzenia z krzesełkiem, zrób kilka kroków w tył. Jeszcze raz zadbaj o to, by posiłki były czasem przyjemności. Zacznij od sadzania sobie dziecka na kolanach. Potem krok po kroku przechodź dalej, wykorzystując mały stoliczek dziecinny lub fotelik dziecięcy (podkładkę pod pupę) na krześle przy dorosłym stole. Możesz ponownie spróbować wysokiego krzesełka po kilku tygodniach, ale jeśli dziecko wciąż się opiera, możesz zostać przy podkładce. Wysokie krzesełka i tak nie starczają na długo — przydają się przez okres od sześciu do dziesięciu miesięcy. W okresie od roku do półtora wiele dzieci zdecydowanie woli siedzieć na podwyższonym krześle przy stole z resztą rodziny.

Włączenie dziecka do rodzinnych posiłków często bardzo pomaga nie tylko w doprowadzeniu do lepszej współpracy, ale również wzbudza chęć do samodzielnego jedzenia. Jeśli Twoje dziecko niechętnie je samodzielnie, zadaj sobie pytanie: **Jakie masz podejście do jego samodzielnego jedzenia? Czy spieszysz się przy posiłkach? Czy denerwuje Cię bałagan, jaki robi dziecko?** Smutno mi się robi, gdy widzę dwulatki, które spokojnie mogłyby już same jeść widelcem, ale ich rodzicom zbytnio się spieszy, by na to pozwolić. Jeśli jesteś niecierpliwa, wciąż wycierasz dziecko albo blat krzesełka, *podczas gdy* dziecko je, nie potrwa długo, żeby zdało sobie sprawę, że to nie jest fajne. Dlaczego miałoby chcieć jeść samodzielnie?

Jest to również kwestia gotowości. Dlatego gdy rodzic martwi się, że dziecko nie je samodzielnie, pytam: **Co masz na myśli przez „samodzielne jedzenie"?** Może będziesz musiała dostosować swoje wymagania do jego możliwości. Większość dzieci w wieku dwunastu miesięcy potrafi jeść rękoma, ale nie łyżką. Jeśli dziecko nie zaczęło jeszcze jeść rękoma, zostawiaj na blacie krzesełka pokarmy, którymi będzie się mogło częstować, a w końcu załapie, o co chodzi. Posługiwanie się łyżką lub widelcem jest znacznie bardziej skomplikowane. Pomyśl o tym, czego to wymaga: sprawnej motoryki rąk, by utrzymać łyżkę, wetknąć ją pod jedzenie, podnieść bez odwracania i w końcu trafić do buzi. Większość dzieci nie może nawet zaczynać takich manewrów przed ukończeniem czternastego miesiąca życia. Ale nawet zanim maluch nauczy się korzystać z łyżki, będzie zażarcie walczył, żeby Ci ją odebrać. W końcu wetknie sobie łyżkę do buzi. Gdy to zobaczysz, zaczynaj napełniać dziecku łyżeczkę — najlepiej dość gęstą kaszką, która się do niej przylepi. Większość pożywienia wyląduje we włosach dziecka (i Twoich!), ale musisz dać mu czas na eksperymentowanie i początkowe nietrafianie do buzi. Gdzieś w wieku czternastu do osiemnastu miesięcy łyżka zacznie trafiać do buzi.

Oczywiście niezależnie od tego, jak gotowe jest dziecko i jak Ty spokojnie do tego podchodzisz, wszystkie dzieci w którymś momencie świadomie decydują, że chcą mieć kapelusik z makaronu albo kaszki. Gdy rodzice martwią się, ponieważ dzieje się to *stale*, zawsze pytam: czy roześmiałaś się za pierwszym razem, gdy się to zdarzyło? Wiem, że to była chwila absolutnie czarująca i godna zapamiętania. Jak można było się nie roześmiać? Problem jednak polega na tym, że Twoja reakcja zachwyciła dziecko jeszcze bardziej niż nałożenie sobie kaszki na włosy. Myśli sobie: „Oj, super! Mamie się podoba, kiedy tak robię!". Więc robi tak jeszcze raz, tyle tylko, że za drugim, trzecim i czwartym razem nie bawi Cię to aż tak. Coraz bardziej się złościsz, a dziecko nie może zrozumieć, o co chodzi. „Dwa dni temu mama się cieszyła — dlaczego teraz się nie śmieje?".

To proste: dzieci w tym wieku lubią rzucać przedmiotami — ta czynność daje im poczucie władzy. Maluch nie widzi różnicy między rzucaniem piłeczką a parówką. Jeśli ma mniej niż rok, nie rób z tego afery — nie chodziło mu o to, by zwrócić na siebie uwagę — ale wyraźnie okaż, że rzucanie jedzeniem Ci się nie podoba. Jak powiedziała pewna matka swojemu siedmiomiesięcznemu synkowi, gdy zrzucał kawałki sera na podłogę: „Widzę, że chcesz, żeby to zostało na podłodze".

Jeśli masz szczęście i nie doświadczyłaś jeszcze tego sportu, przygotuj się. To nadchodzi. A gdy dziecko nałoży sobie jedzenie na głowę, postaraj się nie roześmiać.

Nie tłuczemy talerzy!

Wszyscy wiemy, żeby nie dawać małym dzieciom tłukących się talerzy. Równie dobrze można całkiem zrezygnować z talerza, zwłaszcza jeśli wciąż ląduje na podłodze. Inną alternatywą jest korzystanie z plastikowych miseczek z przyssawką, które można przyczepić do blatu. Gdy dziecko będzie już na tyle silne (i sprytne), żeby oderwać miseczkę, wróć do kładzenia pokarmów bezpośrednio na blat krzesełka.

Powiedz: „Nie, nie wkładamy sobie jedzenia na głowę. Obiad jest do jedzenia". A wtedy zabierz miskę. Jeśli z drugiej strony już byłaś dla niego wdzięczną publicznością, powiedz to samo, ale nie spodziewaj się, że szybko uda Ci się zmienić jego zachowanie. Jeśli nie zareagujesz teraz, zapewniam, że w kolejnym etapie, od dwóch do trzech lat, będziesz musiała poradzić sobie z jeszcze gorszymi manierami przy stole.

Od dwóch do trzech lat — fanaberie i inne denerwujące cechy

Teraz Twoje dziecko może — i powinno — jeść już wszystko to, co dorośli. Może jeść przy stole, w wysokim krzesełku lub foteliku samochodowym postawionym na krześle, można je też zabierać do restauracji. Największe problemy pojawiają się w okolicach drugich urodzin, gdy wszystko staje się polem walki o władzę. Twój dwulatek może być rozkoszny albo potworny. Wiele zależy od jego charakteru, ale też od tego, jak do tej pory rozwiązywałaś pojawiające się problemy. Na szczęście jednak w miarę zbliżania się trzecich urodzin wszystko powoli wychodzi na prostą.

Najczęstsze zmartwienia rodziców dzieci w tym wieku dotyczą dwóch kwestii: dziwnych nawyków żywieniowych i złego zachowania przy stole, które jest ciągiem dalszym olimpiady żywieniowej opisanej przy poprzednim etapie. Poniżej przyjrzymy się obydwu kategoriom.

W kategorii „dziwnych nawyków żywieniowych" często słyszę:

Moje dziecko nie je zbyt dobrze.

Moje dziecko prawie nic nie je.

Moje dziecko je tylko przekąski.

Moje dziecko zarządziło strajk głodowy.

Moje dziecko upiera się, żeby jeść pokarmy w określonej kolejności.

Moje dziecko je w kółko to samo.

Moje dziecko ma napady szału, jeśli groszek dotknie ziemniaków.

Zawsze proszę rodziców o sprecyzowanie, co oznacza „je dobrze". Czy chodzi o dziecko, które dużo je? Czy o takie, które je wszystko? „Dobre jedzenie", tak jak piękno, tkwi w oku patrzącego. Zatem jeśli rodzice martwią się odżywianiem się dziecka, radzę im, by dokładnie się przyjrzeli i zadali sobie pytanie, co się dzieje.

Czy to coś nowego, czy zawsze tak jadło? Tak jak mamy różne typy ludzi, charaktery, rodzaje budowy ciała, tak samo są różne apetyty. Indywidualne różnice temperamentu, środowiska domowego i postaw dotyczących jedzenia mogą wpływać na apetyt dziecka. Niektóre dwulatki jedzą mniej niż inne, podobnie jak niektóre są bardziej wrażliwe na ostrzejsze smaki lub nie lubią eksperymentować z nowymi rodzajami pokarmu. Niektóre dzieci bardziej delektują się jedzeniem, inne mniej. Niektóre są drobniejszej budowy i nie potrzebują aż tylu kalorii. A niektóre po prostu miewają złe dni.

W tym wieku powinnaś już wiedzieć, kim jest Twoje dziecko i co jest dla niego normalne. Jeśli zawsze jadło niechętnie albo mniej od rówieśników, bądź realistyczna. Takie właśnie jest. Jest również zupełnie normalne, jeśli dziecko nie je tyle, ile dzień wcześniej — nadrobi kolejnego dnia. Jeśli tylko pediatra dobrze ocenia jego zdrowie, nie musisz ingerować. Jeśli będziesz proponować dobre jedzenie, dbać o to, by posiłki były czasem przyjemności, i sama okazywać zainteresowanie dobrym jedzeniem, prawdopodobnie będzie jadło lepiej, niż jeśli uświadomi sobie, że stresujesz się każdym połkniętym przez niego kęsem. Badania prowadzone wiele lat temu przez Clarę Davis, pediatrę, która studiowała preferencje żywieniowe niemowląt i małych dzieci, wykazały, że nawet niemowlęta wybierają dokładnie to, czego potrzebują, by ich dieta była zrównoważona. (Być może zainteresuje Cię fakt, że między ulubionymi pokarmami zacytowanymi w tych badaniach, które Twoje dziecko prawdopodobnie również lubi, znalazły się: jajka, mleko, banany, jabłka, pomarańcze i kaszka. Najmniej lubiane były warzywa, brzoskwinie, ananasy, wątróbka i nerki — i nic dziwnego!).

Dobra wiadomość dla wybrednych smakoszy (i ich rodziców)

Badania wykazały, że do 30% cztero- i pięciolatków stanowią albo wybredni smakosze, albo dzieci, które nie jedzą zbyt wiele. Niedawno przeprowadzone badania w Finlandii zakończono konkluzją, że „rodzice nie mają powodów do obaw". Badacze ankietowali rodziców ponad pięciuset dzieci od momentu, gdy skończyły siedem miesięcy. W tych badaniach dzieci, które źle jedzą, zdefiniowano jako te, które jadły niezbyt „często" lub „czasami", według rodziców. W wieku pięciu lat te dzieci były zazwyczaj nieco niższe i drobniejsze od rówieśników, ale były mniejsze już w momencie narodzin, co sugerowało, ze zawsze potrzebowały mniej pożywienia. Innymi słowy, jak *na ich budowę* jadły proporcjonalnie tyle samo, co ich rówieśnicy. Wykazano jedną różnicę: dzieci, które mniej jadły, czerpały więcej kalorii z przekąsek niż z posiłków głównych, zatem jeszcze ważniejsze jest, by w ich przypadku rodzice zadbali o zdrowe, odżywcze przekąski.

Jeśli Twoje dziecko kiedyś jadło więcej, a teraz je mniej, co jeszcze się dzieje? Może właśnie nauczyło się wspinać? Może jest chore? Ząbkuje? Przeżywa stres? Każdy z tych czynników może spowodować utratę apetytu i mniejsze zainteresowanie jedzeniem.

Czy jedzenie jest dla Twojego dziecka zajęciem towarzyskim? Jeśli tylko nikt nie stoi nad nim z krzykiem: „Jedz! Jedz! Jedz!", siedzenie przy stole z rodziną może być dobrym doświadczeniem dla niejadka. A jeszcze lepiej, jeśli ma okazje, by jadać z rówieśnikami. Gdy umawiasz się na wspólną zabawę, poświęć część czasu na wspólne drugie śniadanie czy obiad. O dziwo, nawet niejadki bardziej interesują się jedzeniem, gdy widzą, że inne dzieci jedzą chętnie (poza tym obie te okazje są dobre do nauki dobrych manier).

Czy dziecko naprawdę *nic* nie je? Rodzice zazwyczaj nie liczą płynów lub przekąsek między posiłkami. Prowadź notatki przez dzień lub dwa i zapisuj wszystko, co trafia do buzi dziecka, a możesz się zdziwić. Możliwe, że Twoje dziecko to „przekąsacz". Jeśli tak, je — ale po prostu nie to, co podajesz mu w czasie posiłków. Możesz podjąć pewne kroki, by to naprawić (patrz ramka na stronie 164). Często rodzic mówi: „On je tylko przekąski", a ja mam ochotę powiedzieć: „No dobrze, a kto mu je daje — dobra wróżka?". Musimy wziąć odpowiedzialność za to, co jedzą nasze dzieci, i zwracać na to uwagę.

Nawet dwulatki, które miały dobry start z pokarmami stałymi, mogą czasem miewać „fanaberie jedzeniowe". Niektóre chcą jeść jeden produkt w kółko, wydawałoby się — bez końca. Inne są nie tylko wybredne, ale mają dziwaczne gusta. Obydwa przypadki powodują niepokój rodziców.

Małe dzieci są szczególnie podatne na fanaberie, zarówno w zachowaniu, jak i w wyborze pożywienia. Wybierają pewne rodzaje produktów lub nawet jeden produkt i trzymają się tego przez dłuższy czas, odmawiając wzięcia czegokolwiek innego do ust. Dlatego właśnie tak ważne jest, by podawać dzieciom zdrową żywność — przynajmniej wybiorą sobie coś, co będzie dla nich dobre. Pamiętaj również, że gdy już dziecko nasyci się wybranym pożywieniem, często odmawia zjedzenia tego pokarmu przez bardzo długi czas. Sophie, moja najmłodsza córka, była — i nadal jest — bardzo fanaberyjna, jeśli chodzi o jedzenie. Większość z jej nagłych upodobań trwała nie dłużej niż dziesięć dni. Potem przez jakiś czas jadła normalnie, i gdy już myślałam, że mamy to za sobą, wybierała sobie inne ulubione jedzenie. Sophie, obecnie osiemnastoletnia, postępowała tak całe życie i w sumie — jak się dobrze przyjrzeć — jest ucieleśnieniem powiedzenia, że niedaleko pada jabłko od jabłoni. Sama mam swoje ulubione produkty, ale jestem już trochę za stara, by moja mama się tym przejmowała. Może fanaberie też są dziedziczne, chociaż nigdy nie czytałam żadnych badań naukowych, które by to potwierdziły.

Dziwaczne zachowania związane z jedzeniem przysparzają rodzicom jeszcze więcej siwych włosów na głowie niż jedzenie w kółko tego samego. Oto fragment postu z mojej strony internetowej napisany przez matkę — nazwijmy ją Callie — której dwuipółletni syn zdecydowanie pasuje do tego profilu. Mama pisze, że chociaż jej „cudowny chłopczyk", Devon, jest „słodki, kochany i zabawny", ona „coraz bardziej się niepokoi" jego zachowaniami związanymi z jedzeniem.

Jeśli Devon coś je, i to się przełamie — na przykład banan albo batonik złamie się na pół — odmawia dalszego jedzenia. Nie mam pojęcia, dlaczego on tak robi, chyba że widuje rodziców jedzących produkty w całości i nie chce, żeby jego jedzenie się łamało. Czy czyjeś dziecko też się tak zachowuje albo ma inne dziwaczne nawyki?

Czy ktoś jeszcze? Mnóstwo innych dwulatków. Matki, które odpisały na jej post, opowiedziały o pewnym dziecku, które wpadało w szał, jeśli mama dawała mu przełamane ciasteczko, o innym, które nie jadło nic, jeśli pożywienie było „przemieszane", na przykład gulaszu czy dań jednogarnkowych, o trzecim, które zjadało tylko górę grzanki, a nigdy spód. Niektóre dzieci upierają się, by jeść w określonym porządku — na przykład pewien chłopiec koniecznie musiał zaczynać każdy posiłek od kawałka banana. Albo mają ściśle określone zasady na temat tego, co się znajdzie na talerzu, że jedzenie nie może się stykać albo że musi znaleźć się na konkretnym talerzu czy miseczce. Wariacje są nieskończone i wyjątkowe. *Dlaczego* występują, można tylko zgadywać. Jesteśmy ludźmi i wszyscy mamy swoje małe dziwactwa. Może dziwaczne zachowania przy jedzeniu również są dziedziczne. Mogę Ci jedynie obiecać, że większość dzieci z tego wyrasta... w końcu.

Tymczasem żaden z tych powodów nie powinien Cię martwić. Prawdę mówiąc, jeśli reakcja Callie będzie za silna albo jeżeli będzie wkładać mnóstwo energii, by „naprawić" niechęć Devona do „połamanych" produktów, ryzykuje tylko pogorszeniem sprawy.

Innym rodzajem problemów, o których słyszę w odniesieniu do tej grupy wiekowej, jest niewłaściwe zachowanie przy stole. Mają tu miejsce takie kłopoty jak:

Moje dziecko ma fatalne maniery — czy to normalne w tym wieku?

Moje dziecko nie potrafi spokojnie usiedzieć przy posiłku (mówię, że „wierci się, jakby miał owsiki").

Moje dziecko rzuca jedzeniem, gdy już nie chce jeść lub gdy mu nie smakuje.

Moje dziecko ma ataki złości podczas posiłków — najmniejszy drobiazg może je wprawić w szał.

Moje dziecko specjalnie robi bałagan, na przykład maluje stół (albo swojego młodszego brata) sosem do spaghetti.

Wiele problemów z zachowaniem, które widzimy podczas posiłków, jest tylko przedłużeniem podobnych kwestii pojawiających się przez cały dzień, ale rodzice zauważają je wyraźniej przy jedzeniu, zwłaszcza w restauracji, gdzie inni są świadkami zachowania dziecka. Aby odkryć, czy jest to część jakiegoś szerszego zjawiska, pytam: **Czy to zachowanie jest czymś nowym, czy trwa już od jakiegoś czasu? Jeśli to drugie, w jakich innych sytuacjach się zdarza? Co zazwyczaj je wyzwala?** Bardzo często takie zachowania nie są niczym nowym. To efekt przypadkowego rodzicielstwa: dziecko zachowuje się niewłaściwie, a rodzic albo za bardzo się spieszy, albo jest zbyt zawstydzony i nie reaguje lub poddaje się zachciankom dziecka (więcej na temat tego typu wzorca znajdziesz w rozdziale 8., który dotyczy „poskramiania" dwulatków).

Zatem powiedzmy, że dziecko maluje po stole palcami umazanymi sosem do spaghetti. Co robisz? Jeśli mówisz sobie: „To nic wielkiego — posprzątam później" i nie zwracasz uwagi dziecku, to ignorując takie zachowanie, dajesz sygnał, że nie ma w nim nic złego. Ale co będzie kilka tygodni później, podczas wizyty u babci, jeśli dziecko zacznie „dekorować" pamiątkowy obrus Twojej teściowej? Muszę powiedzieć, że nie jest to wina dziecka, ale Twoja. Za pierwszym razem, gdy się to zdarzyło, powinnaś powiedzieć: „Jedzenie to nie zabawka. Jeśli skończyłaś już jeść, zanieś talerzyk do zlewu".

Powiedzmy, że Twoja córeczka należy do bardziej aktywnych dzieci i zaczęła kłaść nogi na stole, wystukując rytm dziecięcej piosenki. To dla niej coś nowego, ale wyobraź sobie takie samo zachowanie w restauracji. Prawdopodobnie miałabyś ochotę zapaść się pod ziemię. Bądź konsekwentna i wytrwała. Za każdym razem, gdy dziecko robi coś niestosownego — kładzie nogi na stole, dłubie w nosie, rzuca jedzeniem — od razu powiedz, że zachowuje się źle: „Nie, nie wolno [opisz, co robi] przy stole". Jeśli nie przestanie, odeślij je od stołu. Możesz zaprosić je z powrotem za pięć minut i pozwolić na kolejną próbę. To właśnie dzięki konsekwencji i wytrwałości dzieci mogą się nauczyć nie tylko tego, czego się spodziewać, ale też tego, czemu my oczekujemy od nich.

To samo dotyczy rzucania jedzeniem. Czym innym jest dziecko czternastomiesięczne, które eksperymentuje, rzucając różnymi rzeczami — najlepiej się tym nie przejmować (patrz strona 170). Ale dwu- lub trzylatek, który robi to samo, żeby wyprowadzić Cię z równowagi, wymaga jasnego postawienia sprawy. Musisz mu powiedzieć, że tak nie wolno, i kazać mu posprzątać. Powiedzmy, że stawiasz talerz z kurczakiem przed Twoim dwulatkiem, a on wrzeszczy: „Nie!" i zaczyna rzucać kawałki mięsa na podłogę. Zabierz talerz, mówiąc: „Nie rzucamy jedzeniem". Wyciągnij go z krzesełka i spróbuj ponownie za pięć minut. Daj mu dwie szanse, a później nic już nie rób.

Może to brzmi dość surowo, ale wierz mi, dzieci w tym wieku doskonale wiedzą, jak manipulować rodzicami. Widywałam matki, które zachowywały się jak bramkarze, próbując łapać jedzenie w locie, ale nigdy nie mówiły dzieciom, że takie zachowanie jest nie w porządku. Zamiast tego pytały na przykład: „Oj, a może zjesz serek?". A potem mamy długotrwały problem i dziecko, które może rzucać nie tylko jedzeniem lub zabawkami i potencjalnie niebezpiecznymi przedmiotami (patrz historia Bo na stronie 336). Musisz reagować tak samo przy każdym posiłku, dopóki nie przestanie. Problem polega na tym, że rodzice tracą energię i się poddają. Sprzątają tylko po dziecku. To częsty problem, i w końcu robi się poważny, ponieważ rodzice nie mogą nigdzie pójść z dzieckiem. Nienawidzę chodzić do restauracji, gdzie można natknąć się na dzieci niepotrafiące się zachować. Kruszą chleb, rozrzucają jedzenie, a rodzicom wydaje się to nie przeszkadzać — w końcu pracownik restauracji będzie sprzątał, nie oni. Tacy rodzice nie szanują swoich pór posiłku.

Rodzice mówią: „On ma tylko dwa lata". Ale kto — i kiedy — ma go nauczyć, jak ma się grzecznie zachowywać? Jakaś dobra wróżka przyleci Wam na pomoc? Nie, to rodzice muszą stać się nauczycielami, i to według mnie jak najszybciej (więcej na ten temat w rozdziale 8.).

Czasami złe zachowanie można naprawić, jeśli rodzice baczniej obserwują sygnały wysyłane przez dziecko. Gdy rodzic opowiada mi o atakach złości swojego dwulatka, pytam: **Czy szukasz oznak, że dziecko się już najadło?** Rodzice czasami próbują wmusić dzieciom „jeszcze kawałeczek", chociaż dziecko już marudzi, odwraca głowę i kopie. Wciąż próbują, i w końcu nic dziwnego, ze dziecko wpada w szał. Lepiej byłoby, gdyby od razu zabrali dziecko od stołu.

Rodzice mogą niechcący zapoczątkować poważniejsze problemy z jedzeniem w przyszłości, zatem uważaj na to, jakie podświadome komunikaty możesz przekazywać dziecku. Zmuszanie malucha do jedzenia większych ilości, niż jest w stanie przyswoić, nie da mu szansy na zdobycie kontroli nad swoim ciałem i nauczenie się, kiedy ma już dość. Wielu dorosłych z nadwagą, gdy wspomina dzieciństwo, przypomina sobie, że dostawali mnóstwo słodyczy i smakołyków i chwalono ich, jeśli zjedli wszystko z talerza. Ich rodzice mówili na przykład: „Grzeczna dziewczynka, zjadła cały obiad", zatem dzieci szybko zaczęły kojarzyć jedzenie z aprobatą rodziców. Zwłaszcza jeśli sama masz problemy z jedzeniem, na przykład ciągle katujesz się dietami albo masz fobie jedzeniowe, uświadom je sobie i poszukaj profesjonalnej pomocy, by nie przekazać ich dziecku.

Oczywiście, nawet jeśli nie cierpimy na zaburzenia odżywania, z karmieniem wiąże się sporo stresów. Chcemy, żeby dzieci były zdrowe. Jeśli nie jedzą, martwimy się. Czasami można coś na to poradzić, a czasem nie. Tak czy owak, to rodzice muszą tutaj rządzić. Dobrze nakarmione dziecko również dobrze się bawi i śpi. Jesteśmy to winni swoim dzieciom, by dawać im potrzebną dawkę energii kalorycznej, a jednocześnie szanować ich indywidualizm, a nawet dziwactwa. A żeby sprowadzić wszystko do właściwej perspektywy, poczytaj „Cudowną dietę dwulatka" na następnej stronie. W dni, gdy będziesz się martwić, ile zjada *Twoje* dziecko, przeczytaj ten cudowny dowcip, który pojawiał się na wielu stronach internetowych dla rodziców. Anonimowy autor — który bez wątpienia był rodzicem dwulatka — sugeruje, że dieta jest przyczyną tego, że większość dwulatków jest szczupła!

Cudowna dieta dwulatka

Skonsultuj się z lekarzem, zanim zastosujesz się do poniższego jadłospisu

DZIEŃ PIERWSZY

Śniadanie	Jajecznica z jednego jajka, kawałek tosta z dżemem z winogron. Zjeść dwa kęsy jajka palcami, resztę zrzucić na podłogę. Ugryźć kawałek tosta, potem rozsmarować dżem po twarzy i ubraniu.
Obiad	4 kredki (kolor dowolny), garść chipsów ziemniaczanych i szklanka mleka (tylko trzy łyki, resztę wylać).
Kolacja	Suchy patyk, 2 małe monety, 4 łyki Sprite'a bez gazu.
Przekąska przed snem	Zrzucić tost na podłogę w kuchni.

DZIEŃ DRUGI

Śniadanie	Podnieść wczorajszy tost z podłogi w kuchni i zjeść. Wypić pół buteleczki zapachu waniliowego do ciast albo fiolkę barwnika do jajek.
Obiad	Pół tubki błyszczyku do ust „Pulsujący róż" i garść suchej karmy dla psa (smak dowolny). Jedna kostka lodu, wedle życzenia.
Podwieczorek	Polizać lizaka, aż będzie klejący, wynieść na dwór, upuścić w błoto. Podnieść, kontynuować wylizywanie, aż będzie czysty. Następnie przynieść do domu i rzucić na dywan.
Kolacja	Kamyk lub ziarnko surowej fasoli wepchnąć sobie do nosa (lewa dziurka). Polać winogronowym sokiem piure z ziemniaków, zjeść łyżką.

DZIEŃ TRZECI

Śniadanie	2 naleśniki z mnóstwem syropu — zjeść jeden palcami, drugi wetrzeć we włosy. Szklanka mleka — wypić połowę, następnie wepchnąć do szklanki drugi naleśnik. Po śniadaniu podnieść wczorajszego lizaka z dywanu, zlizać paprochy, położyć na siedzeniu ulubionego fotela.
Obiad	3 zapałki, masło orzechowe i kanapka z dżemem. Wypluć kilka kęsów na podłogę. Wylać szklankę mleka na stół i pić, siorbiąc.
Kolacja	Opakowanie lodów, garść chipsów, trochę czerwonego soku. Postarać się wykrztusić trochę soku przez nos.

DZIEŃ OSTATNI

Śniadanie	Ćwierć tubki pasty do zębów (smak dowolny), kawałek mydła, oliwka. Wlać szklankę mleka do miseczki z płatkami kukurydzianymi, dodać pół szklanki cukru. Gdy płatki zmiękną, wypić mleko, płatki oddać psu.
Obiad	Pozjadać okruchy chleba z podłogi w kuchni i z dywanu w jadalni. Odnaleźć lizaka i zjeść go do końca.
Kolacja	Upuścić trochę spaghetti na grzbiet psa, wsadzić pulpet do ucha. Wrzucić budyń do szklanki z sokiem i pić przez słomkę.

DNI POWTARZAĆ WEDLE POTRZEBY!

ROZDZIAŁ PIĄTY

UCZENIE NIEMOWLĄT SPANIA

— PIERWSZE TRZY MIESIĄCE I SZEŚĆ PROBLEMATYCZNYCH ZMIENNYCH

Śpi jak niemowlę?

Nie mogę sprawić, żeby mój pięciotygodniowy synek spał w łóżeczku.

Moje sześciotygodniowe dziecko nie chce zasypiać w dzień.

Moja miesięczna córeczka świetnie śpi w dzień, ale nie chce spać w nocy.

Moje dziecko ma trzy miesiące i wciąż budzi się przez całą noc.

Mój dziesięciotygodniowy synek nie chce zasnąć, chyba że położę go sobie na piersi.

Obserwuję sygnały i staram się układać mojego pięciotygodniowego synka w łóżeczku, gdy wydaje się być zmęczony, ale on płacze, kiedy go odkładam.

Moje ośmiotygodniowe dziecko śpi tylko w samochodzie, więc wstawiliśmy jego fotelik samochodowy do łóżeczka.

Codziennie moja skrzynka odbiorcza zapełnia się e-mailami takimi jak te powyżej, w większości od rodziców, których dzieci mają poniżej trzech miesięcy. W tematach wiadomości czytam: „Ratunku!" albo „Jestem zdesperowana", albo „Od mamy pozbawionej snu". To nic dziwnego: sen jest problemem numer jeden, który trapi rodziców od momentu, gdy przywożą dziecko ze szpitala położniczego. Nawet ci szczęściarze, których dzieci dobrze śpią, zastanawiają się: „Kiedy moje dziecko zacznie przesypiać noc?". Sen jest również niezwykle istotną kwestią, ponieważ wszystkie inne aspekty życia niemowlęcia obracają się wokół niego. Spać znaczy rozwijać się. Jeśli masz zmęczone niemowlę, nie będzie dobrze jadło ani się bawiło. Będzie kapryśne i podatne na problemy trawienne i choroby.

W prawie każdym przypadku kłopotów ze snem rodzice mają ten sam, podstawowy problem: nie uświadamiają sobie, że sen to zestaw umiejętności, których trzeba *nauczyć* niemowlęta — jak zasypiać samodzielnie, a gdy obudzą się w nocy, jak usnąć z powrotem. I zamiast przejmować kontrolę w tych pierwszych trzech miesiącach, gdy powinni kłaść grunt pod dobre nawyki związane ze snem, podążają za dzieckiem i nieświadomie pozwalają na najróżniejsze niewłaściwe zachowania.

Można to zrzucić na popularne niewłaściwe przekonanie na temat tego, jak śpią niemowlęta. Gdy dorosły mówi: „Spałem wczoraj jak niemowlę", ma na myśli to, że świetnie się wyspał — oczy miał zamknięte, noc minęła szybko i bez niespodzianek, a gdy się obudził, był wypoczęty i pełen energii. Cóż za rzadkość! Naprawdę, rzadkość. Większość z nas kręci się i wierci przez sen, budzi się, żeby pójść do łazienki, patrzy na zegarek i zastanawia się, czy zdąży się wystarczająco wyspać, żeby przetrwać kolejny dzień. I wiesz co? Niemowlęta wcale nie są inne. Gdyby Twój język dokładniej odzwierciedlał rzeczywistość, zdanie „Spałem jak niemowlę" oznaczałoby: „Budziłem się co czterdzieści pięć minut". Nie, niemowlęta nie martwią się o nowych klientów ani nie powtarzają raportu, który muszą zaprezentować kolejnego dnia, ale mają podobny wzorzec snu. Tak jak dorośli, niemowlęta mają czterdziestopięciominutowe cykle snu, w których następuje kolejno po sobie głęboki sen (prawie jak śpiączka) oraz REM (czyli faza szybkich ruchów gałek ocznych), podczas której mózg jest aktywny i możemy śnić. Niegdyś sądzono, że niemowlęta nie śnią, ale niedawne badania udowodniły, że średnio 50 do 60% ich snu stanowi faza REM, znacznie więcej niż u dorosłych, u których jest to przeciętnie 15 do 20 %. Dlatego też dzieci często budzą się w nocy, podobnie jak my. Jeśli nikt ich nie nauczył, jak samodzielnie zasypiać z powrotem, płaczą, bo chcą powiedzieć: „Na pomoc, nie umiem z powrotem zasnąć". A jeśli ich rodzice też nie umieją im pomóc, zaczyna się przypadkowe rodzicielstwo.

Rodzaje problemów ze snem, które pojawiają się w pierwszych trzech miesiącach życia, można skategoryzować jako albo *niechęć do zasypiania* (która zawiera niechęć do łóżeczka) oraz *budzenie się* — albo jako oba te czynniki. Na kolejnych stronach przyglądam się najczęstszym problemom ze snem i ich możliwym przyczynom oraz w każdym przypadku przedstawiam *plan*, zbiór działań, które rozwiążą problem. Oczywiście każdy problem ze snem jest wyjątkowy, ponieważ dotyczy *Twojej* rodziny i *Twojego* dziecka, więc nie ma możliwości, bym uwzględniła wszystkie możliwości, nie tylko w jednej książce, ale nawet w dziesięciu. Jeśli mamy milion niemowląt, mamy też milion potencjalnych scenariuszy.

Ale aby pomóc Ci w Twoich problemach, mogę przynajmniej przenieść Cię na poziom bardziej zaawansowany i pozwolić Ci na zajrzenie w moje myśli. Moim celem jest pomóc Ci w zrozumieniu, jak oceniam różne rodzaje problemów ze snem, które pojawiają się w pierwszych trzech miesiącach życia dziecka, byś sama mogła zająć się własnym niemowlęciem (pamiętaj tylko o tym, że wiele z tych problemów utrzymuje się również u starszych dzieci, ale znacznie łatwiej sobie z nimi poradzić, zanim niemowlę skończy cztery miesiące). Mam nadzieję, że te dodatkowe informacje pozwolą Ci dostrzec, gdzie mogłaś popełnić błąd, oraz poprowadzić dziecko prosto do Krainy Snu.

Sześć problematycznych zmiennych

Problemy ze snem w każdym wieku mają wielorakie przyczyny. Wpływa na nie nie tylko to, co się dzieje w nocy, ale również przebieg całego dnia. Wpływa na nie również temperament dziecka i zachowanie rodziców. Na przykład niemowlę, które często budzi się w nocy, może w ciągu dnia zbyt długo spać, zbyt mało jeść lub mieć zbyt wiele zajęć. Jednocześnie to częste budzenie się może być rezultatem przypadkowego rodzicielstwa. Być może mama, rozpaczliwie szukając rozwiązania, gdy synek płakał o czwartej nad ranem, zaczęła podawać mu pierś, gdy się budził. A może zabiera go do łóżka i pozwala mu tam spać do rana. Może maluch ma tylko cztery tygodnie, ale nie trzeba dużo czasu, by przyzwyczaił się do pewnego trybu życia, zatem teraz kojarzy zasypianie z sutkiem mamy w buzi albo leżeniem obok niej w łóżku.

Ponadto „problem ze snem" dnia dzisiejszego może mieć zupełnie inny powód niż wczoraj. Jednej nocy dziecko mogło się

„Przesypianie nocy" w innych kulturach

Podejście do snu odzwierciedla kulturę, w której żyjemy. Mamy prawdopodobnie taką obsesję na punkcie dążenia do tego, żeby niemowlęta przesypiały noc, ponieważ musimy wstawać rano i brać się za robotę. Potrzebujemy współpracy dziecka. Jednak w innych kulturach dzieci są bardziej zintegrowanym elementem życia dorosłych. Na przykład, gdy rodzi się dziecko w Kung San, kulturze łowiecko-zbierackiej z pustyni Kalahari, pozostaje w ciągłym kontakcie z matką, śpiąc razem z nią w nocy, a w dzień będąc noszonym przez nią w chuście. Mama karmi dziecko piersią mniej więcej co 15 minut. Jeśli niemowlę marudzi, odpowiada natychmiast, zanim marudzenie przerodzi się w płacz. Nic dziwnego zatem, że nikt się nie przejmuje, czy niemowlę przespało noc.

obudzić, bo w pokoju było za zimno, kolejnej, bo było głodne, a kilka nocy później, bo je coś bolało.

Widzisz chyba, do czego zmierzam. Odkrycie, jak rozwiązać kłopoty ze snem, jest jak układanie puzzli — musimy bacznie się przyglądać i zestawiać ze sobą poszczególne elementy. Potem musimy wymyślić *plan* działania.

Aby rzecz była jeszcze bardziej skomplikowana, zwrot „przespać noc" zbija wielu rodziców z tropu. Niektórzy dzwonią do mnie tylko po to, by odkryć, że ich dziecko nie ma tak naprawdę *problemu* ze snem — raczej rodzice mają przesadnie wygórowane oczekiwania zbyt wcześnie. Ostatnio mama noworodka powiedziała do mnie: „Nie mogę jej uśpić na więcej niż dwie godziny, całe noce jestem na nogach... Kiedy mała będzie przesypiać noc?".

Witamy w świecie rodzicielstwa! Brak snu (Twój) jest częścią inicjacji. Inna kobieta, matka ośmiotygodniowego dziecka, napisała do mnie: „Chcę, żeby zasypiał o siódmej wieczorem i wstawał o siódmej rano. Co pani o tym sądzi?". Sądzę, że to *mama* potrzebuje pomocy, a nie jej dziecko.

Bądźmy realistami: niemowlęta naprawdę nie są w stanie *przespać nocy* w ciągu pierwszych miesięcy. W pierwszych sześciu tygodniach większość budzi się dwa lub trzy razy w nocy — o drugiej lub trzeciej i potem o piątej lub szóstej — ponieważ ich żołądki nie są w stanie pomieścić tyle pokarmu, żeby wystarczyło na dłużej. Potrzebują również kalorii, aby rosnąć. Najpierw staramy się wyeliminować karmienie o drugiej w nocy. Oczywiście należy zacząć uczyć dziecko zasypiania, gdy tylko wrócisz z nim do domu ze szpitala, ale prawdopodobnie nie osiągniesz celu, dopóki nie skończy co najmniej czterech czy sześciu tygodni. Zależy to między innymi od temperamentu i wagi dziecka. Ale trzeba również zachować obiektywne spojrzenie. Nawet jeśli dziecko ma ponad sześć tygodni i potrafi przespać dłużej, i tak możliwe, że będziesz musiała początkowo wstawać o czwartej, piątej czy szóstej rano. Dla dorosłego pięciu czy sześciu godzin snu nie można uznać za przespaną noc! Nie da się zbyt wiele z tym zrobić, poza wcześniejszym pójściem spać i pamiętaniem, że te pierwsze miesiące szybko miną.

Nie rób tego sama!

Niedostatek snu jest problemem rodzica, nie dziecka. Noworodek nie przejmuje się zbytnio tym, ile śpi w nocy. Nie musi zajmować się domem ani iść do pracy. Jeśli o niego chodzi, nie ma nic złego w tym, że dzień trwa 24 godziny. Zwłaszcza w ciągu pierwszych sześciu tygodni potrzeba Ci mnóstwo pomocy. Zamieniaj się z partnerem, by nocne karmienie nie spadło tylko na Twoje barki. Nie zamieniajcie się jednak co noc. Każde z Was powinno „pełnić dyżur" przez dwie noce, a potem dwie mieć wolne, by można było rzeczywiście nadrobić brak snu. Jeśli jesteś samotną mamą, poproś o pomoc własną matkę albo dobrą przyjaciółkę. Jeśli nikt nie może zostać na noc, poproś przynajmniej o przyjście na kilka godzin w ciągu dnia, byś mogła się zdrzemnąć.

Moim celem w tym rozdziale jest pomóc Ci spojrzeć realistycznie na możliwości Twojego dziecka, jeśli chodzi o sen, zrozumieć różne scenariusze snu i nauczyć się myśleć tak, jak ja. Jeśli niemowlęciu trudno jest zasnąć albo budzi się niespodziewanie w środku nocy, rozważ wszystkie możliwe przyczyny, obserwuj je i przypomnij sobie również swoje własne zachowania.

Aby to wszystko było odrobinę mniej skomplikowane, wyodrębniłam sześć problematycznych zmiennych, które mogą wpływać na sen w pierwszych trzech miesiącach życia dziecka (patrz ramka poniżej). Wszystkie są ze sobą powiązane i mogą nadal wpływać na sen Twojego dziecka długo po upływie pierwszych czterech miesięcy jego życia, nawet przez kilka lat, zatem dobrze byłoby zrozumieć je teraz, niezależnie od tego, w jakim wieku jest Twoje dziecko. Trzy z tych zmiennych dotyczą tego, co Ty robisz (lub czego nie robisz), aby wspomóc sen dziecka: brak planu, nieodpowiednie przygotowanie do snu i przypadkowe rodzicielstwo; a trzy związane są z dzieckiem: głód, nadmiar bodźców i ból (lub choroba, albo złe samopoczucie).

Szczególnie w środku nocy, gdy rodzice są w najgorszej formie, niełatwo jest ustalić, z którą zmienną mamy do czynienia — a co więcej, czy w ogóle któraś wchodzi w grę! Nawet *ja*, Zaklinaczka Niemowląt, muszę zadawać wiele pytań, zanim będę mogła pomóc rodzinie. W przeciwnym razie musiałabym błądzić po omacku. Potem, korzystając z udzielonych odpowiedzi, składam wszystkie informacje, żeby dojść przyczyny — lub przyczyn — zaburzeń snu dziecka, i układam plan, jak nauczyć je spać. Jestem pewna, że gdy już zrozumiesz naturę snu niemowląt i czynniki, które mogą na niego wpłynąć, będziesz równie dobrym detektywem, co ja.

W każdym z poniższych podrozdziałów wyjaśniam te sześć zmiennych, podając też w ramkach wskazówki, czyli skargi rodziców, powiązane z każdą zmienną, a także plan — opis tego, co można zrobić, by zmienić sytuację. Niektóre tematy zostały omówione w innych rozdziałach — znaczenie stałego planu w rozdziale 1., radzenie sobie z głodem lub bólem w rozdziale 3. Zamiast się powtarzać, w niektórych przypadkach odsyłam do odpowiednich stron. Jednak tutaj przyglądamy się tym tematom ponownie, gdyż każdy wiąże się ze *snem*.

Sześć kłopotliwych zmiennych

Jeśli niemowlę albo opiera się przed pójściem spać, albo się budzi, jest to spowodowane albo czymś, co robi rodzic (lub czego nie robi), albo czymś związanym z samym dzieckiem.

Rodzice mogli:

... nie wprowadzić stałego planu dnia,

... ustalić nieodpowiedni rytuał przed snem,

... zastosować przypadkowe rodzicielstwo.

Dziecko może być:

... głodne,

... przemęczone lub cierpiące z nadmiaru bodźców, lub jedno i drugie,

... chore, może je coś boleć lub powodować dyskomfort.

Ważna uwaga dla użytkownika

Jeśli jesteś zdesperowana i potrzebujesz pomocy z jakimś konkretnym problemem ze snem, możesz najpierw przejrzeć kolejnych 31 stron i poczytać ramki „Wskazówka", które towarzyszą każdej ze zmiennych. (Mimo że ponumerowałam zmienne, ich kolejność jest przypadkowa). Znajdź scenariusz (lub kilka scenariuszy), który najbardziej pasuje do Twojego dziecka, i przeczytaj wszystko na ten temat. Jednak niewiele wskazówek dotyczy tylko jednej zmiennej. Na przykład, kiedy rodzic mówi mi: „Moje dziecko nie chce spać w łóżeczku", wiem natychmiast, że mamy do czynienia z jakimś rodzajem przypadkowego rodzicielstwa. Jednakże ponieważ problemy ze snem są częściej powodowane przez różne zmienne, większość wskazówek — jak „niełatwo uspokaja się do snu" — są wypisane częściej. Dlatego właśnie ważne jest, by przeczytać i zrozumieć wszystkie sześć zmiennych. Potraktuj to jak błyskawiczny kurs rozwiązywania problemów ze snem.

Zmienna nr 1. Brak stałego planu dnia

Pierwsze pytanie, jakie zawsze zadaję, gdy rodzice przychodzą do mnie, skarżąc się na problemy dziecka ze snem, brzmi zazwyczaj: **Czy prowadzicie notatki na temat jego karmień, drzemek, pory zasypiania i budzenia się?** Jeśli nie, przypuszczam, że rodzice nie wprowadzili stałego planu dnia lub nie udało im się go trzymać.

Brak stałego planu. Porządny sen to element S w planie PROSTE. A w pierwszych trzech miesiącach jest to nie aż tak często sprawa „problemów" ze snem jako takich, ale kwestia ustalania planu PROSTE niemowlęcia. W przypadku niemowląt o przeciętnej wadze w wieku poniżej czterech miesięcy trzymanie się trzygodzinnego planu jest najważniejszym kluczem do sukcesu. Nie mówię, że niemowlęta, które mają plan PROSTE, nigdy nie mają kłopotów ze snem — w końcu jest jeszcze pięć innych zmiennych. Jednak dzieci, których życie toczy się według stałego planu od pierwszego dnia życia, zazwyczaj mają zapewniony dobry start.

Wskazówka nr 1

Te skargi często wskazują, że **brak stałego planu dnia** jest przynajmniej częściowo odpowiedzialny za kłopoty ze snem dziecka:

Moje dziecko ma trudności z zasypianiem.

Moje dziecko budzi się w nocy co godzinę.

Moje dziecko śpi świetnie w ciągu dnia, ale nie śpi w nocy.

PLAN DZIAŁANIA: Jeśli Twoje dziecko nie ma jeszcze ustalonego stałego planu dnia, przeczytaj ponownie rozdział 1. i poświęć się temu, żeby Twoje niemowlę mogło liczyć na przewidywalną kolejność zdarzeń. A może będziesz musiała *ponownie* wprowadzić plan PROSTE, jeśli coś poszło nie tak. Włącz do planu mój rytuał układania do snu (strony 189 –194) w dzień i wieczorem. Pamiętaj, że plan nie jest tym samym, co sztywny harmonogram. Patrzysz na swoje dziecko, nie na zegarek. Jednego dnia dziecko może zasnąć na pierwszą drzemkę o 10:00, kolejnego o 10:15. Jeśli tylko zachowana jest stała kolejność wydarzeń — jedzenie, aktywność, sen — i mają one miejsce mniej więcej o tych samych porach, będziesz wspomagać normalny sen.

Dylemat zamiany nocy z dniem: Jedną z najczęstszych trudności wynikających z braku stałego planu dnia jest zamiana dnia z nocą. Gdy dziecko się rodzi , nie zna różnicy między dniem i nocą — jego krótkie okresy aktywności na przemian ze snem trwają przez całą dobę. Musimy *nauczyć* niemowlę tej różnicy, budząc je regularnie na karmienia. Gdy słyszę, że dziecko przez długi czas nie śpi w nocy albo bardzo często się budzi, często przypuszczam, że rodzice nie byli konsekwentni z planem dnia. Zazwyczaj takie dziecko ma osiem tygodni lub mniej. Aby się upewnić, czy mamy do czynienia z tym problemem, pytam: **Ile razy dziecko śpi w dzień i jak długo? Ile w sumie trwają jego dzienne drzemki?** Jedną z najpoważniejszych przeszkód w uczeniu snu w pierwszych tygodniach życia jest to, że rodzice pozwalają niemowlęciu spać dłużej niż pięć i pół godziny w ciągu dnia, co zaburza plan trzygodzinny i powoduje budzenie się dzieci w nocy. Mówiąc w skrócie, rodzice pozwalają na zamianę dnia w noc. Nazywam do „rabowaniem snu nocnego".

PLAN DZIAŁANIA: Jeśli Twoje dziecko zamieniło sobie dzień z nocą, musisz wydłużyć jego czas czuwania w ciągu dnia. Jeśli w dzień śpi dłużej niż dwie godziny, obudź je. Jeśli tego nie zrobisz i pozwolisz mu przespać karmienie, nadrobi to w nocy. A jednak ciągle słyszę: „Ale to okrutne, żeby budzić śpiące niemowlę". Nie, złotko, to nie jest okrutne — to sposób nauczenia niemowlęcia, jak ma odróżniać dzień od nocy. Jeśli jesteś jedną z tych osób, które wierzą w mit o śpiącym niemowlęciu, musisz z niego zrezygnować.

> **To mit**
>
> ***Nigdy nie budź śpiącego niemowlęcia***
>
> Czasami, w pewnym momencie życia, większość z nas słyszy: „Nie wolno budzić śpiącego niemowlęcia". Bzdura! Niemowlęta funkcjonują całą dobę, nie znają się na zegarku. Nie wiedzą, jak mają spać; nie znają różnicy między nocą i dniem. Musimy je tego nauczyć. Budzenie niemowlęcia nie tylko jest dopuszczalne, ale wręcz czasem konieczne, ponieważ umożliwia wprowadzenie stałego planu dnia.

Zacznij od prowadzenia notatek przez kilka dni. Jeśli Twoje dziecko śpi dłużej niż pięć godzin jednym ciągiem w ciągu jednego dnia lub dwóch albo więcej razy śpi po trzy godziny, jest spore prawdopodobieństwo, że zamieniło sobie dzień z nocą. Dlatego musisz *ponownie* wprowadzić plan PROSTE, w taki sposób: nie pozwalaj dziecku spać dłużej niż czterdzieści pięć minut do godziny w ciągu dnia, przez pierwsze trzy dni. Dzięki temu wykorzenisz nawyk długich drzemek i dostarczysz mu kalorie, których potrzebuje, przez regularne karmienia. Aby obudzić niemowlę, rozwiń je z kocyka, podnieś, pomasuj mu trochę rączki (nie stopy!) i wynieś z pokoju do pomieszczenia, gdzie coś się dzieje. Posadź dziecko — to prosta sztuczka, ale w większości przypadków sprawia, że maluch otwiera oczy. Jeśli trudno je obudzić, to trudno. Po prostu próbuj. Jeśli niemowlę nie śpi jak zabite, w końcu Ci się uda.

Gdy już zmniejszysz dziecku ilość snu w dzień, będzie musiało nadrobić stracone godziny w ciągu nocy, a Ty możesz stopniowo — co trzy dni — przedłużać czas drzemek o piętnaście minut. Nigdy nie pozwalaj mu spać dłużej niż półtorej godziny do dwóch w ciągu dnia, co jest właściwym czasem trwania drzemki niemowląt w wieku poniżej czterech miesięcy.

Jedynym wyjątkiem są tu wcześniaki (patrz ramka na stronie 187) lub dzieci z niską wagą. Niektóre mniejsze niemowlęta śpią początkowo pięć razy po około pół godziny, między drzemkami czuwają tylko przez pięć minut i zasypiają ponownie aż do następnego karmienia. Nie są jeszcze gotowe, by wytrzymać dłuższe przerwy między karmieniami i po prostu trzeba to przetrwać przez kilka tygodni. Jednak gdy tylko Twoje dziecko osiągnie dzień, w którym powinno się urodzić, ważne jest, by stopniowo zwiększać czas jego czuwania w ciągu dnia. Oto typowy scenariusz:

> *Mój pięciotygodniowy wcześniak, Randy, który ma teraz pięć tygodni, ma plan PROSTE, odkąd skończył trzy tygodnie, ale w tym tygodniu po karmieniu o północy przestał zasypiać i zaczął marudzić do trzeciej w nocy. Wciąż przesypia większość dnia, od czasu do czasu czuwa po piętnaście minut. Czy zamienił sobie dzień z nocą? Co mam zrobić???? Chodzę jak zombie przez cały tydzień.*

Mama na rację: Randy rzeczywiście zamienił sobie dzień z nocą. Chociaż autorka nie podała planu dnia dziecka, pisze: „Wciąż przesypia większość dnia", co jest wyraźną oznaką, że rabuje sen nocny. Ponieważ czuwa tylko przez piętnaście minut, oznacza to dla mnie, że zasypia podczas karmienia. Być może również nie je efektywnie lub mama ma niewystarczającą laktację, co również zaburza jego nocny sen. Mimo że Randy był wcześniakiem i rozwojowo wciąż potrzebuje więcej snu niż noworodek urodzony o czasie (patrz ramki na stronach 35 i 187), chcemy zachęcić go, by spał w nocy, a nie w dzień. Nie znam jego obecnej wagi, ale wiem, że minął już przewidywany termin porodu, i dlatego przypuszczam, że jest gotów na przynajmniej dwuipółgodzinny plan PROSTE. Mama powinna teraz popracować nad wydłużeniem jego czasu czuwania w dzień, nawet jeśli uda jej się osiągnąć tylko dziesięć minut więcej po każdym karmieniu. Proponowałabym działać w tym kierunku przez trzy dni do tygodnia, a gdy okaże się, że się uda, zacząć wydłużać czas czuwania do piętnastu, a potem dwudziestu minut. W końcu sen nocny zacznie rabować sen dzienny. Mały przybierze również na wadze, a pojemność żołądka mu się zwiększy, co również pozwoli mu dłużej spać w nocy.

Pogromcy stałego planu. Czasami rodzice małego dziecka odchodzą od planu z powodu własnych potrzeb. **Czy ciągasz dziecko wszędzie ze sobą, bo masz obowiązki**? Ważne, byś trzymała się planu w początkowych miesiącach, ponieważ uczysz dziecko, jak ma spać. Konsekwencja jest niezwykle istotna.

PLAN DZIAŁANIA: Nie mówię, że nigdy nie powinnaś wychodzić z domu. Ale jeśli dziecko ma problem z uspokojeniem się, może to być spowodowane tym, że nie jest w stanie za *Tobą* nadążyć. Przez przynajmniej dwa tygodnie obserwuj sygnały wysyłane przez niemowlę i ustal dobry rytuał przed snem. Jeśli problemy dziecka ze snem zmniejszą się lub całkiem znikną, będziesz wiedziała, że potrzebuje większej konsekwencji niż dotychczasowa.

Jeśli pracujesz poza domem na pełen etat lub w ograniczonym wymiarze godzin, trzymanie się ustalonego planu dnia nie należy wyłącznie do Ciebie. Możesz odkryć, że gdy wracasz do domu z pracy lub gdy odbierasz dziecko od opiekunki, maluch jest kapryśny i nie w formie. **Mimo że masz dobry plan dnia, czy wiesz na pewno, że osoba zajmująca się dzieckiem — Twój partner, babcia, niania, pani w żłobku — również go przestrzega? Czy poświęciłaś czas na wyjaśnienie, jakie to ważne?** Jeśli masz opiekunkę, zostań w domu przez tydzień, by pokazać jej, na czym polega plan, łącznie z rytuałem uspokajania. Jeśli zawozisz dziecko do opiekunki poza domem lub do żłobka, spędź trochę czasu z osobą, która będzie się nim zajmować, i pokaż, jak zajmujesz się dzieckiem i co robisz w porze drzemki. Daj opiekunce notatnik, w którym będzie mogła zapisywać dobre i gorsze dni dziecka. Może napisać: „nie spał dobrze" lub „nie

Wcześniaki

Spać, spać i jeszcze raz spać

Jak już wyjaśniałam w poprzednim rozdziale (strona 153), jeśli Twoje dziecko urodziło się przed czasem, na tym etapie jego wiek kalendarzowy (licząc od dnia narodzin) nie jest taki sam jak wiek rozwojowy. Wcześniaki potrzebują mnóstwo snu. Tak naprawdę najlepiej by było, gdyby spały prawie cały czas. Nawet czterotygodniowy wcześniak wciąż nie powinien pojawić się na świecie przez pierwsze cztery tygodnie swojego życia. Zatem jeśli porównujesz swojego ośmiotygodniowego niemowlaka z dzieckiem siostry, które w wieku ośmiu tygodniu mogło spać przez pięć lub sześć godzin w nocy, i próbujesz zmusić go do dwudziestominutowej aktywności, zweryfikuj swoje oczekiwania. Twoje dziecko jest inne. Musi mieć *dwugodzinny* plan, przynajmniej do terminu porodu, czyli dnia, w którym planowo powinno się urodzić. Jego jedynymi „zadaniami" jest jedzenie i spanie. Twój dzień będzie się składał z karmienia, owijania w kocyk i odkładania go z powrotem do snu w cichym, zaciemnionym pomieszczeniu. Gdy minie planowany termin porodu oraz dziecko osiągnie wagę przynajmniej trzech kilogramów, możesz przestawić je na plan trzygodzinny.

Jeśli trzymasz się stałego planu... oto, czego się możesz spodziewać!

Poniższe informacje dotyczą zdrowego dziecka, które ma plan PROSTE od pierwszego dnia życia. Być może Twoje dziecko niedokładnie pasuje do podanych wytycznych. Zależy to od wagi i temperamentu dziecka, a także od tego, czy konsekwentnie podejmowałaś kroki, by *promować* dobry sen.

Jeden tydzień:

Dzień: Karmienie co trzy godziny, półtorej godziny snu co trzy godziny.

Wieczór: Karmienie cząstkowe o 17:00 i 19:00, karmienie przez sen o 23:00.

Pobudka: 4:30 lub 5:00 rano.

Jeden miesiąc:

Dzień: Karmienie co trzy godziny, półtorej godziny snu co trzy godziny.

Wieczór: Karmienie cząstkowe o 17:00 i 19:00, karmienie przez sen o 23:00.

Pobudka: 5:00 lub 6:00 rano.

Cztery miesiące:

Dzień: Karmienie co cztery godziny, trzy drzemki, półtorej godziny do dwóch każda, plus czterdziestopięciominutowa drzemka późnym popołudniem.

Wieczór: Kolacja o 19:00, karmienie przez sen o 23:00.

Pobudka: 7:00 rano.

chciała jeść". Jeśli się nie zgodzi, to znaczy, że dokonałaś niewłaściwego wyboru. Niezależnie od tego, czy niania jest u Ciebie w domu, czy też zawozisz dziecko do niej, złóż od czasu do czasu wizytę z zaskoczenia. (Więcej o wydarzeniach, które mogą zaburzyć stały plan dnia, na stronach 380 – 382).

Zmienna nr 2. Nieodpowiedni rytuał zasypiania

„Kładzenie się spać" nie jest pojedynczym wydarzeniem. To raczej podróż, która zaczyna się od pierwszego ziewnięcia dziecka, a kończy się zapadnięciem w głęboki sen. Musisz pomóc mu tam dotrzeć. Aby to zrobić, musisz rozpoznać „okienko snu" i pomóc dziecku się wyciszyć.

Okienko snu. Aby wspomóc sen dziecka, musisz rozpoznać, kiedy maluch jest gotów do pójścia spać. **Czy wiesz, jak wygląda Twoje dziecko, gdy jest zmęczone? Czy natychmiast zaczynasz działać?** Jeśli przegapisz okienko snu dziecka, będzie Ci znacznie trudniej je uśpić.

PLAN DZIAŁANIA: Niektóre niemowlęta z natury lepiej śpią niż inne — z reguły są to Aniołki i Książkowe Dzieci. Ale nawet te maluchy wymagają bacznej obserwacji ze strony rodziców, ponieważ każde dziecko jest inne. Zatem zwracaj uwagę na to, co robi *Twoje dziecko*, gdy jest zmęczone. W przypadku noworodków, które nie kontrolują swojego ciała, poza buzią, ziewanie jest często najwyraźniejszą wskazówką. Ale Twoje dziecko może również kaprysić (Maruda), kręcić się (Wiercipięta) lub wykonywać inne niekontrolowane ruchy. Niektóre szeroko otwierają oczy (również często spotykane u Wiercipięt), a inne wydają dźwięki jak skrzypiące drzwi lub piszczą. W wieku sześciu tygodni, gdy dziecko w coraz lepszym stopniu panuje nad głową, może również odwracać się od Twojej twarzy lub od zabawki i wtulać Ci się w szyję, gdy je nosisz. Jakiekolwiek są wysyłane przez nie sygnały, chodzi o to, by zareagować natychmiast. Jeśli przegapisz okienko snu dziecka albo spróbujesz wydłużyć mu czas czuwania, by spało dłużej (kolejny mit), będzie Ci znacznie trudniej nauczyć je zasypiania.

Wskazówka nr 2

Te skargi często wskazują na to, że **nieodpowiedni rytuał zasypiania** jest przynajmniej częściowo odpowiedzialny za problemy ze snem dziecka:

Moje dziecko ma trudności z zasypianiem.

Moje dziecko zasypia, ale potem nagle się budzi, od dziesięciu minut do pół godziny później.

Wyciszanie się. Nawet jeśli dobrze radzisz sobie z rozpoznawaniem, kiedy Twoje dziecko jest zmęczone, nie możesz po prostu wrzucić go do łóżeczka bez umożliwienia mu kilkuminutowego stadium przejściowego od aktywności (nawet jeśli jest to tylko gapienie się w sufit) do zasypiania. **Jakiej metody używasz, by położyć dziecko do łóżeczka wieczorem lub w dzień? Czy ciasno je zawijasz? Jeśli niemowlę ma problem z zaśnięciem, czy zostajesz przy nim?** Rytuał zasypiania — przewidywalna, powtarzalna seria wydarzeń — pozwala dziecku nauczyć się, czego się po nim spodziewamy, a ciasne zawijanie pomaga mu poczuć się przytulnie i bezpiecznie. Jedno i drugie jest wskazówką dla dziecka, mówiącą mu: „Pora na zmianę. Szykujemy się do spania". Rozpoczęcie rytuału zasypiania, gdy dziecko jest malutkie, nie tylko nauczy je potrzebnych umiejętności, ale również będzie podstawą zaufania w kolejnych miesiącach, gdy wejdzie w grę lęk separacyjny.

Zanotuj!

W przypadku rodziców, którzy mają problemy z odczytywaniem sygnałów wysyłanych przez niemowlęta, często proponuję dziennik snu. Prowadzenie notatek pomaga w poprawieniu umiejętności obserwacji. Przez cztery dni zapisuj nie tylko to, kiedy dziecko śpi i jak długo, ale również co robiłaś przed każdym snem, co robiło dziecko i jak wyglądało. Obiecuję, że dostrzeżesz wyłaniające się wzorce, i jeśli Twoje niemowlę nie śpi dobrze, może uda Ci się zauważyć, dlaczego.

W przypadku dziecka poniżej trzech miesięcy przygotowanie do snu nie trwa zazwyczaj dłużej niż piętnaście minut. Niektóre mamy mogą po prostu wejść, zaciągnąć zasłony, owinąć dziecko i położyć je, a niemowlę będzie gaworzyć do siebie, aż zaśnie. Ale z moich doświadczeń wynika, że większość dzieci potrzebuje spokojnej obecności rodzica, zanim zasną, by przełączyć się z aktywności na sen. A niektóre — zazwyczaj Wrażliwce i Wiercipięty — mogą potrzebować jeszcze więcej.

PLAN DZIAŁANIA: Mój rytuał składa się z czterech elementów: *scenografii* (przystosowania otoczenia do snu), *zawijania* (przygotowywania dziecka do zasypiania), *siedzenia* (w ciszy, bez stymulacji fizycznej) i, jeśli to będzie konieczne, metody *poklepywanie cicho-sza* (poświęcenie jeszcze kilku minut na interwencję fizyczną, aby pomóc marudzącemu lub wiercącemu się dziecku zapaść w głęboki sen).

Scenografia. Niezależnie od tego, czy jest to pora na dobranoc, czy na drzemkę w dzień, musisz zadbać o scenografię — usunąć niemowlę z otoczenia pełnego stymulacji do spokojniejszego miejsca. Idź do jego pokoju, zasłoń zasłony, i jeśli chcesz, włącz spokojną muzykę. Masz zadbać o to, by ostatnie chwile przed zaśnięciem były ciche, spokojne i pełne relaksu.

Zawijanie. Już starożytni zawijali niemowlęta. Najbardziej prymitywne ludy również. Twoje dziecko było prawdopodobnie ciasno zawijane w szpitalu, a Ty powinnaś robić to w domu. Najlepiej jest zawinąć dziecko w kocyk lub rożek *przed* położeniem do łóżeczka.

Co w tym jest takiego dobrego? W wieku poniżej trzech miesięcy niemowlęta nie kontrolują ruchów rąk ani nóg. Inaczej niż dorośli, którzy zapadają w rodzaj letargu, gdy są zmęczeni, niemowlęta są bardziej pobudzone — ich rączki i nóżki unoszą się w powietrze, gdy są wyczerpane. W gdy tak się dzieje, maluch nie zdaje sobie sprawy, że to jego własne kończyny. Według niego te poruszające się obiekty są częścią otoczenia — zatem przeszkadzają mu i rozpraszają go. W pewnym sensie zatem zawijanie jest kolejną formą oszczędzania dziecku stymulacji ze strony otoczenia. Zalecam zawijanie niemowląt, przynajmniej dopóki nie skończą trzech lub czterech miesięcy, chociaż niektóre można zawijać aż do siódmego czy ósmego miesiąca.

Chociaż większości matek pokazano technikę zawijania noworodka w szpitalu, część z tego rezygnuje po powrocie do domu. Jeśli i Ty zrezygnowałaś (lub nie zwróciłaś na to uwagi w szpitalu), oto krótkie przypomnienie: rozłóż płasko kocyk (najlepiej kwadratowy) w kształt rombu. Zagnij górny róg w dół, by utworzyć równą linię prostą. Połóż niemowlę na kocyku, tak by jego szyja była na zagięciu, a główka wystawała powyżej. Połóż lewą rączkę dziecka na jego klatce piersiowej, pod kątem 45 stopni, przełóż prawy róg kocyka przez pierś niemowlęcia i wetknij go pod jego lewy bok. Podnieś dolny róg kocyka, by zakryć nim wyprostowane nóżki dziecka. Na końcu przełóż lewy róg kocyka nad niemowlęciem i wetknij go pod jego prawy bok. Wyrównaj ładnie. Niektórzy rodzice boją się, że za ciasno owiną niemowlę i przez to utrudnią mu oddychanie lub ograniczą ruchy nóżek, ale badania udowodniły, że właściwe zawinięcie niczym niemowlęciu nie grozi. Wręcz przeciwnie, ta tradycyjna metoda pomaga dzieciom mocniej i spokojniej spać.

Po długim czasie, gdy mogłaś zawinąć dziecko, a ono spało w schludnym zawiniątku, w którymś momencie maluch zaczyna wystawiać rączki, badać je i poruszać się. Czasem rodzice na ten widok mówią: „Ono nie lubi już zawijania — walczy, żeby się wydostać". Wtedy pytam: **Co robisz, jeśli dziecko wykopuje się z zawinięcia?** Jedna z matek — niebędąca moją klientką, zapewniam — używała w takim przypadku taśmy izolacyjnej! Ale częściej odpowiedź brzmi: „Przestaję zawijać". Mama i tato powinni raczej zdać sobie sprawę z tego, że gdy niemowlę staje się bardziej mobilne, *będzie* się poruszać — zawinięte czy też nie. Niektóre niemowlęta zaczynają już w wieku czterech tygodni. Lepiej panują nad główką i rączkami. Jeśli Twoje dziecko się rozwija, zawiń je z powrotem (ale bez taśmy, bardzo proszę). Później, w wieku około czterech miesięcy, możesz zacząć eksperymentować, zostawiając jedną rączkę niezawiniętą, by niemowlę mogło odkryć swoją piąstkę lub paluszki.

„Moje dziecko nienawidzi zawijania!"

Podkreślam, że jest niezmiernie ważne nabranie nawyku zawijania niemowlęcia. Niestety, niektórzy rodzice są oporni; mają wrażenie, że to ogranicza dziecko. Może sami mają skłonności do klaustrofobii, więc projektują własne uczucia na swojego potomka. Może powiesz: „Moja córka nienawidzi, kiedy jest zawinięta — walczy ze mną, dziko wierzgając nogami i ramionami". Ale takie wierzganie nie jest świadomym zachowaniem niemowlęcia. Zazwyczaj dzieje się tak, ponieważ dziecko jest przemęczone oraz (lub) cierpi z powodu nadmiaru bodźców, zatem ma problem z uspokojeniem się i zaśnięciem. Zawinięcie pozwoli jej się wyciszyć. Zaczynamy *rozwijać* niemowlęta w wieku około trzech miesięcy, ponieważ to jest przeciętny wiek, gdy zaczynają znajdować swoje paluszki. Ale niektóre tego nie robią aż do pięciu miesięcy, a nawet dłużej! (To kolejny powód, by naprawdę poznać własne dziecko).

Siedzenie. Po zawinięciu dziecka usiądź z nim cicho na około pięć minut — dziecko powinno być w pozycji pionowej. W przypadku młodszego niemowlęcia najlepiej jest trzymać je w ten sposób, by jego twarz była wtulona w Twoją szyję lub ramię, by zablokować wszelkie bodźce wizualne. Nie kołysz ani nie lulaj go, nie ruszaj się z miejsca. Wiem, wiem, większość z Was tak robi. Widzimy to na filmach, widzimy, jak nasze przyjaciółki to robią, ale w większości przypadków lulanie niemowlęcia stymuluje je, zamiast uspokajać. A jeśli nim potrząsasz lub poruszasz się zbyt szybko, może nawet się przestraszyć. Powinnaś poczuć, jak jego małe ciałko się odpręża, a potem może lekko wstrząsa. To znak, że próbuje zapaść w głęboki sen. Idealnie byłoby, gdybyś odłożyła je do łóżeczka, *zanim* zaśnie. Nie zawsze jest to możliwe, ale jest to cel, który musisz się starać osiągnąć.

Tuż przed odłożeniem dziecka powiedz: „Idziesz teraz spać. Zobaczymy się, jak się obudzisz". Pocałuj je, a potem połóż do łóżeczka. Może nie rozumie jeszcze słów, ale zdecydowanie wyczuje, o co Ci chodzi. Jeśli będzie spokojne, wyjdź z pokoju i pozwól mu samodzielnie zapaść w sen. Jeśli nie ma problemów z wyciszeniem się, *nie musisz siedzieć w pokoju, aż zaśnie.* Jeśli niemowlę jest zawinięte i spokojne, możesz być spokojna, że potrafi samo zasnąć. W badaniu opinii *Sleep in America* (więcej na ten temat w rozdziale 7.) przeprowadzonym w 2004 roku przez National Sleep Foundation wykazano, że samodzielne zasypianie gwarantuje lepszy sen. Niemowlęta i małe dzieci, które wkłada się do łóżeczka, zanim zasną, najprawdopodobniej będą spały znacznie dłużej niż dzieci, które wkłada się do łóżeczka, gdy już śpią, a prawdopodobieństwo, że się obudzą dwu- lub trzykrotnie w ciągu nocy, jest trzy razy *mniejsze.*

Poklepywanie cicho-sza. Jeśli dziecko jest trochę marudne lub zaczyna płakać, gdy próbujesz je położyć, prawdopodobnie jest gotowe do snu, ale potrzebuje *interwencji fizycznej*, by się wyciszyć. W tym właśnie momencie wielu rodziców ucieka się do przypadkowego rodzicielstwa. Kołyszą lub lulają niemowlę, albo starają się je uspokoić, nosząc po pokoju. Ale ja mam inną sugestię — metodę poklepywania cicho-sza. Jednocześnie szepczesz: „Ćśś, ćśś, ćśś" do ucha dziecka i poklepujesz je rytmicznie po pleckach. Wykorzystuję tę technikę u wszystkich niemowląt w wieku poniżej trzech miesięcy, które mają kłopoty z samodzielnym wyciszeniem się. To pozwala im się uspokoić, ponieważ na tym etapie rozwoju niemowlęta nie mogą poradzić sobie z trzema doznaniami naraz. Nie mogą skupić się na płaczu, jeśli są poklepywane i słyszą uspokajający szept. Zatem dziecko skoncentruje się na odczuwaniu i słuchaniu, i w końcu przestanie płakać. Ale niezwykle ważne jest, by wykonywać tę technikę sposób opisany poniżej.

Niemowlę powinno leżeć w łóżeczku, jedynie jeśli bardzo marudzi, weź je na ręce. Poklepuj środek jego pleców rytmicznym, jednostajnym ruchem — jak tykanie zegara. Poklepywanie powinno być dość mocne i zdecydowanie pośrodku pleców, nie po bokach, i zdecydowanie nie za nisko, bo nie chcemy przecież klepać malucha po nerkach.

Podczas poklepywania zbliż usta do jego ucha i wyszepcz powoli, dość głośno: „Ćśś... ćśś... ćśś...". Przedłużaj ten dźwięk, by brzmiał jak świst wiatru lub odgłos, jaki wydaje odkręcony kran, a nie posapywanie pociągu. Chodzi o to, by przekazać dziecku poczucie pewności, jakbyś mówiła: „W porządku, wiem, co robić". Ważne jest, by nie poklepywać dziecka zbyt ostrożnie i nie szeptać zbyt nieśmiało. Nie należy również mocno uderzać dziecka ani krzyczeć mu wprost do ucha, bo nie chcemy przecież, by mu popękały bębenki. Niech Twoje usta będą blisko jego ucha, a szept niech przelatuje obok.

Gdy wyczujesz, że oddech niemowlęcia się pogłębia, a ciało zaczyna się odprężać, delikatnie je odłóż, nieco na boku, aby mieć dostęp do pleców. Niektórzy rodzice narzekają, że trudno jest poklepywać leżące dziecko, więc klepią je po ramieniu lub po brzuszku. Ale moim zdaniem nie jest to skuteczne. Wolę kłaść niemowlę na boku i nadal klepać po plecach. Jeśli dziecko jest zawinięte, dość łatwo jest je przekręcić, można podłożyć mu pod plecki zrolowany ręcznik, by nie przekręcało się na plecy. Oba końce ręcznika można przykleić do podłoża, by się nie rozwijał. To byłoby *właściwe* zastosowanie taśmy, pod warunkiem, że nie przykleisz ręcznika do dziecka! Jeśli ręcznik przylega do brzuszka niemowlaka, zazwyczaj kładę jedną rękę na klatce piersiowej dziecka, a drugą poklepuję plecy. Można wtedy również pochylić się i szeptać mu do ucha. Jeśli w pokoju nie jest wystarczająco ciemno, możesz również trzymać dłoń nad jego oczyma (nie na nich!), by zablokować stymulację wizualną.

Gdy niemowlę leży już w łóżeczku, wykorzystuj poklepywanie i uciszanie, by je tam *zatrzymać*, chyba że zacznie płakać. Zazwyczaj poklepuję dziecko przez siedem do dziesięciu minut po tym, jak już ucichnie. Nawet jeśli nie płacze, nie przerywam, dopóki nie mam całkowitej pewności, że niemowlę jest całkowicie skoncentrowane na tym, co robię, a wtedy zaczynam coraz bardziej zwalniać rytm poklepywania. W końcu przestaję również szeptać. Jeśli dziecko nadal się nie wyciszyło, kontynuuj poklepywanie aż do skutku. Jeśli płacze, znów je weź na ręce i poklepuj, trzymając je na ramieniu. Gdy je odłożysz, poklepuj dalej i obserwuj, czy znów nie zacznie płakać. Jeśli tak, weź je na ręce i *znów* uspokój.

Gdy niemowlę się uciszy, odsuń się od łóżeczka i zostań w pokoju przez kilka minut, by zobaczyć, czy zaśnie głębokim snem, czy się przebudzi. Pamiętaj, że niemowlę potrzebuje dwudziestu minut, by przejść przez wszystkie trzy fazy zasypiania — *okienko* (moment, w którym zauważasz, że jest śpiące i ustawiasz scenografię), *strefę* (gdy zaczyna mieć szkliste spojrzenie i już jest zawinięte w kocyk) i *odpływanie* (dziecko zaczyna zasypiać). Najbardziej problematyczna jest faza odpływania — musisz dobrze znać swoje dziecko. Jeśli zasypia dość niespokojnie i ma skłonności do przebudzania się, potrzebuje dodatkowego poklepywania i szeptania, by się wyciszyć.

Ale często jest tak, że widzisz zamknięte oczy dziecka i oddychasz z ulgą, myśląc, że wreszcie zasnęło. Zatem przerywasz poklepywanie i wymykasz się z pokoju, ale w tym właśnie momencie dziecko się wzdryga, otwiera oczy — no i patrzcie państwo, jest w pełni świadome. Jeśli wyjdziesz za wcześnie, możesz przez półtorej godziny wracać do niego co dziesięć minut. A za każdym razem proces trzeba zaczynać od nowa, co trwa równe dwadzieścia minut (jeśli Twoje dziecko jest Marudą, Wiercipiętą lub Wrażliwcem, które szybciej się męczą i potrzebują więcej czasu na wyciszenie, może to trwać nawet dłużej).

Zawsze przypominam rodzicom, by nie przerywali za szybko — to bardzo częsty błąd. Dostałam na przykład wiadomość e-mail od mamy pięciotygodniowego niemowlęcia, która napisała: „Gdy Kent wchodzi w fazę trzecią, jego oczy nagle się otwierają i się budzi. Jedynym, co pomaga mu zasnąć, jest poklepywanie po plecach i szeptanie. Nie wiem, jak nauczyć Kenta zasypiania samodzielnie. Na początku nie płacze, ale kiedy wychodzimy z pokoju, żeby zasnął sam, w końcu zaczyna koncert". No cóż, złotko, Kent nie jest jeszcze gotów, żeby zasypiać samodzielnie, ale metoda poklepywania cicho-sza jest narzędziem, które go w końcu tego nauczy.

Daj sobie czas, i powiedz: „Będę przy nim, żeby wszystkiego dopilnować". Będziesz wiedziała, że dziecko głęboko śpi, gdy jego oczy przestaną się poruszać pod powiekami, oddech zwolni i stanie się bardziej płytki, a ciało całkowicie się odpręży, jakby zapadało się w materac. Jeśli spędzisz w pokoju pełne dwadzieścia minut (lub dłużej, w zależności od dziecka), możesz zastosować TE — TEraz czas dla Ciebie w planie PROSTE. Nie będziesz musiała zaglądać wciąż do niemowlęcia, co jest bardziej frustrujące niż poczekanie przy nim, aż twardo zaśnie. Ponadto jeśli zostaniesz przy dziecku, możesz obserwować, jak przechodzi przez wszystkie etapy, dzięki czemu możesz się więcej nauczyć i dołożyć kolejną umiejętność zaklinaczki do swojego repertuaru.

Zmienna nr 3. Przypadkowe rodzicielstwo

We wstępie do tej książki podkreśliłam wagę rodzicielstwa PC, czyli przytomności i cierpliwości. *Przypadkowe rodzicielstwo* (zwane również chaotycznym rodzicielstwem) jest odwrotnością rodzicielstwa PC. Łapiesz się za najwygodniejsze w danej chwili rozwiązanie — szybką receptę — ponieważ nie masz cierpliwości, by dopilnować rozwiązania długofalowego. Możesz mieć również poczucie winy, gdyż zaburzenia snu dziecka oznaczają według Ciebie, że jesteś złym rodzicem. Twoją reakcją są desperackie i nieprzemyślane do końca działania, ponieważ nie masz wiedzy ani umiejętności, by postąpić inaczej. Spójrzmy prawdzie w oczy, złotko, niemowlęta nie przychodzą na świat z dołączoną instrukcją obsługi.

Uzależnienie od rekwizytów. „Rekwizytem" jest każdy przedmiot lub działanie wykorzystywane przez rodzica, by uśpić dziecko. Są to główne elementy chaotycznego rodzicielstwa. Gdy pytam rodziców, co robią, by uśpić dziecko, uwzględniam takie pytania jak: **Czy z zasady kołyszesz**

dziecko, trzymasz je na rękach, nosisz je lub lulasz, by je uśpić? Dajesz mu pierś lub butelkę, by się uspokoiło? Pozwalasz mu zasypiać na Twojej piersi, w leżaczku albo foteliku samochodowym? Zabierasz je do łóżka, kiedy marudzi? Jeśli odpowiadasz twierdząco na którekolwiek z tych pytań, korzystasz z rekwizytów, i daję słowo, że to się na Tobie zemści. Kołysanie, noszenie i jazda samochodem są rekwizytami ruchomymi. Ty sama stajesz się rekwizytem w ludzkiej postaci, gdy podajesz dziecku pierś, by mogło zasnąć, kładziesz je sobie na brzuchu, trzymasz w ramionach albo zabierasz do swojego łóżka i pozwalasz tam spać.

Często uzależnienie od rekwizytów zaczyna się jako akt desperacji. Niemowlę jest przemęczone płaczem, jest trzecia w nocy, zatem tata zaczyna je nosić po pokoju. Jak za dotknięciem czarodziejskiej różdżki maluch się ucisza i zasypia. Nawet jeśli rekwizyt zastosuje się tylko przez kilka nocy z rzędu, niemowlę szybko się do niego przyzwyczaja i potem nie potrafi bez tego zasnąć. Miesiąc później, nawet jeśli noszenie niemowlaka znudziło się tacie i zaczęło go denerwować, *musi* to robić, bo, jak wyjaśnia, „Ona bez tego nie zaśnie".

Znałam pewnego chłopca, Xaviera, który był pod każdym względem szczęśliwym, zdrowym dzieckiem, poza tym, że uważał kanapę w salonie za swoje łóżko. Jego rodzice nabrali zwyczaju kołysania go i noszenia do snu albo po prostu trzymania go na rękach. Gdy w końcu zasypiał, kładli go na kanapę, obawiając się, że się obudzi, jeśli za daleko z nim przejdą lub będą musieli pochylić się nad łóżeczkiem. I rzeczywiście, budził się, kilkakrotnie w ciągu nocy. A kiedy się budził, nie miał pojęcia, gdzie jest — przecież zasnął w ramionach mamy lub taty. Nie miał również pojęcia, jak z powrotem zapaść w sen. Gdy go poznałam, miał czternaście tygodni, a jego rodzice nie spali porządnie od ponad stu nocy! Nie mieli też prawdziwego życia. Bali się wieczorem włączyć zmywarkę czy pralkę, nie mogli zapraszać przyjaciół i oczywiście nie mieli w ogóle czasu dla siebie.

Wskazówka nr 3

Te skargi mogą wskazywać, że **przypadkowe rodzicielstwo** jest przynajmniej w części odpowiedzialne za kłopoty Twojego dziecka ze snem:

Moje dziecko nie zaśnie, jeśli go nie... kołyszę, nakarmię, wezmę na ręce itp.

Moje dziecko wydaje się być zmęczone, ale gdy tylko je odkładam, zaczyna płakać.

Moje dziecko budzi się o tej samej porze każdej nocy.

Kiedy moje dziecko budzi się w nocy, karmię je, ale raczej mało wypija.

Nie mogę sprawić, żeby moje dziecko spało w dzień dłużej niż pół godziny lub czterdzieści pięć minut.

Moje dziecko budzi się codziennie o piątej rano i zaczyna dzień.

Moje dziecko nie chce spać w łóżeczku.

Moje dziecko budzi się, kiedy smoczek wypada mu z buzi.

Czasami rodzice stosują rekwizyty ze względu na własne potrzeby. Mama, która lubi tulić niemowlę lub karmić piersią, nie dostrzega szkód, jakie może przynieść obdarzanie jej kapryśnego noworodka „dodatkową uwagą", by pomóc mu się wyciszyć. Oczywiście popieram przytulanie, głaskanie i kochanie dziecka, ale uważaj, co robisz, kiedy to robisz i co nieświadomie „mówisz" niemowlęciu. Problem polega na tym, że gdy tata nosi dziecko, żeby zasnęło, a jakaś mama usypia swoje przy piersi, oboje doprowadzają do tego, że ich dzieci myślą: „Aha, to tak właśnie mam zasypiać". Jeśli zaczniesz wykorzystywać rekwizyt przy noworodku, szybko się do niego przyzwyczai. A gdy skończy trzy lub cztery miesiące, jeśli nie dostarczysz mu rekwizytu, do którego przywykł, będzie płakał, żeby Cię przywołać z powrotem, byś to zrobiła.

Rekwizyt kontra uspokajacz

Rekwizyt to nie to samo, co uspokajacz — różnica polega na tym, kto nim „rządzi", rodzic czy dziecko. Rekwizyt jest czymś, co wybiera i stosuje *rodzic*. Uspokajacz, taki jak kocyk czy ulubiona maskotka, jest czymś, co wybiera *dziecko*. Rekwizyty daje się często niemowlętom w pierwszych tygodniach życia, a uspokajacze dzieci wybierają sobie raczej po sześciu miesiącach.

Smoczki mogą należeć do jednej lub do drugiej kategorii. Jeśli dziecko budzi się, gdy smoczek wypada mu z buzi, i potrzebuje rodzica, żeby mu go ponownie włożył, jest to rekwizyt. Jeśli niemowlę śpi bez niego lub potrafi samo włożyć go z powrotem, jest to uspokajacz.

PLAN DZIAŁANIA: Zanim będzie za późno, pomyśl nad tym, co robisz. Czy będziesz chciała nosić lub kołysać dziecko pięciomiesięczne? Jedenastomiesięczne? Dwuletnie? Czy będziesz chciała brać je do łóżka w środku nocy, dopóki *ono* samo nie zdecyduje, że już tego nie chce? Lepiej unikać rekwizytów teraz, niż później musieć z nimi walczyć, co jest znacznie trudniejsze.

Jeśli już wpadłaś w tę pułapkę, dobra wiadomość jest taka, że w ciągu pierwszych miesięcy życia łatwo jest wykorzenić złe nawyki. Zamiast uciekać się do rekwizytu, wykonaj rytuał zasypiania (strony 190 – 194). Włącz klepanie cicho-sza, jeśli dziecko potrzebuje dodatkowego uspokojenia. Może to potrwać trzy dni, sześć, a nawet dłużej niż tydzień, ale jeśli będziesz wytrwała, w końcu odzwyczaisz malucha od złego nawyku, który *sama* wprowadziłaś.

Niebezpieczeństwa szybkiej reakcji. Wzorzec snu dziecka, czyli to, czy budzi się często i (lub) o tej samej porze, daje mi ważną wskazówkę na temat tego, gdzie rodzice nieświadomie popełnili błąd. Jeśli Twoje dziecko budzi się dość często, muszę się dowiedzieć, **Ile razy w ciągu nocy się budzi?** Noworodek przy dobrym planie dnia nie powinien budzić się więcej niż dwa razy. Jeśli Twoje dziecko budzi się co godzinę, a nawet co dwie, a wykluczyłaś głód i ból, jest spore prawdopodobieństwo, że to *Ty* robisz coś, co sprawia, że budzenie nocne jest dla niego atrakcyjne. Zwłaszcza po ukończeniu pierwszych sześciu tygodni życia niemowlę zaczyna

Reflektor w okopach

Nawet smoczek może stać się rekwizytem...

... jeśli trzymasz za jego drugi koniec! Mama siedmiotygodniowego dziecka napisała do mnie: „Próbuję odkładać Heather do łóżeczka, gdy tylko zauważę sygnały senności i po uspokojeniu jej, dokładnie według książki. Jednak gdy tylko ją odłożę lub gdy tylko wypadnie jej smoczek, mała budzi się z płaczem... i nie chce już smoczka. Więc zamiast pozwolić jej się wypłakiwać, biorę ją na ręce i uspokajam, sprawdzam, czy wszystko jest w porządku, i odkładam ją z powrotem. A ona znowu zaczyna... Też wzorzec powtarza się godzinami. Zwłaszcza w dzień. Co mam zrobić? Pozwalać jej się wypłakać? Czy to jest rzeczywiście okrutne, jak przeczytałam w książce?".

Gdy niemowlę potrafi znaleźć i użyć smoczka bez pomocy rodziców, jest to wtedy uspokajacz. Ale w przypadku Heather to rekwizyt. Wskazówka tkwi w słowach: „... ten wzorzec powtarza się godzinami". Nie chodzi o to, że Heather myśli: „Świetnie, muszę tylko wypluć smoczek, a mama przybiegnie i mnie przytuli". Raczej to mama Heather nieświadomie nauczyła córeczkę, że ma czekać na smoczek i noszenie, żeby z powrotem zasnąć. Badania wykazały, że noworodki *tuż po urodzeniu*, gdy pokazuje im się przewidywalne wzory na ekranie telewizora, zaczynają mieć oczekiwania, co zobaczą za chwilę. W tym przypadku mama zapewniła Heather stymulację nie tylko wizualną, ale również dotykową, i Heather teraz się tego spodziewa. Zalecam całkiem przestać używać smoczka. Mama musi się trzymać rytuału zasypiania, poświęcając córce trochę więcej czasu i czekając, aż zapadnie w głęboki sen.

już kojarzyć, bo jego procesy myślowe są bardziej zaawansowane. Zatem jeśli znalazłaś konkretną receptę na budzenie się dziecka w nocy — na przykład bierzesz je do łóżka — maluch zacznie tego oczekiwać i płakać, gdy to nie nastąpi.

Nie zrozum mnie źle. Twoje dziecko nie próbuje świadomie Tobą manipulować — w każdym razie jeszcze nie teraz (więcej na temat manipulacji znajdziesz w rozdziale 7.). Ale to teraz właśnie, w tych wczesnych miesiącach, zaczyna się przypadkowe rodzicielstwo. Gdy rodzice mówią: „Ona nie chce..." albo: „On nie pozwala...", zazwyczaj oznacza to, że stracili panowanie nad sytuacją i podążają za dzieckiem, zamiast je prowadzić. Inne kluczowe pytania to: **Co *robisz* z dzieckiem, gdy się obudzi w środku nocy lub gdy za wcześnie budzi się z drzemki? Czy spieszysz do niego natychmiast? Czy się z nim bawisz? Zabierasz je do swojego łóżka?**

W tym momencie wiesz już, że nie pochwalam pozwalania niemowlęciu na wypłakiwanie się. Jednak niektórzy rodzice nie zdają sobie sprawy z tego, że wiercenie się to nie to samo, co budzenie się. Jeśli odpowiedziałaś twierdząco na którekolwiek z powyższych pytań, prawdopodobnie zbyt szybko pędzisz do pokoju dziecka i w sumie sama zakłócasz mu sen. Gdybyś poczekała, możliwe, że maluch zasnąłby z powrotem, a jego „za krótkie drzemki" wydłużyłyby się albo „częste budzenia w nocy" zanikłyby. To samo dotyczy wczesnego budzenia się o poranku, gdy rodzice pędzą do pokoju dziecka ze słowami: „Dzień dobry, kochanie, stęskniłam się za Tobą", a jest piąta rano!

PLAN DZIAŁANIA: Słuchaj, reaguj na płacz, ale nie spiesz się z pomocą. Każde niemowlę wydaje właściwe mu dźwięki, gdy zaczyna wychodzić z głębokiego snu, zatem poznaj swoje dziecko. Nazywam to „językiem niemowląt" — bo to brzmi, jakby mówiły do siebie. To *nie jest* to samo, co płacz, gdyż maluchy często same zapadają z powrotem w sen. Jeśli usłyszysz dziecko w środku nocy albo podczas drzemki popołudniowej, poczekaj chwilę. A gdy obudzi się o piątej lub wpół do szóstej rano, a Ty będziesz wiedziała (ponieważ zakładamy, że masz dobry plan dnia i pilnujesz karmień w dzień), że jest głodne, po prostu je nakarm, zawiń i odłóż od razu do łóżeczka. Jeśli trzeba, poklep je i poszepcz mu do ucha. Nie staraj się rozbudzić dziecka. Gdy w końcu wejdziesz do pokoju nieco później, uważaj na ton głosu. Nie zachowuj się tak, jakby biedne maleństwo zostało przez Ciebie porzucone. Powiedz raczej: „No patrzcie, obudziłaś się i dobrze się sama bawisz. Zuch dziewczynka!".

Nawykowe budzenie się. Dorośli mają pewne nawyki związane z budzeniem się i to samo dotyczy niemowląt. Różnica polega na tym, że my patrzymy na zegarek i jęczymy: „O rany, jest wpół do czwartej, tak samo jak wczoraj w nocy", a potem odwracamy się na drugi bok i śpimy dalej. Niektóre niemowlęta też tak robią, ale inne płaczą, a rodzice przybiegają wtedy na pomoc, niechcący wzmacniając nawyk. Aby odkryć, czy u dziecka budzenie się jest nawykowe, pytam: **Czy dziecko budzi się o tej samej porze w nocy?** Jeśli tak, i jeśli budzi się więcej niż dwie noce z rzędu, mamy do czynienia z rozwijającym się nawykiem. Jest bardzo prawdopodobne, że wchodzisz do pokoju dziecka i używasz jakiegoś rekwizytu, powiedzmy kołyszesz je lub podajesz pierś. To może je usypiać, ale jest to krótkoterminowa recepta. Tobie potrzebne jest rozwiązanie.

PLAN DZIAŁANIA: W dziewięciu przypadkach na dziesięć budzące się niemowlę nie potrzebuje jedzenia (chyba że przechodzi okres intensywnego wzrostu, patrz strony 124 – 128 i 205). Lepiej je zawiń na nowo w kocyk, jeśli trzeba, daj mu smoczek, by się uspokoiło, i uspokój metodą poklepywania cicho-sza. (Uwaga: jeśli dziecko nie uzależniło się od smoczka — patrz ramka na stronie 197 — polecam smoczki dla niemowląt w wieku poniżej trzech miesięcy, ponieważ większość się od nich nie uzależnia, patrz strona 207). Ogranicz do minimum stymulację. Nie kołysz go ani nie noś na rękach. Nie zmieniaj pieluchy, chyba że jest zabrudzona lub całkiem przesiąknięta. Wykonaj rytuał zasypiania i zostań z dzieckiem, dopóki nie zapadnie w głęboki sen. Musisz również podjąć odpowiednie kroki, by *przerwać* nawyk budzenia się. Zatem powiedzmy, że wykluczyłaś inne przyczyny, takie jak ból czy dyskomfort. Wykluczyłaś też głód, zwiększając ilość jedzenia w ciągu dnia i tankując dziecko do pełna na noc (patrz również podrozdział na temat głodu, strony 203 – 208). Teraz powinnaś zrobić to, co nazywam „budzeniem, by spało": zamiast leżeć w łóżku i czekać, aż niemowlę się obudzi, nastaw budzik godzinę wcześniej niż pora nawykowego budzenia dziecka i *obudź je* (patrz ramka na tej stronie). Prawdopodobnie nie obudzi się całkowicie, ale zacznie poruszać oczami pod powiekami, pomamrocze trochę i się powierci, dokładnie tak, jak dorosły, któremu zakłóci się głęboki sen. Postępuj tak przez trzy noce z rzędu.

Już słyszę Twoją odpowiedź: „Chyba oszalałaś!". Zdaję sobie sprawę z tego, że metoda budzenia, żeby spało, jest szokująco niezgodna z tym, co podpowiada intuicja, ale to naprawdę działa! Czasami wystarczy nawet jedna noc, żeby przerwać nawyk, ale i tak zalecam stosowanie jej przez trzy noce z rzędu. Jeśli nie zadziała, musisz ponownie ocenić, czy nawykowe budzenie się nie jest spowodowane czymś innym. Jeśli wykluczyłaś wszystko inne, stosuj tę technikę co najmniej przez kolejne trzy dni.

Złamanie więzi zaufania. Tak wielu rodziców, którzy przychodzą do mnie z powodu zaburzeń ze snem dziecka, próbowało już wielu metod. Niekonsekwencja jest formą przypadkowego rodzicielstwa. Zmiana zasad dotyczących dziecka jest graniem nie fair. Nazywam moje strategie „rozsądnym snem" — jest to kompromisowa filozofia, która odzwierciedla potrzeby niemowlęcia, ale także jego rodziców. Nie ma tu ekstremów ani odkrywczych fajerwerków, jest po prostu potrzeba konsekwencji. Inni eksperci do spraw niemowląt zalecają bardziej drastyczne rozwiązania, od spania razem z dzieckiem na jednym końcu skali po metodę opóźniania reakcji, zwaną czasem „ferberyzowaniem" lub „kontrolowanym wypłakiwaniem" (niemowlęciu pozwala się na płacz przez coraz dłuższy czas) na drugim końcu. Każde podejście ma oczywiście swoje zalety, i można znaleźć całe zastępy rodziców, którzy opowiadają się po jednej lub po drugiej stronie. Jeśli jedna z tych metod

Obudzić, żeby spało?
Tracy, chyba żartujesz

Rodzice są często zszokowani, gdy mówię im o strategii budzenia, by spało w przypadku nawykowego budzenia nocnego. Nastaw budzik godzinę wcześniej niż pora budzenia się dziecka i idź do jego pokoju. Potrząśnij nim lekko, pomasuj mu brzuszek i wetknij mu smoczek do buzi — wszystko to doprowadzi niemal do jego wybudzenia się. Następnie wyjdź. Dziecko z powrotem zaśnie. Dzięki temu to *Ty* będziesz mieć kontrolę, zamiast siedzieć i zastanawiać się, czy nawyk Twojego dziecka w jakiś czarodziejski sposób zniknie (nie zniknie, zapewniam). Budząc je godzinę wcześniej, zaburzysz wzorzec nawykowego budzenia się.

podziałała w Twoim przypadku, to świetnie. Podejrzewam jednak, że jeśli czytasz ten rozdział, to znaczy, że Twoje dziecko wciąż ma problemy ze snem. A jeśli zaczęłaś od brania niemowlęcia do swojego łóżka, a potem przerzuciłaś się na drugi koniec skali, możesz również mieć do czynienia z zaburzeniem zaufania.

Gdy rodzice mówią mi, że ich niemowlę „nie lubi spać" lub „nienawidzi swojego łóżeczka", zawsze pytam: **Gdzie dziecko śpi? W kołysce albo w wózku? W łóżeczku? Czy łóżeczko stoi w jego własnym pokoju, w Waszej sypialni, czy w pokoju dzielonym z rodzeństwem?** Gdy niemowlę ma opory przed spaniem w łóżeczku, prawie zawsze wynika to z tego, że rodzice zaczęli coś stosować, ale nie doprowadzili swoich zamiarów do końca. Zadaję potem kolejne pytanie: **Czy przemawiał do Ciebie pomysł „rodzinnego łóżka", gdy dziecko się urodziło?** Jeśli odpowiedziałaś twierdząco, zgaduję, że tak naprawdę nie przemyślałaś tej filozofii pod kątem jej praktyczności ani nie ustaliłaś, w którym momencie przenieść dziecko do jego własnego łóżeczka czy kołyski. Jeśli dziecko od urodzenia spało w łóżeczku, a teraz zaczęłaś go brać do swojego łóżka, ponieważ jest to wygodniejsze w środku nocy, zdecydowanie zastosowałaś przypadkowe rodzicielstwo.

Nie jestem zwolenniczką żadnych rozwiązań ekstremalnych. Nie wierzę, że wspólne spanie z dzieckiem pozwala mu wyrobić sobie umiejętność samodzielnego zasypiania (ani Tobie na pielęgnowanie związku z partnerem), natomiast jeśli pozwalamy niemowlęciu na wypłakiwanie się w samotności, możemy przerwać więź zaufania między dzieckiem a rodzicem. Wierzę raczej, że niezwykle istotne jest uczenie dziecka samodzielnego zasypiania we własnym łóżku albo kołysce od pierwszego dnia życia.

Jeśli śpisz razem z dzieckiem i jesteś z tego zadowolona (Twój partner również), a dziecko dobrze śpi, nie ma przeszkód, żeby kontynuować ten zwyczaj. Są rodzice, którzy są szczęśliwi z takiego rozwiązania — mama i tata razem podjęli decyzję o spaniu z dzieckiem, i dobrze się to sprawdza. Raczej nie mam kontaktu z takimi rodzinami, ponieważ nie występują u nich problemy ze snem. Ale niektórzy próbują wspólnego spania, ponieważ gdzieś usłyszeli, że jeśli nie będą spać z dzieckiem, nie dopuszczą do wytworzenia więzi. (Moim zdaniem przywiązanie to raczej kwestia dbałości i dostrojenia się do dziecka przez całą dobę. Jeśli nie śpisz z dzieckiem, to wcale nie oznacza, że nie będzie do Ciebie przywiązane). Inne kobiety biorą niemowlę do łóżka z powodu własnych potrzeb. Albo słyszą, że tak się robi, decydują, że im się to podoba, ale nie biorą pod uwagę tego, czy to będzie odpowiednie do ich stylu życia. Często to jedno z partnerów jest bardziej przekonane do tego pomysłu i namawia do tego drugie. Z wielu powodów jednak u nich się to nie sprawdza.

Rodzice wtedy przeskakują do drugiego ekstremum, skazując dziecko na banicję do łóżeczka na drugim końcu mieszkania, a niemowlę nie ma wykształconych umiejętności samodzielnego uspokajania się. Oczywiście dziecko negatywnie reaguje na zmianę. Wrzeszczy ile sił w płucach, jakby chciało powiedzieć: „Hej, gdzie ja jestem? Co się stało? Gdzie są te miłe, ciepłe ciała?". Rodzice również tracą orientację, bo nie wiedzą, jak zacząć uspokajać dziecko.

W takich przypadkach muszę zapytać: **Czy kiedykolwiek zostawiałaś dziecko, żeby się wypłakało?** Nie wierzę w pozwalanie dziecku na wypłakiwanie się w samotności, nawet przez pięć minut. Twoje niemowlę nie wie, gdzie się podziałaś ani dlaczego nagle zostało opuszczone. Można to pokazać na podstawie następującej analogii: załóżmy, że masz chłopaka, umówiłaś się z nim na randkę, a on się nie pojawił przez dwa wieczory z rzędu. Nie uwierzyłabyś już w żadne jego słowo, prawda? Zaufanie jest podstawą, na której buduje się każdą relację. Włos mi staje dęba, kiedy słyszę, jak rodzice mówią, że pozwalali dziecku płakać przez godzinę czy dwie. Niektóre niemowlęta są w takim szoku, że płaczą aż do wymiotów. Inne po prostu zużywają na płacz mnóstwo energii, jeszcze bardziej się męczą, i w końcu zaczynają też czuć głód, zatem i Ty, i dziecko jesteście przemęczeni i nie wiecie, co się dzieje. Wiele niemowląt, które zmuszano do wypłakiwania się w samotności, zaczyna od tego momentu mieć chroniczne problemy ze snem, rozpoczynając walkę, gdy tylko nadchodzi pora kładzenia do łóżeczka, a nawet zaczynają bać się łóżeczka. Tymczasem ich plan dnia przewraca się do góry nogami — brakuje w nim porządku i powtarzalności. Niemowlę jest wyczerpane, nie w sosie, zasypia podczas jedzenia i ani się nie najada, ani nie wysypia.

Jeśli próbowałaś jednego rozwiązania, a następnie przerzuciłaś się na krańcowo inne, a Twoje dziecko jest nieszczęśliwe, straciło do Ciebie zaufanie i wciąż źle śpi, pozostaje Ci wrócić do początku. Zadbaj o dobry plan dnia i wykorzystaj rytuał przed snem (strony 189 – 194). Ale proszę, proszę, proszę, trzymaj się go. Będą dni i noce, gdy nie wszystko będzie szło tak, jak było w planie, a zmiana nawyków może zająć trzy dni albo tydzień, a może nawet miesiąc. Ale jeśli będziesz konsekwentna, *uda się* w końcu.

Oczywiście wszystko się komplikuje, jeśli zostawiałaś niemowlę, żeby się wypłakało, a ono teraz boi się zostać samo. Zatem najpierw musisz odbudować zaufanie dziecka. Reaguj na jego potrzeby, gdy tylko zacznie płakać. Innymi słowy, musisz być bardziej do niego dostrojona i wyczulona na jego potrzeby. Dziecko, które utraciło zaufanie, trudniej jest uspokoić. Najpierw je zostawiasz, a teraz jesteś przy nim — a ono nie wie, o co chodzi. Jest tak przyzwyczajone do płaczu, że nawet jeśli zaczniesz szybciej reagować na jego potrzeby, będzie Ci trudno je uspokoić.

PLAN DZIAŁANIA: Przygotuj się na kilka tygodni odbudowywania zaufania, nawet jeśli Twoje dziecko ma tylko trzy czy cztery miesiące (znajdziesz dodatkowe strategie dotyczące starszych dzieci w dwóch kolejnych rozdziałach, ale te wymienione tutaj można stosować aż do ośmiu miesięcy). Podejmij stopniowo kroki, by pokazać dziecku, że jesteś obok — i że już tak zostanie. Każdy krok może zająć Ci trzy dni do tygodnia, dopóki niemowlę nie zaufa Ci wystarczająco, by poczuć się dobrze w swoim łóżeczku, a cały proces potrwa od trzech tygodni do miesiąca (w przypadku bardziej przerażonego i nieufnego dziecka doradzam nawet wejście do łóżeczka razem z nim! Patrz: „Brak snu od urodzenia", strona 249).

Bacznie obserwuj sygnały wskazujące na senność. Na pierwszy taki znak zacznij rytuał usypiania, włączając metodę poklepywania cicho-sza. Zawiń dziecko w kocyk i usiądź z nim po turecku na podłodze z plecami opartymi o ścianę lub o kanapę. Gdy dziecko będzie spokojne, zamiast próbować włożyć je do łóżeczka, połóż je na grubej, sztywnej, dużej poduszce na swoich kolanach. Bądź z nim, kontynuuj poklepywanie i szeptanie do ucha, dopóki nie zobaczysz, że zapadło w głęboki sen. Poczekaj przynajmniej dwadzieścia minut, a potem delikatnie rozkrzyżuj nogi, by poduszka osunęła się na podłogę. Usiądź obok, byś była tam, gdy maluch się obudzi. Pomedytuj, poczytaj, posłuchaj muzyki ze słuchawek albo połóż się obok i zdrzemnij. Musisz być obok przez całą noc. Jest to poświęcenie, którego musisz się podjąć, by odzyskać zaufanie dziecka.

W drugim tygodniu postępuj tak samo, ale zacznij, gdy poduszka będzie leżała na podłodze przed Tobą, a nie na kolanach, i gdy dziecko będzie gotowe, połóż je na niej. Ponownie zostań obok. W trzecim tygodniu usiądź z dzieckiem na krześle, a poduszkę połóż do łóżeczka. Gdy położysz na niej dziecko, połóż mu dłoń na plecach, by wiedziało, że jesteś obok. Przez trzy dni zostawaj tak, dopóki nie zaśnie głębokim snem. Czwartego dnia zabierz rękę, ale zostań przy łóżeczku, gdy dziecko śpi. Trzy dni później wyjdź z pokoju, gdy będzie mocno spało, ale jeśli zapłacze, *natychmiast* wróć. W końcu, w czwartym tygodniu, powinno Ci się udać położyć dziecko na materacyku zamiast na poduszce. Jeśli nie, stosuj poduszkę jeszcze przez tydzień i spróbuj ponownie.

Reflektor w okopach

Leczenie fobii łóżeczkowej

Ostatnio pracowałam z Dale, matką sześciotygodniowego dziecka, która źle odczytywała jego sygnały. Była pewna, że nocne płacze Eframa są związane z zaburzeniami snu. Sama desperacko chcąc się wyspać, wypróbowała metodę wypłakiwania, co tylko pogorszyło problem. Po dwóch nocach ciągłego płaczu Efram był przerażony na sam widok łóżeczka. Słabo również przybierał na wadze, co Dale przypisywała stresowi. Ale poprosiłam ją o zrobienie pomiaru mleka w piersiach i okazało się, że to kwestia głodu — laktacja Dale była niewystarczająca. Pracowałam z nią, by zwiększyć ilość pokarmu (patrz ramka na stronie 106), ale powiedziałam jej również, że musi złagodzić lęk Eframa i odzyskać jego zaufanie. Dale musiała poświęcić ponad miesiąc na ten proces, od kładzenia sobie Eframa na kolana do usypiania go w jego własnym łóżeczku (patrz: „Plan działania", strona 202), ale później jej synek stał się pulchniejszy i szczęśliwszy.

Jeśli masz wrażenie, że to trudne i pracochłonne, masz rację. Ale jeśli teraz nie podejmiesz odpowiednich kroków, by zaradzić fobii łóżeczkowej, sprawy przybiorą jeszcze gorszy obrót, a Ty będziesz prawdopodobnie miała dziecko, które ciągle będzie chciało być na rękach lub tuż obok Ciebie przez kolejnych kilka lat. Lepiej *teraz* odzyskać jego utraconą wiarę w Ciebie.

Zmienna nr 4. Głód

Gdy niemowlęta budzą się w środku nocy, dzieje się tak często z powodu głodu. Ale to nie oznacza, że nic się z tym nie da zrobić.

Tankowanie do pełna. Niezależnie od tego, czy Twoje dziecko budzi się co godzinę, czy przynajmniej dwukrotnie w ciągu nocy, zadałabym pytanie: **Jak często dziecko je w ciągu dnia?** Moim celem jest ustalenie, czy karmienia w dzień wystarczą na przespanie nocy. Poza wcześniakami (patrz ramki na stronach 35 i 187), karmienia powinny się odbywać co trzy godziny, jeśli dziecko ma mniej niż cztery miesiące. Jeśli karmisz rzadziej, niemowlę prawdopodobnie nie dostaje dość mleka, by przetrwać noc, więc budzi się, by napełnić brzuszek.

Wskazówka nr 4

Te skargi sugerują, że **głód** jest przynajmniej w części odpowiedzialny za problemy dziecka ze snem:

Moje dziecko często się budzi i płacze w nocy, a nakarmione zjada pełną porcję.

Moje dziecko nie śpi w nocy dłużej niż trzy lub cztery godziny.

Moje dziecko spało pięć lub sześć godzin w nocy, ale nagle zaczęło się budzić.

Noworodki mieszczą w małych żołądkach niewiele mleka, więc budzą się w nocy co trzy lub cztery godziny. To bardzo trudny czas dla rodziców, ale minie. W miarę jak niemowlę rośnie, należy dążyć do wydłużenia przerwy pomiędzy nocnymi karmieniami do pięciu lub sześciu godzin, najpierw eliminując karmienie o drugiej w nocy. Jeśli martwisz się nocnym budzeniem, zwłaszcza jeśli Twoje dziecko ma sześć tygodni lub więcej — czyli jest wystarczająco duże, żeby opuścić jedno karmienie — zapytałabym: **O której dziecko budzi się po ostatnim wieczornym karmieniu**? Jeśli wciąż budzi się o pierwszej lub drugiej, nie dostaje wystarczająco dużo kalorii, by przetrwać noc.

PLAN DZIAŁANIA: Aby w tym momencie doprowadzić do dłuższych okresów snu, zadbaj o to, by w ciągu dnia karmić dziecko co trzy godziny. Ponadto należy podać mu więcej pożywienia *przed* pójściem spać, co nazywam „tankowaniem do pełna" (strony 101 – 103), w którego skład wchodzą karmienia cząstkowe i karmienie przez sen (o dziesiątej lub jedenastej wieczorem, podczas którego starasz się *nie* obudzić niemowlęcia).

Rozpoznawanie i reagowanie na oznaki głodu. Zawsze musisz nakarmić głodne niemowlę. Jednak jednym z częstych problemów jest to, że rodzice (zwłaszcza w ciągu pierwszych kilku tygodni) interpretują każdy płacz jako oznakę głodu. Dlatego właśnie tak się rozwodziłam nad różnymi rodzajami płaczu i mową ciała niemowlęcia w mojej pierwszej książce. Płacz może wskazywać na głód lub ból spowodowany gazami, refluksem żołądkowo-przełykowym albo kolką. Twoje płaczące niemowlę może również być przemęczone, może mu być za zimno lub za gorąco (patrz pytania dotyczące płaczu na stronach 32 i 118). Dlatego właśnie tak ważne jest nauczenie się rozpoznawania sygnałów dziecka. **Jak brzmi płacz dziecka i jak ono wygląda, gdy płacze?** Będziesz wiedzieć, że jego mały brzuszek jest pusty (jeszcze zanim zapłacze), jeśli zwrócisz baczną uwagę na dziecko, ponieważ zauważysz, jak najpierw oblizuje wargi, a potem zaczyna marudzić. Wystawi języczek na zewnątrz i będzie obracać główkę jak pisklę szukające pożywienia. Chociaż na tym etapie rozwoju nie potrafi jeszcze trafić piąstką do buzi, by ją ssać, może dosięgnąć do obszaru, który nazywam „trójkątem karmienia" — między noskiem a buzią. Będzie machać rączkami i próbować trafić w trójkąt karmienia, ale oczywiście nie będzie potrafiło dokładnie w niego wcelować. Jeśli nie dasz mu piersi albo butelki w odpowiedzi na mowę jego ciała, zacznie wysyłać sygnały dźwiękowe. Usłyszysz dźwięk przypominający kaszel dobywający się z głębi gardła i w końcu pierwszy płacz, na początku krótki, a potem przechodzący w stałe „łaa, łaa".

Oczywiście, jeśli Twoje dziecko budzi się w środku nocy z płaczem, nie bardzo możesz się oprzeć na tym, co widzisz. Ale jeśli będziesz uważnie słuchać, po krótkim treningu zaczniesz zauważać różnice w płaczu. Jeśli nie masz pewności, spróbuj najpierw podać mu smoczek (jeśli masz mieszane uczucia na temat smoczków, przeczytaj moje przemyślenia na ich temat na stronach 207 – 208). Jeśli to je uspokoi, odłóż dziecko z powrotem do łóżeczka, ciasno zawinięte. Jeśli odrzuci smoczek, będziesz wiedzieć, że to głód lub ból.

Czy budzi się o różnych porach każdej nocy? Jak już wcześniej wyjaśniałam, budzenie chaotyczne prawie zawsze wskazuje na głód. Jeśli nie jesteś pewna, prowadź notatki przez kilka nocy. Ale musisz również zastanowić się nad innymi pytaniami:

Czy dziecko dobrze przybiera na wadze? To mnie często martwi w przypadku niemowląt w wieku powyżej sześciu tygodni, zwłaszcza jeśli mama po raz pierwszy karmi piersią. Często stabilizowanie laktacji trwa aż do sześciu tygodni. Brak przybierania na wadze może być oznaką, że niemowlę nie dostaje wystarczającej ilości pokarmu — albo dzieje się tak dlatego, że laktacja mamy wciąż nie jest na odpowiednim poziomie, albo z powodu kłopotów ze ssaniem.

PLAN DZIAŁANIA: Jeśli Twoje dziecko nie przybiera dobrze na wadze, skonsultuj się z pediatrą. Możesz również zrobić pomiar (patrz strona 112). Jeśli niemowlę łapie i wypluwa pierś, może to oznaczać, że mleko za wolno płynie. Jeśli tak, musisz opróżnić nieco piersi, aby ułatwić wypływ: odciągaj pokarm laktatorem przez dwie minuty, zanim przystawisz dziecko. Jeśli maluch ma problemy z ssaniem, skorzystaj z porady konsultantki laktacyjnej, aby się upewnić, czy właściwie go przystawiasz (patrz strona 110), i wykluczyć problemy anatomiczne dziecka uniemożliwiające mu ssanie.

Skoki wzrostu. Być może nie masz problemów z karmieniem. Może Twoje niemowlę ma świetny plan dnia. I tak w wieku około sześciu tygodni, dwunastu tygodni i później w różnych odstępach czasu Twoje dziecko będzie prawdopodobnie przechodzić okresy intensywnego wzrostu. Jego apetyt zwiększy się na kilka dni, i nawet jeśli wcześniej spało przez pięć lub sześć godzin w nocy, może zacząć się budzić na karmienie. Dostaję mnóstwo telefonów od rodziców dwu-, trzy- i czteromiesięcznych niemowląt: „Mieliśmy małego aniołka, a teraz mamy diabełka. Budzi się dwa razy w nocy i opróżnia obie piersi. Nie można go po prostu nakarmić". Zadaję pytanie: **Czy dziecko wcześniej przesypiało pięć lub sześć godzin w nocy?** Niezmiennie, gdy rodzice mówią mi, że ich dziecko kiedyś spało, a teraz nagle zaczęło się budzić, wiem, że to skok wzrostu. Oto przykład:

Damian ma 12 tygodni. Dwa tygodnie temu zaczęłam kłaść go do łóżeczka do spania w dzień. W większości przypadków łatwo zasypia i śpi przez godzinę lub półtorej. Tydzień temu zaczęliśmy kłaść go do łóżeczka na noc. Zasypia bez płaczu, ale budzi się w nocy o dowolnych porach, co dwie lub trzy godziny, przez całą noc. Płacze, więc idę do niego, a on jest rozwinięty i nie ma smoczka. Wkładam mu smoczek i zasypia. Gdy już śpi, zawijam go z powrotem, mając nadzieję, że to ostatnia pobudka. Ale to niekończący się cykl. Jeśli do niego nie pójdę, płacze cały czas. Nie wiem, co robić!!! Pomocy!!!

To klasyczny przykład tak zwanego problemu ze snem, który jest w istocie problemem z jedzeniem. Ale ponieważ mama koncentruje się na tym, że właśnie przeniosła niemowlę do łóżeczka, nie przyszedł jej do głowy głód. Wskazówką jest to, że Damian budzi się co dwie lub trzy godziny, co przypomina rytm karmienia. Aby mieć pewność, zadałabym wszystkie pytania związane z karmieniami, łącznie z tym, czy mama karmi piersią — być może jej mleko nie wystarcza, by Damian przespał noc. W każdym przypadku sugerowałabym zwiększyć porcje pokarmu w ciągu dnia.

Tu właśnie sporo rodziców popada w tarapaty. Ponieważ nie rozpoznali skoku wzrostu albo nie wiedzą, co z nim zrobić, zaczynają karmić dziecko w nocy, zamiast zwiększyć liczbę kalorii *w ciągu dnia*. A gdy zaczynają się karmienia nocne, to już prosta droga do przypadkowego rodzicielstwa.

PLAN DZIAŁANIA: Chodzi tu o świadome rodzicielstwo. Zwróć uwagę na to, co i ile je Twoje dziecko w ciągu dnia. Jeśli jest karmione butelką i opróżnia ją do końca, nalewaj mu więcej. Powiedzmy, że jest karmione pięć razy po 120 mililitrów i budzi się w nocy, po czym wypija kolejne 120 mililitrów. Oznacza to, że potrzebuje dodatkowo 120 mililitrów w ciągu dnia. Ale nie dodawaj po prostu jeszcze jednego karmienia. Dodaj mniej więcej 25 mililitrów do każdej z pięciu butelek.

Jeśli karmisz piersią, jest to trochę bardziej skomplikowane, ponieważ musisz dać swemu organizmowi sygnał, by zaczął produkować więcej mleka. Można tego dokonać na dwa sposoby:

A. Odciągaj pokarm godzinę po każdym karmieniu. Chociaż nie uda Ci się odciągnąć zbyt wiele, wlej tę dodatkową ilość mleka do butelki i wykorzystaj, by „dopełnić” dziecko przy kolejnym karmieniu. Postępuj tak przez trzy dni, a później Twój organizm będzie już produkować tę dodatkową ilość, której potrzebuje dziecko.

B. Przy każdym karmieniu przystaw dziecko do jednej piersi, a po jej opróżnieniu dostaw do drugiej. Gdy opróżni drugą, wróć do pierwszej. Chociaż będzie Ci się wydawało, że jest pusta, laktacja zawsze ruszy w odpowiedzi na ssanie niemowlęcia (tak właśnie można pobudzić laktację u matek adoptowanych dzieci). Pozwól dziecku ssać przez kilka minut pierwszą pierś, a potem kilka minut drugą. Karmienia będą trwały dłużej, ale laktacja wzrośnie dzięki tej metodzie.

Korzystanie ze smoczka. Gdy rodzice mówią mi: „Moje dziecko chce jeść całą noc", zawsze podejrzewam, że mylą sygnały głodu z instynktownym ssaniem niemowlęcia. Aby się dowiedzieć, pytam: **Czy Twoje dziecko ma smoczek?** Niektórzy sugerują, by używać smoczka jedynie wtedy, gdy dziecko potrzebuje odrobiny uspokojenia, ale ja bardzo popieram jego zastosowanie dla niemowląt w tym wieku. Smoczek pozwala dziecku się uspokoić. Naprawdę niewiele niemowląt się od nich uzależnia (patrz ramka na stronie 197), i w takim przypadku zalecam rodzicom jego odstawienie. Jednak z moich doświadczeń wynika, że większość niemowląt ssie do momentu zaśnięcia, a gdy już znajdą się w krainie snu, smoczek im wypada, a one dalej spokojnie śpią. Podanie smoczka, kiedy dziecko budzi się za wcześnie z drzemki albo w środku nocy, jest również świetnym sposobem, by sprawdzić, czy jest naprawdę głodne, czy też po prostu potrzebuje ssania.

Rodzice są czasem zszokowani i oporni: „Nie chcę, żeby moje dziecko chodziło po ulicy ze smoczkiem w buzi" — zaprotestowała pewna matka. Z całego serca się z nią zgadzam. Nigdy nie *zaczynałabym* podawać dziecku czteromiesięcznemu lub starszemu smoczka, gdyby go dotąd nie znało. Ale jej „dziecko" miało dopiero dwa tygodnie — sporo mu jeszcze brakuje do chodzenia po ulicach. Chociaż doradzam rodzicom, by odzwyczajali niemowlęta od smoczka mniej więcej w wieku trzech lub czterech miesięcy (albo trochę później, zwłaszcza jeśli ogranicza się używanie smoczka do łóżeczka), niemowlęta młodsze *potrzebują* dodatkowego czasu ssania. Nie potrafią jeszcze znaleźć własnych palców, zatem smoczek jest jedynym, co może im przynieść ulgę.

Rodzice, którzy mają opory przed smoczkiem we wczesnych miesiącach życia dziecka, często popadają w bardzo zły schemat. Gdy niemowlę może ssać tylko butelkę lub pierś, nie je efektywnie albo je zbyt często. Wskazówką sugerującą to pierwsze są słowa mamy: „Nie mogę sobie poradzić z dzieckiem — godzinę wisi mi na piersi". Niemowlę nie chce się oderwać od piersi, ale nie po to, by się najeść, ale aby sobie possać. Podobnie, gdy niemowlę chce zasnąć i się wyciszyć, instynktownie zaczyna ssać. *Wydaje się* być głodne, ale tak naprawdę po prostu szykuje się do snu. Źle odczytując jego sygnały, mama podsuwa mu butelkę lub pierś. To uspokaja niemowlę, ale nie zjada ono zbyt wiele, ponieważ nie było tak naprawdę głodne — chciało tylko possać. Obydwa przypadki są przykładami tego, jak zaczyna się przypadkowe rodzicielstwo. Niemowlę, któremu pozwala się na godzinne karmienia, staje się „przekąszaczem". A to, które ssie, żeby zasnąć, często nie potrafi samodzielnie zasypiać bez piersi lub butelki.

Oczywiście niektóre niemowlęta na początku opornie przyjmują smoczek, jak pokazuje ta wiadomość e-mail:

Moja pięciotygodniowa córeczka, Lili, jest niezwykle czujnym dzieckiem. Karmię ją, zabawiam, gdy czuwa, a następnie, gdy pora na drzemkę, nie mogę jej uśpić, chyba że znów na kilka minut przystawię ją do piersi. Lili nie akceptuje smoczka, a ja próbowałam już wszystkiego, aby ją uśpić, ale wydaje się, że moja pierś to jedyne, co działa. Czy mogę prosić o pomoc?

Mogę Cię zapewnić, że jeśli ta mama nadal będzie dawać Lili pierś (szczególnie częsta forma przypadkowego rodzicielstwa), pożałuje tego za kilka miesięcy, jeśli nie wcześniej. Pamiętaj, że przeciętnemu niemowlęciu potrzeba przynajmniej dwudziestu minut na zaśnięcie, a w przypadku energicznego dziecka nawet więcej.

PLAN DZIAŁANIA: Mama musi nadal próbować smoczka, gdy Lili nie śpi, powinna również wypróbować różne ich rodzaje, zaczynając od takich, które przypominają jej własne sutki. Poza tym, gdy wkłada Lili smoczek do buzi, nie umieszczając go tam odpowiednio, mała najprawdopodobniej go wypluje. Jeśli położy się smoczek niemowlęciu na język, spłaszczy się on i dziecko nie złapie smoczka ustami. Trzeba włożyć smoczek tak, by dotknął podniebienia. Mama musi być wytrwała — musi to robić cały czas, dopóki Lili się do niego nie przyzwyczai.

Zmienna nr 3. Nadmierna stymulacja

Dziecko przemęczone lub cierpiące z powodu nadmiaru bodźców nie może zasnąć, a jeśli już mu się to uda, śpi niespokojnie i często się budzi. Dlatego też jedną z najważniejszych rzeczy, które mogą pomóc dziecku w zasypianiu, jest rozpoczęcie rytuałów zasypiania, gdy tylko zauważysz pierwsze ziewnięcie lub pierwsze wzdrygnięcie się niemowlęcia (patrz „Zmienna nr 2", strona 190, na temat okienka snu).

Problemy z drzemkami. Sposób spania w dzień bardzo wiele mi mówi na temat tego, czy przemęczenie lub nadmiar bodźców odgrywa rolę w problemach ze snem w nocy. **Czy drzemki w dzień skróciły się, czy zawsze trwały krócej niż czterdzieści minut?** Jeśli Twoje niemowlę zawsze krótko spało w dzień, może taki ma po prostu biorytm. Jeśli jego drzemki są krótkie, nie jest marudne w dzień i dobrze śpi w nocy, nie ma się czym przejmować. Ale jeśli zmienił się wzorzec snu, oznacza to często, że dziecko jest przemęczone w ciągu dnia. W nocy prawdopodobnie również nie odpoczywa. Pamiętaj, że dobry sen w dzień sprzyja wysypianiu się w nocy. Inaczej niż dorośli, którzy idą spać, gdy są przemęczeni — i potrafią „nadrobić" brak snu — niemowlęta jeszcze *bardziej* się męczą, bo nie mogą zasnąć. (Dlatego właśnie nie można przetrzymywać dziecka wieczorem, w nadziei, że będzie lepiej lub przynajmniej dłużej spało).

Wskazówka nr 5

Te skargi sugerują, że **przemęczenie** jest przynajmniej w części odpowiedzialne za problemy dziecka ze snem:

Moje dziecko ma kłopoty z zasypianiem.

Moje dziecko często się budzi lub śpi niespokojnie, często płacze w nocy.

Moje dziecko nie chce spać w dzień.

Moje dziecko zasypia, ale potem nagle budzi się kilka minut później.

Moje dziecko nie chce spać w dzień, a gdy już zaśnie, nie śpi dłużej niż pół godziny do czterdziestu minut.

Właśnie zaczęliśmy chodzić na spotkania z innymi dziećmi, a moje dziecko zaczęło budzić się w nocy.

Oto przykład typowego e-maila: „Mój synek ma trzy miesiące, i za każdym razem, gdy kładę go do łóżeczka na drzemkę, od razu płacze albo budzi się po dziesięciu czy dwudziestu minutach. Co mam zrobić?". Niektóre niemowlęta w wieku od ośmiu do szesnastu tygodni mogą skracać sobie drzemki do dwudziestu lub czterdziestu minut. Jeśli niemowlę wydaje się być zadowolone i dobrze śpi w nocy, być może tak krótkie drzemki mu wystarczają. (Przykro mi, mamo, wiem, że z utęsknieniem czekałaś na więcej wolnego czasu, gdy dziecko pójdzie spać!). Ale jeśli dziecko jest nie w sosie po drzemce, a w nocy śpi niespokojnie lub budzi się, krótkie drzemki w oczywisty sposób stanowią problem. Jest duże prawdopodobieństwo, że maluch cierpi z powodu przemęczenia lub nadmiaru bodźców, gdyż kiedy zapada w głęboki sen, budzi go własne wzdrygnięcie. Często rodzice nieświadomie wzmacniają ten wzorzec, spiesząc się do niemowlęcia i tuląc je, zamiast pomóc mu ponownie samodzielnie zasnąć.

PLAN DZIAŁANIA: Przyjrzyj się temu, co robisz w ciągu dnia, a zwłaszcza po południu. Postaraj się, by w domu nie kręciło się zbyt wiele osób oraz byś nie miała zbyt wielu obowiązków. Nie włączaj niemowlęcia do aktywnych zajęć przed porą spania — nawet zbyt jaskrawe kolory lub zbyt dużo krzątaniny może stanowić dla niego zbyt wiele. A przede wszystkim poświęć więcej czasu na rytuał przed snem (strony 189 – 197), włączając metodę poklepywania cicho-sza. Pamiętaj również, że przemęczone niemowlęta często potrzebują dwukrotnie więcej czasu na wyciszenie się. Nie odpływają po prostu w sen — zapadają w niego gwałtownie, i czasem towarzyszące temu gwałtowne wzdrygnięcie budzi je. Zostań z dzieckiem, dopóki nie zobaczysz, że mocno śpi. (Więcej na temat problemów ze snem u starszych dzieci znajdziesz na stronach 258 – 261.

Przegapienie właściwego momentu. Odkryłam również, że rodzice czasem *ignorują* sygnały niemowlęcia. Czy często nie pozwalasz dziecku zasnąć, ponieważ masz nadzieję, że będzie wtedy spało dłużej? To jeden z najbardziej destrukcyjnych mitów dotyczących snu. W rzeczywistości, jeśli przetrzymasz dziecko, aż minie jego „okienko snu", i pozwolisz na wejście w strefę przemęczenia, nie tylko nie będzie spało dłużej, ale jego sen będzie niespokojny i być może przerywany ciągłym budzeniem się.

PLAN DZIAŁANIA: Trzymaj się ustalonego planu dnia. Obserwuj sygnały wysyłane przez dziecko. Oboje będziecie znacznie szczęśliwsi, jeśli konsekwentnie będziesz pilnować drzemek. Od czasu do czasu możesz odstąpić od planu, ale niektóre dzieci źle to przyjmują. Poznaj swoje dziecko. Jeśli należy do Wrażliwców, Marud lub Wiercipięt, moim zdaniem odstępowanie od ustalonych nawyków nie jest dobrym pomysłem.

Czy nie kładziesz dziecka spać, byś mogła (lub by jego tata mógł) spędzić z nim więcej czasu po pracy? Rozumiem, że trudno jest rodzicom pracującym znieść rozstanie z dzieckiem w ciągu dnia. Ale naprawdę samolubne jest oczekiwanie, by niemowlę dostosowało się do planu dnia dorosłego. Niemowlę potrzebuje snu. Jeśli nie pozwalasz mu zapaść w sen do późna, najprawdopodobniej Twój czas spędzany z nim i tak nie będzie należał do przyjemności, ponieważ dziecko będzie przemęczone i wytrącone z równowagi. Jeśli Ty i (lub) ojciec dziecka chcecie spędzać więcej czasu z maluchem, wracajcie do domu wcześniej lub znajdźcie inną porę, by z nim być. Wiele matek pracujących wstaje wcześniej, by towarzyszyć dziecku rano. Ojcowie często przejmują karmienie przez sen. Ale cokolwiek robicie, nie pozbawiajcie Waszego dziecka snu.

Zacznij teraz

Wprowadzaj czas ciszy

Rodzice w dzisiejszych czasach dążą do tego, by ich dzieci były mądrzejsze, chcą zadbać o to, by rozpoznawały kolory i oglądały wszystkie dostępne na rynku filmy edukacyjne. Nic dziwnego, że dzieci mają nadmiar bodźców. Antidotum na naszą pędzącą kulturę kryje się we wprowadzeniu czasu ciszy dla niemowlęcia. Zachęcaj je do spokojnych zajęć w ciągu dnia, takich jak wpatrywanie się w mobil czy tulenie się do dorosłego lub do maskotki. Gdy masz coś do zrobienia, podaruj dziecku chwilę spokoju w łóżeczku. Pokaż maluchowi, że to dobre miejsce na spokojną zabawę, a nie tylko na sen. Wyjdzie Ci to na dobre za kilka miesięcy, gdy dziecko będzie bardziej ruchliwe (patrz ramka na stronie 247).

Zakłócenia rozwojowe. Nadmiar bodźców wynika często z rozwoju fizycznego. Rosnące ciało dziecka często utrudnia mu spokojny sen. **Czy Twoje dziecko dokonało ostatnio jakichś postępów w rozwoju fizycznym — zaczęło obracać główkę, znajdować swoje palce, przewracać się na brzuch lub na plecy?** Często rodzice skarżą się: „Kładę małego spać pośrodku łóżeczka, a kilka godzin później on zaczyna płakać. Gdy do niego wchodzę, jest wciśnięty w narożnik. Czy mógł się uderzyć w główkę?". Owszem, mógł. Rodzice mówią też: „Moje dziecko spało świetnie, dopóki nie nauczyło się obracać". Rodzice często kładą niemowlę na boku, ale nawet jeśli je zawijają, maluch potrafi już się rozkopać i przewrócić na plecy. Problem polega jednak na tym, że nie umie wrócić do pierwotnej pozycji, a wtedy może się obudzić i zdenerwować. Ponadto, ponieważ niemowlęta w tym wieku nie mają jeszcze wyrobionej koordynacji, mogą same zakłócić swój sen, gdy wymachują rękoma i nogami. Wyciągają rękę z zawinięcia, ciągną się za ucho lub za włosy, wkładają sobie palce w oczy — i nie mogą pojąć, kto im to wszystko robi. Ich paluszki nieświadomie skrobią po prześcieradle, a one budzą się z powodu nieznanych odgłosów. Zaczynają również uświadamiać sobie, że potrafią same wydawać dźwięki, które je bawią, ale i wytrącają z równowagi.

PLAN DZIAŁANIA: Obserwowanie, jak niemowlę zaczyna panować nad swoim ciałem, jest naprawdę wzruszające. Nie możesz i pewnie nie chciałabyś powstrzymywać jego rozwoju fizycznego. Ale są chwile, gdy ten rozwój zdecydowanie przeszkadza mu spokojnie spać. Powiedzmy, że częstym problemem jest przewracanie się. Wykorzystaj poduszeczki w kształcie klina lub zrolowane ręczniki po obu stronach dziecka, by zapewnić mu stabilną pozycję. Możesz również zacząć je uczyć przewracania się w drugą stronę, ale to może zająć nawet dwa miesiące! Oczywiście niektóre z tych problemów musisz po prostu przeczekać. Inne można rozwiązać dzięki zawijaniu.

Więcej aktywności. W miarę jak mija dzień, niemowlęta stają się coraz bardziej zmęczone zwykłymi, codziennymi czynnościami, na przykład przewijaniem, obserwowaniem otoczenia, słuchaniem szczekania psa, warczenia odkurzacza i brzęczenia dzwonka do drzwi. Około piętnastej lub szesnastej są już zmęczone. Do tego należy jeszcze dodać rodzaje aktywności, które są dostępne nowoczesnym matkom. To naprawdę dużo dla takiego maleństwa. **Ile bodźców ma Twoje dziecko podczas dnia? Czy wprowadziłaś mu więcej rozrywek? Jeśli tak, czy dziecko miało problemy ze snem w dniu ich wprowadzenia?** Nadmiar bodźców jest często przyczyną problemów ze snem u niemowląt („Właśnie zaczęliśmy spotkania z innymi dziećmi..."). Jeśli dziecko uwielbia nowe rozrywki, możesz zadecydować, że kiepski sen jednego dnia jest za to niewielką zapłatą. Ale jeśli rozrywka przeszkadza niemowlęciu spać przez więcej niż jeden dzień, prawdopodobnie powinnaś to jeszcze raz przemyśleć. W przypadku Wrażliwców, które są nadmiernie podatne na stymulację, joga dla niemowląt i inne takie-tam mogą nie być najlepszym pomysłem. Poczekaj kilka miesięcy i wtedy spróbuj ponownie. Pewna matka ostatnio powiedziała mi: „Moje dziecko płakało podczas spotkania z innymi". To dla mnie oczywisty znak.

PLAN DZIAŁANIA: Jeśli zbyt dużo zajęć zaburza sen Twojego dziecka, nie wychodź z nim z domu po czternastej lub piętnastej. Wiem, że nie zawsze jest to możliwe. Być może masz starsze dziecko, które o 15:30 trzeba odebrać ze szkoły. Jeśli tak, postaraj się znaleźć jakieś inne rozwiązanie albo po prostu zaakceptuj to, że maluch zaśnie Ci w samochodzie i nie wyśpi się tak dobrze, jak we własnym łóżeczku. W takich okolicznościach nie możesz tego uniknąć. Albo jeśli niemowlę marudzi w samochodzie — niektóre nie lubią spać w fotelikach — będziesz musiała uspokoić je w domu i spróbować położyć je na przynajmniej czterdziestopięciominutową drzemkę późnym popołudniem przed kolacją. To nie zaburzy mu snu, a nawet go poprawi.

Zmienna nr 6. Poczucie dyskomfortu

To oczywiste: niemowlęta płaczą, gdy są głodne i przemęczone, ale również gdy coś je boli, czują dyskomfort (jest im za zimno lub za gorąco) albo gdy są chore. Pytanie brzmi tylko, o co tym razem chodzi.

Obserwowanie oznak dyskomfortu. Jak już wielokrotnie powtarzałam, stały plan dnia umożliwia Ci znacznie lepsze rozpoznawanie powodów płaczu dziecka. Ale musisz również wykorzystać swoją umiejętność obserwacji. **Jak wygląda dziecko i jak brzmi jego płacz?** Jeśli niemowlę ma grymas na buzi, sztywne ciało, podrywa do góry nóżki albo bardzo wierci się przez sen lub w trakcie zasypiania, może to oznaczać, że coś je boli. Płacz spowodowany bólem jest znacznie bardziej przenikliwy i na wyższą nutę niż ten spowodowany głodem. Ponadto są różne rodzaje płaczu z bólu. Na przykład krzyk spowodowany gazami brzmi zupełnie inaczej niż płacz, którego przyczyną jest refluks żołądkowo-przełykowy, niemowlę także inaczej wygląda — i tak samo odmienne powinny być stosowane przez Ciebie strategie w celu uśpienia dziecka (patrz strony 118 – 123).

Ważne, by zapamiętać, że w tym wieku niemowlęta zazwyczaj nie płaczą z powodu przypadkowego rodzicielstwa, ale dlatego, że czegoś *potrzebują*. Prawdą jest, że niemowlę, które płacze, gdy się tylko je odkłada, prawdopodobnie doznało jakiejś formy przypadkowego rodzicielstwa. Jest teraz przyzwyczajone do tego, że rodzice je noszą, i wydaje mu się, że tego właśnie potrzeba, aby zasnąć. Ale refluks również może powodować płacz niemowlęcia, gdy próbujesz je położyć. W pozycji horyzontalnej kwasy żołądkowe przepływają do żołądka, wywołując palący ból. **Czy dziecko zasypia tylko w foteliku samochodowym, na leżaczku lub na rękach?** Jak wyjaśniałam na stronie 120, jednym z sygnałów wskazujących na refluks jest zasypianie tylko w pozycji półsiedzącej. Problem polega na tym, że niemowlęta przyzwyczajają się do takiej pozycji i nie potrafią już zasnąć inaczej.

Wskazówka nr 6

Te skargi sugerują, że **dyskomfort** jest przynajmniej w części odpowiedzialny za problemy dziecka ze snem:

Moje dziecko ma kłopoty z zasypianiem.

Moje dziecko często się budzi w nocy.

Moje dziecko zasypia, ale potem nagle budzi się kilka minut później.

Moje dziecko zasypia tylko w pozycji siedzącej, na przykład w foteliku samochodowym albo na leżaczku.

Moje dziecko wydaje się być zmęczone, ale gdy tylko je kładę, zaczyna płakać.

PLAN DZIAŁANIA: Jeśli podejrzewasz, że dziecku przeszkadza zasnąć lub budzi je ból, przeczytaj ponownie strony 118 – 123, aby nauczyć się odróżniać gazy i wzdęcia od kolki i refluksu, a także zapamiętać sugestie, jak radzić sobie z każdą z tych dolegliwości (patrz również „Błędne koło refluksu" na końcu tego rozdziału, strona 224). Zamiast wzmacniać uzależnienie od leżaczka, wozić niemowlę po okolicy czy wstawiać fotelik samochodowy do łóżeczka, podejmij odpowiednie kroki, by maluchowi było wygodniej w jego własnym łóżku. Podnieś wezgłowie łóżeczka i wszystkich innych powierzchni, na których kładziesz dziecko, na przykład stolika do przewijania. Złóż pieluchę flanelową lub cienki kocyk wzdłuż na trzy części, aby powstał dość szeroki pas, i owiń nim brzuszek niemowlęcia. Następnie zawiń je w drugi kocyk. Lekki nacisk pasa może złagodzić ból w znacznie bezpieczniejszy sposób niż pozwalanie niemowlęciu na spanie na brzuszku, co często kusi rodziców niemowląt cierpiących na refluks żołądkowo-przełykowy.

Zatwardzenie. Podobnie jak starsi ludzie przesiadujący całymi dniami przed telewizorem, młodsze niemowlęta prowadzą niezbyt ruchliwy tryb życia, zatem mają skłonności do zatwardzeń, co może przeszkadzać im spokojnie spać. **Ile razy dziennie wypróżnia się Twoje dziecko?** Jeśli odpowiesz: „Moje dziecko nie robiło kupki od trzech dni", muszę również zapytać: **Czy Twoje dziecko jest karmione piersią, czy mlekiem modyfikowanym?**, ponieważ „normalne wypróżnienia" różnią się w zależności od diety niemowlęcia. Jeśli niemowlę karmione mlekiem modyfikowanym nie wypróżnia się przez trzy dni, może to oznaczać zatwardzenie. Problem nie pojawia się tak często w przypadku dzieci karmionych piersią, które wypróżniają się prawie przy każdym karmieniu, a potem ni z tego, ni z owego przestają na trzy dni. To normalne. Całe mleko z piersi zostało przyswojone, aby organizm mógł z niego wytworzyć komórki tłuszczowe. Jeśli niemowlę karmione piersią zaczyna płakać bez wyraźnego powodu, podciąga nóżki do klatki piersiowej i wydaje się, że coś mu dolega, może również cierpieć na zatwardzenie. Może też mieć wzdęty brzuszek, mniej jeść i (lub) wydalać bardziej żółty, zagęszczony mocz, co może oznaczać, że jest odrobinę odwodnione.

PLAN DZIAŁANIA: Jeśli karmisz niemowlę mlekiem modyfikowanym, zadbaj o to, by dostawało dziennie przynajmniej 120 mililitrów wody albo wody zmiksowanej z sokiem śliwkowym (dwadzieścia mililitrów soku śliwkowego na osiemdziesiąt mililitrów wody). Podawaj mu około trzydziestu mililitrów naraz, w godzinę po każdym karmieniu. (Dopilnuj również, by dodawać odpowiednią ilość wody do mleka w proszku, jak wyjaśniałam w ramce na stronie 105). Pomaga również „pedałowanie” nóżkami malucha.

W przypadku dzieci karmionych piersią zastosuj ten sam środek. Jednak dobrze byłoby poczekać około tygodnia, żeby zobaczyć, czy to na pewno zatwardzenie. Jeśli naprawdę się martwisz, skonsultuj się z pediatrą, który oceni, czy nie dzieje się coś poważniejszego.

Dyskomfort z powodu mokrej pieluszki. W wieku poniżej dwunastu tygodni niemowlęta w większości nie płaczą, jeśli mają mokro, zwłaszcza jeśli korzystasz z pieluch jednorazowych, w których wilgoć jest z dala od ciałka dziecka. Jednak niektóre — zwłaszcza Marudy i Wrażliwce — są szczególnie wrażliwe, zwłaszcza w młodszym wieku, i budzą się przy każdym zmoczeniu pieluchy.

PLAN DZIAŁANIA: Zmień pieluchę, zawiń dziecko z powrotem w kocyk i połóż z powrotem do łóżeczka. Nakładaj dużą warstwę kremu do pupy, zwłaszcza w nocy, aby wytworzyć barierę przed podrażniającym skórę moczem.

Dyskomfort z powodu temperatury. W wieku poniżej dwunastu tygodni do rodziców należy regulowanie temperatury ciała niemowlęcia. Obserwuj, czy nie jest mu za zimno, za gorąco lub za wilgotno. **Gdy dotykasz ciała dziecka, gdy się przebudzi — czy jest spocone, wilgotne lub chłodne?** W pokoju może być za gorąco lub za zimno, zwłaszcza jesienią. Pomacaj rączki i nóżki. Połóż rękę na jego nosie i czole. Jeśli są zimne, jemu też jest zimno. **Czy dziecko ma bardzo mokro, gdy się budzi,**

lub przemoczyło śpioszki? Mocz szybko stygnie, więc niemowlęciu będzie zimno. Z drugiej strony, niektóre dzieci się przegrzewają, zwłaszcza w zimie. Latem niektóre mają wilgotne rączki, nóżki i główkę. Zaciskają pięści i zawijają palce od nóg.

PLAN DZIAŁANIA: Podnieś lub obniż temperaturę w pokoju dziecka. Jeśli jest mu zimno, owiń je w dodatkowy lub cieplejszy kocyk i utul je. Załóż mu dodatkową parę skarpetek. Jeśli rozkopuje się z kocyka, a to się często zdarza, możesz zainwestować w ciepły śpiworek, który doskonale się sprawdza.

Jeśli niemowlę jest ciepłe lub wilgotne, nigdy nie ustawiaj łóżeczka bezpośrednio przy otwartym oknie lub klimatyzacji. W zależności od tego, jak gorąco jest na zewnątrz, możesz postawić wentylator przy otwartym oknie, dzięki czemu powietrze będzie wpadać do środka, ale nie bezpośrednio na dziecko. (Z ugryzieniami owadów gorzej sobie poradzić niż z gorącem, zatem zadbaj o to, by okno było zabezpieczone siatką). Nie wkładaj mu koszulki pod śpiochy. Zawijaj w lekki kocyk albo pieluchę flanelową. Jeśli to nie pomoże, może powinnaś się uciec do tego, co zrobiliśmy z małym Frankiem, który po nocy budził się w całkiem przepoconej piżamce. Zawijałyśmy go w kocyk na golasa, w samej pieluszce.

Wykorzystanie sześciu zmiennych — co najpierw?

Jak już pisałam, sześć zmiennych znalazło się tu w przypadkowej kolejności. Ponadto wiele z nich prezentuje nakładające się kwestie. Na przykład, gdy rodzice nie mają stałego planu dnia niemowlęcia, często nie stosują również rytuałów przed snem. Gdy niemowlę jest przemęczone lub cierpiące z powodu nadmiaru bodźców, zazwyczaj podejrzewam też, że w grę wchodzi jakiś rodzaj przypadkowego rodzicielstwa. W rzeczywistości bardzo często zaburzenia snu są spowodowane przynajmniej dwiema, jeśli nie trzema lub czterema zmiennymi — i w tym momencie rodzice pytają: „To czym się mamy zająć *najpierw*?".

Oto pięć zdroworozsądkowych wskazówek:

1. ***Niezależnie od tego, jakie inne zmienne wchodzą w grę i jakie inne kroki musisz podjąć, trzymaj się swojego planu (lub go ustal), a także stałego rytuału przed snem.***
   Praktycznie w każdym przypadku dziecka mającego problemy z zasypianiem lub budzeniem się zalecam rytuał przed snem i pozostanie z dzieckiem, dopóki nie zapadnie w głęboki sen.

2. ***Dokonaj zmian w ciągu dnia, zanim zajmiesz się problemami nocnymi.*** Żadne z nas nie radzi sobie najlepiej w środku nocy. Poza tym dokonanie zmian w ciągu dnia często rozwiązuje nocne problemy, bez konieczności *robienia* czegokolwiek jeszcze.
3. ***Zajmij się najpierw najpilniejszą kwestią.*** Wykorzystaj swój zdrowy rozsądek. Jeśli na przykład uświadomisz sobie, że dziecko budzi się w nocy, ponieważ masz za mało pokarmu albo maluch przechodzi skok wzrostu, najpierw powinnaś zadbać o zwiększenie ilości mleka. Jeśli dziecko cierpi z powodu bólu, żadna technika nie zadziała, dopóki nie zniknie powód jego złego samopoczucia.
4. ***Bądź rodzicem PC.*** Radzenie sobie z zaburzeniami snu wymaga cierpliwości i przytomności umysłu. Musisz być cierpliwa, by coś zmienić. Załóż, że każdy krok zajmie *przynajmniej* trzy dni, a może nawet dłużej, jeśli więź zaufania między Tobą a Twoim dzieckiem została przerwana. Potrzebujesz przytomności umysłu, by zachować świadomość sygnałów senności wysyłanych przez dziecko, a także jego reakcji na nowy reżim.
5. ***Spodziewaj się regresu.*** Rodzice dzwonią do mnie i mówią: „Świetnie sobie radził, a teraz nagle znów budzi się o czwartej w nocy". To bardzo częste zjawisko (zwłaszcza w przypadku małych chłopców). Wróć do początku i zacznij jeszcze raz. Ale proszę, bardzo proszę, nie zmieniaj dziecku zasad. Gdy już podejmiesz decyzję, że chcesz spróbować jakiejś polecanej przeze mnie strategii, pozostań przy niej, a jeśli trzeba, powtórz wszystko od nowa.

Aby pomóc Ci dostrzec, jak te wskazówki wpływają na mój sposób myślenia, podzielę się teraz z Tobą kilkoma wziętymi z życia przykładami. Wszystkie zaczerpnęłam z przysyłanych do mnie e-maili (zmieniłam imiona i niektóre dane). Jeśli przeczytałaś ten rozdział do tego momentu (zamiast zaczynać od końca — sama tak czasem robię!), powinnaś dostrzec wskazówki w każdej wiadomości i starać się myśleć nad rozwiązaniem problemu razem ze mną.

Ile pomocy w zasypianiu to zbyt wiele?

Pamiętaj, że we wczesnych miesiącach *uczymy* dzieci, jak zasypiać. Zwłaszcza jeśli wypróbowałaś już inne metody, może potrwać całe tygodnie, a nawet miesiąc, by zmienić utrwalony wzorzec lub znaleźć sposób na uspokojenie przerażonego niemowlęcia. Czasami rodzice nie wiedzą, co zrobić, i zastanawiają się, jak mama Hailey, „gdzie kończy się nasze zadanie, a zaczyna ich".

Czytaliśmy Twoją książkę i bardzo nam się podobała, zwłaszcza po tym, jak rozczarowały nas inne metody, zalecające „wypłakiwanie". Nasza dziewięciotygodniowa córeczka, Hailey, dobrze teraz śpi w dzień dzięki Twoim pomysłom — wcześniej to się nie zdarzało — a w nocy przesypia sześć do siedmiu godzin, co, jak można sobie wyobrazić, jest dla nas jak dar z nieba.

Czasami Hailey zasypia od razu. Jednak częściej trochę marudzi i macha rączkami i nóżkami. To machanie przeszkadza jej zasnąć, a nawet ją budzi, gdy właśnie zasnęła. Aby jej pomóc w tych trudnych chwilach, zawijamy ją często od brzuszka w dół (albo całkiem, jeśli jest przemęczona lub miała zbyt wiele bodźców) i zostajemy z nią, rytmicznie powtarzając „ćśś" i klepiąc ją po brzuszku. Zazwyczaj pomaga jej to zasnąć. Martwimy się, że zaczynamy być dla niej narzędziem do usypiania podczas drzemek. W nocy nie ma problemów z zasypianiem.

Kiedy powinniśmy przestać pomagać Hailey zasnąć? Jeśli nie płacze, ale wciąż opiera się przed zaśnięciem, czy powinniśmy po prostu odejść? A co zrobić, jeśli znów zacznie płakać? Trudno powiedzieć, gdzie kończy się nasze zadanie, a zaczyna jej.

Gdy niemowlę potrzebuje pomocy, trzeba jej udzielić. Zamiast martwić się, że się je „zepsuje", pamiętajmy o odczytywaniu jego sygnałów i zaspokajaniu jego potrzeb. Musimy się tego konsekwentnie trzymać. W tym przypadku rodzice *nie* robią za dużo — naprawdę muszą zostawać z Hailey, żeby pomóc jej zasnąć. Podejrzewam, że metoda pozwalania na „wypłakiwanie" zaburzyła zaufanie małej. Hailey nie jest pewna, czy rodzice przy niej zostaną. Ponadto, jeśli „trochę marudzi i macha rączkami i nóżkami", jest przemęczona i być może cierpiąca z powodu nadmiaru bodźców. Być może mama przed drzemką angażowała ją w zbyt wiele stymulujących zajęć lub nie zadbała o czas na przejście od rozrywki do zasypiania z odpowiednim rytuałem. Proponuję, by *zawsze* ją zawijać całą, nie tylko dolną połowę jej ciała. (Pamiętaj, że niemowlęta w wieku poniżej trzech miesięcy nie zdają sobie sprawy z tego, że ich rączki są częścią ich ciała. Gdy są zmęczone, częściej nimi machają, a przelatujące im przed oczami kończyny wytrącają je z równowagi!). Hailey wydaje się być dzieckiem, które potrzebuje poczucia bezpieczeństwa i dodatkowego uspokajania. Jeśli jej rodzice nie będą trzymać się rytuałów, poświęcając jej więcej czasu w ciągu dnia i przed pójściem spać, pożałują tego w kolejnych miesiącach.

Jak potrzeby rodziców mogą przesłonić potrzeby dziecka

Czasami własne interesy rodziców stoją na przeszkodzie dostrzeżenia prawdziwego problemu. Rodzice wydają się zapominać, że mają *niemowlę*, które trzeba nauczyć, jak zasypiać, i które, nawet po wyuczeniu się samodzielnego uspokajania, nie będzie przesypiać dwunastu godzin w nocy. W wielu przypadkach tak zwany problem polega bardziej na zaspokojeniu potrzeb rodziców lub ich pragnienia, by dziecko dostosowało się do ich stylu życia bez większych starań z ich strony. Zastanów się nad poniższym e-mailem od matki, która ma zamiar wrócić do pracy i chce, żeby dziecko dopasowało się do *jej* planu dnia.

Mój syn Sandor ma 11 tygodni, a ja właśnie zaczęłam stosować Twoją metodę. Minęły cztery dni, a ja nie wiem, co zrobić z dwiema sprawami: 1. Mały męczy się około ósmej lub dziewiątej wieczorem, a ja boję się, że jeśli położę go do łóżeczka, zaśnie, a potem obudzi mnie w środku nocy. Zazwyczaj daje mi pospać od pięciu do siedmiu godzin. Jednej nocy spał siedem godzin, a następnej dziewięć. Potem znów wrócił do pobudek o czwartej rano. Więc czy mam go kłaść o ósmej, czy zobaczyć, czy tylko drzemie? Przerażające. 2. Jest jeszcze to, że mały budzi mnie około czwartej albo wpół do piątej. Czy mam mu dać smoczek i próbować go z powrotem uśpić, a jeśli nie zaśnie, to go nakarmić? Czy to znaczy, że doprowadzę do nawyku jedzenia w nocy? Poza tym jak długo mam próbować go z powrotem usypiać smoczkiem, jeśli mam to robić? Za 10 dni wracam na cały etat do pracy i jestem przerażona na myśl o tym, że nie będę przez niego spać w nocy.

Oj! Sama poczułam się wyczerpana, czytając tę wiadomość. Mama Sandora jest w oczywisty sposób bardzo zestresowana i przejęta. Ale pisze, że w wieku jedenastu tygodni jej synek śpi po siedem lub dziewięć godzin. To naprawdę całkiem nieźle. Znam matki, które oddałyby wszystko za takie dziecko!

Głównym zmartwieniem tej matki jest to, że jej syn „cofnął się" do budzenia się o czwartej rano, przez co *ona* nie może się wyspać. Podejrzewam, że mamy do czynienia ze skokiem wzrostu. Sandor osiągnął już etap przesypiania nocy, czyli jego żołądek jest dość duży, żeby pomieścić wystarczającą ilość pokarmu. Aby potwierdzić moje przypuszczenia, musiałabym mieć więcej danych na temat tego, co dzieje się w ciągu dnia — ile mały je, czy jest karmiony piersią, czy butelką. Podejrzewam, że budzi się z głodu. (Podczas gdy nawykowe budzenie się jest zazwyczaj efektem przypadkowego rodzicielstwa, są jednak wyjątki, zwłaszcza jeśli inne wskazówki sugerują głód). Jeśli Sandor jest głodny, trzeba go nakarmić, a potem zwiększyć mu liczbę kalorii w ciągu dnia. Jeśli matka zacznie karmić go tylko w nocy, doprowadzi do wytworzenia nawyku, a wtedy rzeczywiście będzie miała problem.

Ale w tym e-mailu kryje się coś więcej, i jeśli mama Sandora chce zyskać spokój ducha w pracy, musi spojrzeć z szerszej perspektywy. Po pierwsze, jasne jest dla mnie, że jej syn nie ma stałego planu dnia. Gdyby miał, chodziłby spać wcześniej niż dwudziesta czy dwudziesta pierwsza. Trzeba przesunąć mu czas kładzenia się na spoczynek nocny z powrotem na dziewiętnastą, a o dwudziestej trzeciej nakarmić go przez sen (i kontynuować to karmienie, dopóki Sandor nie zacznie jeść pokarmów stałych). Ale jego mama jest też trochę niecierpliwa i ma nierealistyczne oczekiwania. Sandor ma prawie trzy miesiące, a im niemowlę starsze, tym dłużej trwa zmiana jego nawyków. Mama denerwuje się, że nie widzi zmian po zaledwie *czterech* dniach. Niektórym niemowlętom trzeba więcej czasu. (Nie wiem również, co ma na myśli pisząc: „właśnie zaczęłam stosować Twoją metodę" — zdecydowanie nie wygląda na to, żeby Sandor miał plan dnia PROSTE). Ta kobieta musi trzymać się jednego planu i poczekać na zmiany. Jeśli chodzi o powrót do pracy, to jeżeli karmiła piersią, chciałabym również zapytać, czy wprowadzała butelkę, a także kto zajmie się dzieckiem. Musi zacząć zajmować się czymś więcej niż tylko własnym zmęczeniem.

Niewłaściwa interwencja — brak PP przed ukończeniem trzech miesięcy

Część rodziców, którzy czytali o mojej metodzie PP (podnieś – połóż; patrz kolejny rozdział) próbuje ją wprowadzić niemowlętom w wieku poniżej trzech miesięcy, lecz jest ona zbyt wymagająca dla tak małych dzieci i dlatego rzadko kiedy działa. Poza tym, jak wyjaśniam w kolejnym rozdziale, metoda PP ma być narzędziem uczącym dzieci, jak się samodzielnie uspokajać, a w wieku poniżej trzech miesięcy niemowlę jest jeszcze na to za małe. Jedyną odpowiednią metodą jest poklepywanie cicho-sza. Zazwyczaj gdy rodzice próbują wprowadzić PP w zbyt młodym wieku, bierze w tym udział również przypadkowe rodzicielstwo i inne zmienne, a rodzice chwytają się wszystkiego, co może pomóc, nie zdając sobie sprawy z tego, że dziecko nie jest na to jeszcze gotowe:

Mam dziecko, które według definicji Tracy jest Aniołkiem. Ivan ma cztery tygodnie. Mniej więcej w połowie przypadków, gdy odkładam go do łóżeczka na drzemkę, zasypia bez problemów na około dziesięć minut, a potem budzi się, marudząc i wiercąc się. Zaczął już się obracać — tak bardzo, że wychodzi z zawinięcia. Jest taki pobudzony, że czasem muszę przez godzinę podnosić go i odkładać, żeby go uśpić. Czasami wierci się bez przerwy przez cały czas przeznaczony na drzemkę, aż do kolejnego karmienia. Co powinnam zrobić? Przez większość czasu jest taki kochany, że te problemy naprawdę mnie załamują.

Przede wszystkim, metoda PP może naprawdę pogorszyć sytuację, ponieważ dziecko zaczyna mieć nadmiar bodźców, gdy wciąż je podnosisz. Ponadto mama być może nie robi tego właściwie. Może go podnosi i pozwala, żeby zasnął u niej na rękach. W takim przypadku, gdy chce go położyć, mały się budzi. Jeśli tak rzeczywiście jest, to mamy tutaj do czynienia z wyrabianiem wzorca przypadkowego rodzicielstwa. Proponowałabym powrót do podstaw i spędzanie czasu z Ivanem podczas rytuału przed snem. W końcu jej syn zasypia bez kłopotów, a potem się budzi. To mi mówi, że podczas tych opisywanych dziesięciu minut Ivan przechodzi przez pierwsze stadia snu, a wtedy mama wychodzi z pokoju, a powinna poświęcić dodatkowe dziesięć minut na bycie z nim, aby się upewnić, że mocno zasnął. Jeśli będzie stała przy łóżeczku, poklepie go, gdy zacznie się budzić, i zasłoni mu oczy, żeby zablokować stymulację wizualną, gwarantuję, że mały z powrotem zaśnie, tym razem na dobre. Ale za każdym razem, gdy ten cykl zostaje przerwany, należy zacząć od początku. Jeśli mama Ivana nie poświęci mu czasu teraz, nie będzie długo cieszyła się z posiadania małego Aniołka!

Zacznij od najważniejszego

Jak już wyjaśniałam na początku tego rozdziału, wiele problemów ze snem ma złożone przyczyny. Oczywiście, rodzice desperacko szukają rozwiązań. Niektórzy uświadamiają sobie, że po drodze zrobili coś źle, inni nie. Tym niemniej musimy odkryć, co zrobić najpierw. Kolejny e-mail, od Maureen, jest wręcz sztandarowym przykładem:

Dylan kiepsko spał przez całe siedem tygodni swojego życia. Zaczął od zamiany nocy z dniem. Od początku nie lubił spać w swojej kołysce, a z czasem jeszcze się to pogorszyło. Leżąc tam, płakał przez ponad godzinę, a gdy chciałam zastosować metodę podnieś – połóż, nic nie pomogło. Cały czas walczy ze snem, wzdryga się i budzi po pięciu, dziesięciu lub piętnastu minutach, jeśli już zaśnie, a potem nie umie samodzielnie usnąć z powrotem. Chce, żeby go nosić na rękach i przytulać prawie cały dzień i noc, i wtedy zazwyczaj dobrze śpi. Robi się coraz gorzej — teraz nie chce nawet spać w samochodzie czy w wózku, ponieważ wzdryga się i budzi nagle (a do tej pory przynajmniej na to mogłam liczyć). Uwielbiam Twoją filozofię i chciałabym podarować Dylanowi niezależność i dobre nawyki związane ze snem. Wypróbowałam wiele rad z książki, ale one po prostu nie pasują do Dylana. (Myślę, że można go opisać jako Wiercipiętę). Muszę zapanować jakoś nad harmonogramem snu Dylana, ale nie mogę na niego liczyć, że zaśnie i będzie spał, w żadnych okolicznościach.

W całym e-mailu Maureen wydaje się przypisywać Dylanowi chęci i niechęci („wlaczy", „chce", „nie lubi", „nie mogę na niego liczyć"). Unika przejęcia odpowiedzialności za to, co *ona sama* zrobiła (lub czego nie zrobiła), by wpłynąć na zachowania syna.

Oczekiwania Maureen są również dość wysokie. Pisze: „Zaczął od zamiany nocy z dniem". Wszystkie dzieci, rodząc się, nie odróżniają dnia od nocy, a jeśli rodzice ich tego nie nauczą (patrz strony 185 – 187), skąd mają znać tę różnicę? Maureen wytyka synkowi, że „nie umie samodzielnie usnąć z powrotem", ale przecież, jak widzę, nikt go tego nie nauczył! Nauczono go raczej, że spanie oznacza przebywanie w ramionach rodziców.

Ale najbardziej dobitną częścią wiadomości Maureen jest dla mnie jej odkrycie, że Dylan „leżąc tam, płakał przez ponad godzinę". Zostawiając synka samego na tak długo, Maureen zerwała więź zaufania. Nic dziwnego, że trudno go teraz uspokoić. Ponadto rodzice dokładają mu wszystkie możliwe rekwizyty, byle tylko go uśpić — noszą go, wkładają do wózka, wożą samochodem. Nic dziwnego, że sprawy przybierają coraz gorszy obrót. To, że Dylan „wzdryga się i budzi po pięciu, dziesięciu albo piętnastu minutach", mówi mi również, że cierpi z powodu nadmiaru bodźców.

Innymi słowy, od pierwszego dnia życia Dylana nie szanowano ani nie słuchano. Mały płacze z całych sił, żeby rodzice go wysłuchali, ale oni nie zwracają na niego uwagi ani nie podejmują żadnych działań, by odpowiedzieć na jego „prośby". Jeśli płakał, ponieważ „od samego początku nie lubił spać w swojej kołysce", dlaczego nie zastanowili się nad innym rozwiązaniem? Niektóre niemowlęta, zwłaszcza Wiercipięty i Wrażliwce, są bardzo czułe na otoczenie. Kołyski zazwyczaj mają cieniutki materacyk, więc może Dylanowi było niewygodnie. Powiedziałabym, że w miarę jak przybierał na wadze i zyskiwał coraz większą świadomość otoczenia, było mu jeszcze bardziej niewygodnie.

Podsumowując, zamiast słuchać i reagować na Dylana, jego rodzice stosowali jedną szybką receptę za drugą. Maureen próbowała także metody PP („Wypróbowałam wiele rad z książki"), która nie jest odpowiednia dla tak małych dzieci. Zatem gdzie zacząć? Jasne jest, że mama Dylana musi poświęcić się stałemu planowi dnia — budząc go co trzy godziny w ciągu dnia na karmienie, aby rozwiązać problem zamiany nocy z dniem. Ale najpierw trzeba wyjąć go z kołyski, gdzie prawdopodobnie nie jest mu wygodnie, i odbudować zaufanie. Maureen powinna zacząć od metody z poduszką, którą opisuję na stronie 202, a potem stopniowo, bardzo powoli, przenosić go do łóżeczka. Rodzice muszą stosować stały rytuał przed snem — ustawiając „scenografię" do snu, zawijając go, siedząc z nim i stosując poklepywanie cicho-sza — *za każdym razem przed snem, nie tylko wieczorem.* I za każdym razem ktoś musi zostać przy Dylanie, dopóki nie zapadnie w głęboki sen.

Inny częsty scenariusz, który zawiera wiele zmiennych, ma miejsce wtedy, gdy rodzice podążają za dzieckiem, zamiast ustalić mu stały plan dnia. Dziecko jest zagubione — nie wie, co nastąpi dalej. A rodzice mają mniejsze szanse na odczytanie jego sygnałów. Ma to poważne skutki, powodując chaos w całej rodzinie i nie tylko problemy ze snem (Twoje i rodzeństwa malucha, jeśli takie ma), ale również dramatyczne, negatywne zmiany osobowości dziecka, jak ilustruje e-mail od Joan, mamy sześciotygodniowej dziewczynki. Założę się, że mała Ellie urodziła się Aniołkiem, ale szybko zmienia się w Marudę:

> *...Je bardzo ładnie z butelki, jest ożywiona i uśmiechnięta, ale mam problemy z odczytaniem sygnałów świadczących o tym, że jest senna. Mam wrażenie, że większość dnia spędzam, usypiając ją. Czasami ją uspokajam, poklepuję, głaszczę itp. przez godzinę, żeby potem spała dwadzieścia minut. Martwi mnie to, bo Ellie robi się potem przemęczona i marudna przez resztę dnia.*
>
> *Ellie zazwyczaj przesypia noc, i mam wrażenie, że nauczyła się odróżniać noc od dnia. Śpi jednym ciągiem przez 6 – 7 godzin, a potem znów zasypia na kilka godzin. Karmimy ją czasem tylko dwa razy w nocy między 18:00 lub 19:00 a 6:00 czy 7:00 rano. Dlaczego więc śpi tak krótko w ciągu dnia? Budzi się marudna i zmęczona, często płacze. Poklepuję ją i masuję brzuszek, mówię do niej łagodnie. Wydaje się, że przechodzi w trzecią fazę snu i zasypia, ale potem budzi się i chce się bawić. Tak jakby spała całą godzinę. Co mogę zrobić, żeby zachęcić ją do dłuższego spania?*

Próbowałam wprowadzić plan PROSTE, ale odkryłam, że Ellie jest często śpiąca przy karmieniu, ponieważ jest przemęczona po krótkiej drzemce w poprzednim cyklu posiłek — rozrywka — sen. Leczę się na depresję poporodową. Miałam już depresję po urodzeniu trzyletniej obecnie Allison. Drzemki Allison w ciągu dnia trwały po 45 minut, w nocy spała dobrze. Z nią również spędzałam mnóstwo czasu, starając się, żeby usnęła. W końcu się poddałam. Jestem wdzięczna, że w nocy była dla nas łaskawa i od czterech, pięciu miesięcy życia sypiała po 12 – 15 godzin aż do ukończenia półtora roku. Teraz śpi po 11 – 12 godzin i pomału rezygnuje z drzemek w dzień.

Chociaż Joan pisze, że „próbowała wprowadzić plan PROSTE", jasne jest, że raczej podąża za dzieckiem. Pozwala Ellie przesypiać dwa karmienia, po jednym w trakcie każdego z „długich ciągów" w nocy. Sześciotygodniowe dziecko powinno jeść w ciągu dnia co trzy godziny. Wspaniale, że Ellie potrafi przespać sześć lub siedem godzin w nocy, ale nie powinno jej się później pozwalać na zasypianie na kolejnych kilka godzin. Oczywiście, że „śpi tak krótko w ciągu dnia". Właśnie przespała dwanaście lub czternaście godzin. Takie spanie odpowiadałoby trzylatkowi, ale Ellie jest niemowlakiem. Joan, która oczywiście ma własne problemy emocjonalne, może być wdzięczna, że dziecko daje jej się wyspać w nocy, ale płaci za to słono. Ellie budzi się „marudna i zmęczona, często płacze", ponieważ jest głodna.

Sen dzienny Ellie poprawi się w naturalny sposób, jeśli jej mama będzie ją budzić na karmienie, zamiast pozwalać jej je przesypiać. Innymi słowy, musi zacząć realizować plan PROSTE, karmiąc małą o 7:00, 10:00, 13:00, 16:00 i 19:00, a potem jeszcze karmiąc przez sen o 23:00. Z tego co czytam, Ellie powinna spać do siódmej rano, do kolejnego karmienia.

Mama Ellie musi również zacząć *obserwować swoje dziecko*. Musi zaakceptować Ellie taką, jaka jest. Co ciekawe, Joan ma pod nosem ważne informacje na temat swojego dziecka, ale nie potrafi ich uchwycić. Ellie jest jej drugim dzieckiem, a jeśli dobrze rozumiem, jest dość podobna do swojej starszej siostry, Allison, która również ucinała sobie drzemki po czterdzieści pięć minut w dzień i dobrze spała w nocy. Joan mówi, że w końcu „poddała się" naturalnym cyklom snu Allison, ale nie robi tego samego w przypadku Ellie. Założę się, że gdyby karmiła Ellie co trzy godziny w ciągu dnia i pozwalała jej na jeden dłuższy okres snu w ciągu nocy, nastrój małej by się poprawił. A jeśli chodzi o drzemki w dzień, Ellie, podobnie jak jej starszej siostrze, mogą wystarczać czterdziestopięciominutowe. A Joan po prostu będzie musiała to zaakceptować.

Błędne koło refluksu

Dostaję niezliczone e-maile od rodziców, którzy mówią, że ich niemowlęta „nigdy nie śpią" lub że „ciągle czuwają". Niektórym już zdiagnozowano refluks, ale rodzicom wciąż trudno jest sprawić, by dzieci nie czuły dyskomfortu podczas układania do snu. Inni nie zdają sobie sprawy z tego, że dzieci cierpią, ale pewne wskazówki dają mi wyraźnie znać, że dziecko nie jest po prostu „kapryśne", ale coś je boli. Z pewnością refluks, a zwłaszcza jego poważne przypadki, powoduje chaos w całej rodzinie. Często plan dnia jest całkowicie zaburzony. We wszystkich takich przypadkach najpierw trzeba rozwiązać kwestię bólu. Co ciekawe, nawet rodzice świadomi tego, że dziecko ma refluks żołądkowo-przełykowy, często nie zdają sobie sprawy z tego, jak to się wiąże z innymi problemami, co widać w tym e-mailu od Vanessy, „zdesperowanej mamy pięciotygodniowego synka".

Pracujemy z wieloma technikami usypiania, ale jest to ciągła walka. Gdy tylko Timothy zaczyna okazywać zmęczenie, kładziemy go do łóżeczka. Pierwsze dwie noce takiego postępowania dały nam pięć godzin snu. To było w zeszłym tygodniu, a później już się nie powtórzyło. Wydaje się, że mały w ogóle nie zapada w głęboki sen. Ziewa, wzrok mu nieruchomieje, a potem nagle się wzdryga i cały proces zaczyna się od początku. Zaczyna płakać, więc go uspokajamy, ucisza się, a potem błędne koło zaczyna się od początku. To jest coraz bardziej męczące i trwa całymi godzinami. Pogorszyły się także drzemki w ciągu dnia. Próbujemy trzymać się tego samego planu dnia, ale to nas bardzo frustruje. Timothy ma też duże problemy z refluksem, więc jeśli zbyt długo płacze, do czego staramy się nie dopuszczać, zaczyna wymiotować. Proszę o pomoc! (Zrobiliśmy też test z książki, i Timothy wypada gdzieś pomiędzy Wiercipiętą i Wrażliwcem).

Przede wszystkim, jak wielu rodziców, Vanessa i jej partner nie zostają z Timem wystarczająco długo. Jest to szczególnie ważne w przypadku Wiercipięt *oraz* Wrażliwców, a ten maluch jest kombinacją tych dwóch typów. Rodzice muszą być przy maluchu, gdy ten się wzdryga i rozbudza. Ale muszą też uporać się z bólem powodowanym przez refluks, podnosząc obszar, gdzie spoczywa górna połowa ciała dziecka — zarówno łóżeczko, jak i przewijak. Jeśli jeszcze tego nie zrobili, powinni poszukać pomocy pediatry albo dziecięcego gastrologa, który przepisze leki zobojętniające kwasy żołądkowe, a może również przeciwbólowe. Gdy dziecko cierpi, *najpierw* trzeba mu ulżyć, podnosząc jego materacyk pod kątem 45 stopni (można nawet użyć encyklopedii!), owijając go ciaśniej w pasie zwiniętą pieluchą i lecząc symptomy (patrz strony 118 – 122). Żadna technika usypiania nie podziała, jeśli dziecko czuje ból.

Ku mojemu zdziwieniu niektórzy rodzice traktują leki jako ostateczność:

Martwię się, że przedłużone karmienia i problemy z powodu gazów i wzdęć zaburzają czas snu dziesięciotygodniowej Gretchen. Stosuję się do wszystkich zaleceń Zaklinaczki Niemowląt już od kilku dni, bezskutecznie (np. wiele cykli poklepywania cicho-sza, podwyższony materac, trzymanie do „odbeknięcia", zmniejszona do minimum stymulacja). Naprawdę nie wiem, co teraz zrobić. Czy powinnam po prostu kontynuować, czy też coś przegapiłam? Czy udanie się do pediatry nie będzie przesadą? Jestem wykończona, myśląc, że może Gretchen jest za młoda na „manipulowanie", chociaż podpisuję się pod zdaniem, żeby zaczynać tak, jakby się miało zamiar kontynuować. Widzę jednak, że nie da się tego znieść na dłuższą metę...

Gretchen zdecydowanie ma jakieś problemy z trawieniem — prawdopodobnie refluks żołądkowo-przełykowy — ponieważ przedłużone karmienia i problemy z powodu gazów są typowymi sygnałami alarmowymi. Jednak to, że opisując możliwe alternatywy, jej mama pyta: „czy udanie się do pediatry nie będzie przesadą", podpowiada mi, że kobieta nie uświadamia sobie, że *najpierw* musi zaradzić bólowi dziecka, a dopiero potem podejmować inne działania. Jeśli podejrzewasz problemy z trawieniem, skontaktuj się z pediatrą *na początku*, a nie dopiero w ostateczności.

Szczególnie w przypadku niemowląt z refluksem musisz bardzo uważać, by nie pocieszać dziecka już po tym, jak przestanie płakać. Jest to zdecydowany początek przypadkowego rodzicielstwa. Chociaż pewnie rwiesz sobie włosy z głowy i nie wiesz, co robić, nie stosuj żadnych rekwizytów, żeby uciszyć i uspokoić niemowlę. Oczywiście niektóre rodzaje rekwizytów — foteliki samochodowe, leżaczki niemowlęce, objęcia rodziców lub huśtawki dla niemowląt — pomagają ukoić cierpiące dziecko, ponieważ dzięki nim główka jest uniesiona wyżej. Rozumiem zatem desperacką potrzebę pomocy dziecku, ale jeśli skorzystasz z rekwizytu w momencie, gdy maluch nie czuje już bólu, to długo po wyleczeniu dziecko będzie jeszcze uzależnione od dodatkowego bodźca. Oto typowy przykład:

Moja dziewięciotygodniowa córeczka Tara ma refluks i sypia w foteliku samochodowym od pierwszego tygodnia życia. To był jedyny sposób, żeby zasnęła, chyba że było to u mnie na rękach, ponieważ bardzo jej się ulewało. Teraz Tara jest większa (waży pięć i pół kilo) i dostaje leki, więc chciałabym, żeby spała w łóżeczku. Nasz lekarz proponuje metodę Ferbera, ale córeczka wpadła w histerię. Wiem, że nie zrobię jej tego drugi raz. Czytałam w Twojej książce o „przypadkowym rodzicielstwie" i zdaję sobie sprawę, że tak właśnie postępowałam. Jak mogę przyzwyczaić ją do spania na plecach, a potem w łóżeczku? Wyrywa się i krzyczy, kiedy ją kładę. Zaczynam tracić zmysły, i mój mąż też. Każda pomoc będzie mile widziana.

Jestem pewna, że zgadłaś, iż rodzice Tary muszą przestać sadzać ją w foteliku i nosić na rękach. Potem powinni podwyższyć wezgłowie materacyka — kąt czterdziestu pięciu stopni nie będzie wiele odbiegał od kąta ustawienia fotelika. Ponieważ wypróbowali „ferberyzowanie", czyli pozwalali małej na wypłakiwanie się, prawdopodobnie teraz będą musieli poświęcić dodatkowy czas przed każdym położeniem jej spać. Muszą zostać z Tarą, dopóki nie uśnie głębokim snem, aby odbudować jej utracone zaufanie (patrz strony 200 – 203). Ale wykorzystuję ten przypadek także po to, by pokazać jeszcze jedną ważną kwestię: jeśli Tarę zdiagnozowano w wieku jednego tygodnia, to było to dwa miesiące temu. Mała prawdopodobnie podwoiła swoją wagę urodzeniową. Zatem dawka leków zobojętniających kwasy żołądkowe lub przeciwbólowych przepisana wtedy może nie wystarczać, by uśmierzać ból Tary *teraz.* Rodzice muszą ponownie skontaktować się z lekarzem, by upewnić się, że dają córce odpowiednie dawki leków.

Zatem jak sobie poradziłaś? Udało Ci się zdiagnozować powyższe przypadki, domyśleć się, jakie pytania należałoby zadać, i ułożyć różne plany działania? Czy potrafisz teraz poddać analizie własną sytuację? Zdaję sobie sprawę z tego, że musisz przyswoić mnóstwo informacji, ale książki mają olbrzymią zaletę. W każdej chwili można wrócić do potrzebnej strony. Obiecuję, że ta wiedza na temat snu pomoże Ci przetrwać nadchodzące miesiące i lata. Jest to podstawa, na której opierają się wszystkie inne moje obserwacje i techniki. A im sprawniej sobie poradzisz z ocenianiem problemów, gdy dziecko ma poniżej trzech miesięcy, tym lepiej będziesz przygotowana na dalszą część jego dzieciństwa, którą omawiam w kolejnych rozdziałach.

ROZDZIAŁ SZÓSTY

PODNIEŚ – POŁÓŻ

NARZĘDZIE ĆWICZĄCE ZASYPIANIE (OD CZTERECH MIESIĘCY DO ROKU)

Ciężki przypadek chaotycznego rodzicielstwa

Gdy poznałam Jamesa, miał pięć miesięcy i nigdy nie spał we własnym łóżeczku — ani w dzień, ani w nocy. Nie mógł spać, chyba że mama była tuż obok niego, w łóżku rodziców. Ale nie była to idylla rodzinna. Jego mama, Jackie, musiała kłaść się do łóżka co wieczór o ósmej i leżeć tam z nim każdego ranka i popołudnia, gdy przychodził czas na drzemkę. A jego biedny ojciec Mike musiał wchodzić do domu po cichutku, gdy wracał z pracy. „Jeśli światło na górze się świeci, to wiem, że mały śpi. Jeśli jest zgaszone, muszę zakradać się jak jakiś włamywacz" — wyjaśnia Mike. Jackie i Mike wychodzili z siebie dla dobra syna, a on *i tak* nie spał dobrze. Budził się kilka razy w ciągu nocy, a jedynym sposobem, żeby go z powrotem uśpić, było przystawienie go do piersi. „Wiem, że nie jest głodny" — przyznała Jackie, gdy się pierwszy raz spotkałyśmy. „Budzi mnie tylko dla towarzystwa".

Podobnie jak w przypadku wielu dzieci, które mają kłopoty ze snem w pierwszym roku życia, problem zaczął się, gdy James miał zaledwie miesiąc. Gdy wydawało się, że ma „opory" przed kładzeniem się spać, jego rodzice na zmianę kołysali go na bujanym fotelu. W końcu zasypiał, ale gdy tylko chcieli go położyć, otwierał oczy. Zdesperowana matka zaczęła go uspokajać, kładąc go sobie na piersi. Ciepło jej ciała oczywiście działało na nią uspokajająco. Sama śmiertelnie zmęczona, kładła się z nim do łóżka, i oboje zasypiali. James nie wrócił już do łóżeczka. Za każdym razem, gdy się budził, Jackie kładła go na piersi, mając nadzieję, że znów zaśnie. „Robiłam wszystko, żeby odwlec nieuniknione, czyli ponowne karmienie". Ale oczywiście w końcu zawsze przystawiała go do piersi. W dzień James spał lepiej — był zmęczony po ciągłym budzeniu się w nocy.

Teraz powinnaś już rozpoznać tu przypadkowe (chaotyczne) rodzicielstwo w pełnym rozkwicie. Dostaję dosłownie tysiące listów, telefonów i e-maili od rodziców dzieci w wieku powyżej czterech miesięcy, którzy mówią mi, że ich dziecko:

...wciąż często budzi się w nocy,

...robi pobudkę o nieludzko wczesnej godzinie,

...nigdy nie śpi długo w dzień (albo jak powiedziała jedna z mam: „nie uznaje drzemek"),

...wymaga pomocy w zasypianiu.

Powyższe frazy, w wielu wariantach, są najczęstszymi problemami w pierwszym roku życia. Jeśli rodzice nie podejmą odpowiednich kroków, by zmienić sytuację, sprawy przybiorą jeszcze gorszy obrót i będą się ciągnąć do drugiego roku życia, jeśli nie dłużej. Wybrałam przypadek Jamesa, ponieważ obrazuje wszystkie te problemy.

Gdy niemowlę osiągnie wiek trzech lub czterech miesięcy, powinno mieć konsekwentny, stały plan dnia, spać we własnym łóżeczku w dzień i w nocy. Powinno również posiąść umiejętność samodzielnego zasypiania, także po przebudzeniu się. No i powinno przesypiać noc — to znaczy spać przez co najmniej sześć godzin jednym ciągiem. Ale wiele niemowląt wymyka się tej definicji, nawet w wieku czterech, ośmiu, dwunastu miesięcy czy nawet powyżej roku. A gdy ich rodzice kontaktują się ze mną, przypominają Jackie i Mike'a. Desperacko szukają pomocy, wiedzą, że coś zrobili źle, ale nie mają pojęcia, jak to wszystko naprawić.

Aby ocenić, jak znaleźć rozwiązanie kłopotów ze snem, zwłaszcza w przypadku starszych niemowląt, musimy przyjrzeć się, jak wygląda cały ich dzień. Każdą z powyższych kwestii można prześledzić i odkryć przypadek niekonsekwentnego, nieistniejącego lub nieodpowiedniego planu dnia (na przykład zachowywanie trzygodzinnego planu w wieku pięciu miesięcy). Oczywiście mamy też do czynienia z jakimś stopniem przypadkowego rodzicielstwa.

Ogólnie mówiąc, prawie każdy scenariusz przybiera ten sam obrót: w ciągu pierwszych kilku miesięcy niemowlę nie sypia dobrze lub się budzi. Rodzice szukają szybkiej recepty na ten problem. Biorą dziecko do własnego łóżka lub pozwalają mu zasypiać w samochodzie albo na leżaczku, albo sami służą pomocą — mama przystawia dziecko do piersi, by je uspokoić, tata nosi je po pokoju. Wystarczą zaledwie dwie lub trzy noce, by niemowlę przyzwyczaiło się do konkretnego rekwizytu. Za każdym razem rozwiązanie zawiera przestawienie dziecka na odpowiedni plan dnia. Aby wprowadzić lub zmienić plan dnia dziecku w wieku powyżej trzech miesięcy, uczę rodziców metody „podnieś – połóż", w skrócie PP.

Jeśli Twoje dziecko dobrze śpi i ma odpowiedni plan dnia, nie potrzebujesz PP. Ale skoro czytasz ten rozdział, prawdopodobnie tak nie jest. Ten rozdział skupia się wyłącznie na technice PP: wyjaśnia, co to jest i jak można ją modyfikować dla różnych grup wiekowych. Omawiam tutaj typowe problemy ze snem w pierwszym roku życia i pokazuję przypadki wzięte z życia w każdej grupie wiekowej, żeby zademonstrować, jak można wykorzystać technikę PP. Pod koniec rozdziału (strony 258 – 261) zawarłam również specjalny podrozdział na temat spania w dzień, które często bywa problemem dzieci w różnym wieku. I w końcu, ponieważ wielu rodziców pisało do mnie z informacją, że technika PP nie sprawdza się w przypadku *ich* dziecka, przyglądam się momentom, w których często popełniają błędy.

Co to jest PP?

Technika podnieś – połóż jest podstawowym elementem mojej zrównoważonej filozofii na temat snu. Chodzi zarówno o narzędzie dydaktyczne, jak i o metodę rozwiązywania problemów. Dzięki niej Twoje dziecko nie będzie uzależnione od Ciebie albo od jakiegoś rekwizytu ani nie zostanie opuszczone. Nie zostawiamy dziecka, żeby samo do wszystkiego doszło — zostajemy z nim, zatem nie ma tu elementu „wypłakiwania się".

Korzystam z techniki PP w przypadku niemowląt w wieku od trzech miesięcy do roku, które nie nauczyły się jeszcze samodzielnie zasypiać — czasem nawet dotyczy to starszych dzieci, w szczególnie trudnych przypadkach lub gdy dziecko nigdy nie miało żadnego stałego planu. Metoda PP nie zastępuje rytuału przed snem (strony 190 – 194); jest to raczej ostatnia deska ratunku. Najczęściej jest potrzebna z powodu wcześniejszego przypadkowego rodzicielstwa.

Jeśli Twoje dziecko marudzi w porze spania albo jeśli musisz korzystać z jakiegoś rekwizytu, by je uśpić, niezwykle ważne jest, by zmienić te nawyki, zanim się głęboko zakorzenią i pogorszą. Na przykład, gdy mała Janine miała dwa miesiące, „spała tylko w wózku" według jej mamy, która teraz pisze: „Nie mogę jej uśpić, chyba że zabiorę ją na przejażdżkę samochodem" (więcej o Janine znajdziesz na stronie 232, a lepszy sposób usypiania niemowląt na stronie 213). Uzależnienie od rekwizytów, jak wszystkie nałogi, z czasem tylko się pogłębia. Wtedy właśnie do gry wkracza PP. Wykorzystuję tę technikę, aby:

- nauczyć dzieci uzależnione od rekwizytów, jak samodzielnie spać, zarówno w dzień, jak i w nocy;
- ustalić im stały plan dnia lub zmienić go, jeśli rodzice zboczyli z kursu;
- pomóc dzieciom w przejściu z planu trzygodzinnego do czterogodzinnego;
- wydłużyć zbyt krótkie drzemki;
- promować dłuższy sen dziecka rano, gdy wczesne pobudki są spowodowane jakimiś zachowaniami rodziców, a nie naturalnym biorytmem dziecka.

PP to nie magia. Wymaga mnóstwa pracy (dlatego właśnie często sugeruję, by rodzice zespolili swoje wysiłki i zamieniali się rolami; patrz strona 266 i ramka na stronie 182). W końcu trzeba zmienić sposób, w jaki zwykle kładziesz dziecko spać. Zatem kiedy położysz je bez rekwizytu, prawdopodobnie będzie płakać, ponieważ jest przyzwyczajone do starego sposobu zasypiania — z butelką, przy piersi, podczas kołysania, lulania albo noszenia — z rekwizytem, który zapewniałaś w przeszłości. Od razu spotkasz się z oporem, ponieważ dziecko nie rozumie, co robisz. Zatem podejdź i podnieś je, dając do zrozumienia, że przynajmniej *Ty* wiesz, co się dzieje. W zależności od tego, w jakim wieku jest dziecko oraz jak jest silne i ruchliwe, odpowiednio dostosujesz metodę (dowiesz się, jak to zrobić, w kolejnych podrozdziałach właściwych dla wieku dziecka). Jednak technika PP składa się z tej samej podstawowej procedury.

Gdy dziecko płacze, wejdź do jego pokoju. Najpierw spróbuj je pocieszyć słownie oraz kładąc mu dłoń na plecach. Do wieku sześciu miesięcy możesz również zastosować poklepywanie cicho-sza; w przypadku starszych dzieci metoda ta (zwłaszcza dźwięk) może zaburzać sen, więc po prostu połóż dłoń na plecach dziecka, by poczuło fizycznie Twą obecność. Jeśli nie przestanie płakać, podnieś je. Ale połóż z powrotem, gdy tylko się uciszy, nie zwlekaj ani sekundy. Pamiętaj, że masz tylko uspokoić dziecko, a nie je uśpić — tego ma dokonać samodzielnie. Jeśli jednak się rozpłacze i zacznie wyginać, natychmiast je odłóż. Nigdy nie siłuj się z płaczącym dzieckiem. Ale utrzymuj kontakt, kładąc mu rękę na plecach, by wiedziało, że tam jesteś. Zostań z nim. Reaguj również słownie: „Czas spać, kochanie. Idziesz teraz spać".

Nawet jeśli rozpłacze się, gdy tylko oderwiesz go od swoich ramion lub w drodze do łóżeczka, i tak je połóż. Jeśli płacze, znów je podnieś. Chodzi tutaj o to, by zapewnić dziecku bezpieczeństwo i pocieszenie, ale jednocześnie pozwolić mu wyrażać emocje. Krótko mówiąc, masz mówić swoim zachowaniem: „Możesz płakać, ale mama (tata) jest przy tobie. Wiem, że trudno ci zasnąć, ale jestem tu, żeby ci pomóc".

Jeśli rozpłacze się, gdy je położysz, znów je podnieś. Ale pamiętaj, by z nim nie walczyć, gdy zacznie się wyginać. Częścią tej walki i wyrywania się jest to, że maluch próbuje zasnąć. Odpychanie i wyrywanie się jest sposobem, w jaki dziecko chce się uspokoić. Nie czuj się winna, nie robisz mu krzywdy. I nie bierz tego do siebie — dziecko nie jest na Ciebie złe. Jest tylko sfrustrowane, ponieważ nie nauczyło się, jak samodzielnie zasypiać, a Ty masz mu pomóc i zapewnić bezpieczeństwo. Podobnie jak dorośli, którzy przewracają się z boku na bok w bezsenną noc, maluch chce tylko się wyspać.

Przeciętnie technika PP zajmuje około dwudziestu minut, ale może też trwać godzinę i dłużej. Nie jestem pewna, jaki był mój rekord, ale z pewnością stosowałam tę metodę ponad sto razy z niektórymi niemowlętami. Często rodzice po prostu nie mają do niej zaufania. Są pewni, że nie podziała w przypadku *ich* dziecka. Nie widzą, że PP jest *narzędziem*. Szczególnie mamy zadają pytanie: „Jeśli nie mogę użyć piersi, to co mi pozostaje? Jak mam go uspokoić?". Masz głos i interwencję fizyczną. Twój głos, niezależnie czy w to wierzysz, czy nie, jest bardzo potężnym narzędziem. Mówiąc do dziecka łagodnym, słodkim tonem i powtarzając w kółko to samo, jeśli trzeba („Po prostu idziesz spać, kochanie"), dajesz mu znać, że nie masz zamiaru go zostawić. Pomagasz mu tylko zasnąć. Niemowlęta, których rodzice stosują PP, w końcu zaczynają kojarzyć głos z uspokajaniem, i nie trzeba ich już dłużej podnosić. Gdy poczują się bezpiecznie, słysząc uspokajające słowa rodziców, nie potrzeba im już nic więcej.

Jeśli poprawnie stosujesz PP — podnosisz dziecko, kiedy płacze, i kładziesz, gdy tylko przestanie — dziecko w końcu straci „napęd" i zacznie płakać słabiej. Najpierw może zacząć chlipać, łykać łzy i powoli się wyciszać. Krótki, urywany oddech — łapanie tchu po płaczu — jest prawie zawsze oznaką, że sen jest już blisko. Trzymaj tylko dłoń na jego plecach. Nie klep, nie szepcz do ucha i nie wychodź z pokoju... dopóki nie zobaczysz, że maluch zapadł w głęboki sen (patrz strona 193 – 194).

Technika PP ma na celu zapewnienie bezpieczeństwa dziecku i zbudowanie zaufania. Jeśli trzeba będzie brać dziecko na ręce i odkładać pięćdziesiąt czy sto razy, a nawet sto pięćdziesiąt, z pewnością jesteś gotowa to zrobić, aby nauczyć Twoje niemowlę samodzielnego zasypiania i odzyskać własny czas wolny, prawda, złotko? Jeśli nie, czytasz nie tę książkę, co trzeba. Nie ma błyskawicznych, prostych rozwiązań.

PP nie ma zapobiegać płaczowi. Ale ma zapobiec strachowi przed opuszczeniem, ponieważ *zostajesz z dzieckiem i pocieszasz je, gdy płacze.* Maluch nie płacze dlatego, że Cię nienawidzi, ani dlatego, że robisz mu krzywdę. Płacze, ponieważ starasz się uśpić go w inny sposób i jest sfrustrowany. Dzieci *będą* płakać, gdy zmieniasz ich nawyki. Ale płaczą z powodu frustracji, a to zupełnie inny rodzaj płaczu niż ten spowodowany lękiem, że zostaną opuszczone, co jest najbardziej rozpaczliwym, pełnym strachu i prawie pierwotnym zawodzeniem, zaprojektowanym tak, by natychmiast Cię przywołać z powrotem do pokoju.

Weźmy na przykład małą Janine, o której wspominałam wcześniej. Gdy jej mama przestała używać rekwizytów w postaci wózka i samochodu, by ją uśpić, Janine się to nie spodobało. Na początku ciągle płakała, a tak naprawdę chciała powiedzieć: „Co robisz, mamo? Nie tak chodzimy spać". Ale po kilku nocach wypełnionych techniką PP nauczyła się spać bez rekwizytów.

Aby była skuteczna, technika PP musi być odpowiednia do etapu rozwoju. W końcu inaczej będziemy radzić sobie z niemowlęciem czteromiesięcznym niż z jedenastomiesięcznym. Ma zatem sens, żeby dostosować PP do zmieniających się potrzeb i cech dziecka. W kolejnych czterech podrozdziałach — od trzech do czterech miesięcy, od czterech do sześciu, od sześciu do ośmiu i od ośmiu miesięcy do roku — proponuję krótki przegląd cech dzieci w każdej grupie wiekowej oraz tego, jak częste problemy ze snem zmieniają się nieco z czasem. (Problemy ze snem po ukończeniu pierwszego roku życia zostały omówione w rozdziale 7.). Chyba nie dziwi fakt, że wiele kłopotów, takich jak budzenie się w nocy i skrócone drzemki w dzień, może się utrzymywać dłużej. Zawarłam tam również kluczowe pytania, które pozwalają w pełni zrozumieć konkretny problem. Oczywiście zazwyczaj zadaję dodatkowe pytania dotyczące wzorca snu, zwyczajów jedzeniowych, aktywności itd., ale zakładam, że jeśli czytałaś wcześniejszą część książki, masz już dość dobre wyczucie na temat tego, co mnie zazwyczaj ciekawi. (Jak już proponowałam, proszę, przeczytaj opis *wszystkich* grup wiekowych. Nawet jeśli Twoje dziecko przeszło już wcześniejsze etapy, pytania tam zawarte dadzą Ci dodatkowe informacje, dzięki którym dowiesz się, dlaczego Twoje dziecko ma kłopoty ze snem). Następnie wyjaśniam, jak przystosować metodę PP do każdej z grup wiekowych. Po każdej części przywołuję przypadek z życia dla danej grupy wiekowej, aby pokazać Ci, jak stosuje się PP w różnych sytuacjach i na różnych etapach rozwoju.

Od trzech do czterech miesięcy — zmiana planu dnia

Być może zaskoczy Cię fakt, że skupiamy się tu tylko na jednym miesiącu, zamiast wrzucić kategorię „od trzech do sześciu miesięcy". To dlatego, że w ciągu czwartego miesiąca życia niemowlęcia następuje spora zmiana. Wtedy właśnie większość dzieci jest w stanie przejść od trzy- do czterogodzinnego planu dnia (być może dobrze będzie przypomnieć sobie tabelkę z rozdziału 1., ze strony 41). W wieku trzech miesięcy nasze maleństwo spało trzy razy w dzień, a miesiąc później będzie już spało tylko dwukrotnie. Jadło pięć razy dziennie (o 7:00, 10:00, 13:00, 16:00 i 19:00) plus karmienie przez sen, a teraz będzie karmione czterokrotnie (o 7:00, 11:00, 15:00 i 19:00) plus karmienie przez sen. Dotąd było w stanie czuwać tylko przez pół godziny do czterdziestu pięciu minut po karmieniu, a teraz będzie mogło nie spać przez dobre dwie godziny, jeśli nie więcej.

Zmiana w wieku czterech miesięcy czasem zbiega się ze skokiem wzrostu (patrz strony 122 – 128 oraz 205 – 207). Jednak w przeciwieństwie do poprzednich okresów intensywnego wzrostu ten wymaga nie tylko podawania większych ilości pożywienia w ciągu dnia, ale również *wydłużenia* czasu między karmieniami. Jeśli to wydaje Ci się dziwne, pamiętaj o tym, że teraz żołądek niemowlęcia jest większy, potrafi ono również bardziej efektywnie jeść, więc pochłania naraz więcej niż w poprzednich miesiącach. Maluch również *potrzebuje* więcej pożywienia, ponieważ wzrasta jego aktywność i może dłużej nie spać. Jeśli nie dostosujesz jego planu dnia albo jeśli w ogóle jeszcze nie masz planu, to jest to miesiąc, gdy wiele problemów ze snem „niespodziewanie" się pojawia i równie tajemniczo znika dzięki wprowadzeniu lub zmianie stałego planu dnia. Podobnie, jeśli nie zdajesz sobie sprawy z tego, że Twoje dziecko przechodzi skok wzrostu, i zaczniesz je karmić, gdy obudzi się w nocy, może „nagle" zacząć mieć problemy ze snem, nawet jeśli wcześniej przesypiało noc.

Twoje niemowlę wciąż ma ograniczone możliwości fizyczne w wieku trzech miesięcy, ale rośnie jak na drożdżach i rozwija się równie szybko. Może poruszać główką, rękoma i nogami. Być może potrafi się już przekręcać. Jest bardziej ożywione i dostrojone do otoczenia. Nauczyłaś się rozpoznawać różne rodzaje jego płaczu i mowę ciała, znasz już różnicę między głodem, zmęczeniem, bólem i nadmiarem bodźców. Oczywiście głodne dziecko zawsze trzeba nakarmić. Ale niemowlę sfrustrowane oraz (lub) zmęczone należy nauczyć, jak z powrotem zasnąć. Maluch może wyginać się w łuk podczas płaczu. Jeśli nie jest zawinięty w kocyk, może również wyrzucać nóżki do góry i uderzać nimi o materac, gdy jest zdenerwowany.

Częste problemy. Jeśli niemowlę nie ma stałego planu dnia albo nie przeszło jeszcze z planu trzygodzinnego na czterogodzinny, prawdopodobne jest, że będzie się budzić w środku nocy albo ucinać sobie jedynie krótkie drzemki, lub też budzić się zbyt wcześnie rano — albo zaistnieją wszystkie te trzy elementy. Gdy rodzice podążali za dzieckiem, zamiast je prowadzić, dostaję e-maile takie tak ten od matki czteromiesięcznego niemowlęcia:

> *Justina nie miała nigdy żadnego stałego planu. Udaje mi się ją w dzień uśpić dość łatwo, potrzebuje tylko odrobiny uspokojenia, ale niezależnie od tego, jak dbam o spokojną atmosferę w pokoju dziecinnym, nie śpi dłużej niż pół godziny i wciąż jest śpiąca, gdy się budzi.*

W dalszej części e-maila mama twierdzi, że *Justina* „utrudnia jej przestrzeganie planu PROSTE", ale to tak naprawdę jest jej problem, a nie dziecka. To ona musi przejąć prowadzenie. Jeśli na dodatek rodzice Justiny wykorzystywali rekwizyt — siebie samych lub ruch — aby uśpić małą, to problem staje się jeszcze poważniejszy.

Ponadto u niemowląt w tym wieku dokładnie w momencie, gdy zapadają w sen, rozluźnia się całe ciało (także usta), a smoczek wypada. Wiele dzieci śpi dalej, ale niektóre się budzą. U takich dzieci smoczek jest rekwizytem (patrz strona 197). Może to trwać aż do siedmiu miesięcy, bo w tym wieku niemowlę powinno już samo umieć z powrotem włożyć sobie smoczek do buzi. Jednak do tego czasu, jeśli będziesz wtykać dziecku wypluty smoczek, doprowadzisz do wzmocnienia częstego wzorca przypadkowego rodzicielstwa. Lepiej po prostu zostawić smoczek w spokoju i pocieszyć dziecko w inny sposób. (Jeśli do tej pory nie stosowałaś jeszcze smoczka, lepiej już nie zaczynaj).

***Kluczowe pytania*. Czy Twoje dziecko kiedykolwiek miało stały plan dnia?** Jeśli nie, będziesz musiała do tego doprowadzić (patrz strony 46 – 54). **Czy próbujesz utrzymać trzygodzinny plan dnia?** Jeśli tak, musisz zacząć pomagać mu przejść na plan czterogodzinny. Proces wygląda tak samo, jak wprowadzanie planu PROSTE dzieciom czteromiesięcznym (co omawiam szczegółowo na stronie 236). Czy skróciły mu się drzemki? To również może oznaczać, że Twoje dziecko powinno już mieć plan czterogodzinny. A w okolicach czwartego miesiąca życia większość niemowląt może wytrzymać bez snu przez przynajmniej dwie godziny. Niektóre dzieci osiągną to stadium wcześniej, inne później, ale jeśli wciąż jedzą według trzygodzinnego planu, zbyt częste karmienia będą nachodzić na czas drzemki (sprawdź plan porównawczy trzy- i czterogodzinny na stronie 41). Nawet jeśli maluch do tej pory dobrze spał w dzień, często zaczyna ucinać sobie coraz krótsze drzemki. Zazwyczaj dzieje się to bardzo stopniowo, a wielu rodziców uświadamia sobie, co się dzieje, gdy drzemki się skracają do czterdziestu pięciu minut lub krótszych odcinków czasu (patrz strony 258 – 261). Jeśli bacznie obserwujesz swoje dziecko, zauważysz od razu, co się dzieje. Nie pozwól na utrwalenie się nawyku, lecz od razu przestaw niemowlę na plan czterogodzinny.

Czy dziecko chce jeść częściej — powiedzmy, powinno być karmione o 10:00, ale wydaje się bardzo głodne wcześniej? Czy jeśli budzi się w nocy, wypija pełną porcję? Jeśli tak, prawdopodobnie przechodzi właśnie okres intensywnego wzrostu. I znów, musisz zacząć przestawiać je na plan czterogodzinny. Oprzyj się pokusie, by częściej karmić. Lepiej wykorzystaj plan karmienia, który przedstawiłam na stronach 206 – 207, zakładający podanie większej porcji pokarmu o 19:00, a potem w ciągu trzech lub czterech dni stopniowo spróbuj zwiększać ilości przy każdym karmieniu — dodając mleka do butelki lub przystawiając niemowlę do obu piersi, co pozwoli zwiększyć laktację. Jeśli dziecko nie zjada dodatkowej porcji, to znaczy, że nie jest jeszcze na nią gotowe, ale mimo wszystko obserwuj, ile zjada. W wieku czterech lub czterech i pół miesiąca niemowlę będzie w stanie wytrwać cztery godziny między posiłkami. Wyjątkiem jest wcześniak, który jeśli ma cztery miesiące, ale urodził się na przykład sześć tygodni przed terminem, rozwojowo ma dopiero dwa i pół miesiąca (patrz strona 153 i ramka na stronie 187).

Czy dziecko budzi się wcześniej? W tym wieku niemowlęta niekoniecznie płaczą z głodu tuż po obudzeniu — podobnie jak dorośli, niektóre są głodne, a inne nie. Wiele będzie leżało i gaworzyło, a jeśli nikt do nich nie podejdzie, z powrotem zapadną w sen. Tu właśnie ważne jest, by właściwie odczytywać sygnały dziecka. Jeśli Twój maluch płacze, bo jest głodny, musisz go nakarmić. Ale potem odłóż go z powrotem do spania. Jeśli nie zaśnie, musisz zastosować technikę PP. Wraz ze zwiększaniem ilości pokarmu w ciągu dnia i przejściem na plan czterogodzinny jego pora pobudki prawdopodobnie się ustabilizuje. A teraz załóżmy, że dziecko nie zjadło pełnej porcji. Wtedy wiesz już, że nie było głodne, a chciało się tylko pocieszyć. **Czy w przeszłości zawsze szłaś do dziecka i je karmiłaś?** Jeśli tak, możesz być pewna, że niemowlę nabrało nawyku budzenia Cię, żeby się napić z piersi lub z butelki. Zamiast mu ją podawać, lepiej zastosuj PP.

Jak dostosować PP. W przypadku tak małego dziecka poza zastosowaniem podstawowej procedury opisanej wcześniej, gdy pierwszy raz wejdziesz do pokoju, być może będziesz musiała zawinąć niemowlę na nowo. Zrób to, gdy leży w łóżeczku. Jeśli nie możesz uspokoić go, gdy leży w łóżeczku, przy pomocy ciepłych słów i delikatnego poklepywania, podnieś je.

Wczesne pobudki

Dziecka czy Twoje?

Ostatnio poznałam mamę ośmiomiesięcznego Olivera, który zasypiał na dwugodzinne drzemki w ciągu dnia, chodził spać o 18:00 i przesypiał noc aż do 5:30. Mamie nie podobało się tak wczesne wstawanie, więc powiedziała mi: „Będę próbowała przytrzymać go wieczorem, żeby później zasypiał". Oliver, który normalnie był bystrym, wesołym niemowlęciem z dobrym planem dnia, nagle zaczął marudzić wieczorami. Mama chciała wiedzieć, co ma zrobić, ponieważ przetrzymywanie go wieczorem w oczywisty sposób nie podziałało, a Oliver, z którym wcześniej nie było problemów, nagle zaczął mieć kłopoty z zasypianiem. „Czy powinniśmy spróbować metody wypłakiwania?" — zapytała. Absolutnie nie. Mama musiała wziąć odpowiedzialność za to, że z braku problemu zrobiła problem. Niemowlęta mają swój własny zegar biologiczny. Jeśli Twoje dziecko śpi przez 11,5 godziny — powiedzmy od 18:00 do 5:30 — to jest to odpowiednia ilość snu, zwłaszcza jeśli jego drzemki w dzień są dość długie. Możesz próbować przesunąć porę jego pobudki, powiedzmy na 6:30 lub 7:00, próbując wydłużyć czas snu o 15 minut naraz, aby upewnić się, że nie przemęczysz malucha. Ale jego wewnętrzny zegar może stawić opór, a wtedy musisz trzymać się kładzenia go spać o 18:00. Jeśli to *Ty* jesteś zmęczona, ponieważ nie lubisz wstawać o tej porze, kładź się spać wcześniej!

Potrzymaj, dopóki nie przestanie płakać, ale nie dłużej niż cztery czy pięć minut. Nie trzymaj niemowlęcia, jeśli Ci się wyrywa, wyginając plecy lub odpychając Cię. Połóż je. Ponownie spróbuj zastosować poklepywanie cichosza, by uspokoić dziecko w łóżeczku. Jeśli to nie podziała, znów je podnieś. Przeciętnie metoda PP w przypadku niemowląt w wieku trzech lub czterech miesięcy zajmuje około dwudziestu minut. Na szczęście, nawet jeśli Twoje dziecko wyrobiło sobie nawyk w odpowiedzi na przypadkowe rodzicielstwo, prawdopodobnie nie jest on zbyt głęboko zakorzeniony. Jedynym złym wyjściem byłoby, gdybyś próbowała metody kontrolowanego wypłakiwania się i straciła z tego powodu zaufanie dziecka.

Zmiana planu dnia niemowlęcia czteromiesięcznego, by rozwiązać problemy ze snem w nocy

Gdy niemowlęta w wieku czterech miesięcy (lub starsze) wciąż mają trzygodzinny plan PROSTE, w dzień śpią mało regularnie i często budzą się w nocy. Jeśli w naturalny sposób się nie przestawią na rzadsze pory posiłków, trzeba im w tym pomóc. (Jeśli Twoje dziecko nigdy nie miało stałego planu dnia, wróć do stron 46 – 54, aby nauczyć się, jak wprowadzić plan PROSTE).

Poniższy plan, opracowany specjalnie dla dziecka w wieku czterech miesięcy, podano w odcinkach trzydniowych. Dobrze się sprawdza w przypadku większości dzieci, ale nie przejmuj się, jeśli Twojemu dziecku będzie potrzeba więcej czasu na osiągnięcie celu. Na przykład tabela (strona 239) zakłada, że karmienie trwa pół godziny, ale u Twojego dziecka może zajmować czterdzieści pięć minut. Jeśli Twoje dziecko już nabrało nawyku krótkich drzemek w dzień, być może potrzeba będzie więcej czasu, by przyzwyczaić je do dłuższego spania. Ważne jest, by cały czas zmierzać w odpowiednim kierunku. W podrozdziale następującym po tabeli znajdziesz historię Lincolna, opowiadającą o tym, jak trzeba było pomóc mu dokonać zmiany planu, wykorzystując technikę PP, żeby przedłużyć jego drzemki.

Dni 1. – 3. Wykorzystaj ten czas, by poobserwować trzygodzinny plan dnia dziecka, to, ile je, jak długo śpi. Zazwyczaj trzymiesięczne niemowlę zjada pięć posiłków dziennie, o siódmej, dziesiątej, trzynastej, szesnastej i dziewiętnastej. Na dole strony 239 jest „idealny dzień", ale wiele niemowląt funkcjonuje inaczej. (Wymieniam tylko czas karmienia, rozrywki i snu, bez TE [TEraz czas dla Ciebie], żeby uprościć zapis).

Dni 4. – 7. Nakarm dziecko o siódmej, kiedy się obudzi, wydłuż jego poranny czas aktywności o piętnaście minut, a przez resztę dnia karm je o piętnaście minut później niż zwykle — na przykład drugie karmienie będzie mieć miejsce o 10:15 zamiast o 10:00, kolejne o 13:15 zamiast o 13:00. Dziecko wciąż będzie spało trzy razy (półtorej godziny, znów półtorej, i dwie) plus półgodzinna lub czterdziestopięciominutowa drzemka, ale przerwa *pomiędzy* drzemkami nieco się wydłuży, i nadal będzie się zwiększać, gdy będziesz kontynuować ten plan. Innymi słowy, dziecko będzie czuwać przez coraz dłuższy czas. Aby wydłużyć drzemki, zastosuj PP.

Dni 8. – 11. Nadal karm dziecko o siódmej, gdy się obudzi, ale wydłużaj jego poranny czas aktywności o kolejne piętnaście minut, co sprawi, że pora karmień również się przesunie o piętnaście minut, czyli razem o pół godziny — karmienie, które początkowo miało miejsce o 10:00, teraz będzie o 10:30, to o 13:00 teraz jest o 13:30 itd. Wyeliminujesz również popołudniową krótką drzemkę na kilka dni, aby przedłużyć pozostałe — do mniej więcej półtorej godziny rano, potem godziny i czterdziestu pięciu minut, i dwóch godzin po południu. Gdy wyeliminujesz krótką drzemkę, dziecko może być bardzo zmęczone po południu. Jeśli tak, być może trzeba będzie położyć je spać o 18:30 zamiast o 19:00.

Dni ***12. – 15. (lub dłużej)***. Teraz zacznij wydłużać czas aktywności dziecka o pół godziny, co wpłynie również na półgodzinne przesunięcie pory karmienia — wcześniejsze karmienie, które początkowo miało miejsce o 10:00, teraz będzie o 11:00, to o 13:00 teraz jest o 14:00 itd. Nadal nie kładź dziecka na popołudniową krótką drzemkę, by doprowadzić do wydłużenia pozostałych drzemek, mniej więcej do dwóch godzin rano, potem półtorej godziny i po południu jeszcze raz półtorej godziny. To będą najtrudniejsze dni, ale wytrwaj. I znów, jeśli Twoje dziecko jest zmęczone z powodu opuszczenia jednej drzemki, połóż je wcześniej spać wieczorem. Jeśli stosowałaś karmienie cząstkowe, dokarm je o siódmej, przed położeniem malucha spać.

Mogę sobie wyobrazić, jakie listy dostanę: „Ale Tracy, powiedziałaś, że nigdy nie należy usypiać karmieniem". To prawda. Usypianie karmieniem — nieważne, czy dziecko uzależnia się od butelki, czy od matczynej piersi — jest jedną z najpopularniejszych form przypadkowego rodzicielstwa. Niemowlęta, które karmi się, żeby zasnęły, nie potrafią już zasnąć w żaden inny sposób i często budzą się w nocy. Jest jednak olbrzymia różnica pomiędzy usypianiem karmieniem, a karmieniem *przed snem* czy karmieniem przez sen, co pozwala dziecku później dłużej spać, przez pięć lub sześć godzin. Proponuję karmienie, kąpiel i usypianie, ale można też najpierw dziecko wykąpać, a potem nakarmić . To zależy od niemowlęcia — niektóre pobudza kąpiel, zatem lepiej nakarmić je później, a inne robią się senne i czasami zasypiają wtedy przy karmieniu. Musisz sama dojść do tego, co jest najlepsze dla Twojego dziecka. Tak czy owak, karmienie o siódmej wieczorem nie równa się jeszcze przypadkowemu rodzicielstwu, w którym trzeba nakarmić dziecko przed *każdym* okresem snu, żeby w ogóle zasnęło.

Cel. W tym momencie karmienia poranne będą już o właściwych porach — o siódmej i jedenastej. W ciągu trzech lub więcej dni będziesz pracować nad dostosowaniem pór karmień popołudniowych. Opóźniaj o piętnaście minut do pół godziny dwa popołudniowe karmienia, które przed tym etapem odbywały się o 14:15 (a chcemy, by było o 15:00) i o 17:00 (a powinno być o 18:00 lub 19:00). W miarę wydłużania czasu czuwania dziecko prawdopodobnie będzie potrzebowało znów krótkiej drzemki po południu. Kontynuując takie działania, w końcu doprowadzisz do zmiany pięciu karmień w cztery, jak widać w ostatniej kolumnie poniższej tabeli — o 7:00, 11:00, 15:00 i 19:00, plus karmienie przez sen — a cztery drzemki staną się dwiema dwugodzinnymi rano i po południu oraz krótką drzemką późnym popołudniem. Zwiększy się również czas czuwania dziecka, które będzie już potrafiło wytrzymać dwie godziny bez snu.

Dni 1. – 3.	**Dni 4. – 7.**	**Dni 8. – 11.**	**Dni 12. – 15.**	**Cel**
P: 7:00	**P**: 7:00	**P**: 7:00	**P**: 7:00	**P**: 7:00
RO: 7:30	**RO**: 7:30	**RO**: 7:30	**RO**: 7:30	**RO**: 7:30
S: 8:30 (1,5 godz.)	**S**: 8:45 (1,5 godz.)	**S**: 9:00 (1,5 godz.)	**S**: 9:00 (2 godz.)	**S**: 9:00 (2 godz.)
P: 10:00	**P**: 10:15	**P**: 10:30	**P**: 11:00	**P**: 11:00
RO:10:30	**RO**: 10:45	**RO**:11:00	**RO**: 11:30	**RO**: 11:30
S: 11:30 (1,5 godz.)	**S**: 12:15 (1 godz. 15 min)	**S**: 12:30 (1 godz. 45 min.)	**S**: 12:45 (1,5 godz.)	**S**: 13:00 (2 godz.)
P: 13:00	**P**: 13:30	**P**: 13:45	**P**: 14:15	**P**: 15:00
RO: 13:30	**RO**: 14:00	**RO**: 14:15	**RO**: 14:45	**RO**: 15:30
S: 14:30 (1,5 godz.)	**S**: 14:45 (2 godz.)	**S**: 15:00 (2 godz.)	**S**: 15:30 (1,5 godz.)	**S**: między 17:00 a 18:00 krótka drzemka (30 do 45 min.)
P: 16:00	**P**: 16:15	**P**: 16:30	**P**: 17:00	**E, RO, S**: do 19:30 karmienie, kąpiel i spanie
RO: 16:30	**RO**: 16:45	**RO**: 17:00	**RO**: kąpiel	**P**: 23:00, karmienie przez sen
S: krótka drzemka (30 do 45 min.)	**S**: krótka drzemka (30 do 45 min.)	**S**: bez drzemki!	**S**: usypianie o 18:30 lub 19:00	
E i RO: 19:00 karmienie i kąpiel	**E i RO**: 19:15 karmienie i kąpiel	**E, RO, S**: do 18:30 lub 19:00 karmienie, kąpiel i spanie	**P**: 23:00, karmienie przez sen	
S: 19:30	**S**: 19:30	**P**: 23:00, karmienie przez sen		
P: 23:00, karmienie przez sen	**P**: 23:00, karmienie przez sen			

Studium przypadku niemowlęcia w wieku czterech miesięcy — wprowadzanie czterogodzinnego planu PROSTE

May przyszła do mnie, ponieważ trzyipółmiesięczny Lincoln zaburzał życie całej rodziny. „Nie zasypia samodzielnie, nie potrafi też sam zasnąć z powrotem, jeśli się obudzi w nocy" — wyjaśniła May. „Jeśli kładę go do łóżeczka, kiedy nie śpi, płacze bez końca — nie marudzi, ale krzyczy. Idę do niego, ponieważ nie wierzę w pozwalanie dzieciom na wypłakiwanie się, ale trudno go uspokoić. Wydaje się, że niczego nie chce poza butelką. W ciągu dnia śpi, ale nigdy o tych samych porach i nigdy przez tyle samo czasu. Czasem w ogóle nie zasypia. Nie przesypia nocy. Budzi się o różnych porach. Śpi przez pięć lub sześć godzin i budzi się, żeby wypić 200 mililitrów mleka, po czym zasypia na mniej więcej dwie godziny. Ale czasem wypija tylko 50 mililitrów — nigdy nie wiem, jak będzie". May martwiła się, ponieważ nie tylko ona i jej mąż cierpieli z powodu niedospania, ale zaczynała również tracić cierpliwość. „On jest całkowitym przeciwieństwem Tamiki, teraz czteroletniej, która przesypiała noc od momentu, gdy skończyła trzy miesiące, i zawsze dobrze spała w dzień. Po prostu nie wiem, jak sobie z nim radzić".

Gdy zapytałam May, jak często je Lincoln, powiedziała, że co trzy godziny, ale od razu było dla mnie jasne, że nie ma stałego, konsekwentnie przestrzeganego planu dnia. Widać było też, że przechodzi okres intensywnego wzrostu — budził się o różnych porach i wypijał pełną butelkę po pięciu lub sześciu godzinach snu. Trzeba było od razu zająć się tym skokiem wzrostu, zwiększając porcje wypijane przez Lincolna w ciągu dnia. Ale musiałyśmy też przyjrzeć się brakowi planu w życiu tego małego chłopca, ponieważ przez to May miała problemy z odczytywaniem jego sygnałów. Pojawiły się też pewne elementy przypadkowego rodzicielstwa. Lincoln przyzwyczaił się do dwóch rekwizytów — swojej mamy i butelki. Musiałyśmy wprowadzić mu plan dnia PROSTE, dzięki któremu udałoby się rozwiązać kwestię głodu, oraz pomóc May dostroić się do płaczu Lincolna i odczytywać jego mowę ciała.

Ponieważ Lincoln miał prawie cztery miesiące, naszym celem było przejście z planu trzygodzinnego do czterogodzinnego. Chciałam zastosować w tym celu technikę PP, ale ostrzegłam May, że proces może zająć około dwóch tygodni, a nawet dłużej. Ponieważ Lincolnowi brakowało dwóch tygodni do ukończenia czterech miesięcy, być może nie od razu mógłby przetrwać czterogodzinne przerwy między karmieniami, zatem trzeba było stopniowo je wydłużać, zwłaszcza że bywało, iż jadł kapryśnie. Zaproponowałam plan opisany na stronach 238 – 239, który stosowałam w setkach takich przypadków: kazałam May co trzy dni przesuwać trochę porę karmienia Lincolna, najpierw o piętnaście minut, potem o pół godziny. Dodałyśmy też trochę więcej czasu aktywności (RO). W ten sposób mogłyśmy popracować nad połączeniem jego czterech czterdziestominutowych okresów snu w dzień w dwie długie drzemki i jedną krótką.

Podczas trwania tego procesu ważne było, by May prowadziła notatki, w których zapisywałaby karmienia, czas rozrywki (aktywności), drzemki i sen nocny. Pobudka byłaby zawsze o siódmej, kładzenie spać o 19:00 lub 19:30, a karmienie przez sen o 23:00. Ale dzięki dodawaniu czasu do okresów aktywności, pory karmienia i drzemek zmieniły się, najpierw o piętnaście minut, potem o pół godziny. Taka sytuacja oraz wprowadzanie planu PROSTE u dziecka czteromiesięcznego lub starszego (patrz strony 46 – 54) to jedyne okazje, gdy proponuję pilnowania czasu. Zwłaszcza wtedy, gdy rodzice nie potrafią odczytywać sygnałów niemowlęcia, trzymanie się wyznaczonych godzin pozwoli domyślić się, czego potrzebuje dziecko. Rodzice często karmią maluchy w tym wieku, bo nie wiedzą, czy ich dzieci są głodne, czy zmęczone.

Wyjaśniłam May, że nie możemy po prostu trzymać kciuków i liczyć na to, że Lincoln bezproblemowo dostosuje się do nowego planu — jego dotychczasowe budzenie się było zbyt chaotyczne. Trzeba go było tego nauczyć. W tym przypadku właśnie potrzeba było techniki PP, aby wydłużyć jego drzemki w dzień (bo na przykład spał tylko czterdzieści minut zamiast półtorej godziny), aby uśpić go w środku nocy oraz, jeśli to okazałoby się potrzebne, aby przesunąć na późniejszą porę jego poranną pobudkę.

Oczywiście Lincolnowi nie spodobał się nowy plan. Pierwszego dnia obudził się o siódmej — dobry początek. May nakarmiła go jak zwykle. O 8:30 Lincoln zaczął ziewać i wyglądać na zmęczonego, ale poradziłam May, by spróbowała go przetrzymać do 8:45, ponieważ starałyśmy się wprowadzić plan czterogodzinny. Udało się, ale Lincoln spał tylko czterdzieści pięć minut, zarówno dlatego, że nie był przyzwyczajony do dłuższych drzemek, jak i dlatego, że był prawdopodobnie nieco przemęczony po trochę dłuższym niż zwykle czuwaniu. Wiesz, że zawsze nalegam, by kłaść senne niemowlę do łóżeczka, ale to była szczególna sytuacja, ponieważ starałyśmy się zmienić ustawienia zegara biologicznego Lincolna. Trzeba było zachować chwiejną równowagę — nie trzymać dziecka za długo, by się nie przemęczyło, ale wystarczająco, by nieco przedłużyć czas aktywności. Wydłużenie tego czasu o piętnaście minut do pół godziny zazwyczaj można osiągnąć w wieku mniej więcej czterech miesięcy.

Ponieważ naszym celem końcowym było wydłużenie drzemek Lincolna najpierw do półtorej godziny, a potem do dwóch, gdy Lincoln obudził się o 9:30, pokazałam May, jak zastosować technikę PP, by go z powrotem uśpić. Ale to się nie udawało. May próbowała prawie przez godzinę. Ponieważ była już prawie pora karmienia, powiedziałam jej, żeby przestała i zabrała go z pokoju. Musiała zachowywać się bardzo spokojnie i cicho, ponieważ była to pora, gdy Lincoln powinien spać. Nie trzeba mówić, że mały był bardzo zmęczony i marudny o dziesiątej, czyli w porze następnego karmienia. Ale od płaczu również bardzo zgłodniał, więc sporo zjadł. Prawdziwym wyzwaniem było to, by nie pozwolić mu spać do następnej drzemki, wyznaczonej na godzinę 11:30. Ale May bardzo się starała. Zmieniła mu pieluchę w połowie karmienia, a gdy tylko widziała, że zaczyna zasypiać, wyciągała mu smoczek od butelki z buzi i sadzała go prawie pionowo. Większość niemowląt nie potrafi spać w tej pozycji, a oczy same im się otwierają, jak lalkom.

O 11:15 Lincoln był już naprawdę zmęczony. May wykonała rytuał przed snem i spróbowała go położyć bez butelki. Ponownie musiała zastosować PP. Chociaż tym razem musiała do podnosić i kłaść mniej razy, Lincoln i tak zasnął dopiero o 12:15. „Nie pozwalaj mu spać dłużej niż do pierwszej" — ostrzegłam ją. „Pamiętaj, że próbujemy go nauczyć spania według rozsądnego planu dnia".

Sceptyczna, ale zdesperowana May zastosowała się do moich wskazówek i nie pozwoliła na odstępstwa od planu. Już po trzech dniach zaczęła dostrzegać różnicę. Chociaż Lincoln miał jeszcze długą drogę przed sobą, zaczął szybciej zasypiać w ciągu dnia. May dalej trzymała się planu, i chociaż były momenty regresu, po jedenastu dniach zauważyła postępy: Lincoln zjadał więcej przy każdym posiłku, zamiast przekąszać, jak wcześniej. Ponadto czas poświęcany na technikę PP również się skrócił.

May sama była już wykończona i nie mieściło jej się w głowie, że to będzie takie trudne. Ale gdy przyjrzała się swoim zapiskom, zauważała powolne postępy, a to podtrzymało jej decyzję, by kontynuować. Zamiast budzić się o wpół do trzeciej w nocy, jak kiedyś, teraz po karmieniu przez sen Lincoln budził się o 4:30, ale May mogła dać mu smoczek i zasypiał jeszcze na godzinę. Karmiła go o 5:30, i chociaż dawniej pozwoliłaby mu na pobudkę o tej porze, teraz stosowała PP, żeby go z powrotem uśpić. Zajmowało jej to czterdzieści minut, ale potem spał do siódmej. Prawdę mówiąc, spał *o* siódmej. May kusiło, by pozwolić mu spać dalej (i samej sobie też!), ale pamiętała, co jej powiedziałam o zaczynaniu z zamiarem doprowadzenia wszystkiego do końca. Gdyby pozwoliła Lincolnowi spać dłużej niż do siódmej, zaburzyłoby to jego plan dnia i obróciło wniwecz całą jej ciężką pracę.

W czternastym dniu okres czuwania Lincolna się wydłużył, a jego poranne i popołudniowe drzemki trwały przynajmniej godzinę. Już nie domagał się butelki podczas zasypiania, a May nie musiała wykonywać PP. Nawet jeśli się budził, najczęściej wystarczało położyć na nim dłoń i zasypiał z powrotem.

Od czterech do sześciu miesięcy — rozwiązywanie starych problemów

Gdy umiejętności dziecka rosną, jego zwiększona mobilność może powodować zaburzenia snu. Maluch jest w stanie więcej zdziałać rękoma i nogami — może sięgać po przedmioty i je chwytać. Ma również silniejszy tułów. Zaczyna podnosić się na kolanach i może przesuwać się w przód w łóżeczku. Położysz go na środku, a kilka godzin później znajdziesz wciśniętego w kąt.

Może próbować podnosić się na kolanach i podnosić tułów, gdy jest sfrustrowany. Gdy jest zmęczony, jego płacz będzie osiągać trzy albo nawet cztery wyraźne szczyty; za każdym razem będzie zaczynać płakać coraz głośniej, a potem nagle płacz osiągnie szczyt i zacznie opadać. Jeśli próbujesz skorygować przypadkowe rodzicielstwo lub przegapiłaś sygnały dziecka, które się przemęczyło, dostrzeżesz też sporo mowy ciała: trzymając je, zobaczysz, jak wygina się w tył i próbuje odepchnąć się stopami.

Częste problemy. Wiele problemów pojawiających się tutaj to te, które widzieliśmy już w poprzednich etapach, a które nie zostały rozwiązane. Jeśli ruch budzi dziecko, a nie nauczyliśmy go, jak z powrotem zasnąć, może to powodować budzenie nocne. Czasami rodziców kusi, aby albo wcześniej wprowadzić pokarmy stałe, albo dosypać do butelki kaszki. W przeciwieństwie jednak do częstego przekonania pokarmy stałe nie poprawią snu dziecka (patrz ramka na stronie 150), a już na pewno nie jest to lek na przypadkowe rodzicielstwo. Sen jest czymś, czego trzeba się nauczyć, a nie wynikiem pełnego brzuszka. Jeśli niemowlę nabrało nawyku spania w krótkich odcinkach, a nikt go nie nauczył, jak z powrotem zasypiać po przebudzeniu, zbyt krótkie drzemki również mogą być problemem.

Kluczowe pytania. Zadaję te same pytania, co na poprzednich etapach. Ponieważ drzemki są często najpoważniejszym problemem, pytam również: **Czy dziecko zawsze spało tak krótko w dzień, czy też coś się ostatnio zmieniło?** Jeśli problem pojawił się niedawno, pytam o inne kwestie — co się dzieje w domu, jak wyglądają karmienia, czy pojawiły się nowe osoby lub rozrywki (patrz również „Kilka słów na temat drzemek", strona 258). Jeśli wszystko jest w miarę stabilne, pytam: **Czy dziecko wydaje się kapryśne i nie w nastroju po drzemce? Czy dobrze śpi w nocy?** Jeśli dziecko dobrze się czuje w ciągu dnia i dobrze śpi w nocy, może po prostu taki ma biorytm — nie potrzebuje dłuższych drzemek. Jeśli jednak marudzi w dzień, trzeba zastosować technikę PP, by wydłużyć czas snu, ponieważ w oczywisty sposób tego właśnie trzeba dziecku.

To mit

Później położysz spać, później wstanie

Szokuje mnie, jak wielu jest rodziców skarżących się na wczesne pobudki ich dzieci, a którym pediatrzy doradzili, by próbowali je kłaść trochę później. Ale to oznacza, że niemowlę będzie przemęczone, gdy w końcu je położysz. Niemowlęta trzeba kłaść wtedy, *gdy wykazują oznaki zmęczenia*. W przeciwnym razie ich sen w nocy będzie kapryśny, a one i tak obudzą się o tej samej porze o poranku.

Jak dostosować technikę PP. Jeśli Twoje dziecko wciska główkę w materac, kręci nią z boku na bok, podnosi się na kolanach albo przewraca na boki, nie podnoś go od razu. Jeśli to zrobisz, dostaniesz pewnie kopniaka w pierś albo stracisz kilka włosów. Lepiej nadal mów do dziecka spokojnym, pewnym głosem. Gdy je w końcu podniesiesz, *potrzymaj je tylko przed dwie lub trzy minuty*. Połóż je z powrotem, nawet jeśli wciąż płacze. Następnie ponownie je podnieś i powtórz poprzednie czynności. Niemowlęta w tym wieku, jeśli próbuje im się zmieniać nawyki, najprawdopodobniej będą walczyć, a najczęstszym błędem rodziców jest przytrzymywanie wyrywającego się dziecka zbyt długo (patrz historia Sarah na stronach 245 – 246). Jeśli niemowlę z Tobą walczy, nie trzymaj go dłużej. Może na przykład kręcić głową i odpychać Cię rękoma i nogami. W tym momencie powiedz: „Dobrze, położę Cię teraz". Dziecko prawdopodobnie nie przestanie płakać, ponieważ wciąż jest nastawione na walkę. Podnieś je od razu. Jeśli znów zacznie walczyć z Tobą, połóż je do łóżeczka. Zobacz, czy zacznie się samodzielnie uspokajać i być może pojawi się „płacz typu mantra" (patrz ramka na tej stronie). Połóż je na plecach, potrzymaj je za rączki i powiedz: „Hej, spokojnie, ćśś. Po prostu idziesz spać. Wszystko jest dobrze. Wiem, że ci trudno".

Rodzice niemowląt w wieku około pięciu miesięcy mówią często to, co pewna mama: „Podnoszę ją, a ona się uspokaja. Ale potem, gdy chcę ją położyć, zaczyna znów płakać, zanim jeszcze dotknie materaca. Co mam zrobić?". To proste — trzeba położyć dziecko, zabrać ręce i powiedzieć „Teraz cię podniosę". W przeciwnym razie nauczysz dziecko, że powinno płakać, jeśli chce na ręce. Zatem trzeba doprowadzić wszystko do końca i położyć maleństwo na materacu. A później można już znów je podnieść.

Płacz typu mantra

Gdy niemowlę skończy trzy lub cztery miesiące, powinnaś już właściwie odczytywać wysyłane przez nie sygnały — mowę ciała, różne rodzaje płaczu — oraz znać jego osobowość. Powinnaś umieć odróżnić prawdziwy płacz będący wołaniem o pomoc od „płaczu typu mantra" — dziwacznego wybuchu płaczu, który charakteryzuje większość niemowląt w momencie, gdy zaczynają zasypiać. *Nie podnosimy wtedy dziecka.* Wstrzymujemy się, żeby zobaczyć, czy dziecko zaśnie samo. Jednak *zawsze* podnosimy dziecko, gdy naprawdę płacze, ponieważ jest to jego sposób mówienia: „Mam potrzebę, którą należy zaspokoić".

Sukces metody PP zależy częściowo od rozpoznania różnicy między prawdziwym płaczem a płaczem typu mantra. Każde dziecko ma inną mantrę, więc musisz nauczyć się rozpoznawać ten rodzaj płaczu u swojego niemowlęcia. Zobaczysz, że gdy jest zmęczone fizycznie, będzie mrugać i ziewać, a gdy będzie przemęczone, może machać rękoma i nogami. Będzie również wydawać dźwięk w stylu: „łaa... łaa... łaa...". Podobnie jak w mantrze, którą się powtarza w kółko, tutaj też ton i natężenie głosu pozostają bez zmian. Inaczej jest w przypadku prawdziwego płaczu, który najczęściej narasta.

Studium przypadku niemowlęcia w wieku od czterech do sześciu miesięcy — zbyt długie trzymanie na rękach

Rona zadzwoniła do mnie, ponieważ nie wiedziała, jak sobie poradzić ze swoją pięciomiesięczną Sarah, która przez pierwsze cztery miesiące życia spała dobrze. „Za każdym razem, gdy płakała, podnosiłam ją" — mówi mama. „Ale teraz Sarah budzi się o północy i nie śpi przez godzinę. Wciąż do niej chodzę. Zasypia, a potem kilka minut później znów muszę do niej iść". Poprosiłam Ronę, żeby sobie przypomniała *pierwszy* raz, gdy Sarah obudziła się o północy. „No cóż, to nas bardzo zaskoczyło, bo nigdy się tak nie zachowywała, więc oboje, Ed i ja, pobiegliśmy zobaczyć, co się stało. Naprawdę się przestraszyliśmy".

Wyjaśniłam, że niemowlęciu nie trzeba wiele, by skojarzyło: „Kiedy płaczę w ten sposób, mama albo tata (w tym przypadku mama *i* tata) przybiegają mi na pomoc". I nie trzeba wiele, by skojarzyło zasypianie z rekwizytem — w tym przypadku z mamą lub tatą biorącymi je na ręce. Może to brzmi dla Ciebie dziwnie. Moja metoda rzeczywiście polega na *podnoszeniu* i odkładaniu. Problem polega na tym, że niektórzy rodzice pocieszają dziecko w momencie, gdy jego potrzeba już minęła, a część z podnoszeniem jest zbyt przeciągnięta w czasie. Szczególnie w tym wieku niemowlę nie powinno być zbyt długo trzymane na rękach.

W tym przypadku jednak odkryłam, że za każdym razem, kiedy rodzic mówi: „moje dziecko kiedyś...", jest to sygnał alarmowy. Zazwyczaj w życiu dziecka wydarzyło się coś, co zaburzyło jego sen. Zatem zapytałam Ronę, czy w rodzinie były jakieś inne zmiany, i oczywiście było ich sporo. „Przenieśliśmy ją z naszego pokoju do jej własnego" — wyjaśniła Rona. „Pierwsze dwie noce spała dobrze, ale teraz się budzi". Rona przerwała i nagle popatrzyła na mnie. „Och, i wróciłam do pracy na część etatu — od poniedziałku do środy".

To naprawdę spora zmiana dla pięciomiesięcznego niemowlęcia. Ale przynajmniej oboje rodzice chcieli się zaangażować w rozwiązanie problemu. Mieliśmy zacząć w weekend, gdy wszyscy mieli wolne. Ale musiałam również dowiedzieć się, z kim będzie Sarah w dni, gdy Rony nie ma w domu. Żadna strategia mająca pomóc w rozwiązaniu problemów ze snem nie podziała, jeśli się jej nie będzie konsekwentnie stosować, w dzień i w nocy, w dni powszednie i w weekendy. Mama Rony zajmowała się wnuczką wtedy, kiedy jej córka była w pracy, poprosiłam zatem, by babcia również była obecna. Chociaż Sarah budziła się tylko w nocy, istniało prawdopodobieństwo, że jej drzemki w dzień mogą się również zaburzyć z powodu zmian w domu. Pomyślałam więc, że najlepiej będzie, jak wyjaśnię plan działania całej trójce dorosłych... na wszelki wypadek.

Ponieważ Sarah przywykła do tego, że jej mama interweniowała w środku nocy, zasugerowałam, żeby to Ed był osobą, która pierwsza stosuje metodę PP, gdy córka się obudzi. Miał to robić w piątek i w sobotę w nocy, a Rona nie powinna mu w tym pomagać. Ona z kolei pełniłaby „dyżur" przez kolejne dwie noce. „Jeśli sądzisz, że będzie cię kusić, żeby wejść i mu pomóc, to lepiej, żeby w ogóle nie było cię w domu. Prześpij się u mamy" — zaproponowałam.

Pierwsza noc była trudna dla Eda, który zazwyczaj spał albo przynajmniej leżał w łóżku, gdy Sarah się budziła. Wstawanie w nocy było obowiązkiem Rony. Ale Ed był pełen dobrej woli i chęci. Musiał podnosić Sarah ponad sześćdziesiąt razy, zanim w końcu zasnęła, ale był dumny, że w końcu się udało. Kolejnej nocy, gdy Sarah się obudziła, trzeba było wykonywać PP tylko przez dziesięć minut, żeby zasnęła. W niedzielę rano, gdy przyszłam zobaczyć, jak sobie radzą, Rona przyznała, że początkowo nie sądziła, iż Edowi uda się zastosować PP. Była pod takim wrażeniem, że zaproponowała, żeby podyżurował przez jeszcze jedną noc. Jak się okazało, Sarah pomarudziła trochę w niedzielę w nocy, ale sama zasnęła z powrotem. Tata nie musiał do niej wchodzić.

Przez trzy kolejne noce Sarah spała do rana, jednak w czwartek znów się obudziła. Ponieważ ostrzegłam Ronę i Eda, że może pojawić się regres — prawie zawsze tak jest w przypadku nawykowego budzenia się — Rona przynajmniej wiedziała, czego się spodziewać. Poszła do córki, ale wystarczyło trzy razy podnieść ją i położyć, żeby z powrotem zasnęła. W ciągu kilku tygodni budzenie się nocne dziewczynki odeszło w niepamięć.

Od sześciu do ośmiu miesięcy — niemowlę aktywne

Twoje dziecko jest teraz o wiele bardziej rozwinięte fizycznie. Pracuje nad samodzielnym siedzeniem albo już samo siada i może również potrafi podciągać się do pozycji stojącej. Powinno przesypiać w nocy sześć lub siedem godzin jednym ciągiem mniej więcej od końca czwartego miesiąca, a zdecydowanie od momentu wprowadzenia pokarmów stałych. Karmienie przez sen powinniśmy przerwać w wieku siedmiu lub ośmiu miesięcy, gdy dziecko będzie wypijało w dzień wystarczająco duże porcje mleka i zjadało dodatkowo sporo pokarmów stałych. Ważne jest, by nie przerywać nagle karmienia przez sen, gdyż można w ten sposób doprowadzić do zaburzeń snu. Trzeba raczej stopniowo zwiększać liczbę kalorii w ciągu dnia, zanim się je ograniczy w nocy (patrz ramka na stronie 131, gdzie znajduje się plan stopniowego eliminowania karmienia przez sen).

Częste problemy. Zwiększone umiejętności fizyczne i ruchowe mogą zakłócać sen dziecka. Gdy dziecko się przebudzi, może usiąść w łóżeczku, jeśli natychmiast nie zaśnie z powrotem, albo nawet wstać. Jeśli jeszcze nie opanowało sztuki siadania lub kładzenia się z pozycji stojącej, będzie się denerwować i wołać Cię na pomoc. W zależności od tego, jak zareagujesz, może to być początek przypadkowego rodzicielstwa. Twoje dziecko może również mieć bóle brzucha po wprowadzeniu pokarmów stałych (i dlatego właśnie lepiej wprowadzać nowe pokarmy rano, patrz strona 160). W tym wieku należy wziąć pod uwagę również ząbkowanie, podobnie jak skoki rozwojowe. I jedno, i drugie może zaburzać sen niemowlęcia. Niektóre dzieci w siódmym miesiącu życia zaczynają odczuwać lęk separacyjny, co zazwyczaj bardziej wpływa na sen w dzień niż w nocy, ale zazwyczaj następuje to później (patrz podrozdział „Od ośmiu miesięcy do roku", strona 251).

***Kluczowe pytania*. Czy Twoje dziecko budzi się o tej samej porze każdej nocy, czy też jego budzenie się jest chaotyczne? Czy budzi się tylko raz lub dwa razy w ciągu nocy? Czy płacze po obudzeniu się? Czy natychmiast do niego idziesz?** Jak już wyjaśniałam, chaotyczne budzenie się zazwyczaj oznacza okres intensywnego wzrostu oraz (lub) niewystarczającą ilość jedzenia w ciągu dnia, by przetrwać noc. Złotą zasadą jest tutaj dodawanie jedzenia w dzień, jeśli dziecko budzi się w nocy (strony 206 – 207). Z drugiej strony, budzenie nawykowe jest prawie zawsze oznaką przypadkowego rodzicielstwa (strona 199). Ale im starsze dziecko, tym trudniej zmienić jego nawyki. Jeśli niemowlę budzi się tylko raz w ciągu nocy, wypróbuj moją technikę budzenia, żeby spało, opisaną w rozdziale 5. (patrz ramka, strona 199): zamiast leżeć w łóżku i czekać ze strachem na znienawidzoną pobudkę o czwartej rano, budzisz dziecko wcześniej! Jeśli niemowlę budzi się *kilkakrotnie* w ciągu nocy, nie chodzi tylko o to, że ruchy jego ciała go budzą, ale też o to, że gdy tylko zaczyna marudzić, biegniesz do niego, by je uśpić. A jeśli dzieje się tak od wielu miesięcy, trzeba zastosować PP, by zmienić ten nawyk. **Czy zaczynasz rytuał przed snem, gdy tylko dziecko zaczyna okazywać zmęczenie?** Gdy niemowlę ma pół roku, powinnaś już rozpoznawać sygnały zmęczenia. Jeśli marudzi, nawet po zmianie otoczenia, wiadomo, że jest zmęczone. **Czy kładziesz je w ten**

Sprawianie, żeby łóżeczko było fajne

Jeśli Twoje dziecko czuje awersję do łóżeczka, wkładaj je do niego poza porami snu. Spraw, by to było zabawą. Włóż dużo zabawek (pamiętaj jednak, żeby je zabrać przed kładzeniem go spać). Włóż dziecko do środka i zacznij się bawić w „a kuku". Najpierw zostań z nim w pokoju. Zajmij się swoimi obowiązkami, na przykład składaniem ubrań, ale cały czas się odzywaj. Gdy dziecko zajmie się zabawkami i zacznie zauważać, że łóżeczko jest fajne i nie jest więzieniem, w końcu będziesz mogła wyjść z pokoju. Jednak nie przesadzaj i nigdy nie zostawiaj płaczącego malucha w łóżeczku.

sam sposób, co zawsze? Czy zawsze się tak zachowywało? Co robiłaś w przeszłości, żeby się uspokoiło? Jeśli to coś nowego, zadaję serię pytań o cały dzień dziecka — jak wygląda jego plan dnia, jakie ma rozrywki, jakie zmiany zaszły w domu. **Czy dziecko zrezygnowało z jednej drzemki?** W tym wieku niemowlęta wciąż potrzebują dwóch drzemek, więc Twoje dziecko może mieć za mało snu podczas dnia. **Czy jest bardzo aktywne, potrafi poruszać się samodzielnie, pełzając i podciągając się do pozycji stojącej? Jakie ma rozrywki?** Być może trzeba będzie mu zapewnić spokojniejszą aktywność przed drzemkami, a szczególnie po południu. **Czy zaczęłaś wprowadzać pokarmy stałe? Co dodałaś do jego diety? Czy wprowadzasz nowe rodzaje pożywienia wyłącznie rano?** (Patrz strona 160). Nowe jedzenie może mieć zły wpływ na jego brzuszek.

Spróbuj tego w domu... albo nie

Gdy dziecko ma uraz do łóżeczka albo po prostu nie może zasnąć bez przytulenia się do ciała dorosłego, czasami wchodzę do łóżeczka (patrz historia Kelly, strona 249) albo przynajmniej układam górną połowę ciała obok niego. Nie wchodź do łóżeczka niemowlęcia, jeśli ważysz ponad 70 kg. A kobiety (zwłaszcza niskie) powinny podstawić sobie taboret, bo inaczej zahaczą piersiami o barierki! Uważaj: niektóre niemowlęta wypychają rodziców, jeśli ci próbują się koło nich położyć. To dobrze. Przyjmij do wiadomości tę wskazówkę i wstań. Wiesz już, że ta technika nie jest odpowiednia dla *Twojego* dziecka.

Jak dostosować metodę PP. Zazwyczaj gdy rodzice mówią: „On się jeszcze bardziej denerwuje, gdy go podnoszę”, mają na myśli niemowlę w wieku od sześciu do ośmiu miesięcy, które jest już w stanie okazać opór fizyczny. Zatem trzeba zadbać o to, by było to w pewnym stopniu partnerstwo. Zamiast się nagle pochylać i wyciągać dziecko z łóżeczka, wyciągnij ręce i poczekaj, aż ono wyciągnie swoje. Powiedz: „Chodź do mamy (taty). Wezmę cię na ręce”. Gdy tylko je podniesiesz, ułóż dziecko na swoich rękach w pozycji horyzontalnej, jak w kołysce, i powiedz: „Wszystko jest dobrze, po prostu idziemy spać”. Nie kołysz dziecka. Natychmiast połóż je z powrotem. Nie utrzymuj kontaktu wzrokowego — jeśli to zrobisz, dziecko będzie skupiać na Tobie uwagę. Być może trzeba będzie mu pomóc zapanować nad rękoma i nogami. Gdy zacznie nimi machać, nie będzie umiało się uspokoić. Potrzebuje Twojej pomocy. Większości półrocznych niemowląt już się nie zawija, ale można owinąć je w kocyk, pozostawiając wolno jedną rączkę. Trzymanie go delikatnie, ale mocno (być może układając ręce wzdłuż jego boków), może pomóc mu zasnąć.

Gdy niemowlę zacznie się uspokajać, zobaczysz, jak robi to samodzielnie. Płacz może przypominać bardziej „mantrę” (patrz ramka na stronie 244). Zostaw je w spokoju, ale zostań przy nim. Połóż na nim rękę, ale nie poklepuj go ani nie szepcz. W tym wieku dźwięki i doznania dotykowe mogą przeszkadzać niemowlęciu zasnąć. Jeśli znów zacznie płakać, wyciągnij ręce i poczekaj, aż ono wyciągnie swoje. Znów zapewnij je, że nic złego się nie dzieje. Gdy będzie zasypiać, być może będziesz musiała odsunąć się, by nie absorbować go swoim widokiem. To zależy od dziecka. Niektórym trudniej jest zasnąć, gdy widzą rodzica — to je za bardzo rozprasza.

Studium przypadku niemowlęcia w wieku od sześciu do ośmiu miesięcy — bezsenność od urodzenia

„Kelly wrzeszczy jak szalona, gdy pora iść spać! Dlaczego ona tak się zachowuje??? Co mi chce powiedzieć???". Shannon rwała sobie włosy z głowy w związku ze swoją ośmiomiesięczną córką. Zachowanie Kelly w nocy stało się jeszcze bardziej nie do wytrzymania w ciągu ostatnich kilku miesięcy. „Próbowałam ją brać na ręce, dopóki się nie uspokoi, a potem ją odkładałam z powrotem do łóżeczka. Ale to tylko powoduje, że jeszcze bardziej się wścieka, kiedy ją odkładam". Co wieczór Shannon, jak przyznawała, bała się pory zasypiania Kelly, a ostatnio to samo działo się w porze drzemek w dzień. „Krzyczy tak samo za każdym razem, gdy zasypia w łóżeczku, w samochodzie lub w wózku. Wiem, że jest zmęczona, ponieważ trze sobie oczy i ciągnie się za uszy. Dbam o to, żeby w jej pokoju było ciemno — zapalam tylko małą lampkę. Próbowałam też ze światłem i bez światła, z muzyką i bez muzyki. Po prostu nie mam pojęcia, co jeszcze mogłabym zrobić". Po przeczytaniu mojej pierwszej książki Shannon dodała: „Nie stosowałam żadnego przypadkowego rodzicielstwa. Nigdy nie zasypiała na moich rękach ani w moim łóżku. Po prostu nie wiem, co jest grane".

Ja też być może nie wiedziałabym, co jest grane, tylko że Shannon podała mi kilka ważnych informacji. Po pierwsze powiedziała mi: „To się dzieje, odkąd się urodziła". Chociaż jej mama *myślała*, że nie zastosowała żadnych elementów przypadkowego rodzicielstwa, było dla mnie jasne, że Kelly uzależniła się od pomocy swojej mamy w zasypianiu. Branie jej na ręce stało się rekwizytem. Oczywiście ważne jest, by pocieszyć płaczące niemowlę, ale Shannon trzymała Kelly *za długo*. Chociaż pochwaliłam Shannon za obserwowanie oznak senności u małej, podejrzewałam, że czeka za długo z działaniem. Gdy ośmiomiesięczne niemowlę trze sobie oczy i ciągnie się za uszy, jest już bardzo zmęczone. Mama musi zacząć działać wcześniej.

W przypadku starszych dzieci trzeba podjąć małe kroki, by osiągnąć cel. Powiedziałam Shannon, żeby zaczęła stosować technikę PP w celu nauczenia Kelly, jak się uspokoić, zaczynając od pory drzemek, a potem kontynuując w nocy. Zadzwoniła do mnie na drugi dzień: „Tracy, robiłam wszystko tak, jak kazałaś, ale było tylko gorzej, mała wrzeszczała z całych sił. Pomyślałam, że chyba nie to miałaś na myśli".

Zatem musiałyśmy zacząć plan B, który jest często niezbędny w przypadku starszych dzieci mających utrwalony niewłaściwy wzorzec snu od urodzenia. Mamy tu do czynienia z głęboko zakorzenionym nawykiem. Kolejnego dnia przyszłam, żeby pomóc Shannon. Gdy nadeszła pora drzemki Kelly, wykonałyśmy zwyczajowy rytuał. Potem położyłam Kelly na materacyku w łóżeczku. Natychmiast zaczęła płakać, zgodnie z przewidywaniami jej mamy, więc obniżyłam bok łóżeczka maksymalnie w dół i położyłam się tam z nią. Trzeba było widzieć tę małą twarzyczkę, gdy się koło niej położyłam — i zdziwienie Shannon również.

Leżąc obok Kelly przytuliłam policzek do jej policzka. Nie podnosiłam jej. Po prostu wykorzystałam mój głos i obecność, by ją uspokoić. Nawet gdy już zasnęła, zostałam przy niej. Obudziła się po półtorej godzinie, a ja wciąż leżałam obok.

Shannon była zdziwiona: „No jak to — to nie jest wspólne spanie?". Wyjaśniłam, że naszym celem ostatecznym jest nauczenie Kelly samodzielnego zasypiania, ale w tej chwili mała nie posiada tej umiejętności. Poza tym wyczułam, że ma fobię łóżeczkową. W innym przypadku dlaczego by tak krzyczała? Ponadto nie wzięłam Kelly do łóżka dorosłego. Zostałam z nią *w jej własnym łóżeczku.*

Gdy zagłębiłam się bardziej w problem i zadałam serię pytań, Shannon przyznała, że korzystała z metody kontrolowanego wypłakiwania „raz czy dwa razy" w ciągu ostatnich kilku miesięcy, ale zrezygnowała, ponieważ „nigdy nie działało". Gdy to usłyszałam, doznałam olśnienia. Wiedziałam już, że mamy tu do czynienia z utratą zaufania, nie tylko z problemem ze snem. Chociaż Shannon tylko dwukrotnie spróbowała zostawić dziecko, by się wypłakało, za każdym razem był to szok dla jej córki. Zostawiała ją, a potem znów zaczynała brać ją na ręce. Nie zdając sobie z tego sprawy, wprowadziła zamieszanie w życie córeczki. Co gorsza, Shannon niechcąco spowodowała cierpienie Kelly, zostawiając ją samą tylko po to, by jej pospieszyć na pomoc, czyli stosując metodę narzuconą przez *siebie.*

W takich przypadkach nie można zacząć stosować metody PP, dopóki nie odbuduje się zaufania niemowlęcia. Gdy porozmawiałyśmy na ten temat, Shannon dostrzegła, że rzeczywiście *zastosowała* pewne elementy przypadkowego rodzicielstwa. Przy drugiej drzemce Kelly *najpierw* weszłam do łóżeczka i poprosiłam Shannon, żeby podała mi dziecko. Położyłam się, a gdy Kelly leżała obok, wyszłam z łóżeczka. Oczywiście mała zaczęła płakać. „No już, już" — powiedziałam do niej uspokajającym tonem. „Nie zostawimy cię. Idziesz tylko spać". Najpierw płacz Kelly był intensywny, ale wystarczyło tylko pogłaskać ją po brzuszku kilkanaście razy, żeby zasnęła. Tej nocy, gdy Kelly się obudziła, Shannon nadal stosowała metodę PP. Zdała sobie sprawę z tego, że trzymanie jej na leżąco w ramionach, a potem odkładanie jej do łóżeczka różniło się od podnoszenia jej i trzymania. Zachęciłam ją też do wkładania Kelly do łóżeczka na coraz dłuższe momenty tylko po to, żeby się tam pobawiła. „Włóż tam zabawki. Spraw, żeby to było fajne miejsce podczas czuwania. Kelly musi zobaczyć, że w łóżeczku może być przyjemnie (patrz ramka na stronie 247). Z czasem uda ci się nawet wyjść z pokoju, a ona się nie rozpłacze".

Po tygodniu Kelly zaczęła się podobać zabawa w łóżeczku. Jej drzemki i sen nocny stały się bardziej konsekwentne. Wciąż od czasu do czasu się budziła i wołała mamę, ale przynajmniej Shannon wiedziała już, jak poprawnie zastosować technikę PP, i szybko udawało jej się uspokoić małą.

Od ośmiu miesięcy do roku — przypadkowe rodzicielstwo w najgorszym wydaniu

Wiele dzieci raczkuje, niektóre już chodzą, a wszystkie na tym etapie potrafią już podciągnąć się do pozycji stojącej. Często rzucają przedmiotami znajdującymi się w łóżeczku, gdy nie mogą zasnąć. Życie emocjonalne również jest bogatsze — dzieci mają lepszą pamięć, rozumieją też związki przyczynowo-skutkowe. Chociaż lęk separacyjny może się pojawić już w wieku siedmiu miesięcy, zazwyczaj na tym etapie jest w pełnym rozkwicie (patrz strony 88 – 92). Wszystkie niemowlęta mają go w jakimś stopniu, ponieważ są już w stanie zauważyć brak ważnego elementu. Mogą płakać z tęsknoty za ukochanym kocykiem albo lalką. Zatem dokonują również obserwacji: „Oj, mama wyszła z pokoju" i zastanawiają się: „Czy ona w ogóle tu wróci?". Musisz zacząć uważać również na to, co oglądasz w telewizji, ponieważ obrazy także zostają w pamięci dziecka i mogą zaburzać jego sen.

Częste problemy. Ponieważ dziecko ma teraz więcej energii — i fajniej się z nim przebywa —może Cię kusić, aby je później kłaść spać. Ale w okolicach siedmiu czy ośmiu miesięcy niemowlę będzie w rzeczywistości chciało iść spać wcześniej, zwłaszcza jeśli wyeliminowałaś mu jedną drzemkę. Chociaż ząbkowanie, bardziej aktywne życie towarzyskie i lęki mogą powodować budzenie w nocy od czasu do czasu, to gdy ten wzorzec się powtarza, jest prawie zawsze spowodowany przypadkowym rodzicielstwem. Czasami oczywiście złe nawyki są zakorzenione od miesięcy („Och, on nigdy nie spał dobrze, a teraz jeszcze ząbkuje"). Ale nowe często się pojawiają, gdy rodzice spieszą na pomoc niemowlęciu w środku nocy, zamiast je uspokoić i nauczyć je, jak z powrotem zasnąć. Oczywiście, jeśli dziecko jest przerażone, trzeba je pocieszyć; jeśli ząbkuje, należy uśmierzyć ból — a w obu przypadkach obdarować je większą czułością. Ale trzeba również pilnować, żeby nie reagować *przesadnie*. Dziecko szybko wyczuje Twoją litość i nauczy się, jak Tobą manipulować. Kłopoty ze snem, które są wynikiem przypadkowego rodzicielstwa w tym wieku, są częściej trudniejsze do wykorzenienia niż te wcześniejsze, ponieważ mają kilka warstw narastających długofalowo problemów (patrz studium przypadku dotyczące Amelii na stronie 255).

Może to być również trudny okres, jeśli chodzi o stabilność planu dnia, co da się zaobserwować w różnych rodzinach. W niektóre dni Twoje dziecko może potrzebować drzemki porannej, a w inne całkiem ją opuści albo wyeliminuje drzemkę popołudniową. Większość dzieci na tym etapie ucina sobie czterdziestopięciominutową drzemkę rano i dłuższą po południu. Niektóre przechodzą od dwóch drzemek trwających po półtorej godziny do jednej trzygodzinnej. Jeśli będziesz trzymać rękę na pulsie i pamiętać, że potrwa to tylko kilka tygodni, mniej prawdopodobne jest, że zastosujesz przypadkowe rodzicielstwo, niż jeśli spanikujesz i spróbujesz znaleźć błyskawiczne rozwiązanie. (Więcej na temat drzemek na stronach 258 – 261).

***Kluczowe pytania*. W jaki sposób zaczęło się budzenie nocne i co zrobiłaś za pierwszym razem? Czy dziecko budzi się o tej samej porze każdej nocy?** Jeśli możesz według niego nastawiać zegarek, prawie zawsze mamy do czynienia ze złym nawykiem. Jeśli budzi się o różnych porach, zwłaszcza w wieku mniej więcej dziewięciu miesięcy, być może przechodzi kolejny skok wzrostu. **Jeśli dziecko budziło się przez kilka nocy z rzędu, czy zawsze postępowałaś tak samo?** Wystarczają dwie czy trzy noce, aby wykształcił się nawyk. **Czy podajesz dziecku pierś lub butelkę, gdy się budzi?** Jeśli ją opróżnia, może to być skok wzrostu, jeśli nie, to przypadkowe rodzicielstwo. **Czy budzi się tylko przy Tobie, a przy partnerze nie?** Często ktoś mi mówi, że chodzi o lęk separacyjny, a partner się nie zgadza; czasami matka jest zaborcza i sądzi, że radzi sobie z dzieckiem lepiej, niż ojciec. Musimy określić, kto powinien przejąć pałeczkę. Oczywiście najlepiej będzie, jeśli rodzice połączą siły i będą się zmieniać co dwie noce (patrz strona 266 – 267 i ramka na stronie 182), ale to podejście zakłada, że oboje są w domu w porze kładzenia dziecka spać i nadają na tych samych falach. Jednak jeśli jedno z rodziców trzyma dziecko zbyt długo na rękach lub nie przywiązuje wagi do pory kładzenia spać, albo stosuje rekwizyty, by uśpić dziecko, jego niekonsekwencja w końcu doprowadzi do zaburzeń snu. **Czy próbujesz kłaść dziecko nieco później teraz, gdy jest starsze?** Jeśli tak, to pamiętaj, że zaburzasz naturalny rytm, który ustaliłaś, co może zakłócić mu sen. **Czy dziecko ma zęby? W jaki sposób je karmisz?** Jeśli dziecko ma zęby, pamiętaj, że czasem pojawiają się po kilka naraz. Niektóre dzieci bardzo źle przechodzą ząbkowanie i mogą mieć pogorszone samopoczucie — katar, podrażnioną pupę, kłopoty ze snem. Często zaczynają odmawiać jedzenia, ale potem budzą się w nocy, bo są głodne. U innych nagle zauważasz ząbek bez żadnych poprzedzających objawów.

Jeśli podejrzewam, że sen zakłócają lęki dziecka, pytam również: **Czy dziecko kiedykolwiek zadławiło się jedzeniem? Czy coś je ostatnio wystraszyło? Czy poznało nowych rówieśników? Jeśli tak, to czy któreś dziecko źle je traktowało? Co zmieniło się w domu — nowa niania, powrót mamy do pracy, przeprowadzka do nowego mieszkania?** Zazwyczaj wprowadzono coś nowego lub sytuacja się w jakiś sposób zmieniła. **Czy wprowadziłaś nowe programy do oglądania w telewizji lub na wideo czy płytach?** Dziecko jest już dość duże, by zapamiętywać obrazy, których potem się boi. **Czy przeniosłaś dziecko z niemowlęcego łóżeczka do większego łóżka?** Wiele osób sądzi, że w wieku roku można już przenieść dzieci do większego łóżka, ale moim zdaniem jest na to za wcześnie (więcej o zmianie łóżka na stronie 281).

Jak dostosować technikę PP. Gdy dziecko płacze i Cię woła, idź do jego pokoju, ale *poczekaj, aż wstanie*. Dziecko w wieku od ośmiu do dwunastu miesięcy często uspokaja się szybciej, gdy go *nie bierzesz* na ręce. Zatem nie podnoś go, chyba że jest bardzo zdenerwowane. W przypadku większości dzieci powyżej dziesiątego miesiąca życia stosuję tylko drugą część techniki PP, czyli układam je bez podnoszenia (patrz strona 287). Jeśli jesteś niska, podobnie jak ja, przygotuj sobie mały stołeczek — łatwiej Ci będzie je podnieść, jeśli zajdzie taka konieczność.

Gdy stoisz obok łóżeczka, połóż rękę pod kolana dziecka, a drugą otocz jego plecy i połóż je na materac w ten sposób, by było twarzą odwrócone od Ciebie. Za każdym razem poczekaj, aż wstanie, zanim je z powrotem położysz. Potem podnieś je i *natychmiast* połóż w ten sam sposób. Dodaj dziecku otuchy, kładąc mu dłoń na plecach: „Wszystko w porządku, kochanie, po prostu idziesz spać". Do dziecka w tym wieku powinnaś mówić jeszcze częściej niż do młodszego, ponieważ ono już bardzo dużo rozumie. Zacznij również nazywać emocje dziecka, co powinnaś kontynuować, nawet gdy nie będziesz już stosować PP (więcej na ten temat w rozdziale 8.). „Nie zostawiam cię. Wiem, że jesteś (zdenerwowany, przestraszony, przemęczony)". Dziecko znowu wstanie, a Ty musisz powtarzać cały proces wielokrotnie, w zależności od tego, jak wiele przypadkowego rodzicielstwa poprzedziło ten konkretny problem ze snem. Wypowiadaj te same uspokajające słowa i dodaj: „Pora spać". Ważne jest, by sprowadzić te zwroty do słownika dziecka, jeśli jeszcze tego nie zrobiłaś. Pomóż mu traktować sen jako coś dobrego.

W końcu dziecku zacznie brakować sił. Wtedy zamiast wstawać, będzie siadać. Za każdym razem kładź je z powrotem. Pamiętaj, że w wieku mniej więcej ośmiu miesięcy dziecko zaczyna mieć wystarczająco dobrą pamięć, by zrozumieć, że kiedy wyjdziesz, zawsze wrócisz. Zatem Twoja obecność podczas PP jest tak naprawdę budowaniem tego zaufania. Dobrym pomysłem jest również mówienie dziecku przy innych okazjach rzeczy typu: „Idę do kuchni — zaraz wrócę". Udowadniasz w ten sposób, że dotrzymujesz słowa, i nadal budujesz zaufanie.

Jeśli Twoje dziecko nie ma jeszcze zabawki lub przedmiotu dającego mu poczucie bezpieczeństwa, takiego jak miękki kocyk lub pluszowa zabawka, to jest to dobry moment, by taki przedmiot wprowadzić. Gdy dziecko leży, włóż mu w rączki mały kocyk lub wypchanego zwierzaka ze słowami: „Tu masz swoją przytulankę (lub wymień nazwę zwierzątka)", a potem powtórz zdanie: „Po prostu idziesz spać".

Często rodzice dzieci dziesięcio-, jedenasto- lub dwunastomiesięcznych, którzy stosowali metodę PP lub jakąś inną, mówią mi: „Moje dziecko nauczyło się samodzielnie zasypiać, ale płacze, jeśli nie zostanę z nim, dopóki nie zapadnie w głęboki sen. Jak mogę zacząć wychodzić z pokoju?". Zdecydowanie chcemy uniknąć stawania się zakładnikiem, co nie jest dużo lepsze od noszenia dziecka po pokoju. Gdy zastosowałaś metodę PP i dziecko już potrafi dość szybko zasnąć, wciąż może potrwać dwa lub trzy dni (albo dłużej), zanim uda Ci się wyjść z pokoju. Pierwszej nocy, po tym, jak dziecko już się uspokoiło, stój przy łóżeczku. Maluch prawdopodobnie będzie podnosił głowę, sprawdzając, czy wciąż jesteś. Jeśli rozprasza go Twoja obecność, po chwili kucnij, żeby jak najbardziej zejść mu z oczu. W żadnym wypadku nic nie mów i nie utrzymuj kontaktu wzrokowego. Zostań, dopóki nie zobaczysz, że mocno śpi. Następnej nocy zrób tak samo, ale odsuń się dalej od łóżeczka. Każdej kolejnej nocy odsuwaj się w kierunku drzwi, dopóki nie znajdziesz się za nimi.

Jeśli Twoje dziecko cierpi z powodu lęku separacyjnego i zaczyna się Ciebie chwytać tak mocno, że nie możesz go położyć, nachyl się nad nim mocno i zapewnij: „W porządku, jestem przy Tobie". Gdy płacz się nasili,

Korzystanie z dmuchanego materaca

W niektórych przypadkach, gdy stosuję technikę PP, przynoszę do pokoju dziecka dmuchany materac i rozbijam obok niego obóz. Może to trwać jedną noc, tydzień albo nawet dłużej, w zależności od sytuacji. Robiłam to w przypadku dzieci nawet trzymiesięcznych, ale najczęściej stosuję tę metodę w przypadku starszych niemowląt i dzieci, gdy:

... dziecko nigdy nie spało samo;

... odstawia się od piersi niemowlę, które nie potrafi zasnąć bez ssania;

... w życiu dziecka nie ma żadnej konsekwencji, więc trzeba przy nim być i usypiać je z powrotem, gdy tylko się przebudzi;

... dziecko zostawiano, by się wypłakało, więc nie ufa już, że jego potrzeby zostaną zaspokojone.

znów je podnieś. Spodziewaj się, że dziecko pierwszej nocy będzie bardzo płakać, jeśli wcześniej próbowałaś metody kontrolowanego wypłakiwania. Dzieje się tak dlatego, iż niemowlę *spodziewa się*, że wyjdziesz, i wciąż sprawdza, czy jeszcze jesteś. W takich przypadkach przynoszę dmuchany materac i śpię *w* pokoju dziecka, przynajmniej przez pierwszą noc. Drugiej nocy zabieram materac i stosuję tylko technikę PP. Zazwyczaj trzeciej nocy wszystko jest w porządku (patrz również strony 287 – 288).

Studium przypadku dziecka w wieku od ośmiu miesięcy do roku — wiele problemów, jeden plan

Patricia skontaktowała się ze mną, ponieważ martwiła się jedenastomiesięczną Amelią. Dzwoniłam jeszcze kilkakrotnie do Patricii i jej męża, Dona, którzy rozmawiali ze mną przez zestaw głośnomówiący. Wykorzystuję tu ten przypadek, ponieważ pokazuje, jak podstępne może być przypadkowe rodzicielstwo — jeden zły nawyk pociąga za sobą drugi — i jak tymczasowe trudności, takie jak ząbkowanie, mogą jeszcze bardziej skomplikować sytuację. Pokazuje on również, w jaki sposób stosunki między partnerami mogą sabotować plany działania zaprojektowane do uleczenia sytuacji:

W wieku od dwóch do sześciu miesięcy Amelia zasypiała i spała aż do rana. Odkąd wyszły jej ząbki w wieku sześciu miesięcy, sytuacja coraz bardziej się pogarsza. Nabrałam złego przyzwyczajenia, by usypiać ją, wożąc w wózku, ale wreszcie udało mi się z tym skończyć. Dan i ja braliśmy ją do naszego łóżka, ponieważ nie chciała inaczej zasnąć. To też już nie działa, bo nie chce spać u nas. Teraz muszę ją lulać do wtóru kołysanki w porze drzemek i wieczornego kładzenia się spać. Mamy też rytuał wieczorny: książeczki, butelka, kołysanie przy muzyce. Nie kąpię jej co wieczór. Czy to źle?

Zaczynam właśnie stosować metodę PP. Czasami tylko się przez to bardziej złości i płacze jeszcze mocniej, aż nie mogę tego znieść i znowu zaczynam ją kołysać, żeby zasnęła. Próbuję przekonać męża, że musimy nauczyć ją samodzielnie spać. Czy jedenaście miesięcy to za późno? Nie wiem, czy powinnam pozwalać jej na wypijanie butelki w środku nocy. Kiedyś budziła się i wystarczało jej wetknąć smoczek do buzi, a zasypiała z powrotem, ale teraz nic z tego. Poza tym jest mi bardzo trudno, ponieważ mój mąż nie może znieść jej płaczu. Wciąż ją trzyma, nawet wtedy, kiedy tylko marudzi, a nie płacze. Próbuję jego też nauczyć techniki PP. Pomocy, czuję, że żadne moje wysiłki nie przynoszą efektów.

Przez wiele ostatnich miesięcy Amelię uczono, że jeśli tylko będzie płakać wystarczająco głośno i długo, ktoś przyjdzie, weźmie ją na ręce, przytuli i zacznie lulać. Prawdopodobnie rozpoznałaś już znaną frazę rozpoczynającą się od „kiedyś". Mamy tutaj dziecko, którego rodzice od momentu narodzin stosowali przypadkowe rodzicielstwo. Chociaż Patricia mówi, że „położyła kres" usypianiu Amelii w wózku, później przyznała, że ona i Dan prawie zawsze muszą kołysać córkę, żeby zasnęła, od samego początku. Potem, gdy Amelia zaczęła ząbkować, rodzice jeszcze bardziej zaangażowali się w usypianie córki. Jeszcze bardziej komplikuje sprawę fakt, że mama i tata nie grają w tej samej drużynie. W tym przypadku to Dan wydaje się być osobą cierpiącą na to, co nazywam syndromem „biednej dzidzi", który pojawia się, gdy rodzice mają poczucie winy związane z płaczem niemowlęcia i są gotowi na wszystko, byle tylko maleństwo poczuło się lepiej.

Jednak bardzo polubiłam tę parę, ponieważ byli niezwykle gorliwi i chętni do zmiany swoich własnych zachowań. Byli również dość świadomi własnych błędów. Patricia wiedziała, że nigdy nie nauczyła Amelii samodzielnego zasypiania. Wiedziała, że oboje stosowali najróżniejsze formy przypadkowego rodzicielstwa. Myślę, że zdawała sobie nawet sprawę, że próbowała poprawić własne samopoczucie związane z jej zachowaniem przez to, że wytykała błędy Dana („Wciąż ją trzyma, nawet wtedy, kiedy tylko marudzi, a nie płacze"). Ale Patricia nie chciała tak naprawdę zrzucić winy na męża. Naprawdę jej ulżyło, kiedy powiedziałam: „Pierwszym, co musimy tu ustalić, jest to, że oboje gracie w tej samej drużynie. Nie martwmy się tym, kto jest czemu winien. Wymyślmy lepiej plan działania".

Powiedziałam im, że muszą zastosować PP, kładąc Amelię, gdy tylko podniesie się na nogi. Kiedyś ją lulali, ale teraz muszą jej pokazać, jak leżeć w łóżeczku. „Będzie niesamowicie wściekła i bardzo, bardzo sfrustrowana" — ostrzegłam. „Ale musicie pamiętać, że płacz jest jej sposobem na przekazanie wam: »Nie wiem, jak to zrobić. Czy możecie to zrobić za mnie?«". Zaproponowałam również, żeby to Patricia wchodziła do pokoju Amelii. „Dan, jesteś świetnym, bardzo zaangażowanym tatą. Ale powiedziałeś już, że ciężko ci znieść płacz Amelii. W tym przypadku lepiej będzie, jeśli mama do niej pójdzie, ponieważ wygląda na to, że ona może wytrwać, a ty możesz się poddać. Wydaje mi się, że się boisz, jak wielu innych rodziców, opuszczenia swojego dziecka albo tego, że jeśli nie będziesz reagować na każdy jej krzyk, ona przestanie cię kochać".

Dan przyznał, że mam rację. „Kiedy Amelia się urodziła, zobaczyłem tę maleńką dziewczynkę i pomyślałem, że muszę ją jakoś obronić przed światem. Kiedy płacze, mam wrażenie, że ją zawiodłem". Dan nie jest sam; wielu ojców — zwłaszcza małych dziewczynek — czuje potrzebę chronienia swoich dzieci. Ale Amelia potrzebuje teraz nauki, a nie ochrony, więc zawarłam z Danem pakt. Obiecał, że nie będzie się wtrącał.

Po pierwszej nocy zadzwoniła Patricia. „Zrobiłam, jak kazałaś, a Dan też dotrzymał słowa. Był w pokoju obok i wszystkiego słuchał. Nie wszedł, chociaż pewnie też w ogóle nie spał. Czy to normalne, że musiałam ją podnosić ponad sto razy? Nawet *ja* czułam się tak, jakbyśmy torturowali to maleństwo. Byłam z nią przez ponad godzinę".

Pogratulowałam Patricii przestrzegania planu i zapewniłam, że jest na dobrej drodze. „Po prostu uczysz ją, jak ma spać. Ale ponieważ wcześniej nauczyłaś ją, że ma płakać przez określony czas i wtedy ją weźmiesz na ręce, teraz próbuje domyślić się, jak długo musi płakać, żebyś postąpiła jak zwykle".

Trzeciej nocy wszystko wyglądało nieco lepiej, ponieważ Patricia potrzebowała tylko czterdziestu minut, żeby uspokoić córeczkę. Dan podziwiał wytrwałość żony, ale Patricia była rozczarowana. „No i tyle z tej trzydniowej magii, o której mówiłaś w swojej pierwszej książce". Wyjaśniłam, że w wielu przypadkach widzimy zmianę w ciągu trzech dni, ale nawyk Amelii był bardzo głęboko zakorzeniony. Patricia musiała patrzeć na postępy — na stan, od jakiego zaczęła, i coraz krótszy czas potrzebny do uśpienia Amelii.

Po pięciu dniach Patricia była w siódmym niebie. „To cud!" — wykrzyknęła. „Ostatniej nocy potrzebowałam tylko dwóch minut, żeby ją położyć. Troszkę pomarudziła, ale po prostu wzięła swój kocyk, przewróciła się na bok i zasnęła. Ale wciąż muszę się do niej odzywać, gdy ją kładę". Zdecydowanie wszystko szło dobrze. Powiedziałam jej, że wszystkie dzieci potrzebują wsparcia. Bardzo rzadko się zdarza, żeby można było po prostu położyć dziecko do łóżeczka, a ono zapadnie w sen. Ostrzegłam ją, by bardzo skrupulatnie przestrzegała rytuału przed snem — czytanie książeczki, przytulanie, a potem kładzenie do łóżka.

Dwa tygodnie później Patricia znów zadzwoniła. Minęło osiem dni, podczas których Amelia bez problemów zasypiała. Teraz chodziło o to, że jej rodzice obawiali się, że to się zmieni. Ostrzegłam ją: „Jeśli będziesz myśleć w ten sposób, Amelia to wyczuje, obiecuję. Postaraj się cieszyć chwilą. Doceniaj to, co masz. A jeśli zdarzy się regres, przynajmniej będziesz wiedziała, co robić. Jeśli jesteś rodzicem, musisz radzić sobie z przyjemnymi i trudnymi chwilami. Jeśli przez 99% wieczorów Twoje dziecko pięknie zasypia, a raz musisz je kłaść i mówić do niego, to tak po prostu ma być".

No i patrzcie państwo, miesiąc później Patricia zadzwoniła ponownie. „Jestem z siebie dumna. Amelia obudziła się w środku nocy. Sądzimy, że ząbkuje, ale wiedziałam, co zrobić. Dałam jej środek przeciwbólowy, zostałam z nią i ją pocieszałam. Dan miał wątpliwości, ale ponieważ odnieśliśmy tak wielki sukces z metodą PP, nie sprzeciwiał mi się. Podziałało, oczywiście. Zatem teraz jestem gotowa na wszystko, co się może zdarzyć".

Kilka słów na temat drzemek

Chociaż pobieżnie omówiłam kłopoty z drzemkami w każdym z poprzednich podrozdziałów, to jednak kwestia spania w dzień — czyli eliminowanie drzemek, zbyt krótki sen albo spanie o różnych porach — zdarza się we wszystkich grupach wiekowych. Sen dzienny jest bardzo ważną częścią planu PROSTE, ponieważ wystarczająca jego ilość poprawia apetyt dziecka i umożliwia przesypianie większej części nocy.

Skarga, jaką najczęściej słyszę w związku z drzemkami, brzmi: „Moje dziecko nie śpi w dzień dłużej niż czterdzieści pięć minut". Żadnej tajemnicy tu nie ma. Cykl snu człowieka wynosi właśnie mniej więcej czterdzieści pięć minut. Niektóre niemowlęta i dzieci przechodzą jeden pełen cykl, a potem zamiast przestawić się z powrotem na początek i spać dalej, budzą się (czasami dzieje się tak również w nocy). Mogą wydawać różne dźwięki, czasem może to być nawet płacz typu mantra (patrz ramka na stronie 244). Jeśli rodzic popędzi na pomoc, przyzwyczajają się do krótszych drzemek.

Zbyt krótki sen w dzień lub rezygnowanie z niego całkiem zdarza się również, kiedy dziecko jest przemęczone, gdy ma zasypiać (a w takim przypadku może nie spać nawet pełnych czterdziestu pięciu minut). Czasami drzemki stają się chaotyczne, gdy rodzice zbyt długo czekają na położenie dziecka. Gdy maluch ziewa, trze oczy, ciągnie się za uszy lub może nawet drapie się po buzi, oznacza to, że jego „okienko snu" jest już otwarte. Zwłaszcza w przypadku niemowląt w wieku powyżej czterech miesięcy trzeba działać natychmiast. Gdy rodzice nie odczytują właściwie sygnałów dziecka i przetrzymują je aż do *prze*męczenia, efektem są często zbyt krótkie drzemki.

Nadmiar bodźców jest częstą przyczyną zaburzeń snu w dzień, zatem ważne jest również, by odpowiednio *przygotować* dziecko do drzemki. Nie można go po prostu wrzucić do łóżeczka bez wcześniejszego wyciszenia. Odkrywam, że chociaż większość rodziców ma świadomość, jak ważne są wieczorne rytuały przed snem — kąpiel, cicha kołysanka, przytulanie — zapominają zastosować podobne działania przed drzemkami w dzień.

Drzemki nie powinny być ani za długie, ani za krótkie. Złe nawyki związane z drzemkami w tym wieku zaburzają plan dnia i powodują opór przed planem, ponieważ notorycznie przemęczone dziecko *nie jest w stanie* dostosować się do planu. Oto idealny przykład autorstwa Georginy, mamy z Tennessee:

Przeczytałam Twoją książkę i wierzę, że plan PROSTE podziała w przypadku mojej córki Dany, która za tydzień kończy cztery miesiące. Niestety, Dana nigdy nie miała stałego planu dnia. Udaje mi się ją uśpić w dzień przy odrobinie starań, ale niezależnie od tego, jak sprzyjająca relaksowi jest atmosfera w pokoju dziecinnym, nie śpi dłużej niż pół godziny i jest wciąż śpiąca, kiedy się budzi. Trudno mi przez to dostosować się do planu PROSTE, bo nie mogę jej nakarmić, kiedy się obudzi, ponieważ od poprzedniego karmienia minęły zaledwie dwie godziny. Naprawdę byłabym wdzięczna za jakieś rady w tej kwestii.

Dana nie potrzebuje większej liczby karmień — to częsty błąd wielu rodziców. Potrzebuje dłuższych drzemek, żeby można było wdrożyć plan PROSTE. Georgina będzie musiała poświęcić kilka dni na wydłużenie snu Dany, stosując technikę PP. W tym wieku mała powinna spać przez przynajmniej półtorej godziny, dwa razy dziennie. Jeśli śpi tylko trzydzieści minut, wtedy przez następną godzinę Georgina musi wykonywać PP. Następnie powinna zabrać Danę z łóżeczka. Jej postępy pierwszego dnia będą małe — nic dziwnego, że będzie zmęczona — ale stopniowo uda się przerwać nawyk krótkich drzemek i Dana znajdzie się na właściwej drodze. (Georgina musi również w tym momencie przestawić Danę na plan czterogodzinny, patrz strony 46 – 54).

Złe nawyki związane z drzemkami są często elementem ogólnego problemu ze snem, ale prawie zawsze zajmujemy się najpierw drzemkami, ponieważ wysypianie się w dzień prowadzi do dobrego snu w nocy. Aby wydłużyć drzemki, prowadź notatki na temat dziecka przez trzy dni. Powiedzmy, że mamy do czynienia z dzieckiem w wieku od czterech do sześciu miesięcy. Budzi się o siódmej, a drzemka poranna przypada mniej więcej na dziewiątą. Jeśli zastosujemy typowy dwudziestominutowy rytuał przed snem (strony 193 – 194), a dziecko zazwyczaj budzi się po czterdziestu minutach

Wskazówki dotyczące interwencji w sprawie drzemek

Wiedza, kiedy należy interweniować, jest często kwestią zaufania własnej zdolności osądu i wykorzystania zdrowego rozsądku. Jeśli już umiesz właściwie odczytywać sygnały przesyłane przez dziecko — a po czterech miesiącach mam nadzieję, że tak jest — i zwracasz na nie uwagę, nie trzeba będzie wiele się domyślać:

- Jeśli dziecko budzi się wcześnie z drzemki *od czasu do czasu* i wydaje się być zadowolone, zostaw je w spokoju.
- Jeśli budzi się wcześnie, ale płacze, oznacza to zazwyczaj, że potrzebuje więcej odpoczynku. Dokonaj interwencji fizycznej, stosując PP, aby pomóc mu z powrotem zasnąć.
- Jeśli budzi się wcześnie z drzemki przez *dwa lub trzy dni z rzędu*, zachowaj czujność. Być może wyłania się nowy nawyk, a nie chcemy, by maluch przyzwyczaił się do czterdziestopięciominutowych drzemek. Zduś go w zarodku, stosując metodę budzenia, aby dziecko spało, lub PP.

(około dziesiątej), trzeba je z powrotem uśpić. (Niemowlęta w wieku od sześciu do ośmiu miesięcy również mają pierwszą drzemkę o dziewiątej. Pomiędzy dziewiątym miesiącem życia a roczkiem drzemka może się przesunąć na 9:30. Ale niezależnie od wieku zasady dotyczące przedłużania drzemek są takie same).

Możesz zastosować dwa różne sposoby:

1. ***Budzenie, żeby spało***. Zamiast czekać, aż dziecko się obudzi, wejdź do jego pokoju po trzydziestu minutach, ponieważ wtedy właśnie zaczyna się budzić z najgłębszego snu. (Pamiętaj, że cykle snu są zazwyczaj czterdziestominutowe). Zanim dziecko całkiem się rozbudzi, poklep je lekko, dopóki nie zobaczysz, że znów się odpręża. Może będzie trzeba piętnastu lub dwudziestu minut takiego poklepywania. Jeśli jednak zacznie płakać, trzeba będzie zastosować metodę PP (patrz również strony 199 – 200).
2. ***PP***. Jeśli dziecko ogólnie stawia opór podczas drzemek, można zastosować metodę PP, by je uśpić. Można też poczekać, aż się obudzi, i wtedy przy pomocy metody PP uśpić je z powrotem. Oczywiście za pierwszym razem, gdy to będziesz robić, możesz poświęcić cały czas przeznaczony na drzemkę na PP, a potem nadejdzie pora kolejnego karmienia. Oboje będziecie bardzo zmęczeni! Ponieważ trzymanie się planu jest równie ważne, jak przedłużanie drzemek, trzeba nakarmić dziecko, a potem spróbować przetrzymać je przez przynajmniej pół godziny do kolejnej drzemki — a wtedy prawdopodobnie znów trzeba będzie zastosować PP, bo dziecko będzie przemęczone.

Rodzice, którzy są bardziej przyzwyczajeni do podążania za dzieckiem, często są zbici z tropu, gdy przedstawiam im plan działania związany z drzemkami. Chcą wydłużyć czas snu dziecka, ale zapominają o konieczności trzymania się planu dnia, co jest równie ważne. Pewna mama powiedziała mi: „On budzi się o siódmej, ale czasem nie je aż do ósmej. Czy powinnam go w takim razie później układać do drzemki?". Po pierwsze, powinnaś mu dawać śniadanie o 7:15, najpóźniej o 7:30 — pamiętaj, mamy tu do czynienia ze stałym planem. Tak czy owak należy położyć dziecko o 9:00, a najpóźniej o 9:15, ponieważ wtedy właśnie będzie zmęczone. Rodzice często pytają: „A czy wtedy nie będę go karmić tuż przed spaniem?". Nie, ponieważ w wieku czterech miesięcy karmienia nie trwają już czterdzieści pięć minut. Niektóre niemowlęta potrafią opróżnić butelkę w kwadrans! Zatem wciąż po jedzeniu zostanie czas na rozrywkę.

Trzeba przyznać, że naprawianie drzemek może być frustrującym przedsięwzięciem. W zasadzie dłużej trwa stabilizowanie drzemek niż rozwiązywanie problemów ze snem nocnym — zazwyczaj tydzień lub dwa w porównaniu do kilku dni. Dzieje się tak, ponieważ w nocy mamy dłuższy czas, nad którym pracujemy. W ciągu dnia masz tylko tyle czasu, ile mija od początku drzemki do następnego karmienia — zazwyczaj około półtorej godziny. Ale obiecuję, że w kolejnych dniach technika PP będzie zajmować coraz mniej czasu, a dziecko będzie spało coraz dłużej. To znaczy pod warunkiem, że nie poddasz się za wcześnie lub nie wpadniesz w jakąś inną pułapkę z tych opisywanych w kolejnych podrozdziałach.

Parszywa dwunastka — dwanaście powodów, dla których PP nie będzie działać

Gdy rodzice przestrzegają podanego przeze mnie planu działania, zawsze się udaje. Jednak od momentu wydania mojej pierwszej książki wciąż dostaję tysiące e-maili na temat PP. Rodzice słyszą o tej metodzie od znajomych, czytają o niej na mojej stronie internetowej albo przeczytali moją pierwszą książkę (w której podstawowa filozofia została jedynie skrótowo nakreślona). Wiele z tych e-maili wygląda tak, jak ten:

> *Jestem zagubiona i zdesperowana. Heidi ma obecnie rok, a ja właśnie zaczęłam stosować technikę PP. Co mam zrobić, gdy mała budzi się i siada na łóżku? Czy mam do niej mówić? Może szeptać: „Ćśś"? Poklepywać ją czy nie? Czy mam wyjść z pokoju i wrócić od razu albo gdy tylko zacznie płakać, czy tylko stać przy łóżeczku i wykonywać PP? Jak się teraz pozbyć karmienia przez sen? Karmię ją o 22:30. Dlaczego moja córka budzi się o 5:30 lub 6:00 rano? Co mam zrobić, żeby to zmienić? Czekam niecierpliwie na odpowiedź. Naprawdę proszę o odzew.*

Przynajmniej ta „zdesperowana matka", jak sama się nazywa, przyznaje, że jest zagubiona i nie wie, od czego ma zacząć. Inne e-maile rozwodzą się w kółko na temat problemów dziecka („nie chce", „odmawia"). W końcu autorka — najczęściej matka — upiera się: „Próbowałam zastosować PP, ale to nie działa na *moje* dziecko". Dostaję tak wiele e-maili na temat rzekomej nieskuteczności techniki PP, że postanowiłam przyjrzeć się setkom przypadków, którymi się zajmowałam w ciągu ostatnich lat, i dokonać analizy obszarów, w których rodzice zwykle popełniają błędy.

1. ***Rodzice próbują zastosować metodę PP, gdy dziecko jest za małe.*** Jak już pisałam w poprzednim rozdziale, technika PP nie jest odpowiednia dla niemowląt w wieku poniżej trzech miesięcy, ponieważ stanowi dla nich za duże obciążenie. Takie maluchy nie mogą sobie poradzić z nadmiarem bodźców wynikających z ciągłego podnoszenia i kładzenia. Poza tym zużywają tak wiele kalorii na płacz, że trudno w końcu powiedzieć, czy są głodne, przemęczone, czy też może coś je boli. Dlatego też ta metoda zazwyczaj się nie sprawdza przed czwartym miesiącem życia. W zamian doradzam rodzicom, by przyjrzeli się rytuałom przed snem, zadbali o konsekwentne kładzenie dziecka spać, i zamiast jakichkolwiek rekwizytów stosowali poklepywanie cicho-sza, aby uspokoić dziecko.
2. ***Rodzice nie rozumieją, dlaczego stosują PP i dlatego robią coś źle.*** Podczas gdy technika poklepywania cicho-sza ma wyciszyć dziecko, PP ma nauczyć je, jak się samodzielnie uspokoić, gdy cicho-sza nie wystarcza. Nigdy nie zalecam, by zaczynać od PP. Raczej doradzam najpierw próbę uspokojenia dziecka w łóżeczku. Zacznij od rytuału przed snem: zaciemnij pokój, włącz muzykę, pocałuj dziecko i połóż je. Nagle zacznie płakać. Co robisz? Stop. Nie spiesz się. Pochyl się nad nim i wyszepcz mu do ucha: „Ćśś... ćśś... ćśś...”. Zakryj mu oczy, by zablokować bodźce wizualne. Jeśli niemowlę ma poniżej sześciu miesięcy, poklepuj je rytmicznie po plecach (w przypadku starszych dzieci poklepywanie z jednoczesnym szeptaniem może je rozproszyć, ale raczej nie uspokoi; patrz strona 191). Jeśli jest starsze, po prostu połóż mu dłoń na plecach. Jeśli to go nie uspokoi, zacznij wykonywać PP.

   Jak pokazuje historia Sarah (strony 245 – 246), niektórzy rodzice trzymają dziecko na rękach zbyt długo. Pocieszają, gdy dziecko tego już nie potrzebuje. Niemowlęta trzy- lub czteromiesięczne należy trzymać maksymalnie przez cztery do pięciu minut, a starsze jeszcze krócej. Niektóre dzieci przestają płakać, gdy tylko weźmie je się na ręce. A rodzic mówi: „Przestaje płakać, jeśli go wezmę na ręce, ale kiedy tylko go odkładam, znów zaczyna”. To oznaka, że za długo trzyma się dziecko na rękach. Rodzic wprowadza nowy rekwizyt: samego siebie!
3. ***Rodzice nie zdają sobie sprawy z tego, że muszą się przyjrzeć całemu planowi dnia dziecka i odpowiednio go dostosować.*** Nie można rozwiązać problemu ze snem, przyglądając się tylko temu, jak dziecko śpi, a nawet skupiając się tylko na tym, co dzieje się tuż przed snem. Musisz zobaczyć, co je Twoje dziecko, a szczególnie temu, jak wygląda jego aktywność. Prawie wszystkie dzieci są narażone na nadmiar bodźców. Na rynku jest mnóstwo gadżetów, a rodzice

poddawani są olbrzymiej presji, by je kupować — huśtawki, kołyszące się foteliki, mobile ze światełkami i pozytywkami. Wydaje się, że coś musi się cały czas dziać. Ale w przypadku niemowląt im mniej, tym lepiej. Im spokojniejszą atmosferę się im zapewnia, tym lepiej śpią, a także tym lepszy ich rozwój neurologiczny. Pamiętaj, że niemowlęta nie mogą uciec od widoku czegoś, co wisi im nad głową. Często podczas okresu rozrywki rodzice słyszą pierwszy kapryśny płacz i myślą: „Och, znudziła się", po czym machają czymś przed buzią dziecka. Za każdym razem, gdy usłyszysz marudzenie dziecka, oznacza to, że coś się dzieje. Im szybciej przejdziesz do akcji — na ten pierwszy płacz lub pierwsze ziewnięcie — tym większa szansa, że dziecko uspokoi się bez konieczności stosowania PP.

4. ***Rodzice nie skupiają się na sygnałach wysyłanych przez dziecko i jego płaczu ani nie obserwują jego mowy ciała.*** Technikę PP trzeba dostosować do *Twojego* dziecka. Na przykład, gdy instruuję rodziców czteromiesięcznego niemowlęcia, mówię im, żeby trzymali dziecko na rękach „co najwyżej cztery minuty, ewentualnie pięć". Ale to tylko *przybliżony* czas. Jeśli oddech dziecka się pogłębia, a ciało się relaksuje szybciej niż w wyznaczonym czasie, odłóż je. W przeciwnym razie ryzykujesz uspokajaniem bez potrzeby. Ponadto mówię rodzicom, żeby podnosili dziecko wyłącznie w odpowiedzi na prawdziwy płacz, a nie płacz typu mantra (patrz ramka na stronie 244). Jeśli nie znasz różnicy, ryzykujesz, że za często będziesz podnosić niemowlę. Czasami, gdy stosujemy za dużo rekwizytów, tracimy z oczu sedno sprawy. Rodzice często nie rozpoznają, jak brzmi płacz dziecka sfrustrowanego, ponieważ zawsze uciekali się do usypiania dziecka metodą kołysania go na rękach albo podawania piersi. Niekoniecznie dzieje się tak dlatego, że są nieuważni. Po prostu popadli w nawyki, które działają na krótką metę, a zdają sobie sprawę z tego, że to ślepa uliczka, dopiero wtedy, gdy jest za późno i niełatwo im znaleźć drogę z powrotem. Próbujemy tutaj stworzyć nowe nawyki i nauczyć dzieci sposobów na zasypianie, które podziałają na dłuższą metę. Oczywiście sama robię to cały czas, więc wiem, o czym świadczy wyraz twarzy dziecka, sposób, w jaki wyrzuca ręce w górę lub uderza nóżkami o materac. Od pierwszego dźwięku odróżniam płacz typu mantra, który dziecko wydaje podczas uspokajania się, od takiego, który wymaga interwencji, ponieważ doświadczyłam już każdej możliwej sytuacji. Zatem proszę, słonko, nie martw się, jeśli Tobie (której obiektem badań jest tylko jedno dziecko) zabiera to więcej czasu.

5. ***Rodzice nie zdają sobie sprawy z tego, że w miarę jak dziecko się rozwija, należy dostosować technikę PP, by odpowiadała jego etapowi rozwoju.*** PP nie jest techniką uniwersalną, pasującą wszystkim. Można trzymać na rękach niemowlę czteromiesięczne przez pięć minut, a półroczne tylko przez dwie, ale dziewięciomiesięczne dziecko trzeba natychmiast położyć. Czteromiesięcznego malucha uspokoi poklepywanie, a siedmiomiesięcznego rozproszy (patrz podrozdziały „Jak dostosować technikę PP" dla każdej grupy wiekowej).
6. ***Emocje rodziców wchodzą im w drogę, zwłaszcza poczucie winy.*** Gdy rodzice pocieszają dziecko, często przyjmują żałosny ton głosu. Jest to jeden z symptomów „biednej dzidzi" (patrz strona 256). Technika PP nie zadziała, jeśli można będzie poznać, że żal Ci dziecka.

   Gdy przychodzi do mnie jakaś mama i mówi: „To wszystko moja wina", myślę sobie: „Przykro mi, mamo, ale widać twoje poczucie winy". W niektórych przypadkach mama nie ma nic wspólnego z zaburzeniami snu u dziecka. Na przykład ząbkowanie, choroba, problemy trawienne — to wszystko nie podlega naszej kontroli. Oczywiście prawdą jest, że w razie przypadkowego rodzicielstwa mamy „winę". Rodzice często powodują wykształcenie się złych nawyków u dziecka. Wciąż jednak poczucie winy nikomu nie pomoże, ani dziecku, ani rodzicom. Zatem kiedy rodzic robił coś, co zaburzyło rozsądny sen, i mówi: „To ja", moja odpowiedź jest prosta: „To dobrze, że zdajesz sobie z tego sprawę. A teraz przejdźmy do działania".

   Czasami matki pytają również: „Czy to dlatego, że wróciłam do pracy i nie widzę go przez większą część dnia?". Zazwyczaj oznacza to, że mama wierzy, że dziecko za nią tęskniło i dlatego chce ją widzieć w nocy, zatem pozwala mu dłużej nie iść spać. Lepiej byłoby dokonać zmian we własnym planie dnia albo przynajmniej kazać niani kłaść dziecko spać punktualnie.

   Gdy rodzic ma poczucie winy, niemowlę nie myśli sobie świadomie: „Świetnie, mam mamę i tatę dokładnie tam, gdzie trzeba", ale podchwytuje emocje i je naśladuje. Rodzic z poczuciem winy jest często zagubiony, waha się, nie potrafi skupić się na konkretnej strategii i się jej trzymać — a to wszystko może wywołać lęk u dziecka. „Hej, jeśli moi rodzice nie wiedzą, co ze mną zrobić, to co ja mam powiedzieć? Jestem tylko niemowlakiem!". Żeby technika PP była skuteczna, rodzice muszą być pewni tego, co robią. Ich mowa ciała i ton głosu powinny przekazywać dziecku: „Nie martw się. Wiem, jak bardzo jesteś sfrustrowany, ale pomogę ci przez to przejść".

Rodzice, którzy mają poczucie winy, częściej się poddają (patrz punkt 12. na stronie 270), ponieważ mają wrażenie, że robią krzywdę dziecku lub pozbawiają je ich miłości, gdy stosują PP. Wiem na pewno, że technika PP działa, ale musisz ją traktować jak narzędzie edukacyjne, a nie karę czy coś, co może skrzywdzić dziecko lub sprawić, że poczuje, iż go nie kochasz. Wyczuwam również to poczucie winy, gdy rodzic pyta: „Ile razy muszę to robić?". Chociaż to pytanie może również oznaczać, że pytający jest trochę leniwy i nie chce mu się postępować inaczej niż dotąd, wiem również, że traktuje PP jak sposób leczenia, niezbędny, ale bolesny. To nie tak. Robisz to, żeby nauczyć dziecko, że spanie we własnym łóżku jest w porządku. Technika PP dodaje pewności dziecku i pozwala mu dostrzec, że pomagasz mu wykształcić umiejętności niezależnego zasypiania.

7. ***Pokój nie jest gotowy do usypiania dziecka.*** Musisz zminimalizować zakłócenia, gdy stosujesz PP. Rzadko kiedy ta technika działa w jasnym świetle słonecznym lub z lampą świecącą nad głową, czy też z głośną muzyką słyszalną w tle. Oczywiście trzeba zadbać o jakieś źródło światła, ale może ono padać z korytarza lub z małej lampki nocnej. Musisz być w stanie dostrzec mowę ciała dziecka, a także drogę do wyjścia.

8. ***Rodzice nie biorą pod uwagę temperamentu dziecka.*** Technikę PP trzeba dopasować do różnych typów charakteru. Zanim zaczniesz stosować tę metodę — nie wcześniej, niż gdy dziecko ma cztery miesiące — powinnaś już mieć jakieś pojęcie o tym, co lubi i czego nie lubi Twoje dziecko, co je denerwuje, a co uspokaja. Aniołki i Książkowe Dzieci dość łatwo uśpić. Marudy są często bardziej agresywne — to one właśnie zazwyczaj wyginają plecy w łuk i odpychają rodzica, kiedy są zdenerwowane. Można by pomyśleć, że Wiercipięty również pasują do tej definicji, ale odkryłam, że tak nie jest. Ale one również, tak samo jak Wrażliwce, potrzebują trochę więcej czasu, zatem PP potrwa dłużej. Oba ostatnie typy dużo płaczą i bardzo się frustrują. Łatwo również przyciągnąć ich uwagę, zatem trzeba pilnować przesączającego się z innych pomieszczeń światła, zapachów gotowania, dźwięków w domu, rodzeństwa i często trzeba pozbyć się możliwych zakłóceń albo przynajmniej zminimalizować je na tyle, na ile się da.

   Jednakże metoda jest praktycznie taka sama, niezależnie od temperamentu dziecka. Musisz po prostu być przygotowana na to, że zajmie Ci trochę więcej czasu. Ponadto im spokojniejsze są zajęcia dziecka przed pójściem spać, tym łatwiej Ci pójdzie. Nie można wyrwać dziecka prosto z placu zabaw i wrzucić do łóżeczka. Trzeba poświęcić przynajmniej piętnaście lub dwadzieścia minut na rytuał przed snem (patrz strony 189 – 194). Zaciemnienie pokoju i zablokowanie stymulacji wizualnej również jest szczególnie ważne dla Wrażliwców i Wiercipięt. Niektóre, zwłaszcza Wrażliwce, po prostu nie mogą utrzymać zamkniętych oczu. Zaczynają obserwować otoczenie i nie mogą się wyłączyć. I dlatego właśnie mamy dziecko, które świat zaczyna przytłaczać nadmiarem bodźców i płacze, ile sił w płucach. Robi to dlatego, żeby w końcu „wyłączyć" otoczenie. Gdy takie dziecko jest młodsze, poklepywanie i szeptanie do ucha pozwoli odciągnąć uwagę od płaczu, a skupić się na dźwięku i dotyku fizycznym. A gdy ma powyżej pół roku, wykorzystuj tylko swoje uspokajające słowa i PP, żeby je wyciszyć.

9. ***Jedno z rodziców nie jest gotowe.*** Technika PP nie zadziała, jeśli oboje rodzice nie będą współpracować. Czasami dzieje się tak, że jedno z rodziców ma dość i inicjuje zmianę. Powiedzmy, że oboje od tygodni nie mogą się wyspać, i w końcu ojciec mówi: „Na pewno *coś* można z tym zrobić. Mały kończy w naszym łóżku co noc". Jeśli matka go nie popiera — albo nawet lubi przytulać się do niemowlęcia i sądzi, że w ten sposób pozwala mu poczuć się bezpieczniej — wyjaśni sytuację w ten sposób: „Mój mąż chce, żeby dziecko przesypiało noc, ale mnie na tym tak naprawdę nie zależy".

   Podobny scenariusz ma miejsce po wizycie dziadków. Babcia wygłosi jakiś komentarz, taki jak: „To dziecko powinno już przesypiać noc, prawda?", a mama (która w głębi duszy się z nią zgadza, ale nie wie, jak to zrobić) czuje zawstydzenie. Być może zadzwoni w sprawie konsultacji, ale będzie słychać, że nie jest gotowa na podjęcie działań i zmianę swojego zachowania. Powiem jej, jaki jest plan działania, a ona od razu będzie chciała go zmodyfikować. „Ale w czwartki i piątki robię coś tam, a ty mi mówisz, że mam zostawać w domu?". Albo wróci z serią pytań takich jak: „A jeśli mi nie przeszkadza branie go do łóżka? A jeśli będzie płakać dłużej niż dwadzieścia minut? A jeśli zwymiotuje ze zdenerwowania?". W tym momencie przerywam i pytam: **Na ile jesteś przekonana do zmiany? Jak wygląda teraz Twoje życie? Zapomnij o swoim mężu i swojej matce — czy Ty sądzisz, że coś trzeba zmienić?** Zachęcam rodziców, by byli szczerzy. Mogę im podać tysiąc możliwych planów działania, ale jeśli przychodzą z listą tysiąca powodów, dla których się to nie uda, to wiesz co? Nie uda się.

10. ***Rodzice nie koordynują swoich wysiłków.*** Aby zmienić wzorzec snu, jak już wyjaśniałam w historii Patricii i Dana (strona 255), rodzice potrzebują planu działania, który powie im, co mają *robić*. Dobre rozwiązanie przewiduje również różne niespodziewane komplikacje,

które mogą się pojawić — plan B. Jednocześnie rodzice muszą mieć świadomość istnienia pułapek, gdy *oboje* wykonują PP. Poniższy e-mail od Ashley, mamy pięciomiesięcznej Triny, pokazuje, jak rodzice niechcąco sabotują proces i, co równie ważne, dlaczego niektórzy za szybko się poddają (patrz punkt 12. na stronie 270):

> *Po pięciu miesiącach lulania Tiny, żeby ją uśpić, zaczęłam stosować PP. Drugi dzień był najlepszy. Wystarczyło przez dwadzieścia minut głaskać ją po brzuszku, żeby zasnęła. Teraz, w piątym dniu, jestem prawie gotowa się poddać. Tego ranka mała w ogóle nie zasnęła. Zaczęłam ją usypiać, po jakimś czasie zmienił mnie mąż, a ona zaczęła histerycznie płakać za każdym razem, gdy ją podnosił, a uspokajała się, gdy ja ją brałam. Czy to normalne? Naprawdę chcę, żeby to podziałało i żeby moja córka nauczyła się zasypiać bez pomocy, ale nie wiem, co robię źle.*

To bardzo częsty scenariusz: mama się męczy, więc tata wkracza na scenę. Ale rodzice nie zdają sobie sprawy, że *dla dziecka* wejście taty jest zakłóceniem. Nawet jeśli tata wykonuje PP dokładnie tak, jak mama, jest to równoznaczne z zaczynaniem od nowa. To ktoś nowy, a wszyscy wiemy, że niemowlęta inaczej reagują na różne osoby. Ponadto, gdy oboje rodzice są w pokoju, uwaga dziecka się rozprasza, zwłaszcza jeśli ma ponad pół roku. Dlatego też zazwyczaj sugeruję, by każde z rodziców zajmowało się dzieckiem przez dwa wieczory z rzędu.

W niektórych przypadkach najlepiej jest, jeśli tata przejmie piłeczkę lub przynajmniej będzie stosował PP przez kilka nocy z rzędu. Czasem mama nie ma fizycznie sił, by podnosić i odkładać dziecko tak wiele razy. Albo jeśli próbowała techniki PP poprzednio i się poddała, najlepiej, żeby teraz spróbował tata, przynajmniej przez dwie lub trzy noce. Niektóre mamy wiedzą, że nie dadzą rady. Weźmy przypadek Jamesa, którego poznałaś na początku tego rozdziału. Gdy jego mama, Jackie, usłyszała, jaki jest plan działania, przyznała od razu: „Nie sądzę, żeby udało mi się go uśpić bez karmienia. Nie mogę znieść jego płaczu". Mama od zawsze pędziła dziecku na pomoc i do tej pory niechętnie przyjmowała uczestnictwo taty. W takich przypadkach posuwam się nawet do tego, by zaproponować matce opuszczenie domu i przenocowanie gdzieś u rodziny przez kilka nocy.

Ojcowie często są skuteczniejsi w stosowaniu techniki PP, ale niektórzy również padają ofiarą syndromu biednej dzidzi (patrz strony 256 – 258). Ale nawet jeśli faceci są gotowi, żeby działać na rzecz rozwiązania problemów ze snem, im też nie jest łatwo, wierz mi. Ojciec Jamesa,

Mile, musiał po prostu być z synem przez dwie noce, zanim w ogóle spróbowaliśmy zastosować PP, ponieważ James nie był przyzwyczajony do bycia na rękach u taty. Zatem gdy Mike pierwszy raz próbował go uspokoić, James jeszcze bardziej się zdenerwował. Chciał być z mamą, ponieważ tylko ją do tej pory znał.

Gdy tata został wybrany do działania, mama musi uważać, żeby odsunąć się na margines. Często ostrzegam: „Nawet jeśli dziecko wyciąga do ciebie ręce, musisz pozwolić działać tacie. Jeśli nie, zmienisz go w złego faceta w oczach dziecka". Tym samym tata musi się poświęcić i obiecać, że będzie się trzymał planu, nie może w połowie procesu zwrócić się do żony i powiedzieć: „Ty to zrób". Cudowne w tym wszystkim jest to, że nawet jeśli ojciec miał wcześniej minimalny udział w usypianiu dziecka lub zostawiał rozwiązywanie problemów żonie, sukces w technice PP może całkowicie zmienić dynamikę w rodzinie. Mama zaczyna czuć do niego szacunek, a on odczuwa nowo odkrytą pewność siebie jako rodzica.

11. ***Rodzice mają nierealistyczne oczekiwania.*** Powtarzam to do znudzenia: PP to nie czary. Nie „wyleczy" kolki lub bólu spowodowanego ząbkowaniem ani nie sprawi, że uparte dziecko będzie „łatwiejsze". Jest to zaledwie sposób na wydłużenie snu dziecka. Na początku maluch i tak będzie bardzo sfrustrowany — możesz się spodziewać mnóstwa płaczu — ale ponieważ przy nim jesteś, nie będzie się czuł opuszczony. Jak już mówiłam, niektóre typy charakterów są trudniejsze (Wrażliwce, Wiercipięty i Marudy). We wszystkich sytuacjach należy pamiętać, że na zmianę trzeba czasu i że może pojawić się regres. Nie zapominaj, że mamy do czynienia z przemęczonym dzieckiem, które nie ma stałego planu dnia, a Ty stosowałaś przypadkowe rodzicielstwo, żeby je uśpić. Teraz trzeba uciec się do bardziej radykalnych rozwiązań, żeby naprawić błędy z przeszłości. Czy narażasz dziecko na cierpienie i ból? Nie, ale z pewnością będzie sfrustrowane, ponieważ zmieniasz coś, do czego przywykło. Będzie płakać i wyginać plecy w łuk, a także rzucać się po łóżku jak ryba bez wody.

   Teraz, gdy robiłam to z tysiącami niemowląt, wiem już, że czasem potrzeba aż godziny, by uśpić dziecko — i aż do stu razy trzeba je podnosić i kłaść z powrotem. Gdy mam do czynienia z dzieckiem takim jak jedenastomiesięczny Emanuel, który budził się prawie co półtorej godziny na karmienie, doświadczenie mówi mi, że jedna noc nie wystarczy. Gdy Emanuel obudził się pierwszej nocy o 22:00 i udało nam się go uśpić o 23:00, wiedziałam, że to sukces, i powiedziałam jego rodzicom: „Wstanie znów o pierwszej". I oczywiście tak było. Dobra wiadomość jest taka, że chociaż spał tylko po dwie godziny jednym ciągiem tej nocy, za każdym razem krócej trwało uśpienie go techniką PP.

Mogę dokonywać takich przewidywań na podstawie mojego doświadczenia. Poniżej znajdziesz cztery najczęstsze wzorce, jakie zaobserwowałam w ciągu wielu lat pracy z tysiącami niemowląt. Twoje dziecko być może niedokładnie wpasuje się w wymienione kategorie, ale będziesz przynajmniej miała pojęcie, czego się spodziewać:

- Jeśli dziecko dość szybko zasypia po zastosowaniu techniki PP — powiedzmy w ciągu dwudziestu minut lub pół godziny — prawdopodobnie uda Ci się je uśpić na trzy godziny. Zatem jeśli zaczniesz o siódmej, dziecko wstanie ponownie około 23:30. Tej pierwszej nocy będziesz musiała zastosować PP o 23:30, a potem ponownie około 5:00 lub 5:30 rano.
- Jeśli masz dziecko takie jak Emanuel, w wieku powyżej ośmiu miesięcy, które od kilku miesięcy często budzi się w nocy, a Ty reagowałaś na to jakąś formą przypadkowego rodzicielstwa, być może będziesz musiała wykonać PP ponad sto razy. A gdy w końcu uda Ci się je uśpić, za pierwszym razem nie będzie spało więcej niż dwie godziny. Jedyne, co mogę zaproponować, to położyć się samej natychmiast, gdy ono zaśnie, i nastawić się na powtórkę z rozrywki przez pierwszych kilka nocy.
- Jeśli dziecko krótko śpi w dzień — od dwudziestu do czterdziestu pięciu minut naraz — gdy po raz pierwszy zaczynasz stosować technikę PP, zazwyczaj uda Ci się na początku osiągnąć sen dłuższy jedynie o dwadzieścia minut, ponieważ nie jest przyzwyczajone do spania dłużej niż czterdzieści pięć minut. Wróć do pokoju i zastosuj PP, dopóki nie uda Ci się go uśpić ponownie albo do pory następnego karmienia, w zależności od tego, co nastąpi wcześniej. Ale nigdy nie pozwalaj dziecku przesypiać karmienia.
- Jeśli stosowałaś metodę kontrolowanego wypłakiwania i zostawiałaś dziecko, żeby się wypłakiwało, metoda PP zajmie Ci więcej czasu (*obojętnie*, czy w czasie drzemek, czy snu nocnego), ponieważ dziecko się boi. Czasami zanim w ogóle zaczniesz stosować PP, będziesz musiała najpierw podjąć kroki w kierunku odbudowania zaufania niemowlęcia. Metoda PP w końcu zadziała, a wtedy być może pośpisz spokojnie przez dwie lub trzy noce z rzędu i uznasz, że się udało. Potem, kolejnej nocy, dziecko się obudzi. W tym momencie zazwyczaj odbieram telefony: „Tracy,

to nie działa, bo on znów zaczął się budzić". Ale to oznacza tylko, że musisz być konsekwentna i zastosować cały proces od początku.

12. ***Rodzice tracą zapał — i nie trzymają się planu działania.*** Gdy następuje zły dzień lub zła noc, wielu rodziców ma poczucie, że metoda PP ich zawiodła. To nieprawda, ale jeśli zrezygnujesz, to tak będzie. Trzeba się tego trzymać. Dlatego właśnie ważne jest, żeby zapisywać wszystko od momentu rozpoczęcia pracy i notować postępy. Nawet jeśli dziecko śpi tylko o dziesięć minut dłużej, to jest to postęp. Gdy udzielam konsultacji, przynoszę notes i mówię rodzicom: „Tak właśnie spało wasze dziecko tydzień temu". Aby mieć zapał do kontynuowania pracy, trzeba dostrzegać postępy. Wiercipięty, Wrażliwce i Marudy osiągają sukcesy wolniej, ale nie poddawaj się.

Gdy próbujesz nauczyć dziecko, jak ma spać, nie ma półśrodków. Najgorsze, co można zrobić, to zatrzymać się w połowie drogi. Musisz stale trzymać się planu działania, w kółko podnosić i odkładać malucha. Bądź przygotowana na długotrwały proces. Wierz mi, zdaję sobie sprawę z tego, że metoda PP jest trudna i wymaga olbrzymiej cierpliwości rodziców, zwłaszcza mam. Zatem nie jestem zaskoczona, gdy...

Poddają się już pierwszej nocy. Gdy potem pytam: **Jak długo stosowałaś PP?**, odpowiadają: „Przez dziesięć czy piętnaście minut, ale potem nie mogłam już wytrzymać". Dziesięć minut nie wystarczy. W przypadku dzieci z głęboko zakorzenionymi problemami stosowałam tę metodę przez ponad godzinę naraz. Wierz mi, za drugim razem pójdzie szybciej. Kiedy odwiedzam rodziców w domu i *stosuję* PP z klientką (aby rozwiązać problemy ze snem nocnym lub zbyt krótkimi drzemkami w dzień), mamy często przyznają: „Nigdy nie wytrzymałam dłużej niż dwadzieścia minut". Jeśli dzieje się to w nocy, mówią: „Poddałabym się i dałabym mu pierś, żeby tylko zasnął". Jeśli podczas dnia: „Poddałabym się, podniosłabym go i przestała usypiać, nawet gdybym wiedziała, że będzie marudny aż do wieczora". No cóż, gdy ja jestem obok, muszą wytrzymać. Ale samodzielnie wielu rodziców nie jest w stanie wytrwać.

Próbują przez jedną noc, a potem przestają. Jeśli konsekwentnie stosowałaś przypadkowe rodzicielstwo, musisz być równie konsekwentna, stosując strategie, które mają naprawić sytuację. Oczywiście przyznaję, że niektóre moje rady wydają się wielu rodzicom sprzeczne z podejściem intuicyjnym — jak budzenie dziecka, żeby utrzymać plan. Jeśli nie wierzą, że coś będzie działać, to jeżeli brak natychmiastowych rezultatów, natychmiast spróbują czegoś innego. Ponieważ nie trzymają się jednej metody, dziecko czuje się zagubione — a metoda PP wydaje się nie skutkować.

Poddali się po niewielkich postępach. Powiedzmy, że osiągnęli sukces, zmieniając dwudziestominutowe lub półgodzinne drzemki w godzinne. Mama jest zadowolona, ale to nie wystarcza, by utrzymać czterogodzinny plan dnia dziecka. Równie ważne jest to, że gdy dziecko rośnie i spala więcej kalorii, będzie bardziej marudne i zmęczone, jeśli nie będzie spać przez półtorej godziny naraz. Pozostanie na dobrej drodze pozwoli uniknąć powtórki z rozrywki w późniejszym okresie.

Osiągają początkowy sukces, ale gdy problem nawraca, a zaburzenia snu mają to do siebie, nie stosują już PP. Próbują w zamian czegoś innego. Gdyby zostali przy wypróbowanej metodzie, mniej czasu zajmie im powrót na dobrą drogę, ponieważ dziecko pamięta poprzedni raz, i za każdym razem trzeba będzie interweniować w mniejszym stopniu, żeby je uspokoić.

Oczywiście nie ma uniwersalnych recept na wszystkie problemy ze snem, ale osobiście nigdy nie zdarzyło mi się, żeby metoda PP nie zadziałała. W ramce na stronie 263 znajdziesz strategie, które pomogą Ci wytrwać. Pamiętaj, że jeśli będziesz równie konsekwentna przy nowej metodzie, jak byłaś przy starej, zmiany *nastąpią*. Ale musisz być cierpliwa i doprowadzić wszystko do końca. W końcu zadziała.

Pamiętа również, że na tym etapie zdecydowanie łatwiej poradzić sobie z zaburzeniami snu, niż jeśli pozwolisz im przetrwać, aż dziecko skończy rok. Nawet jeśli Twoje dziecko nie miało jeszcze swoich pierwszych urodzin, dobrze byłoby przeczytać kolejny rozdział i zobaczyć, co Cię może czekać, jeśli *nie* rozwiążesz problemów dziecka ze snem teraz. Może to być najlepszą możliwą zachętą!

Strategie przetrwania PP

Jak się NIE poddać

Oto kilka sprawdzonych technik, które pozwolą Ci wytrwać na właściwej drodze.

- Przemyśl swój plan, zanim zaczniesz. Metoda PP jest bardzo stresująca, jeśli ma ją wykonywać tylko jeden rodzic. Jest to diabelnie trudne! Zwłaszcza jeśli znasz własny charakter i obawiasz się, że nastąpi moment, gdy nie będziesz w stanie tego znieść, *nie* próbuj robić tego sama. Zrób to z kimś. Nawet jeśli nie masz partnera i nie może się do Ciebie przyłączyć mama lub przyjaciółka (patrz punkt 10. na stronie 266 i ramka na stronie 182), przynajmniej poproś kogoś o moralne wsparcie. Ten ktoś nie musi koniecznie *robić* czegoś z dzieckiem. Będzie Ci łatwiej, jeśli ktoś po prostu będzie przy Tobie, wysłucha Twoich narzekań na to, jakie to trudne, i przypomni Ci, że robisz to dla dobra snu dziecka i aby odzyskać spokój w domu.
- Zacznij stosować PP w piątek, żebyś miała przed sobą weekend i większą szansę na wspomnianą pomoc od taty, babci czy dobrej przyjaciółki.
- Skorzystaj ze stoperów do uszu, gdy jesteś w pokoju z dzieckiem. Nie mówię tego, żeby zasugerować Ci, że powinnaś ignorować swoje dziecko, ale by nieco wygłuszyć dźwięk jego płaczu i oszczędzić swoje bębenki.
- Nie żałuj swojego dziecka. Stosujesz PP, by mu pomóc samodzielnie zasypiać, co jest niezwykle ważną umiejętnością.
- Jeśli kusi Cię, by się poddać, zadaj sobie pytanie: „Jak będzie wyglądała sytuacja, gdy się poddam?". Jeśli dziecko płacze przez czterdzieści minut, a Ty się poddasz i wrócisz do starych nawyków czy sposobów uspokajania, które wykształciłaś wiele miesięcy temu, skażesz dziecko na czterdzieści minut nieszczęścia po nic. Wracasz do tego, od czego zaczęłaś, dziecko nie wzbogaciło się w żadną nową umiejętność, a Ty czujesz, że odniosłaś porażkę.

ROZDZIAŁ SIÓDMY

„WCIĄŻ SIĘ NIE WYSYPIAMY"

— PROBLEMY ZE SNEM PO PIERWSZYM ROKU ŻYCIA DZIECKA

Amerykański kryzys

Amerykańskie niemowlęta i małe dzieci nie śpią wystarczająco długo, jak wynika z badań opinii przeprowadzonych w 2004 roku przez National Sleep Foundation. Wyniki ankiet opublikowano w trakcie pisania tego rozdziału, dotyczącego problemów ze snem po pierwszym roku życia dziecka. Chociaż badania obejmowały dzieci od urodzenia do kilkunastu lat życia, skoncentrowałyśmy się tutaj na małych dzieciach, w wieku od roku do trzech lat. Czytając między wierszami, łatwo jest dostrzec, jak te odkrycia podkreślają wagę uczenia dziecka, jak zasypiać i się nie budzić:

- *Problemy ze snem ciągną się znacznie dłużej niż przez okres niemowlęcy.* Niemowlęta i ich rodzice nie są jedynymi niewyspanymi ludźmi na świecie. 63% małych dzieci doświadcza problemów ze snem, a wśród wpływających na nie czynników znajdują się: przeciąganie kładzenia się spać (32%), stawianie oporu w porze kładzenia się spać (24%) oraz (lub) uczucie przemęczenia w ciągu dnia (24%) przez przynajmniej kilka dni lub nocy w tygodniu. Ponad połowa dzieci w wieku poniżej trzech lat budzi się przynajmniej raz w nocy; 10% budzi się kilkakrotnie i za każdym razem nie zasypia z powrotem średnio przez prawie dwadzieścia minut. Około 10% nie może zasnąć przez czterdzieści pięć minut lub dłużej.

- *Większość niemowląt i małych dzieci za późno chodzi spać.* Przeciętna pora pójścia spać dla niemowląt (od urodzenia do dwunastego miesiąca życia) to 21:11, a małych dzieci 20:55. Mniej niż połowa małych dzieci idzie spać przed 21:00. Często widzę ten problem u moich klientów. Niektórzy z nich nie kładą dzieci wcześniej spać, bo chcą z nimi spędzić trochę czasu po pracy. Inni z kolei postępują tak, bo nigdy nie nauczyli dzieci chodzenia spać o przyzwoitej porze i teraz nie udaje im się ich do tego przekonać. Zalecam, żeby dzieci w wieku poniżej pięciu lat chodziły spać o 19:00 lub 19:30, ale wyniki ankiet wykazują, że tylko 10% z nich (w tym również niemowląt) jest w łóżkach o tej porze. A w obu kategoriach przeciętna pora pobudki to nieco po siódmej rano. Nie trzeba być matematykiem, żeby zobaczyć, dlaczego dzieci się nie wysypiają. (Nie zdziwiłabym się wcale, gdyby się okazało, że jest to jednym z powodów, dlaczego w obecnych czasach mamy taki problem z nadpobudliwością i agresją nieletnich. Brak snu nie powoduje takich zaburzeń emocjonalnych, ale zdecydowanie je pogłębia, jeśli już istnieją).

- *Wielu rodziców zaprzecza istnieniu nawyków związanych ze spaniem swoich dzieci.* Gdy pyta się ich, ile godzin śpią ich dzieci w porównaniu z tym, ile godzin *powinny* spać, około jedna trzecia rodziców przyznaje, że ich pociechy śpią mniej. Ale gdy pada kolejne pytanie — czy ich dzieci śpią za mało, za dużo, czy odpowiednio długo — znacząca większość (85%) odpowiada, że ich dzieci mają odpowiednią ilość snu. Ponadto pomimo powszechności problemów ze snem u małych dzieci tylko jedna dziesiąta rodziców niepokoi się tą kwestią. (Zgaduję tutaj, że ten przejęty odsetek to ci sami rodzice, którzy przyznali, że ich dzieci nie śpią po przebudzeniu w środku nocy przez ponad czterdzieści pięć minut!).

  Odkrycia badaczy podkreślają problem, który sama obserwuję codziennie: rodzice mają tendencję do pozwalania, by złe nawyki się zakorzeniały, dopóki nie staną się absolutnie bezradni. Zazwyczaj rodzice dzwonią do mnie z prośbą o pomoc, gdy matka ma wrócić do pracy i martwi się tym, jak będzie w stanie funkcjonować w życiu zawodowym, lub kiedy konflikty między partnerami narastają, ponieważ ciągłe budzenie się dziecka wnosi chaos w ich związek

- *Przypadkowe rodzicielstwo ma się bardzo dobrze wśród rodziców małych dzieci.* Blisko połowa wszystkich maluchów (43%) zasypia w obecności rodzica, a jedna czwarta już śpi, gdy jest odkładana do łóżeczka. W obu przypadkach oznacza to, że rodzic lub opiekunka usypia dzieci, zamiast pozwalać im samodzielnie zasypiać. Podczas gdy połowa rodziców dzieci budzących się w nocy deklaruje, że pozwala im samodzielnie zasypiać, wyniki badań wskazują, że 59% biegnie im na pomoc, 44% zostaje przy nich, dopóki nie zasną, 13% przynosi je do własnego łóżka, a 5% pozwala, by dzieci spały z nimi całą noc. Osobiście podejrzewam, że te dwie ostatnie liczby w rzeczywistości są jeszcze większe. Gdy w ankiecie internetowej przeprowadzonej przez babycenter.com zadano pytanie: „Czy Twoje dziecko śpi — lub będzie spało — z Tobą w łóżku?", ponad dwie trzecie rodziców odpowiedziało „od czasu do czasu" (34%) i „zawsze" (35%). Być może anonimowość badania internetowego zachęciła rodziców do szczerszych odpowiedzi.

Dobra wiadomość jest taka, że badanie opinii pokazuje także, iż rodzice, którzy uczą swoje dzieci umiejętności samodzielnego zasypiania, mają mniej problemów z ich snem: maluchy nie budzą się za wcześnie, dobrze śpią w dzień, bez problemów idą spać i łatwo zasypiają, a także rzadziej budzą się w nocy. Na przykład dzieci, które kładzie się do łóżka, gdy jeszcze nie śpią, częściej śpią dłużej niż dzieci, które odkłada się do łóżka po uśpieniu ich (9,9 godziny w porównaniu do 8,8 godziny), a także prawie trzykrotnie rzadziej budzą się w nocy (13% w porównaniu do 37%). A gdy rodzice mówią, że rzadko lub nigdy nie ma ich w pokoju, gdy dzieci zasypiają — oznaka, że ich dzieci potrafią samodzielnie zasnąć — rzadziej również zgłaszają budzenie się nocne dziecka.

Było to największe obecnie badanie opinii publicznej sprawdzające nawyki małych dzieci związane ze snem, i podczas gdy pokazuje, że niektóre dzieci uczą się dobrych nawyków i potrafią samodzielnie zasypiać, to jednak przeważająca większość (69%) małych dzieci doświadcza problemów związanych ze snem kilka razy w tygodniu. Nic dziwnego zatem, że ich rodzice również tracą aż do dwustu godzin snu rocznie. Gdy tak wielu dorosłych i dzieci nie dosypia, ma to wpływ na wszystkich członków rodziny, a najbardziej na relacje między poszczególnymi jej członkami. Rodzice złoszczą się na dzieci, rodzeństwo walczy ze sobą, pary się kłócą. Między innymi przyczynami tej epidemii niewyspania i zaburzeń snu raport podaje zawrotne tempo życia współczesnego społeczeństwa. Jeden z członków fundacji zajmującej się snem, dr Jodi Mindell, profesor psychologii z St. Joseph University specjalizująca się w zaburzeniach snu, wyjaśnia: „Cała presja społeczeństwa nie wpływa wyłącznie na dorosłych, ale też na dzieci. Jest to ostrzeżenie, że musimy poświęcić równie wiele uwagi tej połowie życia dzieci, gdy śpią, jak tej, gdy czuwają".

Podałabym tutaj też inny powód: wielu dorosłych nie *uczy* swoich dzieci, jak mają spać. Często nawet nie zdają sobie sprawy z tego, że zdrowy sen jest sztuką, której trzeba się nauczyć, i spodziewają się, że dziecko w końcu samo zrozumie, jak powinno samodzielnie zasypiać. A gdy maluch wyrośnie z wieku niemowlęcego, znajdzie się w sporych tarapatach, a jego rodzice nie będą wiedzieli, gdzie popełnili błąd lub jak rozwiązać problem.

W kolejnych dwóch podrozdziałach streszczam problemy ze snem w drugim i trzecim roku życia dziecka. Może się wydawać, że są to bardzo obszerne grupy wiekowe. Jednak mimo że co kilka miesięcy pojawiają się subtelne różnice w rozwoju, te zmiany nie wpływają na wzorzec snu dziecka lub rodzaj interwencji, który sugeruję. Następnie przypominam strategie rozwiązywania problemów ze snem, które wprowadziłam wcześniej, wyjaśniam, jak je dostosować do starszych dzieci, i przedstawiam typowe przypadki, które służą za przykład zastosowania różnych technik.

Problemy ze snem w drugim roku życia dziecka

Zmiany rozwojowe i coraz większe poczucie niezależności może wyjaśniać niektóre problemy ze snem w drugim roku życia. Zatem kiedy tylko rodzic mówi mi, że wystąpił problem ze snem w dzień lub w nocy, pytam: **Czy dziecko chodzi? Mówi?** Twoje dziecko w okolicach pierwszych urodzin uczy się chodzić. Nawet te, które opanowały tę sztukę później, mają już mocne mięśnie nóg. Jak wyjaśniałam w poprzednim rozdziale, ta nowo opanowana sztuka może mieć wpływ na dziecko również wtedy, gdy wypoczywa — a szczególnie w okresie, gdy dokonuje tych pierwszych chwiejnych kroczków. Niektóre dzieci wstają w środku nocy, nadal śpiąc, i zaczynają chodzić po łóżeczku. Potem się budzą, nie wiedzą, co się stało, i nie wiedzą też, jak się z powrotem położyć. Poza tym skurcze mięśni mogą budzić dziecko, tak samo jak zapamiętane uczucie przewracania się. Pomyśl o tym, ile razy w ciągu dnia dziecko się przewraca.

Nie polecam pozwalania małym dzieciom na oglądanie telewizji ani wideo, ponieważ może to doprowadzić do obciążenia dziecka nadmiarem bodźców lub obrazami, które tkwią im w pamięci i zaburzają sen. W wieku jednego roku faza REM skraca się do około 35%, ale wciąż pozostaje dość czasu na marzenia senne. Chociaż dzieci mogą również mieć koszmary

— powtórki przerażających chwil przeżytych w dzień — częściej zdarzają się sny, w których dzieci przeżywają na nowo wysiłek i stymulację (patrz tabela na stronie 280).

Trzeba również wziąć pod uwagę resztę rodziny: **Czy dziecko ma starsze rodzeństwo, które je „nakręca"?** Gdy małe dziecko zaczyna chodzić, dręczenie go staje się dobrą zabawą dla starszego brata lub siostry — wszystko oczywiście podczas zabawy. Ale może to naprawdę zdenerwować malucha i spowodować, że będzie się budził w nocy.

Twoje dziecko jest teraz bardziej ciekawskie i aktywne. „Interesuje się wszystkim" — to zdanie, które najczęściej słyszę w opisach dzieci w wieku od roku do dwóch. Nawet jeśli nie mówi jeszcze pełnymi zdaniami, prawdopodobnie więcej już je słychać i z pewnością rozumie wszystko, co mówisz. Możesz rano słyszeć, jak papla do swoich pluszowych zwierzaków — oznacza to, że po prostu nauczyło się samo bawić. Jeśli nie pobiegniesz do niego od razu, jego postęp w rozwoju podaruje Ci kilka cennych momentów w łóżku.

Gdy dziecko, które wcześniej dobrze spało, zaczyna mieć nagle problemy, przyglądam się też kwestiom związanym z jego zdrowiem i otoczeniem. **Czy zmieniłaś mu ostatnio plan dnia? Czy dziecko ząbkuje? Czy zaczęło brać udział w jakichś nowych rozrywkach? Czy było ostatnio chore? Czy zaczęłaś z nim chodzić na spotkania z rówieśnikami? Czy w życiu innych członków rodziny zaszły jakieś zmiany związane ze zdrowiem, pracą, czasem wolnym?** Być może trzeba się będzie cofnąć myślami kilka tygodni lub miesięcy i przyjrzeć się, co nowego się wydarzyło i jak na to zareagowałaś. Skontaktowała się ze mną na przykład ostatnio Ginny, ponieważ jej szesnastomiesięczny synek zaczął budzić się w nocy. Gdy zadałam serię pytań, Ginny upierała się, że nic się nie zmieniło. Potem, prawie od razu, dodała: „Ale Ben był przeziębiony pięć lub sześć tygodni temu, i jak teraz o tym myślę, nie spał dobrze od tego właśnie czasu". Nie zdziwiłam się wcale, kiedy po dalszym przesłuchaniu powiedziała mi, że zabrała Bena do swojego łóżka, „żeby go uspokoić".

Drzemki również się teraz komplikują. Jest to czas, gdy dzieci zazwyczaj przechodzą z dwóch półtoragodzinnych lub dwugodzinnych drzemek do jednej długiej (patrz ramka na stronie 293). Wydaje się to proste na papierze, ale w rzeczywistości może przypominać rodeo na mechanicznym byku — mnóstwo wstrząsów, które grożą upadkiem! Twoje dziecko może na kilka dni wyeliminować poranną drzemkę, a potem bez wyraźnego powodu wrócić do starych przyzwyczajeń. Inaczej niż w przypadku niemowląt, u których dobry sen w dzień jest podstawą wysypiania się w nocy, w wieku powyżej dwunastu miesięcy zbyt późna drzemka może zaburzyć sen nocny. Gdy maluch przyzwyczaił się do spania po południu, często sugeruję rodzicom, że powinni przesunąć drzemkę na wcześniejszą porę, i zalecam, by budzić dziecko nie później niż o 15:30, w przeciwnym razie może mieć za mało czasu na aktywność, podczas której zużytkuje energię i przygotuje się na sen. Jednak oczywiście od każdej reguły są wyjątki: jeśli dziecko musi nadrobić brak snu z poprzednich dni lub jest chore i potrzebuje więcej snu niż aktywności, albo jeśli po prostu czujesz, że w tym akurat dniu powinno się dodatkowo wyspać, możesz oczywiście pozwolić mu spać dłużej.

Najważniejszym osiągnięciem rozwojowym jest to, że dziecko rozumie już związki przyczynowo-skutkowe. Możesz to dostrzec, gdy bawi się zabawkami. Z powodu tego nowo odkrytego zrozumienia przypadkowe rodzicielstwo może się zadziałać znacznie szybciej. W przeszłości, jeśli kołysałaś dziecko albo podawałaś mu pierś, żeby zasnęło, w końcu wchodziło mu to w nawyk — podobnie jak w przypadku psów Pawłowa, które słyszały dzwonek za każdym razem, gdy dostawały jedzenie, i wkrótce zaczynały się ślinić na sam dźwięk dzwonka. Ale teraz, ponieważ dziecko rozumie przyczynę i skutek, przypadkowe rodzicielstwo nie jest prostym warunkowaniem. Każda lekcja, której udzielasz świadomie bądź nie, mieści się w tym małym komputerku i jest przechowywana do przyszłych zastosowań. Jeśli na tym etapie nie jesteś ostrożna, przygotujesz swojego malucha do sztuki manipulowania rodzicami!

Powiedzmy, że Twoje piętnastomiesięczne dziecko budzi się nagle o trzeciej w nocy. Być może dzieje się tak dlatego, że wychodzą mu zęby trzonowe albo miało zły sen. Być może uczestniczyło w szczególnie aktywnej zabawie z rówieśnikami albo miało wyjątkowo stymulującą wizytę u babci. A może to było coś znacznie prostszego: dziecko wybudziło się z głębokiego snu, a jakiś dźwięk lub błysk światła pobudził jego ciekawość. Małe dzieci interesują się prawie wszystkim, zatem gdy się obudzą w nocy, mniej prawdopodobne jest, że znów zasną.

Szczególnie jeśli jest to pierwsza nocna pobudka (w większości rodzin to mało prawdopodobny scenariusz), bardzo ważne jest, by nie *zaczynać* przypadkowego rodzicielstwa. Jeśli wbiegniesz do dziecka, weźmiesz je na ręce i powiesz sobie: „Tylko ten jeden raz, poczytam mu książeczkę, żeby się uspokoił", gwarantuję, że kolejnej nocy obudzi się i będzie chciało, żeby znów mu poczytać, a potem zwiększy wymagania, żądając dwóch książeczek, czegoś do picia i dodatkowego przytulania. To dlatego, że dziecko w tym wieku potrafi dokonywać skojarzeń między tym, co ono robi, a tym, co Ty robisz. *Taki dźwięk wydałam. Mama przyszła i coś zrobiła.* Trzeciej nocy dziecko rozpracuje już wszystko: *Wydaję ten dźwięk, mama przychodzi, czyta mi książeczkę i zaczyna mnie lulać. Jak chce mnie odłożyć do łóżeczka, znów wydaję ten dźwięk i znowu mnie lula*. Teraz zostałaś złapana w wielką pułapkę zastawioną przez manipulujące dziecko.

Nietrudno poznać, kiedy rodzic wpadł w tę pułapkę. Często pytam: **Czy dziecko ma napady złości w ciągu dnia?** Gdy maluch nauczy się już manipulować, te zachowania pojawiają się przez cały dzień. Większość małych tyranów demonstruje ten sam żądający styl w kwestii zachowań po obudzeniu — posiłków, współpracy przy ubieraniu, zabawy z innymi dziećmi (więcej na temat takich zachowań w kolejnym rozdziale). Pamiętaj również, że jest to wiek „Nie!". Małe dzieci czują się bardzo mocne, gdy nauczą się tego słowa, i uwielbiają je stosować.

Oczywiście, gdy rodzice stosowali przypadkowe rodzicielstwo cały czas, problemy ze snem — wczesne pobudki, budzenie się w nocy, niewłaściwy sen w dzień i uzależnienie od rekwizytów — są mniej związane z kwestiami rozwojowymi, a bardziej z zakorzenionymi w rodzinie złymi nawykami. Dwa kluczowe pytania pozwalają mi ustalić, czy dziecko ma za sobą historię zaburzeń snu: **Czy Twoje dziecko kiedykolwiek przesypiało noc?** oraz **Czy zawsze miałaś problemy z kładzeniem go spać?** Odpowiedź przecząca na pierwsze pytanie i twierdząca na drugie oznacza, że mam do czynienia z dzieckiem, które nigdy nie nauczyło się samodzielnego zasypiania oraz któremu brakuje umiejętności samodzielnego zaśnięcia, gdy się obudzi. Potem muszę ustalić szczegóły i dowiedzieć się, jakich rekwizytów używali rodzice. Zadaję zatem serię pytań, między innymi: **W jaki sposób je teraz usypiasz? Gdzie śpi? Czy wciąż karmisz piersią? Jeśli tak, czy wykorzystujesz pierś, żeby uśpić dziecko? Czy żal ci go, kiedy płacze w nocy? Czy pędzisz na pomoc? Czy bierzesz dziecko do swojego łóżka? Gdy było młodsze, czy mogłaś wyjść z pokoju, zanim całkiem zasnęło? Jak długo trwają jego drzemki w dzień i gdzie wtedy śpi? Czy kiedykolwiek próbowałaś zastosować metodę kontrolowanego wypłakiwania?** Wszystkie te pytania pozwalają mi również ustalić stopień zastosowanego przypadkowego rodzicielstwa. Niektóre przypadki są bardzo proste, tak jak ten opisany w poniższym e-mailu:

> *Moja dwudziestodwumiesięczna córeczka nigdy nie nauczyła się samodzielnego zasypiania, więc muszę z nią spać każdej nocy, a spodziewam się kolejnego dziecka. Nie sądzę, żeby mój mąż mi jakoś pomagał w przyszłości. Chyba nie mówi do niej właściwych rzeczy, gdy ona co noc musi leżeć na mnie, żeby spać. Proszę o pomoc!*

Dlaczego dzieci krzyczą przez sen?		
Co to jest?	**Koszmar nocny** Doświadczenie *psychologiczne*, które pojawia się podczas fazy REM i jest przysłowiowym „złym snem", w którym dziecko przeżywa nieprzyjemne doświadczenie lub wcześniejszą traumę. Jego umysł jest aktywny, ale ciało (poza gwałtownymi ruchami gałek ocznych) odpoczywa	**Przeżywanie przez sen** Podobne do lunatykowania małych dzieci (prawdziwe lunatykowanie pojawia się w wieku kilkunastu lat i jest dość rzadkie) jest podobnie jak ono doświadczeniem *fizjologicznym*. Zamiast normalnie przejść z głębokiego snu do fazy REM, dziecko tkwi pomiędzy tymi dwoma stanami. Jego ciało jest aktywne, ale umysł nie
Kiedy to się dzieje?	Zazwyczaj w drugiej połowie nocy, gdy faza REM jest najbardziej skoncentrowana	Zazwyczaj w pierwszych dwóch, trzech godzinach snu — w pierwszej jednej trzeciej nocy
Jak wygląda i jakie dźwięki wydaje dziecko?	Dziecko budzi się z krzykiem, ale jest przytomne, kiedy się do niego podchodzi, lub budzi się wkrótce potem. Prawdopodobnie będzie pamiętać doświadczenie — złe sny mogą męczyć dzieci przez kilka lat	Zaczyna się wysokim krzykiem. Dziecko ma otwarte oczy, sztywne ciało i najczęściej jest oblane zimnym potem, może też mieć rumieńce na policzkach. Może Cię nie rozpoznać, gdy do niego podejdziesz, i nie będzie nic pamiętało o poranku
Co robisz, kiedy tak się dzieje?	Pociesz i uspokój dziecko, oraz zachęć je, by opowiedziało Ci o swoim doświadczeniu, jeśli pamięta szczegóły. Nie umniejszaj jego lęków — sen jest *dla niego* bardzo rzeczywisty. Uspokój dziecko przytulaniem, nawet poleż z nim przez chwilę, ale nie zabieraj go do swojego łóżka	Nie budź go, to tylko przedłuży epizod, który zazwyczaj trwa około dziesięciu minut (może również trwać tylko minutę lub ponad pół godziny). To doświadczenie jest bardziej stresujące dla Ciebie niż dla niego, zatem spróbuj się odprężyć, a dziecko uspokój jedynie słownie. Zabezpiecz je przed uderzaniem się o meble
Jak zapobiegać przyszłym epizodom?	Dowiedz się, co dla dziecka może być stresujące lub wywołujące strach, i unikaj stykania dziecka z tymi elementami w ciągu dnia. Trzymaj się regularnych pór kładzenia go spać i rytuałów przed snem. Jeśli dziecko boi się „potworów", włącz małą lampkę nocną i sprawdź przy nim, czy coś nie kryje się pod łóżkiem	Postaraj się konsekwentnie przestrzegać planu dnia, unikaj przemęczania dziecka. Jeśli takie epizody pojawiają się często albo jeśli w rodzinie są lunatycy, możesz porozmawiać z pediatrą lub skonsultować się z psychiatrą dziecięcym

Niestety, ani mama, ani tata nie wiedzą, co zrobić, jak to często bywa. Gdy dziecku pozwalano spać, gdzie i jak chciało, przez prawie dwa lata i wciąż nie opanowało ono umiejętności samodzielnego zasypiania, musimy opracować bardzo szczegółowy plan działania — a także upewnić się, że oboje rodzice wezmą udział w jego realizacji, nie wiosłując w przeciwną stronę albo, co gorsza, nie kłócąc się o to, dokąd zmierzają. Ponadto, jeśli mamy do czynienia z zachwianiem zaufania między rodzicem a dzieckiem,

Przejście z łóżeczka do większego łóżka

Nie spiesz się z tym (postaraj się poczekać, dopóki dziecko nie skończy przynajmniej dwóch lat), ale również nie czekaj za długo, jeśli spodziewasz się kolejnego dziecka. Zacznij wtedy proces przynajmniej na trzy miesiące przed porodem.

Tak: Rozmawiaj o zmianie i włącz w nią dziecko: „Myślę, że już czas, żebyśmy kupili ci duże łóżko, takie jak ma mama i tata. Czy chcesz sobie też wybrać nową pościel?". Jeśli dziecko ma mniej niż dwa lata, zastanów się najpierw nad łóżkiem z opuszczanym bokiem.

Nie zmieniaj rytuałów przed snem ani planu dnia, gdy dokonujesz przejścia dziecka do nowego łóżka. Teraz konsekwencja jest jeszcze ważniejsza.

Tak: Natychmiast i bez przytulania odsyłaj dziecko do łóżka, jeśli uda mu się wyjść i przyjdzie do Twojego pokoju.

Nie miej poczucia winy, że wprowadzasz zasadę „zostajemy w pokoju, gdy pora spać", i załóż w drzwiach bramkę, jeśli trzeba. Jeśli dziecko jest rannym ptaszkiem, które kiedyś potrafiło się zabawić, ale teraz wchodzi do Twojego pokoju wcześnie rano, daj mu własny budzik lub nastaw automatyczny włącznik lampki — gdy zadzwoni budzik lub zaświeci się lampka, będzie mogło wyjść.

Tak: Zadbaj o bezpieczeństwo pokoju (jeśli jeszcze tego nie zrobiłaś) — zabezpiecz gniazdka, usuń widoczne kable, zablokuj dolne szuflady, żeby dziecko nie mogło się po nich wspinać.

Nie ryzykuj, zwłaszcza jeśli dziecko ma poniżej trzech lat. Postaw łóżko przy ścianie, stosuj tylko materacyk (a nie pudło ze sprężynami), żeby łóżko było niżej, i przynajmniej przez pierwszych kilka miesięcy stosuj zabezpieczającą barierkę.

sytuacja staje się jeszcze bardziej skomplikowana, ponieważ dziecko również nie czuje się bezpiecznie i nie jest pewne siebie, gdy jest samo. Dlatego też pierwsza interwencja musi odbudować utracone zaufanie (patrz strony 200 i 288).

Problemy ze snem w trzecim roku życia dziecka

Wiele problemów drugiego roku trwa nadal w trzecim, ale dzieci w tym wieku mają jeszcze bardziej rozwinięty umysł i wiedzą, co się dookoła nich dzieje. Bardziej oddziałują na nie zmiany w rodzinie i otoczeniu. Są jeszcze bardziej ciekawskie niż ich o rok młodsi koledzy. Jeśli masz gości, maluchy myślą, że wszyscy przyszli, żeby się z nimi pobawić. Nie chcą niczego przegapić. Jeśli wcześniej nie budził ich hałas, teraz z pewnością zacznie.

Są też bardziej sprawne fizycznie. **Czy Twoje dziecko wychodzi górą z łóżeczka i przychodzi do Twojego pokoju?** Niektórym udaje się ta sztuczka już w wieku osiemnastu miesięcy, ale niekoniecznie robią to specjalnie. W wieku poniżej dwóch lat głowa dziecka wciąż jest nieproporcjonalnie duża w porównaniu do ciała, więc gdy przechyla się przez krawędź łóżeczka, ciężar może przeważyć i maluch wypadnie. Ale w wieku dwóch lat dziecko świadomie kombinuje, jak stanąć na poduszce lub ochraniaczu i się wydostać. A potem przychodzi do Twojego pokoju w środku nocy. To jest właśnie wiek, gdy rodzice bardzo często zaczynają myśleć, żeby przenieść dziecko do dużego łóżka (patrz ramka na stronie 281). Powiedziałabym, żeby to odłożyć na tak długo, jak tylko się da — przynajmniej dopóki nie skończy dwóch lat albo nawet później — ponieważ zachęci to dziecko do tych nocnych odwiedzin rodziców. (Jedynym wyjątkiem jest sytuacja, gdy dziecko cierpi na fobię łóżeczkową, patrz strony 289 – 290). **Co robisz, gdy dziecko przychodzi do Twojego pokoju w środku nocy?** Jeśli pozwalasz na to raz lub dwa razy w tygodniu, prawdopodobnie masz już problem.

Ponieważ dwulatki są również niezwykle wrażliwe na zmiany w domu, pytam zawsze: **Czy życie rodzinne się zmieniło?** Narodziny nowego dziecka, śmierć w rodzinie, problemy małżeńskie rodziców i (lub) rozwód, nowy partner rodzica, nowa opiekunka, bardziej aktywne życie towarzyskie — wszystko to może zaburzyć sen dwulatka, zwłaszcza jeśli nie potrafi samodzielnie się uspokajać lub samo zasypiać. Jest to również wiek zwiększonej aktywności towarzyskiej, a jak podkreślałam wcześniej, aktywność wpływa na sen. **Czy zaczęłaś spotkania z nową grupą rówieśników lub zapisałaś dziecko na nowe zajęcia?** Zastanów się też nad szczegółami, takimi jak: **Co się dzieje podczas zabawy z rówieśnikami? Jakie zajęcia ma dziecko? Jakie są inne dzieci?** Nawet dziecko, które kiedyś dobrze spało, może mieć problemy w obliczu zbyt dużego stresu (dwulatek nie powinien jeszcze mieć na przykład żadnych lekcji ani „trenera" sportowego) oraz szczególnie wtedy, gdy dziecko jest ofiarą zaczepek jakiegoś młodocianego agresora (patrz historia Alicii w kolejnym rozdziale, strony 320 – 321).

Zaburzenia snu są teraz bardziej niż kiedykolwiek uciążliwe dla rodziców. Dwulatki potrafią już mówić, poprosić o szklankę wody, bajkę, jeszcze jedno przytulenie oraz bez końca negocjować i wykłócać się. Wielu rodziców traci panowanie nad sobą, podczas gdy wcześniej stosowali racjonalizację: „Ona jeszcze nic nie rozumie" albo „On na to nic nie może poradzić". Jeśli jest to głęboko zakorzeniony nawyk, a rodzic nie reaguje w taki sposób, jakiego oczekuje dziecko, prawdopodobnie maluch wpadnie w złość i zacznie trząść łóżeczkiem. W ciągu dnia też może mieć napady wściekłości. Dwulatki rozumieją już doskonale, iż konkretny rodzaj zachowania spowoduje, że mama i tata przybiegną do niego.

Jeśli masz dwu- lub trzylatka, który ma problemy ze snem, zawsze ważne jest, by spojrzeć wstecz. **Czy Twoje dziecko kiedykolwiek przesypiało noc?** W wielu przypadkach musimy zacząć od początku. Trzeba też przyjrzeć się historii emocjonalnej dziecka. Jeśli ma za sobą historię zachowań domagających się uwagi, prawdopodobnie mały dyktator jest już teraz prawdziwym tyranem. Może się to manifestować na wiele sposobów: tłuczenie głową, popychanie, bicie, gryzienie, ciągnięcie za włosy, kopanie, rzucanie się na podłogę, wyrywanie się, gdy się go trzyma, albo sztywnienie. Jeśli jego rodzice nie zareagowali odpowiednio podczas dnia (patrz strony 331 – 339), w nocy jest gorzej, bo dziecko jest zmęczone.

Rodzice często mylą manipulację dwulatków z lękiem separacyjnym, który zazwyczaj zaczyna się w wieku od siedmiu do dziewięciu miesięcy i znika, gdy dziecko skończy piętnaście lub osiemnaście miesięcy, to znaczy jeśli rodzice są łagodni, dodają dziecku pewności siebie i nie uciekają się do jakichś form przypadkowego rodzicielstwa, by rozwiązać problem dziecka. Dlatego też, gdy rodzice dwulatka przychodzą do mnie i mówią: „Moje dziecko budzi się w nocy, ponieważ cierpi na lęk separacyjny", w dziewięciu przypadkach na dziesięć jest to dziecko, które nauczyło się, jak nimi manipulować. Problemy ze snem nie pojawiają się, ponieważ dziecko się boi, ale dlatego, że normalny lęk separacyjny próbowano „leczyć" przypadkowym rodzicielstwem (patrz strony 88 – 92 i 195 – 203).

Jednak nie wolno tu popełnić błędu: w tym wieku również pojawiają się bardzo rzeczywiste lęki, ponieważ zrozumienie przez dziecko otaczającego je świata jest dużo większe. Twój dwulatek w pełni już rozumie, co się wokół niego dzieje: że pojawi się nowe dziecko, że mama i tata się kłócą, że jedno z dzieci, z którymi się bawi, zawsze zabiera mu zabawki, że mała rybka w *Gdzie jest Nemo* nie mogła znaleźć taty. Starsze dzieci łatwo również ulegają wpływom. Ostatnio usłyszałam świetną opowieść o dziecku, którego ojciec założył kraty we wszystkich oknach na parterze, wyjaśniając, że to dlatego, żeby włamywacze nie mogli wejść. Tej nocy chłopiec obudził się o trzeciej, krzycząc: „Włamywacze idą! Włamywacze!". Miałam bardzo podobne doświadczenie z moją starszą córką, która wtedy miała około trzech lat. Sądziłam, że spodoba jej się film *ET*, który był wtedy bardzo popularny, a mnie wydawał się niegroźny. Jednak Sara miała później przez wiele miesięcy koszmary, ponieważ bała się, że ET wejdzie przez klapkę w drzwiach dla kota.

Ponieważ rodzice dwulatków częściej pozwalają dzieciom na oglądanie telewizji i granie w gry komputerowe, nic dziwnego, że koszmary nocne wkraczają na scenę. Ważne jest, by sprawdzać wszystko, co ma oglądać dziecko, i spróbować zobaczyć film jego oczami. Jesteś pewne, że naprawdę spodoba mu się *Bambi* albo *Gdzie jest Nemo?* A może dla tak małego dziecka stresujące będzie oglądanie filmów, w których ginie matka głównego bohatera? Pilnuj tego, jakie bajki opowiadasz, a także jakie książki mu czytasz. Straszne opowieści i ciemne obrazy mogą zapaść w pamięć dziecka. A co ważniejsze, jeśli telewizja i komputery są częścią życia Twojego dziecka, zadbaj o czas wyciszenia przed pójściem spać. Osobiście zalecam „szlaban na media" pod koniec dnia.

Strategie związane ze snem dwulatków

Wiele technik i strategii, które wyjaśniałam w tej książce, wciąż nadaje się dla starszych dzieci, chociaż trzeba wprowadzić pewne modyfikacje. Oto kilka ważnych przypomnień, z przykładami z życia. Aby łatwiej Ci było przyjrzeć się konkretnemu problemowi, zwróć uwagę na ramki na marginesach, identyfikujące problem.

„Nagle zaczęło marudzić podczas rytuału przed snem".

Wciąż potrzebujesz planu dnia, ale być może trzeba będzie go lekko zmodyfikować, gdy dziecko rośnie. Lola zadzwoniła do mnie w sprawie swojego dziewiętnastomiesięcznego syna: „Carlos nagle zaczął marudzić podczas rytuału przed snem. Kiedyś uwielbiał kąpiel, a teraz bardzo się denerwuje". Po kilku pytaniach na temat tego, co działo się w życiu Carlosa, okazało się, że rodzina ostatnio wybrała się do Gwatemali, skąd pochodzi Lola, a Carlos zaczął również uczęszczać na zajęcia muzyczne. Wyjaśniłam mamie, że musi spodziewać się jakichś kłopotów. Podróż była odstępstwem od normalnego planu, a lekcje muzyki oznaczały całkiem nowy poziom aktywności towarzyskiej. Ponadto, ponieważ Carlos jest teraz bardziej aktywny, jego rytuał przed snem prawdopodobnie trzeba będzie zmienić. Wiele dzieci po pierwszych urodzinach lepiej sobie radzi, jeśli się je kładzie w okolicach 18:00 czy 18:30. Ponadto w tym wieku kąpiel przed snem może być za bardzo stymulująca, więc Lola musiałaby albo kąpać Carlosa wcześniej — powiedzmy o 16:00 lub 17:00 przed podwieczorkiem — albo kąpać do rano, a wieczorem tylko umyć. Lola na początku zaprotestowała: „Ale kąpiemy go wieczorem, żeby tata mógł to robić". No cóż, to jej wybór, oczywiście. Ale byłam szczera: „W takim razie musisz się pogodzić z tym, że myślisz o sobie, a nie o dziecku". Na szczęście Carlos, jako Książkowe Dziecko, zaakceptował zmianę, a Lola wykazała się wyobraźnią.

Zaproponowała, żeby tata spróbował brać go pod prysznic rano. Carlos to uwielbiał, i zaczął się nowy rytuał z tatą.

Postaraj się, żeby wieczorny rytuał był konsekwentnie stosowany, i wykorzystuj go, by przewidywać problemy. Rytuały przed snem powinny oczywiście uwzględniać czas na czytanie książeczek i przytulanie. Ponadto, ponieważ zdolność do rozumienia rzeczywistości dwulatków jest już o wiele większa, można do rytuału dodać rozmowę, jak odkryła Julie, mama dwudziestotrzymiesięcznej Megan. Julie zabiera Megan ze sobą do pracy i przyznaje, że „nasz dzień jest często nieprzewidywalny". Zamieszczę tu część jej długiego posta na forum, aby pochwalić jej pomysłowość i zdolność obserwacji. Wiedząc, kim jest jej córka (Julie mówi, że to Wrażliwiec), dostrajając się do niej i wybierając najlepsze pomysły i rady, opracowała idealny rytuał dla swojego dziecka:

> „Długo trwa, zanim zaśnie; drzemki w dzień są chaotyczne".

Pisałam tu kilka dni temu o problemach ze spaniem mojej córki. Próbowałam ją nauczyć, jak samodzielnie zasypiać, a ona śpiewała, śmiała się i gadała przez dwie godziny każdego wieczoru! Jej drzemki skróciły się do czterdziestu minut, a wcześniej spała od półtorej do dwóch godzin. Nie była marudna w ciągu dnia — nie płakała ani nie kaprysiła, kiedy ją kładłam — tylko po prostu nie spała... Ktoś zasugerował, że ponieważ Megan tak dobrze się zachowuje w ciągu dnia, może pod wieczór nie ma się do czego dostosowywać i dlatego ma problem z zasypianiem. Myślę, że to był strzał w sedno...

Zatem przede wszystkim wprowadziłam konsekwentny rytuał: dwie książeczki, buziak, refren kołysanki i to wszystko. Zasugerowano mi również, że może Megan trzeba pomóc, żeby mogła odreagować wydarzenia z całego dnia. Nigdy bym na to nie wpadła! Zaczęłam od tego, przed czytaniem, ale dość długo to trwało, więc teraz rozmawiamy o różnych częściach dnia, gdy przygotowujemy się do snu. Zanim przebiorę ją w piżamkę i pójdziemy do pokoju, mamy już omówiony cały dzień. Ostatnią rzeczą, jaką zrobiłam, była zmiana jej łóżeczka w przytulne gniazdko. Zawsze zwracałam uwagę na to, że śpi lepiej w dzień, gdy jest ze mną w pracy. Jej łóżeczko w pokoju w żłobku pracowniczym jest mniejsze od standardowych, a sam pokój też jest malutki.

Pomyślałam o sugestii Tracy, żeby Wrażliwcom stworzyć otoczenie przypominające wnętrze macicy, więc położyłam bardzo miękki, aksamitny kocyk na materac, a mała od razu go pokochała. Włożyłam też do łóżeczka kawałek mojego futrzanego dywanika, wystarczył na mniej więcej połowę łóżeczka. Przycięłam włosie, żeby nie było za długie, ale wciąż jest bardzo przytulne i pachnie mamą. W końcu dałam jej mała poduszeczkę (mniej więcej 15 x 15 cm), która z jednej strony jest pokryta aksamitem, a z drugiej wełną. Zaczęła również prosić, żeby układać dookoła zrolowany kocyk. Dokładnie tak, jak to robiłam, gdy była niemowlakiem.

Wygląda teraz jak mała gąsieniczka w kokonie, ale to uwielbia! Niedawno była bardzo nadąsana, więc zaproponowałam, że ją przytulę, gdy będzie zasypiać. Ku mojemu zdziwieniu po około pięciu minutach chciała iść do swojego łóżeczka! I to jest dziecko, które przez rok spało w moim łóżku i które ZAWSZE wolało przytulanie od czegokolwiek innego.

Nie jestem pewna, czy moja opowieść komukolwiek pomoże, ale jestem pewna, że moja córka potrzebowała mniejszej przestrzeni i bezpiecznego otoczenia do snu, a także opowiadania o tym, co zdarzyło się w ciągu dnia, i bardzo przewidywalnego rytuału, żeby zrównoważyć jej nieprzewidywalny dzień. Wiem, że nadchodzi bunt dwulatka, i mam nadzieję, że dzięki nowym zasadom go przetrwamy!

Być może wieczorny rytuał Megan nie będzie odpowiadał Twojemu dziecku, ale proponuję go jako przykład tego, jak dostrojenie się do dziecka pozwala zaprojektować rytuał, który pasuje jak ulał.

„Odwleka pójście spać; budzi się w nocy".

Wykorzystujemy również rytuały przed snem, żeby przewidzieć problemy, które mogą się pojawić, i zająć się nimi *zawczasu*, zamiast odkładać to na później. Na przykład dwudziestojednomiesięczny Jason zaczął budzić się mniej więcej o czwartej nad ranem, z wymówką: „Chce mi się pić". Na szczęście jego mama, Maryann, zadzwoniła do mnie po dwóch takich nocach, ponieważ zdawała sobie sprawę z tego, że tworzy się nowy nawyk. Zasugerowałam, żeby dawała mu każdego wieczoru kubek-niekapek pełen wody, żeby zabierał go do łóżeczka. „Niech to będzie część rytuału przed snem" — wyjaśniłam. „Powiedz mu po prostu tuż przed przytuleniem i buziakiem na dobranoc: »A tu masz wodę, na wypadek gdyby chciało ci się pić«".

„Ma złe sny".

Inny przypadek — dwuletnia Olivia zaczęła mieć koszmary nocne. Zasugerowałam zatem, żeby tata, który ją układał do snu, podkreślał obecność „Googie'ego", futrzanego liska, który stał się ulubioną przytulanką Olivii. Przed powiedzeniem „Dobranoc" tata miał zapewnić ją: „Nie martw się, córeczko. Googie będzie tu z tobą cały czas". Dowiedz się, co podziała w przypadku *Twojego* dziecka. Celem jest zapewnienie dziecka, że potrafi już samo przetrwać noc. Jeśli włączanie innych działań do rytuału przed snem pozwala maluchowi czuć się bezpieczniej, jak na przykład sprawdzanie pod łóżkiem, czy nie kryją się tam potwory, też to oczywiście zrób. Omówienie całego dnia również jest świetnym pomysłem, ponieważ pomaga dziecku przetworzyć jego lęki. Nawet zanim maluch nauczy się płynnie mówić, przynajmniej *Ty* możesz mu opowiedzieć o tym, co zdarzyło się w ciągu dnia.

Szczególnie ważne jest utrzymywanie konsekwentnego rytuału przed snem, gdy dziecko przechodzi z łóżeczka do dużego łóżka (patrz strona 281). Musisz się postarać, żeby wszystko było tak samo — poza nowym łóżkiem, oczywiście. Co ciekawe, wiele dzieci, które przenoszą się do dużego łóżka, nie wychodzi z niego, gdy są już otulone kołderką. Tak jakby pamiętały ograniczenia narzucane przez szczebelki w łóżeczku. Oczywiście niektóre wychodzą i testują rodziców, żeby zobaczyć, że nowe łóżko oznacza również nowy wymiar wolności. Trzymając się stałego planu — opowiadając tyle bajek, co zwykle, kładąc je spać o tej samej porze, stosując ten sam rytuał na dobranoc — wysyłasz dziecku wiadomość: łóżko jest nowe, ale zasady pozostają te same.

Gdy dziecko krzyczy w nocy, nie spiesz się do niego. Jest niezwykle ważne, by w tym okresie kontynuować zwyczaj, który rozpoczęłaś (mam nadzieję), gdy dziecko było jeszcze maleńkie: obserwuj sytuację, zanim popędzisz na pomoc. Jeśli dziecko nie płacze, nie idź do pokoju. Może usłyszysz, jak mamrocze coś w łóżeczku. Jeśli się je zostawi w spokoju, prawdopodobnie samo z powrotem zaśnie. Jeśli będzie płakać, musisz odróżnić prawdziwy płacz będący wołaniem o pomoc od płaczu typu mantra (patrz ramka na stronie 235). Jeśli to ten drugi rodzaj, poczekaj trochę. Jeśli ten pierwszy, wejdź, ale nic nie mów. Nie mów do dziecka, w ogóle się nie angażuj.

„Krzyczy w nocy".

Metoda PP zmienia się w P. Ponieważ dwulatki są znacznie cięższe niż niemowlęta i trudniej je podnieść, a poza tym obniżyliśmy materac, nie proponuję, żeby je brać na ręce — wykonaj tylko drugą część tej metody. Czyli po prostu pozwól dziecku wstać (większość już jest na nogach, zanim rodzic dotrze do ich pokoju), ale nie podnoś go. Po prostu je połóż. Zastosuj te same, uspokajające słowa: „Czas spać" albo „Pora drzemki".

Oczywiście ta technika będzie musiała być stosowana dłużej w przypadku dzieci, które zetknęły się z przypadkowym rodzicielstwem. Nawet jeśli zdajesz sobie sprawę z tego, co robiłaś, musisz się spodziewać, że „odkręcanie" wszystkiego trochę potrwa. Betsy na przykład napisała do mnie w pełni świadoma tego, co zrobiła źle, wychowując Noaha. Temat jej e-maila brzmiał: „Półtoraroczniak rządzi zasadami zasypiania". Jest to klasyczny przypadek, ponieważ zawiera kilka znanych wątków — długą historię przypadkowego rodzicielstwa skomplikowaną przez zwiększone umiejętności fizyczne i umysłowe dziecka *oraz* przez chorobę i pobyt w szpitalu:

„Chce, żeby go kołysać do snu; nie potrafi samodzielnie zasnąć z powrotem".

Wychowywałam Noaha „przypadkowo", więc teraz chce być kołysany, gdy zasypia. Gdy już jest w łóżeczku, „czasami" potrafi z powrotem zasnąć. Czasem słyszymy, jak się wierci i rozmawia ze sobą, a potem samodzielnie zasypia. Ale częściej budzi się z płaczem. Teraz, jeśli się obudzi, nie możemy go z powrotem ułożyć w łóżeczku! Gdy tylko poruszę się, żeby wstać z fotela, zaczyna płakać. Robi to samo w dzień, w porze drzemki. Zachowuje się tak od, oj — osiemnastu miesięcy. Jakieś rady? Waży teraz prawie dwanaście kilo, a przechylanie się przez krawędź łóżeczka, żeby go podnosić i odkładać to prawdziwy koszmar. Noah był chory (wyszedł cztery dni temu ze szpitala, gdzie leżał z powodu odwodnienia), ale lekarz zbadał go dzisiaj i stwierdził, że jest już zupełnie zdrowy. Odkryłam książki Tracy podczas pobytu w szpitalu. Szkoda, że ich nie znałam siedemnaście miesięcy temu!

To oczywiście stary problem, którego nigdy nie rozwiązano, a potem sprawy się skomplikowały przez trudny okres rozwojowy. Co ciekawe, Betsy twierdzi, że Noah „zachowuje się tak" od osiemnastu miesięcy. Ale tak naprawdę to ona i jej mąż go tego nauczyli: *Gdy płaczę, przybiegają do mnie i mnie kołyszą*. Teraz, gdy Noah waży prawie dwanaście kilo, taka perspektywa niespecjalnie podoba się mamie i tacie. (Trzeba im jednak przyznać, że nigdy nie brali syna do swojego łóżka). Obecnie ich przypadkowe rodzicielstwo nie jest wyłącznie kwestią wykształcania odruchów, ale Noah świadomie nimi manipuluje. Zatem potrzebujemy tu dwuczęściowego planu działania: włożyć małego do łóżeczka bez kołysania, a jeśli zacznie płakać, zastosować technikę P (drugą część PP). Rodzice powinni zostać w pokoju, żeby okazać mu, że są z nim, ale nie powinni z nim rozmawiać. Pod żadnym pozorem nie wolno im brać Noaha na ręce, nie tylko dlatego, że jest za ciężki i byłoby to trudne, ale również dlatego, że jest to element przypadkowego rodzicielstwa, które stosowali. Powinni mówić do niego uspokajająco: „Wszystko w porządku, Noah, po prostu idziesz spać". Na tym etapie dziecko wszystko rozumie. Mimo że to wszystko trwa już półtora roku, Betsy może być zaskoczona efektami, jeśli tylko rzeczywiście będzie trwać przy swoim postanowieniu zmiany.

„Nie pozwala mi wyjść z pokoju".

Jeśli konieczne jest odbudowanie zaufania, zostań z dzieckiem na dmuchanym materacu — zanim zastosujesz metodę P. Powtórzę raz jeszcze: dziecko, które doznało traumy z powodu opuszczenia, często w tym wieku ma poważne kłopoty ze snem, a rozwiązanie ich zajmuje więcej czasu. Twoje dziecko *spodziewa się*, że wyjdziesz, i będzie sprawdzać, czy wciąż jesteś. W niektórych trudnych przypadkach, z jakimi miałam do czynienia, dziecko zapada na poważną fobię łóżeczkową i wrzeszczy, ile sił w płucach. Kładziesz je, ale nie wolno Ci wyjść. W takich przypadkach wnoszę dmuchany materac i śpię *w* pokoju dziecka przynajmniej pierwszej nocy. Połóż materac na początku obok łóżeczka. Jeśli problem pojawił się niedawno, być może uda Ci się zrezygnować z materaca po pierwszej nocy. Często udaje się to po trzech. Ale jeśli problem jest długotrwały, sugeruję przesuwanie materaca coraz dalej od łóżeczka (i bliżej drzwi) co trzy noce.

Każdy przypadek jest trochę inny. Czasami korzystam również z krzesła. To znaczy po wyniesieniu materaca siadam na krześle obok łóżeczka, gdy dziecko zasypia. Wychodzę z pokoju, gdy już mocno śpi. Przez kolejnych kilka nocy odsuwam krzesło coraz dalej. (Szczegółowy opis przypadku z życia znajdziesz w historii Elliotta, zaczynającej się na stronie 290).

„Wychodzi z łóżka w środku nocy".

Jeśli Twoje dziecko nie przespało jeszcze ani jednej nocy w swoim łóżeczku, pomiń ten etap i zacznij je przyzwyczajać do dużego łóżka. Jeśli dziecko ma chroniczne problemy ze snem, a Ty właśnie zaczynasz je uczyć samodzielnego zasypiania w wieku piętnastu, osiemnastu czy nawet dwudziestu czterech miesięcy, i do tej pory Twoje dziecko nie spało w łóżeczku, nie ma sensu go tam pakować. W tym momencie powinnaś zacząć przenoszenie go do własnego łóżka, a nie niemowlęcego łóżeczka (patrz strona 281). W dzień zabierz je na zakupy, jeśli nie łóżka, to przynajmniej pościeli. Pozwól mu wybrać coś z ulubionymi postaciami z bajki lub obrazkami. Niech pościeli sobie łóżko tego wieczoru. Zacznij, śpiąc w jego pokoju pierwszej nocy. Połóż się na materacu obok jego dużego łóżka. Potem stopniowo przesuwaj materac, aż go wyniesiesz z pokoju, i przesiądź się na krzesło na kilka wieczorów, póki nie zaśnie. W końcu śpi w swoim własnym łóżku. Jeśli przyjdzie do Ciebie w środku nocy, delikatnie i bez rozmów połóż go z powrotem do jego łóżka. Jeśli jest to powtarzający się problem, kup bramkę i podkreśl, że musi spać w *swoim* łóżku. Jeśli pozwolisz mu spać ze sobą chociaż jeden raz, podwoisz rozmiar problemu, gwarantuję. W bardzo trudnych przypadkach sugeruję, żeby rodzice zaproponowali grę i nagradzali dziecko za każdym razem, gdy zostanie w swoim pokoju (patrz historia Adama, strony 297 – 300).

„Boi się łóżeczka".

W końcu rodzice robią to, co muszą, żeby dziecko spało we własnym łóżku. Przypomina mi się przypadek Luke'a, dwulatka, który nie tylko spał w łóżku rodziców, ale również nie chciał zasnąć, jeśli nie trzymał mamy lub taty za ucho. Jego matka zdała sobie sprawę, że jedynym miejscem, gdzie potrafił zasnąć samodzielnie, była sofa w salonie. Zatem zdecydowała, żeby przestawić sofę do jego pokoju, gdzie czekało całkiem nowe łóżko, w sam raz dla dużego chłopca. Luke odmówił spania w łóżku, ale chętnie spał na sofie przez kolejne dwa lata, ponieważ to właśnie znał i to pozwalało mu się czuć bezpiecznie.

Odkryłam, że rodzice często nie mają żadnych skojarzeń, gdy ich dziecko nagle „boi się łóżeczka", jak osiemnastomiesięczna Samantha, wedle słów jej matki, Leslie, która przysięgała, że jej córka wcześniej „przesypiała noc", a dopiero dwa miesiące temu przestała. „Zaśnie gdziekolwiek indziej, ale gdy tylko położymy ją w łóżeczku, budzi się z histerycznym krzykiem, który doprowadza ją aż do wymiotów". Słowa „przerażenie" i „krzyk" są wyraźnymi sygnałami. Od razu zaczęłam podejrzewać, że rodzice Samanthy stosowali metodę kontrolowanego wypłakiwania. Co gorsza, robili to częściej niż tylko raz. „Tak, próbowaliśmy kontrolowanego wypłakiwania, i czasem działało, ale w niektóre noce nie" — powiedziała Leslie, nieświadoma tego, że sama przyłożyła rękę do problemu jej córki. To dziecko doznało szoku, a w wieku osiemnastu miesięcy trudniej jest odbudować zaufanie. Mała postrzega teraz szczeble łóżeczka jako barierę między nią a mamą, a samo łóżeczko jest dla niej więzieniem. Zamiast próbować ją zmusić, żeby *znów* spała w łóżeczku, rodzice Samanthy muszą pomóc jej przenieść się do dużego łóżka.

Zawsze idź do dziecka — nie pozwalaj, by wchodziło do Twojego łóżka. Gdy dziecko Was odwiedzi w nocy, od razu je zaprowadź z powrotem do pokoju. Wprowadź żelazną zasadę, że przed wejściem do Waszego pokoju ma pukać. Dostaję miliony pytań od rodziców małych dzieci, którzy obawiają się, że stałe plany i zasady skrzywdzą ich dziecko. Bzdura! Gdy dzieci rosną, *musisz* je nauczyć, żeby pukały do drzwi. Daj przykład i sama pukaj do drzwi pokoju dziecinnego. Chodzi o szacunek i przestrzeganie granic. Jeśli wpadnie do środka, powiedz po prostu: „Nie, nie wolno ci wchodzić do naszego pokoju bez pukania".

„Przychodzi do mojego pokoju w środku nocy".

Jeśli masz do czynienia z fobią łóżeczkową i musisz odbudować zaufanie, możesz zostać w pokoju dziecka na materacu na kilka dni, ale nie *zostaniesz* tam na zawsze. Materac jest tylko przejściową strategią, aby dziecko poczuło się bezpiecznie.

Oczywiście w większości przypadków nocne wizyty dziecka nie pojawiają się bez powodu. Częściej są skutkiem długiej historii przypadkowego rodzicielstwa. Obecność dziecka po prostu *bardziej* przeszkadza, gdy jest większe. Odkryłam również, że rodzice czasem oszukują się, jeśli chodzi o wzorzec snu dziecka. Na przykład, gdy dostałam ten e-mail od Sandry, wiedziałam, że za opisanym problemem kryje się coś jeszcze:

> *Elliott nie śpi sam w nocy. Dosłownie musimy się z nim kłaść na dużym materacu leżącym na podłodze. Co kilka godzin się budzi i wścieka, idzie po nas do pokoju, i musimy wracać, żeby się z nim położyć. RATUNKU! Chcemy z mężem odpocząć trochę od tego dziecka! Nie możemy zamknąć go w pokoju na klucz, ponieważ są tam przesuwane drzwi, które może otworzyć. Prawdę mówiąc, nie wiem,*

jak moglibyśmy znieść jego płacz, ponieważ jako niemowlę miał kolkę i płakał na okrągło. Jak się wyrwać z tego kręgu i sprawić, żeby spał sam? Od zawsze ma lekki sen, potrzebujemy pomocy!

Wydawałoby się, że Sandra i jej mąż słuchają moich rad, by nie pozwalać dziecku na spanie z rodzicami. Ale nie zrobili zbyt wiele, aby zbudować *niezależność* Elliotta w nocy. Pewnie wychwyciłaś już kilka wskazówek z listu matki i masz do niej również kilka pytań. Po pierwsze, dlaczego Elliott śpi na dużym materacu na podłodze? Założę się, że ktoś wcześniej spał tam z nim. Może tylko mama, a teraz tata chce, żeby wróciła do małżeńskiego łóżka. Tak czy owak, to rodzice zaczęli tworzyć ten nawyk.

Jest to przypadek, w którym nie proponowałabym dmuchanego materaca, ponieważ rodzice już spali w pokoju dziecka. Zamiast spania z nim lub nawet leżenia obok niego na oddzielnym łóżku powinni od razu przejść do etapu krzesła. W porze snu powinni przynieść krzesło i wyjaśnić: „Mama (lub tata — ktokolwiek ma większe szanse na niepoddanie się) zostanie tutaj, dopóki nie zaśniesz". Po trzech dniach, przed wejściem do pokoju na rytuał przed snem, powinni przesunąć krzesło o pół metra w stronę drzwi, tak żeby Elliott tego nie widział. Co trzy noce krzesło przesuwa się bliżej drzwi. I każdego wieczoru osoba, która będzie siedzieć przy Elliotcie, musi go zapewnić: „Wciąż siedzę na krześle". Gdy rodzice będą gotowi na usunięcie krzesła, powiedzą mu: „Dzisiaj zabiorę krzesło, ale zostanę tu, dopóki nie zaśniesz". Trzeba dotrzymać tej obietnicy, stojąc w pewnym oddaleniu i nie zajmując się dzieckiem w żaden sposób. Gdy krzesło będzie już za drzwiami, Elliott prawdopodobnie będzie już umiał sam zasypiać. Jeśli nie, to gdy spróbuje wyjść z łóżka lub obudzi się później w nocy, trzeba natychmiast zabrać go z powrotem do pokoju, położyć i powiedzieć: „Wiem, że jesteś zdenerwowany, ale idziesz tylko spać". Potem trzeba stanąć z dala i powiedzieć: „Jestem tutaj". Ale rodzice muszą uważać, by nie nawiązywać kontaktu wzrokowego, nie rozmawiać ani w żaden inny sposób nie pozwalać Elliottowi na manipulowanie nimi. W końcu powinni przestać go zapewniać słownie i po prostu go położyć (metoda P) z powrotem do łóżka. Muszą zdecydowanie chcieć wytrwać. Jeśli chodzi o utrzymanie Elliotta w pokoju, i tak nie powinno się zamykać drzwi na klucz. Ale można kupić bramkę, by nie mógł wyjść.

> „Boję się, że to będzie trwało wiecznie".

Jeśli Twoje dziecko „źle spało" jako niemowlę, ważne jest, żeby zanalizować i wziąć pod uwagę jego historię, ale nie pozwolić, by lęk zdominował Twoje dzisiejsze działania. Poczytaj między wierszami historii Sandry (strona 290). Zwróć szczególną uwagę na te słowa: „Prawdę mówiąc, nie wiem, jak moglibyśmy znieść jego płacz, ponieważ jako niemowlę miał kolkę i płakał na okrągło". Jasnym jest dla mnie, prawdopodobnie dlatego, że miałam do czynienia z tak wieloma matkami dzieci cierpiących na kolkę, że Sandra wciąż się nie otrząsnęła z przeżyć pierwszych czterech miesięcy życia Elliotta. To tak, jakby wciąż czekała, że znów się zacznie. Wyczuwam również, że po tej wczesnej historii nastąpiło wiele przepłakanych nocy, ponieważ mama i tata nie widzieli, jak nauczyć Elliotta trudnej sztuki spania. Po prostu przyjęli do wiadomości, że „ma lekki sen". Teraz, gdy ma półtora roku, są przerażeni: czy tak już będzie zawsze? Takie lęki związane z przeszłością mogą znacznie utrudnić wprowadzanie rozwiązań mających uleczyć obecną sytuację. Poczucie winy, złość i zmartwienie przynoszą skutki odwrotne od zamierzonych. Dlatego właśnie zawsze przypominam rodzicom: „To było wtedy — teraz jest inaczej. Nie możemy wymazać przeszłości, ale możemy naprawić szkody... jeśli wytrwacie".

„Budzi się za wcześnie, robi się zmęczony w połowie poranka".

Wykorzystaj moją technikę „budzenia, aby spało", by wydłużyć czas snu dziecka. Ta technika (patrz „Nawykowe budzenie" i ramka na stronie 199) działa również w przypadku dzieci, które skończyły rok lub dwa. Często proponuję ją rodzicom, którzy martwią się albo wczesnymi pobudkami, albo nawykowym budzeniem się dziecka w środku nocy. W niektórych przypadkach ta technika jest pierwszą częścią planu działania. Na przykład Karen, mama siedemnastomiesięcznego Maca i czterotygodniowego Brocka, chciała wiedzieć, w jaki sposób pomóc Macowi przejść z dwóch drzemek na jedną. Ale gdy powiedziała mi, że Mac budzi się codziennie o szóstej, wiedziałam, że musimy najpierw zająć się tym problemem. W innym przypadku chłopiec nie będzie miał dość sił, by wytrwać do południa lub pierwszej po południu, i będzie zbyt przemęczony, by spać wystarczająco długo. Zatem najpierw trzeba było popracować nad późniejszym kładzeniem go spać. Później można *stopniowo* przesuwać jego poranną drzemkę (patrz kolejny podrozdział). Zaproponowałam, żeby Karen poszła do pokoju Maca godzinę wcześniej i obudziła go o piątej. „Nie ma sprawy" — odpowiedziała natychmiast, co mnie zaskoczyło, bo większość rodziców patrzy na mnie krzywo, gdy podaję taką propozycję. Potem Karen dodała: „I tak już nie śpię o tej porze z powodu małego". Powiedziałam Karen, żeby zmieniła Macowi pieluchę i położyła go z powrotem spać, wyjaśniając: „Za wcześnie na wstawanie. Wracaj spać". Wiedziałam, że Mac prawdopodobnie nie rozbudzi się całkiem. Zaśnie z powrotem, może trochę marudząc, ale powinno to przynajmniej wykorzenić jego nawyk wczesnych pobudek. Celem było sprawienie, żeby spał do siódmej, tak by miał więcej energii o poranku.

Wprowadzaj zmiany stopniowo. Czasami rodzice samodzielnie wpadają na dobry pomysł, ale za szybko chcą go zrealizować, nie dając dziecku szansy na dostosowanie się do nowego planu. Metoda zaskoczenia nie działa zazwyczaj dobrze w przypadku dzieci, które skończyły już rok, ponieważ mają one świetną pamięć. Mogą przewidywać wydarzenia. Nie spodziewaj się, że dostosują się gładko, jeśli zmienisz im plan dnia. Na przykład przed rozmową ze mną Karen próbowała całkiem wyeliminować poranną drzemkę Maca i miała nadzieję, że jej syn Wiercipięta po prostu będzie dłużej spał po południu. Ale on, choć był przemęczony, i tak zasypiał rano w domu albo w samochodzie i potem spał kapryśnie, co chwila się budząc. Zamiast rzucać go na głęboką wodę, Karen powinna przesuwać jego drzemkę stopniowo.

„Chcę połączyć dwie drzemki w jedną”.

Gdy Mac zaczął spać trochę dłużej rano, mogłyśmy wykonać drugą część planu (patrz ramka poniżej). Mac zazwyczaj szedł spać o 9:30, więc Karen miała spróbować przetrzymać go do 10:00 lub, gdyby się nie udało, przynajmniej do 9:45. Następnie trzy dni później ponownie powinna przesunąć drzemkę, o taki sam piętnasto- lub trzydziestominutowy odcinek. Mac jadł rano jakąś przekąskę, następnie po obudzeniu się obiad. Nic nie następowało szybko. Cały proces trwał jakiś miesiąc, a zdarzały się dni, w których następował całkowity regres — zbyt wczesna pobudka, długa drzemka poranna. To normalne, nie tylko dlatego, że próbowałyśmy zmienić nawyk, ale również dlatego, że Mac został starszym bratem, a jego mały umysł wciąż próbował sobie poukładać nową sytuację.

Presto! Dwie drzemki w jedną

Poprzez stopniowe przesuwanie porannej drzemki można w końcu doprowadzić do jej wyeliminowania. Sugerowany poniżej harmonogram zakłada, że dziecko ma przynajmniej rok i normalnie idzie rano spać o 9:30. Godziny mogą się różnić w zależności od przyzwyczajeń dziecka, ale zasady stopniowego wprowadzania zmiany pozostają te same.

Dni 1. – 3.: Połóż dziecko 15–30 minut później na poranną drzemkę — o 9:45 lub 10:00.

Dni 4. – 6.: Jeśli się uda, połóż dziecko 30 minut wcześniej, czyli o 10:30. Daj mu lekką przekąskę o 9:00 lub 9:30. Powinno spać dwie lub dwie i pół godziny i zjeść obiad około 13:00.

Dni od 7. do skutku: Co trzy dni przesuwaj drzemkę na coraz późniejszą porę. Możesz dać dziecku przekąskę o 10:00 lub 10:30, położyć je o 11:30 i obudzić na obiad około 14:00. Kilka popołudni może być trudnych.

Cel: W końcu dziecko będzie w stanie wytrwać do południa, zjeść obiad, pobawić się trochę, a potem uciąć sobie pyszną, długą drzemkę popołudniową. W niektóre dni nie wytrzyma bez krótkiej drzemki porannej. Dostosuj się, ale nie pozwól mu spać dłużej niż godzinę.

Bądź tak samo konsekwentna przy wprowadzaniu nowego zwyczaju, jak byłaś przy starych. Jeśli stosowałaś jakieś formy przypadkowego rodzicielstwa, Twoje dziecko spodziewa się, że zareagujesz w pewien sposób, gdy będzie miało problem z samodzielnym zaśnięciem albo gdy obudzi się w środku nocy. Gdy zrobisz coś inaczej — odmówisz karmienia o trzeciej w nocy, położysz je do łóżeczka, zamiast zabrać do swojego łóżka — napotkasz *zdecydowany* opór. Słowo daję! Jeśli wytrwasz i będziesz promieniować pewnością siebie i determinacją, zmiana Cię zadziwi. Ale jeśli nie będziesz mieć przekonania, dziecko to wyczuje. Podkręci piłeczkę — będzie głośniej płakać, częściej się budzić — a Ty się poddasz.

„Poddaliśmy się po pierwszej nocy".

Nie pomyl pocieszania dziecka z „psuciem" go. Drugi i trzeci rok życia dziecka jest czasem szczególnie trudnym, a maluchy potrzebują wsparcia rodziców bardziej niż kiedykolwiek. Dziecko w tym wieku zazwyczaj rezygnuje z jednej drzemki, ale nie dzieje się to natychmiast. Jednego dnia opuści drzemkę poranną, a kolejnego nie będzie w stanie bez niej wytrzymać. Poza tym dużo nowego dzieje się w jego świecie. Chociaż dziecko rośnie i staje się coraz bardziej niezależne, wciąż potrzebuje pewności, że mama i tata są obok, by je pocieszyć, gdy będzie tego potrzebować. Ale współczuję rodzicom, ponieważ czasami trudno powiedzieć, jakie zachowanie jest „typowe", a jaka reakcja jest przesadą:

„Jest marudny po drzemce".

> *Roberto ma prawie dwa lata, i odkąd pamiętam, po drzemce w dzień jest naprawdę nerwowy — krzyczy i marudzi przez godzinę, a potem nagle się „wyłącza" i wszystko jest w porządku. Jeśli przy nim siedzę, wyciąga ręce, żeby go wziąć, ale potem wyrywa się, żeby znów go położyć. Mówi, że chce mu się pić, a potem odmawia wypicia napoju, jakby nie był pewien, co ma ze sobą zrobić. Próbowałam go zostawiać, żeby budził się sam, i ignorować jego zachowanie, ale to też nie działa. Leży na brzuchu, z rękoma i nogami podkurczonymi pod siebie, i zazwyczaj śpi przez przynajmniej dwie lub trzy godziny. Jeśli się go obudzi wcześniej, jest jeszcze gorzej, podobnie kiedy ktoś do nas przyjdzie albo rozlegnie się jakiś hałas, gdy się tak zachowuje. Kiedy budzi się rano po nocy, wszystko jest dobrze. Czy ktoś spotkał się z takim zachowaniem? Doszło do tego, że nie pozwalam nikomu do nas przychodzić, kiedy Roberto śpi lub ma spać.*

Ta matka ma tylko jedno dziecko do obserwacji, podczas gdy ja widziałam ich tysiące. Przede wszystkim Roberto wydaje się być typem Marudy — one często potrzebują więcej czasu, aby się obudzić z drzemki. Ale niezależnie od typu osobowości różni ludzie budzą się w rozmaity sposób. Ponadto Roberto jest bardzo typowym dwulatkiem. Ważne jest, by go pocieszyć.

Pocieszanie dziecka nie ma nic wspólnego z jego rozpieszczaniem czy „psuciem". Aktem współczucia jest ofiarowanie dziecku poczucia bezpieczeństwa. Mama Roberto musi dać mu czas na pełne obudzenie się po drzemce, a nie zmuszać go do przytomności, zanim będzie do tego gotowy. Może go trochę poprzytulać i powiedzieć: „Po prostu się budzisz. Mama jest z tobą. Zejdziemy na dół, kiedy będziesz gotowy". Przypuszczam, że mama stara się go pogonić, co w rzeczywistości spowalnia proces. Jeśli da mu czas, którego on potrzebuje, zamiast starać się go rozruszać, Roberto prawdopodobnie po prostu posiedzi sobie kilka minut. Potem nagle sięgnie po zabawkę, popatrzy na mamę i uśmiechnie się, jakby chciał powiedzieć: „Już w porządku, obudziłem się".

Jeśli Twoje dziecko ma problemy ze snem w drugim i trzecim roku życia, przyjrzyj się własnemu planowi dnia — i temu, co robiłaś do tej pory. Chociaż badania cytowane na początku tego rozdziału pokazują epidemię problemów ze snem wśród małych dzieci, nie są one zaraźliwe. Ale postawy rodziców są. Niektórzy nie mogą znieść myśli, że okres niemowlęcy im ucieka, więc zabierają malucha do łóżka, żeby zaspokoić własne potrzeby, a nie potrzeby dziecka. Zatem zadaj sobie pytanie: **Czy naprawdę jesteś gotowa pozwolić dziecku dorosnąć? Pozwolić, by stało się niezależne?** Może się wydawać, że to głupie pytanie, gdy mówimy o dwu- i trzylatkach. Ale podarowanie dzieciom wolności i uczenie ich niezależności nie zaczyna się, gdy mogą już zdawać egzamin na prawo jazdy. Musisz rozważnie zasiać ziarno już teraz, zachowując równowagę między zwiększaniem odpowiedzialności a miłością i opieką. Pamiętaj również, że brak niezależności w nocy wpływa też na dzień dziecka. Dzieci, które dobrze śpią, rzadziej mają tendencję do chwytania się rodziców, marudzenia i wpadania we wściekłość podczas dnia.

Ponadto rodzice, którzy stosowali przypadkowe rodzicielstwo lub konkretny rodzaj działań, jak spanie z dzieckiem, często zmieniają zdanie, gdy maluch wyrasta z wieku niemowlęcego (patrz historia Nicholasa na końcu tego rozdziału, strony 300 – 302). Może zastanawiają się nad drugim dzieckiem albo mama chce wrócić do pracy na cały etat lub jego część, a wciąż muszą wstawać dwa lub trzy razy w nocy. Dostaję mnóstwo e-maili od rodziców w takiej sytuacji. Nic dziwnego, że mamie i tacie bardziej teraz zależy, by naprawić problemy ze snem, zwłaszcza jeśli spali razem z dzieckiem. Ten post na forum internetowym jest typowym przykładem desperacji rodziców:

„Nie mogę go odzwyczaić od naszego łóżka".

Mamy dziewiętnastomiesięcznego synka, który zawsze spał w naszym łóżku. Teraz spodziewamy się następnego dziecka, i to musi się zmienić! Boimy się spróbować niektórych metod, na przykład pozwalania, by dziecko się wypłakało itd.... Serca by nam pękły... Czy ktoś może coś podpowiedzieć?

W przypadku niemowlęcia łatwiej jest sobie racjonalizować: „wyrośnie z tego" albo „po prostu przechodzi taki etap". Rodzice są również zawstydzeni problemami ze snem dwulatków i starszych dzieci. Obawiają się komentarzy w stylu: „Chcesz powiedzieć, że on *wciąż* budzi was w środku nocy?". A zwłaszcza jeśli kolejne dziecko jest w drodze lub brak snu utrudnia normalne funkcjonowanie w pracy, martwią się: „Czy my się kiedykolwiek wyśpimy?". I tu mamy haczyk: to, że Ty potrzebujesz snu, nie oznacza jeszcze, że dziecko jest gotowe na zmianę, zwłaszcza jeśli nic nie robiłaś, by ją ułatwić.

Czasami rodzice sami się okłamują. Trudno byłoby mi zliczyć rodziców, którzy upierają się, że „zrobili wszystko, co możliwe", aby pomóc dziecku rozwinąć dobre nawyki związane ze snem, jak pisze w poniższym e-mailu mama z Anglii, Claudia. Znów musimy czytać pomiędzy wierszami:

Witam, mój problem polega na tym, że zrobiłam wszystko, co możliwe, żeby pomóc Edwardowi przesypiać noc i samodzielnie się uspokajać, a teraz skończyły mi się pomysły. Mamy bardzo dobry rytuał przed snem i Edward zasypia samodzielnie w 99% przypadków. NIGDY go nie przytulamy, żeby zasnął, nigdy też nie karmiłam go przed snem. Nie korzysta ze smoczka i ma specjalną przytulankę „Moo".

Mały budzi się, jak zawsze o różnych porach nocy, i płacze, żeby do niego przyjść. Zazwyczaj czekamy chwilę, żeby zobaczyć, czy zaśnie z powrotem, co czasami udaje mu się, gdy jest sam. Częściej jednak zaczyna się poważnie złościć, więc jedno z nas idzie do niego, nie rozmawiamy z nim, pilnujemy, żeby się położył i żeby miał Moo. Harry i jak dajemy mu mały łyczek wody z kubeczka i wychodzimy z pokoju, a on wtedy często zasypia. Może to nie brzmi jak wielki problem, ale pracuję na pół etatu i mam dużo pracy do zrobienia w domu, gdy Edward już śpi, i naprawdę trudno mi funkcjonować, gdy muszę wstawać raz lub dwa razy w nocy, czasami nawet częściej, i bywa też, że sama nie mogę zasnąć.

Gdy próbujemy w ogóle do niego nie wchodzić, mały wpada w histerię i stoi w łóżeczku, cały zasmarkany i zbyt roztrzęsiony, żeby się uspokoić i zasnąć.

„Próbowałam wszystkiego; wciąż nie przesypia nocy".

Claudia zrobiła rzeczywiście zrobiła dużo właściwych rzeczy: ustaliła dobry rytuał przed snem, uniknęła pułapki karmienia przed zaśnięciem i dała synkowi przedmiot zwiększający jego poczucie bezpieczeństwa. Ale źle zrozumiała niektóre z moich rad. Kołysanie dziecka do snu to nie to samo, co przytulanie go. Szczerze mówiąc, wydaje mi się, że ta mama jest zbyt rygorystyczna. Claudia nie zdaje sobie również sprawy z tego, że pomimo dobrych intencji zastosowała kilka elementów przypadkowego rodzicielstwa: ona lub Harry dają Edwardowi wodę za każdym razem, gdy mały się budzi. Ta szklanka wody stała się rekwizytem. Ale najbardziej istotne jest ostatnie zdanie: „Gdy próbowaliśmy w ogóle do niego nie wchodzić...". Innymi słowy, więcej niż raz mama i tata zostawiali Edwarda samego, by się wypłakał. Oczywiście, że był „zbyt roztrzęsiony, żeby się uspokoić i zasnąć". Chciałabym zapytać, co Claudia robi w tym 1% nocy, kiedy Edward nie zasypia samodzielnie. Zastanawiam się, czy wtedy też go zostawia, żeby się wypłakał. Tak czy owak, wiem, że rodzice Edwarda nie stosowali konsekwentnie jednej metody. Gdy dziecko się budzi, nie wie, jak znowu zasnąć, ale też nie ma pewności, czy rodzice na pewno przyjdą.

Gdzie zaczynamy? Przede wszystkim, Claudia i Harry muszą odbudować zaufanie. Położyłabym jedno z nich na dmuchanym materacu w pokoju Edwarda, by było tam, kiedy mały się obudzi, i pomogło mu z powrotem zasnąć. Na początek stosowałabym tę technikę przez tydzień. Dałoby to im również szansę na dokładne zaobserwowanie, co robi mały, gdy się budzi. Stopniowo przesuwałabym materac w stronę drzwi (patrz strony 288 – 289). Ale jeśli Edward będzie płakał, muszą wejść do niego i zastosować technikę P. Powinni zaczekać, aż wstanie, i wtedy natychmiast go położyć. Muszą również odzwyczaić go od picia wody w nocy, dając mu kubek-niekapek, który będzie mógł znaleźć samodzielnie, jeśli będzie mu się chciało pić.

To jest jeden z tych przypadków, gdy posadziłabym Claudię i Harry'ego i wyjaśniłabym, że dotarli z Edwardem tak daleko, a teraz muszą przejść jeszcze kawałek, nawet jeśli to zaburzy ich własny sen na tydzień lub dwa. W przeciwnym przypadku mogą mieć przed sobą kilka *lat* zaburzeń snu.

Na końcu tego rozdziału zamieszczam dwa dodatkowe, szczegółowo opisane studia przypadku. Obydwa dotyczą dwulatków i były dość skomplikowane.

Adam, dwulatek z koszmaru

Marlene płakała, kiedy pierwszy raz zadzwoniła do mnie w sprawie Adam. „To koszmar... Nie, *on* sam jest koszmarem" — powiedziała o swoim dwulatku. „Nie chce spać samodzielnie, budzi się dwa lub trzy razy w nocy i chodzi po domu. Czasami chce wejść do naszego łóżka, a czasem tylko prosi o wodę do picia". Adam, jak się dowiedziałam, zadając kolejne pytania, był Wiercipiętą. „Chociaż trzymam się swoich postanowień, za każdym razem jest to walka, którą ciężko wytrzymać mi i mojemu mężowi. Adam ma bardzo silną wolę i skłonności do dominacji. Na przykład, jeśli się bawi, a ja chcę

„Budzi się i chodzi po domu; często chce wejść do naszego łóżka".

wyjść z pokoju, zaczyna płakać i wołać: „Nie, mama, nie idź". Czy to nie za późno na lęk separacyjny? Trudno jest czasem zachować zdrowe zmysły".

Przede wszystkim mieliśmy do czynienia z Wiercipiętą, który był również w apogeum buntu dwulatka. Wiedziałam od razu, że nie tyle chodzi tu o wojnę charakterów, co o efekt dwóch lat nasilającego się przypadkowego rodzicielstwa. Rodzice zaczęli od podążania za Adamem, zamiast go prowadzić. Marlene powiedziała mi: „W różnych okresach próbowaliśmy słuchać rad rozmaitych ekspertów, ale one nie działały". Powiedziałabym, że to dlatego, że wciąż zmieniali Adamowi zasady. Teraz on nimi manipuluje. Oczywiście niektóre dzieci od urodzenia są bardziej skłonne do tyranii — Wiercipięty mają taki właśnie potencjał. Ale nawet tego typu dziecko może się nauczyć współpracować i przestrzegać zasad, *jeśli zostały one odpowiednio wprowadzone* (więcej na ten temat w kolejnym rozdziale).

Podejrzewałam również, że wśród „rad rozmaitych ekspertów", których starali się słuchać, było także kontrolowane wypłakiwanie. W przeciwnym razie dlaczego miałby w wieku dwóch lat upierać się, by mama była zawsze przy nim? Marlene od razu przyznała, że tak było. „Ale to też nie podziałało. Tylko płakał przez trzy godziny, a potem zwymiotował". Zamarłam, gdy to usłyszałam. *Trzy godziny płaczu.* Chociaż Marlene była zainteresowana nauczeniem Adama „żeby się słuchał, robił, co mu się mówi, i przesypiał noc", był to w oczywisty sposób przypadek, w którym trzeba było odbudować zaufanie przed rozwiązywaniem jakichkolwiek innych problemów. Być może te trzy godziny płaczu same w sobie nie spowodowały wszystkich kłopotów, ale zdecydowanie był to znaczący czynnik w tym równaniu.

Był to złożony przypadek i wymagał dość długiego i wymagającego zaangażowania planu działania. Oczywiście należało się uporać z poważnymi problemami dotyczącymi zachowania. Ale nie można wymagać dyscypliny od dziecka cierpiącego z powodu braku snu. Najpierw trzeba było wrócić do podstaw i przyjrzeć się wieczornym rytuałom chłopca. Rodzice Adama mieli przeczytać zwyczajową książeczkę i utulić go, ale również postawić mu tackę z piciem, którą mógłby zabrać do łóżeczka. Wyjaśnili mu, że teraz już nie musi budzić mamy i taty, może sam się napić, jeśli się obudzi spragniony.

Co ważniejsze, trzeba było odbudować zaufanie Adama. Wnieśliśmy do jego pokoju materac i przez pierwsze trzy noce spała tam Marlene. Na początku protestowała, bo nie podobał jej się pomysł kładzenia się spać o 19:30. Zaproponowałam: „Jeśli nie chcesz spać, weź ze sobą książkę i latarkę, to będziesz mogła przynajmniej poczytać, gdy zaśnie". Czwartej nocy, gdy Adam zasnął, Marlene wyszła. Kilka godzin później obudził się, więc poszła do niego od razu i została do rana. Kolejną noc przespał.

W ciągu pierwszego tygodnia wyjaśniłam również Marlene, że musi być szczególnie troskliwa w stosunku do Adama, pokazując mu, że może na nią liczyć także wtedy, gdy nie śpi. Na szczęście udało jej się wziąć wolne, więc nie czuła presji innych obowiązków. Mówiła do niego: „Chodźmy do Twojego pokoju się pobawić". Gdy już zajął się zabawką, od niechcenia mówiła: „Idę do łazienki". Pierwszego dnia zaprotestował, ale byłyśmy gotowe. Poinstruowałam Marlene, że ma mieć w kieszeni budzik. „Mama wróci, kiedy zadzwoni budzik" — powiedziała Adamowi. Dwie minuty później, pełna ulgi, wróciła do uśmiechającego się Adama.

Na początku drugiego tygodnia, gdy Adam bawił się w pokoju, Marlena mogła wyjść na pięć minut, za każdym razem stosując inną wymówkę („Muszę... sprawdzić, jak tam obiad; zadzwonić; włożyć ubrania do pralki"). Był to również czas, by wynieść materac z pokoju Adama. Nie robiła z tego powodu żadnego zamieszania — tata wyniósł materac, gdy Adam jadł kolację. Tego wieczoru odbyli zwyczajowy rytuał, ale wyjaśniła: „Dzisiaj idziemy umyć ząbki, poczytamy książeczkę i powiemy sobie dobranoc, tak jak zawsze. A potem posiedzę przy Tobie na krześle przez jakiś czas, kiedy zgasimy światło. Ale kiedy zadzwoni budzik, wyjdę". Nastawiła budzik jedynie na trzy minuty (wieczność dla małego dziecka), by nie zadzwonił, kiedy Adam będzie akurat zasypiał.

Nic dziwnego, że Adam tej pierwszej nocy sprawdzał rodziców, płacząc, gdy drzwi zamknęły się za tatą. Tata od razu wrócił — i jeszcze raz nastawił budzik. „Posiedzę z Tobą chwilę, a potem wyjdę". Powtarzało się to kilkakrotnie. Gdy Adam uświadomił sobie, że płacz nic nie daje, cichutko wyszedł z pokoju i poszedł do salonu. Tata natychmiast odprowadził go z powrotem. Pierwszej nocy trwało to przez dwie godziny. Drugiej zdarzyło się tylko raz.

Marlene i Jack zaczęli wtedy korzystać z budzika, by Adam siedział sam w swoim pokoju. W tym czasie potrafił już się bawić samodzielnie, bo Marlene pozwoliła mu do tego przywyknąć. Chociaż tak naprawdę zależało nam na tym, by Adam przestał przychodzić do pokoju rodziców o szóstej rano, najpierw trzeba było przyzwyczaić Adama do tego, że ma zostać u siebie, dopóki nie nadejdzie czas, by wyjść. Marlene i Jack na początku zrobili z tego zabawę: „Zobaczmy, czy uda ci się zostać w pokoju, dopóki nie zadzwoni budzik". Kiedy mu się udało, podarowali mu złotą gwiazdkę. Gdy zdobył pięć gwiazdek, zabrali go do parku, gdzie nigdy wcześniej nie był, w „nagrodę" za zostawanie w pokoju.

W końcu powiedzieli swojemu synkowi, że jest gotów na to, by dostać „zegarek dla dużych chłopców". Zrobili całą ceremonię, wręczając mu jego pierwszy budzik elektroniczny z obrazkiem Myszki Miki, pokazali mu, jak rano wyskakuje duża siódemka, i powiedzieli, że wtedy można wyjść z łóżka. Pokazali mu też, jak działa budzik, i wyjaśnili: „Kiedy usłyszysz taki dźwięk, to będzie znaczyło, że pora wstawać i że możesz wyjść z pokoju". Ale tu kryła się najważniejsza część strategii: chociaż nastawili budzik Adama na siódmą, swój własny ustawili na 6:30. Pierwszego ranka stali za drzwiami, kiedy zadzwonił budzik, i weszli od razu do pokoju. „Świetnie się spisałeś, poczekałeś, aż zadzwoni budzik. Zdecydowanie zasłużyłeś na gwiazdkę!". Kolejnego ranka zrobili to samo. A trzeciego dnia poczekali, co zrobi Adam. Oczywiście nie wyszedł, dopóki nie zadzwonił budzik, a gdy to zrobił, jeszcze raz obrzucili go pochwałami.

Adam nie zaczął w czarodziejski sposób nagle współpracować z rodzicami. Wciąż miał skłonności do manipulacji i testował rodziców w prawie każdej sytuacji. Ale teraz przynajmniej rodzice wiedzieli, że to oni prowadzą, zamiast podążać za dzieckiem. Gdy Adam zachowywał się jak tyran, nie załamywali rąk w desperacji. Podjęli kroki, by to poprawić; sformułowali plan. W ciągu następnych kilku miesięcy, chociaż Adam czasami próbował marudzić w porze pójścia spać i wciąż od czasu do czasu budził się w nocy, zdecydowanie spał — i zachowywał się — lepiej niż wtedy, gdy Marlene skontaktowała się ze mną na początku. Jak zobaczysz w kolejnym rozdziale, zawsze najpierw trzeba zająć się przemęczeniem lub brakiem snu dziecka, zanim zacznie się rozwiązywać problemy z zachowaniem.

Nicholas, wieczny (i nocny) ssak

> „Musi ssać pierś, żeby zasnąć; wciąż śpi w naszym łóżku, a spodziewamy się drugiego dziecka".

Zamieszczam tutaj historię Nicholasa, ponieważ odzwierciedla coraz częstsze zjawisko: są to dwulatki (a czasem nawet starsze dzieci), które nie tylko *wciąż* ssą pierś, ale też nie potrafią zasnąć bez piersi. Annie zadzwoniła do mnie, gdy Nicholas miał dwadzieścia trzy miesiące. „Nie zaśnie, jeśli go nie przystawię do piersi, w nocy albo w dzień". Zapytałam, dlaczego czekała z tym tak długo, a ona odpowiedziała: „No cóż, Grant i ja spaliśmy z małym, więc karmienie w nocy nie było dla mnie uciążliwe. Teraz dowiedziałam się, że jestem w czwartym tygodniu ciąży. Naprawdę chciałabym go odstawić od piersi i nauczyć spać we własnym łóżku, zanim pojawi się maleństwo".

Annie miała przed sobą długą drogę, więc wyjaśniłam, że powinna zacząć od razu. Najpierw zapytałam: „Jesteś pewna, że jesteś gotowa na odstawienie Nicholasa? Czy twój mąż zgadza się w tym pomóc?". Oba te czynniki były kluczowe, by osiągnąć sukces. Annie musiała natychmiast odstawić małego od piersi. W ciągu dnia było to prostsze, ponieważ mogła odwrócić jego uwagę zabawką lub przekąską, gdy chciał possać. W nocy tata musiałby odegrać poważną rolę. Zawsze w takich przypadkach wykorzystuję ojców albo przynajmniej kogoś innego niż mama. W końcu nie chcemy być okrutni dla dziecka. Jeśli cały czas podaje się mu pierś i nagle przestaje się to robić, dziecko nie rozumie, dlaczego mama się tak zachowuje. Od taty nie spodziewa się piersi.

Kolejnym aspektem tej sytuacji jest to, że w wieku prawie dwóch lat nie miało sensu przyzwyczajanie Nicholasa do spania w niemowlęcym łóżeczku. Zaproponowałam, żeby kupili mu normalne łóżko „dla dużych chłopców" i założyli bramkę w drzwiach jego pokoju. Wyjaśniłam, że nie ma prostego rozwiązania tych problemów. Przed nimi były przynajmniej dwa ciężkie tygodnie. Oto plan działania, który zaprojektowałam dla tej rodziny:

Dni 1.–3. Najpierw trzeba było wyprowadzić Nicholasa z łóżka rodziców i położyć zamiast między nimi — obok nich. Annie i Grant kupili nowe łóżko do pokoju Nicholasa. Zdjęli z łóżka materac i położyli obok ich łóżka, po stronie taty. Pierwszej nocy Nicholas płakał i próbował wspiąć się na łóżko rodziców obok Annie. Za każdym razem tata interweniował i stosował technikę P, kładąc go na materac. Nicholas wrzeszczał jak opętany. Na jego twarzy malował się szok i niezrozumienie, jakby chciał powiedzieć: *Hej, robiliście to od dwóch lat!*

Nikt się nie wyspał tej nocy. Zatem kolejnej zaproponowałam, żeby Annie spała w pokoju gościnnym. Przynajmniej nie będzie jej w łóżku, gdy Nicholas będzie próbował tam wejść. Ponadto, ponieważ raptownie odstawiała dziecko od piersi, musiała zadbać o siebie — nosić ciasny stanik i dbać o własny wypoczynek. (Gdyby Annie powiedziała, że obawia się, iż ruszy Grantowi „na ratunek" w środku nocy, zaproponowałabym, żeby spała u rodziców lub przyjaciół).

Drugiej nocy Grant interweniował tak samo, jak pierwszej. Niezależnie od tego, jak mocno płakał Nicholas, tata wciąż stosował technikę P. Ostrzegłam go, by nie próbował wejść *na* łóżko z Nickym — mógł klęczeć obok, gdyby musiał. Powtarzał również: „Mamy tu nie ma. Potrzymam cię za rękę, ale musisz spać we własnym łóżku". Grant był twardy. Wytrwał, a po dwóch czy trzech atakach wściekłości Nicholas w końcu usnął na swoim własnym łóżku, po raz pierwszy od urodzenia. Trzeciej nocy było mniej problemów, ale ostrzegłam ich, że jeszcze nie wyszliśmy na prostą.

Dni 4.–6. Czwartego dnia zaproponowałam, by Annie i Grant powiedzieli Nicholasowi, że w nagrodę za spanie na materacu pozwolą mu wybrać jego własną pościel i poduszki *do jego pokoju*. Wybrał swoją ulubioną postać, Barneya, a mama wyjaśniła, że teraz położą materac w jego pokoju na nowym łóżku „dla dużych chłopców" wraz z nową pościelą.

Tej nocy Annie wróciła do własnego łóżka, a Grant rozłożył dmuchany materac na podłodze w pokoju Nicholasa, obok jego łóżka z nową pościelą.

Założyli bramkę na drzwi. Nie był to powrót do początku, ale oczywiście Nicholas był bardzo zdenerwowany w porze kładzenia się spać. Tata wciąż zapewniał go, że zostanie z nim; w przeciwnym razie Nicholas wciąż wychodziłby z łóżka. Oczywiście na początku próbował. A gdy Grant poszedł go położyć, Nicholas wygiął się cały, gdy tylko jego stopy dotknęły materaca. Ostrzegłam Granta, który mocno trzymał synka: „Nie próbuj zmienić techniki P w grę". Czasami w tym wieku, jeśli dziecko ma atak złości, a wciąż się je kładzie, może pomyśleć: *O, jakie to fajne. Ja wstaję, a tata mnie kładzie.* Powiedziałam Grantowi, żeby nie utrzymywał kontaktu wzrokowego z synkiem. „Na tym etapie wystarczy, że wykorzystasz tylko kontakt fizyczny" — wyjaśniłam.

Dni 7.–14. Siódmego dnia Grant zaczął przesuwać materac coraz bliżej drzwi. Wyjaśniłam mu: „Być może jeszcze tydzień minie, zanim uda ci się usunąć materac z pokoju. Musisz być konsekwentny i wytrwały. Gdy będziesz gotowy, nie próbuj oszukiwać małego ani ukradkiem się wymykać. Po prostu mu powiedz, że dzisiaj tata będzie spał we własnym pokoju".

Annie do tej pory była na marginesie. W przypadkach, gdzie trzeba odstawić dziecko od piersi, zawsze lepiej jest wykorzystać ojca, jeśli jest chętny do współpracy. A gdy tata zacznie, powinien też kontynuować wieczorny rytuał, zamiast wracać znów do zmiany z mamą. W końcu przez dwa lata Annie karmiła piersią Nicholasa, żeby go uśpić, a potem pozwalała mu spać obok siebie. (Gdy tata nie chce się zaangażować, kobieta musi poprosić kogoś innego o pomoc przez przynajmniej trzy noce, dopóki piersi nie przestaną produkować pokarmu; patrz ramka na stronie 134. Jeśli tego nie zrobi, prawdopodobnie podda się i przystawi dziecko do piersi).

W przypadku Nicholasa udało go się odstawić od piersi w ciągu tygodnia. Ale pod koniec drugiego tygodnia tata wciąż spał w jego pokoju na dmuchanym materacu. Annie cieszyła się nową wolnością, ale Granta zaczynało męczyć spanie w pokoju syna. Rodzice zadecydowali, że może wspólne spanie nie jest wcale problemem. W końcu Nicholas nie potrzebował już piersi, żeby zasnąć. „Wspólne spanie nam pasuje" — powiedziała Annie, wyjaśniając ich decyzję. „Mamy zamiar pozwolić Nicholasowi, żeby znów z nami spał. Gdy urodzi się nam drugie dziecko, będę je kłaść w kołysce i zaczniemy od początku".

Często widuję rodziców, którzy decydują się na coś mniej niż początkowy cel, ponieważ nie chcą dodatkowej pracy, bo nie mogą sobie wyobrazić, że obrana strategia naprawdę zadziała, lub ponieważ rzeczywiście zmienili zdanie. Być może wszystkie trzy powody pojawiły się w tym przypadku. Kim jesteśmy, by oceniać, dlaczego rodzice podjęli konkretną decyzję? Zawsze mówię klientom: „Jeśli to się sprawdza, świetnie — to *Wasza* rodzina".

ROZDZIAŁ ÓSMY

POSKRAMIANIE DWULATKÓW — UCZENIE DZIECI, BY BYŁY EMOCJONALNIE OKI

Epidemia „daj im szczęście"

„Courtney do tej pory była Aniołkiem" — upierała się Carol, gdy pierwszy raz zadzwoniła do mnie w sprawie swojej dwulatki. „Ale nagle zaczęła mieć ataki złości, gdy się na coś nie zgadzamy. Jeśli jej nie weźmiemy na ręce albo nie damy jej zabawki, którą chce, albo jeśli inne dziecko zajęło huśtawkę, Courtney wpada w szał. To naprawdę denerwujące, a Terry i ja nie wiemy, co robić. Daliśmy jej naszą miłość, uwagę, wszystko, czego mogłoby potrzebować dwuletnie dziecko".

Zawsze jestem sceptyczna, gdy rodzice upierają się, że zachowanie dziecka wzięło się „znikąd". Jeśli w rodzinie nie było żadnej katastrofy albo szokującego wydarzenia, reakcje dzieci nie zmieniają się z dnia na dzień bez ostrzeżenia. Bardziej prawdopodobne jest to, że ataki złości zaczynają się jako małe eksplozje emocji, a gdy dziecko rośnie, i nikt go nie uczy, że takie zachowanie jest nieakceptowalne, małe eksplozje również rosną i zmieniają się w wielkie napady wściekłości.

„Co robicie, kiedy wpada we wściekłość?" — zapytałam, mając nadzieję na więcej informacji na temat tego, jak Carol i Terry radzą sobie z uczuciami Courtney. Wszystkie dzieci mają emocje, chodzi o to, jak na nie reagują rodzice. „Czy kiedykolwiek jej odmawialiście w przeszłości lub próbowaliście zmieniać takie zachowania?".

„Nie" — powiedziała Carol. „Nigdy nie musieliśmy. Wychodziliśmy z siebie, żeby ją zabawić i czegoś nauczyć. Nigdy nie chcieliśmy, żeby się czuła zaniedbana lub opuszczona. Zawsze naprawdę się staraliśmy, żeby nie płakała. Więc chyba zawsze dawaliśmy jej to, czego chciała. To działało — jest naprawdę szczęśliwym dzieckiem".

Kilka dni później poznałam tych rodziców — cudowna para, oboje krótko przed czterdziestką — w ich domu w Valley. Carol, grafik komputerowy, została w domu z Courtney przez pierwszy rok, a teraz pracuje przez dwa i pół dnia w tygodniu, a Terry ma sklep komputerowy, zatem zazwyczaj jest w domu o przyzwoitej porze. Starają się wspólnie jeść obiad w większość dni. Słuchając, jak ci rodzice mówią o Courtney, która była dzieckiem długo oczekiwanym po wielu latach prób, byłam pewna, że oboje uwielbiają swoją córkę i robią wszystko, żeby dostosować swoje życie do jej potrzeb.

Courtney, śliczna dziewczynka o rudych, kręconych włosach, bardzo dużo mówiła jak na swój wiek. Była szczęśliwym, czarującym dzieckiem. Gdy poprowadziła mnie do swojego pokoju, zastanawiałam się, czy to na pewno o niej mówiła jej matka. W środku zorientowałam się, że istotnie Carol i Terry dawali córce wszystko, czego kiedykolwiek chciała. Pokój wyglądał jak olbrzymi sklep z zabawkami! Półki były przepełnione wszystkimi możliwymi zabawkami edukacyjnymi i innymi dostępnymi na rynku. Na jednej ścianie cała biblioteczka była wypełniona książeczkami z obrazkami, na drugiej Courtney miała telewizor, wideo i DVD. Miała kolekcję filmów, której pozazdrościłyby jej gwiazdy Hollywood, zwłaszcza jeśli miały małe dzieci.

Spędziłam z Courtney kilka minut sam na sam, a potem weszła Carol i powiedziała: „Zabiorę teraz Tracy na dół, żebyśmy z tatą mogli z nią spokojnie porozmawiać". Courtney nie ugięła się. „Nie! Chcę, żeby Tracy się ze mną bawiła!". Zapewniłam ją, że za kilka minut wrócę, ale to nie pomogło, i wtedy właśnie zobaczyłam, jak Courtney rzuca się na podłogę i zaczyna wściekle kopać. Carol próbowała spokojnie przemówić jej do rozsądku i podnieść ją, ale dziewczynka była jak wściekły mały zwierzak. Celowo się wycofałam, ponieważ ważne było dla mnie, żeby zobaczyć, jak mama i tata, który wbiegł do pokoju, zareagują na wybuch wściekłości dziecka. Carol była oczywiście zawstydzona i jak wielu rodziców sięgnęła po szybkie lekarstwo. „No dobrze już, Courtney. Tracy nigdzie nie idzie. A może ty pójdziesz z nami na dół, dam ci ciasteczko, a my wypijemy herbatę".

Carol i Terry przypominali wielu innych rodziców, których poznałam przez lata. Chociaż dali swojemu dziecku wszystko, była jedna ważna rzecz, o której zapomnieli: ograniczenia. Co gorsza, ich dawanie było często reakcją na emocje dziecka. Mieli poczucie winy, gdy Courtney była zła lub smutna, więc zasypywali ją zabawkami, by odwrócić jej uwagę. I nieustannie jej ustępowali, nawet gdy tylko trochę marudziła, za każdym razem wzmacniając umiejętności manipulacyjne dziecka.

Carol i Terry są ofiarami tego, co nazywam epidemią „daj im szczęście". Szczególnie podatni na tę chorobę są rodzice starsi i pracujący, ale jest to zjawisko, które przekracza podziały wiekowe, geograficzne, kulturowe lub ekonomiczne. Podczas moich podróży, nie tylko po Stanach Zjednoczonych, ale po całym świecie, zauważyłam, że mnóstwo rodziców ma obecnie problem z dyscypliną, ponieważ uważają, że ich zadaniem jest uszczęśliwianie dzieci. Ale nikt nie może być szczęśliwy cały czas — życie nie na tym polega. Rodzice muszą pomóc dzieciom rozpoznać odczuwane przez nie najróżniejsze emocje i uporać się z nimi. Jeśli nie, pozbawiają swoje dziecko prawa do nauki, jak się uspokoić, a także jak funkcjonować w świecie. Dziecko musi potrafić słuchać wskazówek, współdziałać z innymi ludźmi i przechodzić od jednego zajęcia do drugiego, bo wszystkie te umiejętności są elementami zdrowia emocjonalnego.

Zatem musimy mniej się martwić uszczęśliwianiem dzieci, a bardziej uczeniem ich, jak być „emocjonalnie OKI". Chodzi o to, by nie bronić dzieci przed ich uczuciami, ale dać im narzędzia pozwalające radzić sobie z codziennymi troskami, nudą, rozczarowaniem i wyzwaniami, na jakie natrafią w ciągu swojego życia. Robimy to, narzucając ograniczenia, pomagając zrozumieć uczucia i pokazując, jak kierować własnym nastrojem. Jeśli to Ty prowadzisz, dziecko może na Tobie polegać i wierzyć, że będziesz mówić to, co myślisz, i myśleć to, co mówisz.

Zdrowie emocjonalne wzmacnia więź między dzieckiem a rodzicem, ponieważ wypełnia zbiornik zaufania, które zaczyna się tworzyć w dniu, gdy dziecko przychodzi na świat. Ta podstawa jest niezmiernie ważna dla rosnących dzieci — w końcu chcemy, żeby wiedziały, że mogą do nas przyjść w sprawie swoich obaw, złości i podekscytowania i że mogą nam powiedzieć, co czują, bez narażania się na przesadne reakcje.

Ten rozdział pozwoli Ci przyjrzeć się składnikom zdrowia emocjonalnego: dlaczego jest ważne, by radzić sobie z uciekającymi emocjami (jak w przypadku napadów złości Courtney), i co robić, gdy dziecko traci kontrolę. Przyjrzymy się temu, jak ważne jest bycie *obiektywnym* rodzicem, który wie, kiedy dać krok w tył, zobaczyć dziecko takim, jakie jest, i wyraźnie dostrzec jego zachowanie, i co równie ważne, jak zapanować nad własnymi emocjami, by można było zadziałać w kwestii uczuć dziecka, a nie zaprzeczać im.

Uciekające emocje — czynniki ryzyka

Mimo że portret emocjonalny dziecka zmienia się w wieku od roku do trzech, jeden ważny element jest wspólny na różnych etapach rozwoju: potrzeba mu przewodnictwa i wskazówek rodziców. Musisz nauczyć dziecko, jak odróżniać działania dobre od złych, i pokazać mu, jak panować nad własnymi emocjami. W przeciwnym przypadku nie będzie wiedziało, co zrobić, gdy doświadczy bardzo silnych uczuć. Wtedy, zwłaszcza jeśli stanie w obliczu jakiegoś zakazu lub ograniczenia, dozna frustracji i doświadczy tego, co nazywam „uciekającymi emocjami".

Gdy Twoje dziecko doświadcza uciekających emocji, nie rozumie, co się z nim dzieje, i nie potrafi przerwać rozkręcającego się koła uczuć. Nie dziwi fakt, że dzieci, które są podatne na podatne na uciekające emocje, stają się wyrzutkami towarzyskimi. Wszyscy znamy takie dzieci („Kiedyś zapraszaliśmy Adama na wspólną zabawę, ale on jest takim dzikusem, że nie dało się wytrzymać"). I to nie jest wina biednego Adasia. Nikt go nie nauczył, jak poskramiać emocje lub radzić sobie z nimi, gdy wymkną się spod kontroli. Oczywiście możliwe, że mamy do czynienia z Wiercipiętą, który jest od urodzenia podatny na działanie gwałtownych emocji, ale temperament nie musi być przeznaczeniem. Uciekające emocje mogą prowadzić do chronicznego znęcania się, które jest w istocie wyładowaniem uczuć i frustracji na innych.

Jak podsumowuje tabela na następnej stronie, czynniki ryzyka uciekających emocji stanowią cztery elementy: *temperament dziecka*, *czynniki środowiskowe*, *kwestie rozwojowe* i, być może najważniejsze, *Twoje zachowanie*. Te cztery czynniki ryzyka oczywiście działają razem, chociaż czasem jeden z nich jest dominujący. W podrozdziałach po tabeli przyglądam się każdemu z nich.

Style emocjonalne i społeczne dziecka

Pewne rodzaje temperamentu sprawiają, że dzieci są bardziej podatne na ataki wściekłości — Wrażliwce, Wiercipięty i Marudy potrzebują odrobinę więcej uwagi, jeśli chodzi o gotowość emocjonalną. Na przykład Goeff (którego poznacie bliżej na stronie 312) był dwuletnim Wrażliwcem, który zawsze potrzebował więcej czasu, by przyzwyczaić się do nowej sytuacji. Jeśli mama próbowała go zmusić do interakcji z innymi dziećmi, zanim był na to gotowy, zaczynał niepohamowanie płakać. Poza temperamentem, który widać dosłownie od urodzenia, dzieci również rozwijają pewne style emocjonalne i społeczne w *relacjach* z innymi.

Uciekające emocje — czynniki ryzyka			
Temperament dziecka i jego styl emocjonalny	**Czynniki środowiskowe**	**Kwestie rozwojowe**	**Zachowanie rodziców**
Dzieci są bardziej narażone na uciekające emocje, gdy mają bardziej podatny...	*Dzieci są bardziej narażone na uciekające emocje, gdy...*	*Dzieci są bardziej narażone na uciekające emocje, gdy przechodzą przez...*	*Dzieci są bardziej narażone na uciekające emocje, gdy rodzice...*
Temperament (Marudy, Wiercipięty, Wrażliwce) Styl emocjonalny i społeczny (spokojny, ale mało asertywny, wysoce reaktywny, nadwrażliwy)*	Ich dom nie jest właściwie dostosowany do potrzeb małych dzieci Nie mają miejsca, gdzie mogłyby dać upust emocjom W rodzinie pojawiły się zmiany lub chaos	Lęk separacyjny Okres, w którym brakuje im umiejętności językowych Bunt dwulatka Ząbkowanie	Są subiektywni, a nie obiektywni (patrz ramka na stronie 316) Nie zaduszają niepożądanych zachowań w zarodku Są niekonsekwentni Mają różne standardy i kłócą się ze sobą Nie przygotowują dzieci do nadchodzących wydarzeń, które mogą być stresujące

Szczęśliwy obozowicz ładnie bawi się w grupie. Możesz udzielić mu reprymendy na temat jego zachowania, a łatwo się nauczy. Będzie się chętnie dzielić swoimi zabawkami, a nawet proponować je innym dzieciom. W domu zazwyczaj robi to, o co się go prosi — na przykład bez marudzenia odkłada zabawki na miejsce. To dziecko często jest przywódcą grupy, chociaż wcale o to nie zabiega. Inne dzieci w naturalny sposób grawitują ku niemu. Nie trzeba nic robić, żeby poprawić życie towarzyskie tego dziecka, które naturalnie zachowuje się z grupie i łatwo dostosowuje się do innych sytuacji. Nie dziwi fakt, że większość szczęśliwych obozowiczów to Aniołki lub Książkowe Dzieci, ale pasują do tego opisu również te Wiercipięty, których rodzice odpowiednio skierowali ich energię na właściwe zajęcia i zainteresowania.

Spokojne, ale mało asertywne dziecko bawi się samo. W domu jest spokojne i nie płacze bez potrzeby, chyba że zrobi sobie krzywdę albo jest zmęczone. Jest to dziecko, które ostrożnie przygląda się interakcjom rówieśników. Jeśli ma zabawkę, a inne, bardziej agresywne dziecko chce mu ją odebrać, zazwyczaj natychmiast się poddaje, ponieważ widziało,

* Rodzaje temperamentu wymieniono na stronach 62 – 66, a „style emocjonalne" na stronach 306 – 308.

jak ten drugi potrafi się zachowywać, i się boi. Nie jest tak strachliwe, jak dziecko nadwrażliwe, ale trzeba uważać, w jakie sytuacje się je angażuje. Dobrze jest zapoznawać je z innymi dziećmi i nowymi sytuacjami, ale pamiętaj, by siedzieć razem z nim. Nie martw się, że jest samotnikiem. Potraktuj to jako znak, że jest dość pewne siebie, by bawić się samodzielnie. Możesz spróbować wzbogacić jego życie towarzyskie, aranżując spotkania na wspólną zabawę z innym spokojnym, ale mało asertywnym dzieckiem lub nawet ze szczęśliwym obozowiczem, z którym się dobrze dogaduje. Do tej kategorii należy wiele Marud, podobnie jak niektóre Aniołki czy Książkowe Dzieci.

Dziecko nadwrażliwe jest takie, jak jego etykietka. Najmniejsza stymulacja powoduje wytrącenie go z równowagi emocjonalnej. Jest to dziecko, które często było noszone w okresie niemowlęcym i później. Lubi być blisko rodziców w nowych sytuacjach. W grupie prawdopodobnie będzie siedzieć mamie na kolanach, obserwując inne dzieci, ale nie wchodząc z nimi w interakcje. Często płacze. Jeśli inne dziecko podejdzie za blisko, złapie jego zabawkę albo nawet jeśli mama poświęci trochę uwagi komu innemu, może wpaść w histerię. Ma tendencję do jęczenia i marudzenia albo, jak to się mówi, „obraża się na cały świat". Niektóre nadwrażliwe dzieci szybko wpadają też w złość, ponieważ łatwo ulegają frustracjom. Ważne jest, by rodzice pozwalali dziecku na zachowanie własnego tempa i ostrożnie wprowadzali je w nowe sytuacje. Do tej kategorii należy wielu Wrażliwców, jak również niektóre Marudy.

Dziecko mocno reagujące ma mnóstwo energii. Jest bardzo asertywne, impulsywne, a nawet agresywne. Chociaż większość małych dzieci uważa, że wszystko jest ich własnością, to dziecko jest jeszcze bardziej zdeterminowane. Jest bardzo silne i sprawne fizycznie. Szybko sobie uświadamia, że może bić, kopać albo gryźć, by zdobyć to, co chce. Jeśli spróbujesz je zmusić, by się czymś podzieliło, wpadnie we wściekłość i zacznie wrzeszczeć. Często nie jest lubiane przez rówieśników. Takie dzieci potrzebują wielu zajęć, by odpowiednio skierować ich energię. Ważne jest, by rodzice wiedzieli, co wywołuje ataki złości, by zdawali sobie sprawę z oznak wskazujących na zbliżający się wybuch oraz żeby starali się nie dopuszczać do tego, by dziecko przestało nad sobą panować. W przypadku dzieci mocno reagujących dobrze sprawdza się modyfikacja zachowań — dużo tabelek i znaczków w nagrodę, gdy się dobrze zachowują. Zazwyczaj do tej kategorii należą Wiercipięty, czasem również Marudy.

Podczas gdy temperament jest w miarę stały, style emocjonalne i społeczne ewoluują, gdy dziecko rośnie. Spokojne i mało asertywne dziecko może w końcu wyjść ze swojej skorupki. Dziecko mocno reagujące może złagodnieć, zanim pójdzie do przedszkola. Ale wszystkie te zmiany dzieją się zazwyczaj dzięki *pracy rodziców*. To dlatego właśnie „dopasowanie" rodzica i dziecka (patrz strony 76 – 79) nadal jest ważne. Charakter rodzica może albo uzupełniać osobowość dziecka, albo z nią kolidować. Gdy nasze dzieci rosną, coraz lepiej je poznajemy i obserwujemy w wielu różnych sytuacjach. Ale ważne jest też, by patrzeć w lustro — wiedzieć, gdzie są nasze własne słabe strony, i zdawać sobie sprawę z tego, które nasze cechy dzieci mogą wykorzystywać. Jeśli jesteśmy dojrzali, możemy działać w najlepszym interesie dziecka, co jest istotą bycia *obiektywnym rodzicem*, jak wyjaśniam na stronach 316 – 323.

Czynniki środowiskowe

Ponieważ okres od roku do trzech lat wiąże się z olbrzymim wzrostem umiejętności rozumienia i świadomości, dzieci są szczególnie wrażliwe na zmiany w swoim otoczeniu. Chociaż rodzice myślą, że ich dwulatki nie rozumieją, co się dzieje podczas, powiedzmy, rozwodu albo śmierci w rodzinie, dzieci są jak gąbki emocjonalne. Wyłapują uczucia rodziców, wiedzą, gdy coś w domu jest inaczej. Jeśli przeprowadzasz się do nowego mieszkania, pojawia się nowe dziecko, zmieniasz plan dnia (na przykład wracając do pracy), jeśli rodzic leży tydzień w łóżku z powodu grypy — wszystkie takie i inne odstępstwa od normy będą miały wpływ na emocje dziecka.

Podobnie, gdy dziecko zaczyna spotkania z nową grupą rówieśniczą lub idzie do żłobka, albo spotyka rówieśnika (który się nad nim znęca), możesz spodziewać się pewnych zaburzeń — częstszego płaczu, większej agresji, bardziej kurczowego trzymania się Twojej spódnicy. Podobnie jak w przypadku dorosłych, między dziećmi już w wieku siedmiu miesięcy mamy do czynienia z „chemią". Jeśli zetknie się określone typy dzieci razem, jedno z nich prawdopodobnie doświadczy uciekających emocji. Zatem jeśli Twoje dziecko często bierze udział w bójkach, niezależnie czy jest agresorem, czy osobą atakowaną, nie ma mowy o dobrej zabawie, jeśli ktoś zawsze kończy w rozkwaszonym nosem. Szanuj sympatie i antypatie swojego dziecka. Dotyczy to również członków rodziny. Może nie lubi dziadka albo którejś cioci. To nie znaczy, że masz zerwać kontakty, ale nie naciskaj na dziecko.

Oczywiście życie wciąż nam płata figle. Nie możemy trzymać dzieci zamkniętych w sejfach, ale trzeba obserwować uważnie oznaki, że dziecko może potrzebować trochę więcej kontroli i ochrony z powodu tego, co się wokół niego dzieje.

Poza tym małe dzieci potrzebują bezpiecznego miejsca, w którym mogą się wyszaleć. Jeśli Twój dom nie jest wystarczająco zabezpieczony przed dziećmi, a Ty wciąż biegasz za swoich maluchem, mówiąc: „Nie rusz" i „Nie wolno", gwarantuję, że masz bardzo sfrustrowanego dwulatka, i tylko patrzeć, jak wybuchnie. Zostaw na wierzchu część mniej wartościowych i nietłukących się przedmiotów i naucz dziecko, że niektórych nie wolno ruszać bez zgody rodziców. Ponadto dzieci wyrastają ze swoich niemowlęcych zabawek i ważne jest, by aktualizować ich otoczenie, by było bardziej stymulujące: pozbądź się starych zabawek, baw się z dzieckiem w bardziej stymulujące zabawy i stwórz w domu miejsca, gdzie będzie mogło szaleć i eksperymentować, na podwórku również, aby mogło bezpiecznie badać świat. Zwłaszcza w środku zimy w chłodniejszym klimacie dzieci (i dorośli też) częściej się męczą i frustrują, chyba że się je opatuli i zabierze na świeże powietrze, by mogły pokopać piłkę, pobiegać i pobawić się na śniegu.

Kwestie rozwojowe

Pewne okresy życia dziecka obarczone są większym ładunkiem emocjonalnym niż inne (dotyczy to praktycznie całego okresu od roku do trzech lat życia dziecka!). Oczywiście nie możesz, i wcale nie chcesz, powstrzymywać rozwoju dziecka. Ale możesz mieć baczenie na okresy, gdy dziecko może mieć większe kłopoty z zapanowaniem nad swoimi emocjami.

Lęk separacyjny. Jak już opisywałam wcześniej, lęk separacyjny zazwyczaj zaczyna się w wieku około siedmiu miesięcy i może trwać u niektórych dzieci do osiemnastego miesiąca życia. U niektórych dzieci jest ledwie zauważalny; w przypadku innych rodzice muszą szczególnie uważać, by zbudować zaufanie (patrz strony 80 – 82). Jeśli będziesz spychać z kolan dziecko, które jeszcze nie jest gotowe na dołączenie do grupy, nie zdziw się, gdy wpadnie w histerię. Daj mu lepiej trochę czasu. Szanuj emocje dziecka i buduj małe grupki złożone z łagodnych dzieci, zamiast łączyć malucha w parę z mocno reagującym rówieśnikiem.

Brak słownictwa. Jeśli Twoje dziecko, jak większość, przechodzi przez taki okres, w którym wie, czego chce, ale nie potrafi o to poprosić, może to być dla Was obojga bardzo frustrujące. Powiedzmy, że dziecko pokazuje na szafkę i marudzi. Podnieś je i powiedz: „Pokaż mi, czego chcesz". Powiedz: „Dobrze, chcesz rodzynki. Powiedz: rodzynki". Być może jeszcze mu się to nie uda, ale pomożesz mu rozwijać słownictwo, a tak się to właśnie zaczyna.

Skoki wzrostu i zwiększona mobilność. Jak już dowiedziałaś się w poprzednich rozdziałach dotyczących jedzenia i spania, skoki wzrostu i rozwój fizyczny, jak uczenie się raczkowania czy chodzenia, mogą zaburzyć sen dziecka. Z kolei jeśli dziecko jest niewyspane, staje się bardziej wrażliwe, bardziej agresywne albo po prostu nie w humorze. Gdy wiesz, że dziecko źle spało w nocy, zadbaj o spokój w ciągu dnia. Nie wprowadzaj żadnych nowych wyzwań, gdy maluch nie jest w najlepszej formie.

Ząbkowanie. To również może wpływać na większą podatność dziecka na stres, co z kolei może prowadzić do uciekających emocji (patrz ramka na stronie 165, gdzie znajdziesz wskazówki na temat ząbkowania). Jest to szczególnie częste, jeśli rodzicom jest żal dziecka i zapominają wyznaczać im granice, znajdując wymówkę dla każdego zachowania: „Och, ona po prostu ząbkuje".

Bunt dwulatka. Jest to jedyny przypadek, gdy rodzice mogą słusznie stwierdzić, że zachowanie dziecka wzięło się znikąd. To tak, jakby dziecko zmieniło się przez noc. Jest słodkie i posłuszne, a w następnej chwili staje się wymagające i zbuntowane. Mogą pojawić się nagłe zmiany nastrojów. Wesoło się bawi, a nagle zaczyna krzyczeć z wściekłością. Jednak dwulatki nie muszą być „okropne", zwłaszcza jeśli wcześnie zacznie się wspierać rozwój emocjonalny dziecka. Podczas tego trudnego etapu rozwojowego musisz być czujniejsza niż zwykle i chronić dziecko przed uciekającymi emocjami, pracować jeszcze ciężej, aby zachować zasady i dać znać dziecku, co mu wolno robić, a czego absolutnie nie.

Zachowanie rodziców

Chociaż wszystkie powyższe elementy mogą narazić dziecko na uciekające emocje, to gdybym miała poukładać wszystkie cztery elementy ryzyka w kolejności według ważności, zachowanie rodziców byłoby zdecydowanie na czele listy. Oczywiście rodzice nie *powodują* złego zachowania dziecka, tak samo jak nie mogą przyspieszyć jego rozwoju. Jednak sposób, w jaki reagują na konkretny etap rozwojowy lub akt buntu, agresji czy wściekłości, albo pozwoli kontrolować takie zachowania, *albo* je wzmocni.

Rodzicielstwo obiektywne kontra subiektywne. W ramce na stronie 309 podsumowuję różnicę między *rodzicami obiektywnymi*, których motywacją są indywidualne potrzeby dziecka, a *subiektywnymi*, których motywacją są ich własne emocje i którzy nie potrafią spojrzeć bezstronnie na swoje dziecko lub jego zachowanie, przez co trudno im odpowiednio zareagować. Nie robiąc nic albo postępując niewłaściwie, subiektywni rodzice niechcąco powiększają problem. Spójrzmy prawdzie w oczy: nikt nie chce, żeby jego dziecko biło, kłamało albo rzucało samochodem w głowę rówieśnika. Ale nie interweniując, w istocie popieramy takie zachowania.

Podwójne standardy. Nie można mieć jednego zestawu zasad w domu, a drugiego poza nim. Ale często za pierwszym razem, gdy dziecko robi coś niewłaściwego albo niepożądanego — rzuca jedzeniem, zachowuje się agresywnie, wpada we wściekłość — rodzice się śmieją. Uważają, że to takie słodkie, że „dzidzia im rośnie", albo uznają, że maluch „ma charakterek". Nie zdają sobie jednak sprawy z tego, że ich śmiech stanowi wzmocnienie pozytywne. Potem, gdy pójdą gdzieś z dzieckiem, a ono zachowa się tak samo, są zażenowani. Ale jeśli pozwalają mu rzucać jedzeniem w domu, to czego się spodziewają w restauracji? Dziecko nie rozumie, dlaczego mama i tata śmiali się raz, a potem już nie, więc powtarza niewłaściwe zachowania, jakby chciało powiedzieć: *Czemu się nie śmiejecie? Przedtem się śmialiście!*

Gdy rodzice się nie zgadzają ze sobą — to inna forma podwójnych standardów — dziecko również jest narażone na uciekające emocje. Jeden rodzic może być bardzo łagodny i uważa, że wszystko, co robi dziecko, jest fajne albo zabawne, albo super, a drugie desperacko stara się nauczyć malucha dobrych manier. Na przykład mama się martwi, bo Karolek zaczął bić inne dzieci w piaskownicy. Wraca do domu i mówi o tym tacie, który bagatelizuje sprawę. „Oj, po prostu nie da sobie w kaszę dmuchać. Przecież nie chcemy, żeby był mięczakiem, prawda?". Rodzice mogą również kłócić się przy dziecku, co nigdy nie jest dobrym pomysłem.

Dzieci oczywiście zachowują się inaczej przy różnych dorosłych, to naturalne. Ale w domu, gdzie obowiązuje zasada „nie ma jedzenia w salonie", niedobrze jest, jeśli tata zalegnie na kanapie i zacznie jeść chipsy z synem, gdy tylko za mamą zamkną się drzwi, zwłaszcza jeśli powie przy tym: „Mama byłaby na nas wściekła, więc ale nie powiemy jej, że tu jedliśmy".

Brak przygotowania emocjonalnego. Rodzice mogą niechcący wystawić dziecko na ryzyko uciekających emocji, jeśli nie poświęcą czasu na przygotowanie ich na stresujące sytuacje. W oczach małego dziecka — a tak właśnie powinnaś patrzeć na każde nadchodzące wydarzenie — stresującymi sytuacjami może być cokolwiek, począwszy od umówionego spotkania z rówieśnikami, poprzez wizytę u pediatry, do przyjęcia urodzinowego. Na przykład moja przyjaciółka zaproponowała, że wyprawi u siebie drugie urodziny swojego wnuka. Byłam u niej przed przyjęciem i widziałam, jak ustawiają zamek w ogrodzie i wieszają kilkaset balonów napełnionych helem. Dla dorosłego było to czarodziejskie miejsce, ale biedny mały Geoff, który nic nie wiedział o planach rodziców i dziadków, był śmiertelnie przerażony, gdy popędzono go do ogródka. Był tam ktoś przebrany za pirata, mnóstwo dzieci — kilkoro w jego wieku i wiele starszych — i około trzydziestu dorosłych. Geoff był niepocieszony, biedactwo. Następnego dnia jego babcia powiedziała: „Nie wiem, czy dzieci w tym wieku zawsze są takie niewdzięczne, ale mały spędził całe przyjęcie ze mną w sypialni". Niewdzięczne? Geoff ma tylko dwa lata, a nikt go nie przygotował ani nawet nie powiedział mu, że odbędzie się przyjęcie urodzinowe. Czego się spodziewali? Chłopiec był w szoku. Musiałam powiedzieć babci: „Szczerze mówiąc, dla kogo właściwie było to przyjęcie?". Popatrzyła na mnie zawstydzona. „Rozumiem, o co ci chodzi — tak naprawdę było bardziej dla dorosłych i starszych dzieci". (Patrz również: „Pogromcy zaufania" na stronie 83).

Anatomia subiektywnego rodzica

Naprawdę złości mnie, gdy rodzice mówią: „Johnny odmawia..." albo „Johnny nie chce słuchać...", jak gdyby sami nie mieli nic wspólnego z zachowaniami dzieci. Jak pisałam na początku tego rozdziału, zbyt wielu rodziców straszliwie boi się, że ich dzieci będą nieszczęśliwe, i pozwala dzieciom wdrapywać się na siedzenie kierowcy. Boją się, że jeśli wyznaczą jakieś ograniczenia, dzieci nie będą ich kochać. Być może również nie wiedzą, jak zadusić niepożądane zachowania w zarodku. A gdy w końcu przymierzają się do rozwiązania problemu, nie są do końca przekonani, że tego naprawdę chcą, albo niekonsekwentni. Co gorsza, ponieważ tak długo zwlekali z interwencją, jeszcze trudniej jest przerwać cykl złego zachowania. A wtedy rodzic całkiem traci kontrolę, więc nikt już nad sobą nie panuje.

Nie można nauczyć zdrowia emocjonalnego, jeśli sami mamy z nim problemy. A dla mnie sednem dorosłego zdrowia emocjonalnego jest obiektywność, umiejętność zrobienia kroku w tył i dokonania rzeczowej oceny sytuacji, nie pozwalając, by nasze własne emocje panowały nad naszymi reakcjami. Raczej nie kontaktują się ze mną obiektywni rodzice. Większość matek i ojców, którzy zgłaszają się do mnie z powodu zachowań ich dzieci, jest rodzicami subiektywnymi. Nieświadomie działają w zgodzie *z własnymi uczuciami*, a nie w interesie swojego dziecka. Nie oznacza to, że rodzice obiektywni nie mają uczuć. Wręcz przeciwnie, mają dobry kontakt z własnymi emocjami, ale nie pozwalają, tak jak rodzice subiektywni, by to uczucia nimi kierowały.

Na przykład, powiedzmy, że osiemnastomiesięczny Hubert wpadł we wściekłość w sklepie z butami, ponieważ zobaczył na ladzie okrągły słoik pełen lizaków i chce dostać jednego *teraz*. Rodzic subiektywny natychmiast zaczyna myśleć: *O, nie. Mam nadzieję, że nie zrobi sceny*. Najpierw może mama zacznie targować się z Hubertem („Dam ci pysznego lizaczka, jak tylko wrócimy do domu"). Prawdopodobnie w przeszłości kryje się mnóstwo takich targów, więc złość matki i spora doza poczucia winy („Musiałam coś zrobić źle, skoro się tak zachowuje") wzrasta z każdym żądaniem Huberta. Gdy Hubert zaczyna jęczeć, a potem płakać, mama wpada w jeszcze większy gniew i bierze zachowanie syna do siebie („Nie mogę uwierzyć, że on *znów* mi to robi"). Zawstydzona koniecznością szarpania się z dzieckiem w miejscu publicznym poddaje się, gdy Hubert rzuca się na podłogę i zaczyna tłuc pięściami w jej buty.

Gdy rodzice są subiektywni, reagują na emocje z własnego wnętrza, zamiast złapać właściwą perspektywę i zareagować na to, co się dzieje we wnętrzu *dziecka*. To dlatego, że subiektywni rodzice zazwyczaj postrzegają wszystko, co robi dziecko, jako odbicie ich samych. Mają problem z zaakceptowaniem temperamentu dziecka („On zazwyczaj jest prawdziwym aniołkiem") i często próbują wyperswadować mu jego własne uczucia („Daj spokój, Hubert, przecież wcale nie chcesz tego lizaka. Stracisz po nim tylko apetyt"). Matka boi się powiedzieć to, co naprawdę myśli, czyli: „Nie, nie możesz tego dostać".

Ponieważ subiektywni rodzice tak bardzo identyfikują się z dzieckiem, uczucia dziecka równie dobrze mogą być ich uczuciami. Rodzice często mają problem z poradzeniem sobie z emocjami dziecka, zwłaszcza ze złością czy smutkiem. Być może dlatego, że z własnymi negatywnymi uczuciami też sobie nie radzą lub ponieważ dziecko przypomina samego rodzica — albo z obu tych powodów. Nic dziwnego, że subiektywni rodzice nie potrafią wyznaczać granic; zachowują się bardziej jak kumple. W imię budowania samooceny dziecka bez końca przemawiają do rozsądku, racjonalizują i przypodchlebiają się, ale rzadko mówią: „To ja jestem rodzicem i tego nie akceptuję".

Podejrzewam subiektywne rodzicielstwo, gdy mama mówi do mnie: „On jest taki kochany, kiedy jest z tatą (lub babcią), ale nie przy mnie". Być może tak jest, ponieważ jej oczekiwania są wyższe — są bardziej odzwierciedleniem tego, czego ona *chce*, a nie tego, co jest w stanie zrobić jej maluch. Musi zadać sobie pytanie, czy patrzy realistycznie. Dzieci nie są małymi dorosłymi; całe lata jeszcze miną, zanim nauczą się kontrolować swoje impulsy. A może tata naprawdę *jest* lepszy w dyscyplinowaniu syna, ponieważ daje mu znać, co jest dobre, a co złe, i poprawia go, gdy zrobi źle. Mama musi zatem zadać sobie pytanie: „Co takiego robi mój mąż (lub mama), a ja nie?".

Dzieci subiektywnych rodziców stają się ekspertami w manipulacji i emocjonalnym szantażu. Wszystkie dzieci, zwłaszcza dwulatki, sprawdzają swoich rodziców i wiedzą, gdy rodzice są niekonsekwentni i nie mają żadnych granic. Nie chodzi o to, że są złe; robią tylko to, czego mimowolnie nauczyli ich rodzice: awanturują się, kłócą, domagają się tego, czego chcą, a gdy to nie podziała, wpadają we wściekłość. Zatem nawet w sytuacji tak prostej, jak: „No dobrze, czas pozbierać zabawki", subiektywny rodzic stoi

Usprawiedliwienia

Rodzice subiektywni często wymyślają usprawiedliwienia dla swojego dziecka lub racjonalizują jego zachowania. Mówią *o* dziecku, zamiast zmierzyć się z problemem, co w niczym nie poprawia zdrowia emocjonalnego. Co gorsza, odwleka się w ten sposób nieuniknione: problemy w prawdziwym świecie. Usprawiedliwienia słychać często, gdy rodzice mają gości lub są z dzieckiem poza domem.

„Jest po prostu głodny, i dlatego tak się zachowuje".

„Mała jest dzisiaj nie w sosie".

„No wiesz, on był wcześniakiem, i..." (tu następuje usprawiedliwienie).

„To u nas rodzinne".

„Ząbkuje".

„To cudowny chłopiec i bardzo go kocham, chociaż..." (rodzice muszą uczciwie przyznać, że ich dziecko jest cudowne, ale tak naprawdę nie akceptują jego osobowości i chcą, by w czarodziejski sposób zmieniło się w obiekt z ich marzeń).

„Ona jest przez większość czasu prawdziwym aniołkiem, naprawdę".

„Jego tata długo pracuje i jestem z nim sama, a nie chcę mu odmawiać".

„Jest zmęczony. Nie wyspał się dzisiaj".

„Nie czuje się dobrze".

„Nie martwię się — wyrośnie z tego".

w obliczu walki. „Nie!" — krzyczy dziecko. Więc mama próbuje jeszcze raz: „No chodź, kochanie, pomogę ci". Zaczyna odkładać zabawki na półkę, a jej syn nie rusza się z miejsca. „No dalej, skarbie, nie będę tego robić sama". Dziecko dalej się nie rusza. Mama patrzy na zegarek i uświadamia sobie, że już prawie pora zaczynać obiad. Tata będzie niedługo w domu. Więc cicho sprząta resztę zabawek. Tak jest szybciej i łatwiej — albo tak jej się tylko wydaje. Ale w rzeczywistości właśnie nauczyła dziecko: a) że nie myśli tego, co mówi; oraz b) że nawet jeśli tak myśli, wystarczy się nie zgodzić i pokrzyczeć, a nie trzeba słuchać.

Nic dziwnego, że subiektywni rodzice często czują się zagubieni, zawstydzeni i mają poczucie winy, gdy dziecko wymyka się spod kontroli. Przeskakują od złości do nadmiernych i nieuzasadnionych pochwał. Jeśli ich rodzice byli bardzo stanowczy albo jeśli czują presję innych, by mieć „dobre" dziecko, boją się, że ich potomek będzie się czuł nieszczęśliwy i niekochany. A gdy dziecko źle się zachowuje, jak wszystkie dzieci czasami, zamiast obiektywnie zebrać dowody i zdać sobie sprawę, że tworzy się zły wzorzec, ignorują lub racjonalizują zachowanie dziecka (patrz ramka na stronie 315, „Usprawiedliwienia"). Subiektywny rodzic najpierw będzie próbował usprawiedliwić dziecko, przemówić mu do rozsądku lub uspokoić je, a potem, gdy zachowania się nasilą, przejdzie do przeciwnego ekstremum i przestanie nad sobą panować. Taka mama mówi sobie, że wpadła w złość, ponieważ jej syn posunął się za daleko. Ale tak naprawdę buduje swój własny zbiornik pełen niechęci, który w końcu musi zacząć się przelewać, jak lawa z wulkanu.

Krótki rzut oka na rodzicielstwo subiektywne i obiektywne

Rodzice subiektywni...	Rodzice obiektywni...
... identyfikują się z emocjami dziecka.	... postrzegają dziecko jako odrębną istotę, a nie część siebie.
... reagują z wnętrza — ich własne emocje wchodzą do gry.	... opierają swoje reakcje na sytuacji.
... często mają poczucie winy, ponieważ to, co robi dziecko, odbija ich zachowanie.	... zbierają dowody, szukając wskazówek, które pomogą wyjaśnić zachowanie dziecka (patrz strony 319 – 323).
... wymyślają usprawiedliwienia i racjonalizują zachowanie dziecka.	... uczą nowych umiejętności emocjonalnych (rozwiązywania problemów, rozpoznawania związków przyczynowo-skutkowych, negocjacji, wyrażania uczuć).
... nie badają, co się stało.	... zmuszają dziecko do poniesienia konsekwencji.
... mimowolnie uczą dziecko, ż złe zachowania są akceptowane.	... odpowiednio wykorzystują pochwały — aby wzmocnić dobrze wykonane zadanie i właściwe umiejętności społeczne, np. uprzejmość, dzielenie się i kooperację.
... chwalą dziecko nadmiernie lub wtedy, gdy dziecko na to nie zasłużyło.	

Sedno tkwi w tym, że subiektywni rodzice stosują wyjątkowo niebezpieczną formę przypadkowego rodzicielstwa. Gdy subiektywny rodzic ciągle ustępuje żądaniom dziecka, na chwilę sprawia, że dziecko czuje się bardzo potężne. Takie postępowanie również utrwala złe zachowania. A jednocześnie pozwalając dziecku sobą rządzić, subiektywny rodzic traci samoocenę i szacunek dla siebie. Nie złościmy się tylko na własne dzieci, ale na wszystkich ludzi dookoła. Jest to sytuacja, w której nie ma wygranych.

Stać się obiektywnym rodzicem

Jeśli odnajdujesz się w powyższej definicji subiektywnego rodzica, nie bój się, jeszcze nie wszystko stracone. Jeśli jesteś przekonana, że chcesz zmienić swoje postępowanie, nietrudno będzie nauczyć się, jak zostać obiektywnym rodzicem. Gdy już nabierzesz nawyku bycia obiektywnym rodzicem, poczujesz większą pewność siebie. A co jeszcze lepsze, dziecko wyczuje tę pewność i poczuje się bezpieczniej, wiedząc, że jesteś przy nim, by mu pomóc, gdy będzie tego potrzebować.

Aby zostać obiektywnym rodzicem, oczywiście trzeba być rodzicem PC: zaakceptuj temperament swojego dziecka i bądź świadoma tego, przez co przechodzi na każdym etapie rozwoju. Obiektywny rodzic zna mocne i słabe strony swojego dziecka i dlatego może zawczasu przygotować się do określonych sytuacji. Często może zatrzymać problemy, zanim jeszcze wystąpią. Obiektywna mama jest również wystarczająco cierpliwa, by przeprowadzić dziecko przez trudne chwile — wie, że nauka wymaga czasu. Na przykład na mojej stronie internetowej znalazł się post, w którym mama szesnastomiesięcznego dziecka martwiła się, ponieważ jej syn stał się bardzo zaborczy co do swoich zabawek i zaczynał wdawać się w popychanie i szarpanie innych dzieci. Obiektywna „mama Isaiah" podzieliła się w odpowiedzi tą strategią:

Odkryłam, że muszę być tuż obok mojego szesnastomiesięcznego syna, gdy bawi się z innymi dziećmi. Na razie! Wciąż uczy się, jak się dzielić i bawić z innymi, i muszę go nauczyć, jak to robić. Więc siedzę tuż przy nim i „pokazuję" mu, co dokładnie ma robić. Jeśli zaczyna się robić agresywny, łapię go za rękę i pokazuję, jak ma delikatnie dotykać, wyjaśniając, że musi być dobry dla swoich kolegów. Jeśli próbuje ukraść zabawkę, przytrzymuję go za rękę i wyjaśniam: „Nie, teraz Billy bawi się tą zabawką. Ty masz autko, Billy ma piłkę. Musisz poczekać na piłkę". Mój syn nienawidzi czekać i spróbuje ponownie, ale ja postępuję dokładnie tak samo, łapię go za rękę i wyjaśniam, a jeśli zrobi to trzeci raz, podnoszę go i odsuwam. Nie robię tego w ramach kary, po prostu odwracam jego uwagę i dbam o to, by nie pozwalać na niepożądane zachowania.

Wiele działań tutaj jest tak naprawdę prewencją i uczeniem właściwych zachowań na tym etapie. Dzieci muszą przez to przejść, a my musimy je nauczyć, czego od nich oczekujemy. Przez mniej więcej rok!!! To wymaga dużo czasu i mnóstwa cierpliwości, i ciągłego przypominania. Dzieci nie potrafią jeszcze kontrolować swoich impulsywnych zachowań, ale pomoc na tym etapie ułatwi sprawy później.

Obiektywni rodzice, jak mama Isaiah, rozumieją, że to oni są odpowiedzialni za *nauczenie* dziecka dobrego zachowania. To się samo nie zrobi. Oczywiście z niektórymi dziećmi od początku łatwiej sobie poradzić, bo są bardziej zrelaksowane w grupie, lepiej radzą sobie ze stymulacją wywołaną przez zabawę z innymi dziećmi. Ale mimo tych różnic to rodzice są pierwszymi nauczycielami. Obiektywni rodzice nie negocjują ani nie czekają, by dziecko „zaczęło słuchać", jak zrobiłby to subiektywny rodzic. Nie można przemówić do rozsądku dwulatkowi, a zwłaszcza takiemu, który jest na krawędzi lub, co gorsza, w samym środku ataku wściekłości. Musisz być dorosła i pokazać, że Ty wiesz lepiej.

Wróćmy do przykładu Huberta w sklepie z butami, domagającego się lizaka. Obiektywny rodzic powiedziałby mu stanowczo: „Wiem, że chcesz lizaka, ale nie możesz go teraz dostać". Obiektywna mama prawdopodobnie również planowałaby z wyprzedzeniem (wszędzie znajdują się pokusy, gdy ma się przy sobie dwulatka) i wzięłaby ze sobą przekąski, które można zaproponować w zamian. Gdyby Hubert upierał się przy swoim, najpierw zignorowałaby go, a jeśli to nie podziałałoby, wyprowadziłaby go ze sklepu („Wiem, że jesteś zdenerwowany. Kiedy się uspokoisz, wrócimy kupić ci nowe buty"). Gdy Hubert przestanie płakać, mama go uściska i pogratuluje, że sobie poradził z własnymi uczuciami („Zuch chłopiec, udało ci się uspokoić").

Obiektywny rodzic ma kontakt z własnymi emocjami, ale nigdy nie wykorzystuje ich, by obwiniać dziecko („Mama się za ciebie wstydzi"). Dzieli się z dzieckiem własnymi uczuciami, jeśli jest to stosowne („Nie, nie możesz bić. To boli mamę i teraz mama jest smutna"). Co ważniejsze, obiektywny rodzic zawsze bierze wdech, zanim zacznie działać. Jeśli dziecko bawi się z kolegą i zaczynają się kłócić, obiektywna mama najpierw zbiera dane, żeby ocenić, co naprawdę się stało, ocenia sytuację bez emocji, a następnie działa. Nawet jeśli jej dziecko powie: „Nienawidzę cię, mamo" (spójrzmy prawdzie w oczy, wiele małych dzieci tak mówi, gdy nie mogą dostać tego, co chcą), obiektywny rodzic nie martwi się i nie ma poczucia winy. Po prostu przechodzi nad tym do porządku

Sposób na niegrzeczne dzieci w skrócie

Bądź szczera z dzieckiem na temat jego zachowania — co oznacza chwalenie go wyłącznie wtedy, jeśli naprawdę zasłużyło.

Przemawianie do rozsądku nie działa w przypadku większości maluchów. Lepiej wyznaczaj realistyczne ograniczenia i twórz bezpieczne sytuacje, gdzie będą mogły odkrywać świat.

Działania (Twoje) mówią głośniej niż słowa. Wkraczaj do akcji, zanim nadejdą uciekające emocje. Ponadto sama bądź wzorcem dobrego zachowania.

Przejmij odpowiedzialność zarówno za obdarzanie dziecka szacunkiem, jak i za zmienianie złych zachowań, gdy się pojawią!

i mówi: „Przykro mi, że tak czujesz, i widzę, jaki jesteś rozzłoszczony, ale odpowiedź jest taka sama: nie możesz tego dostać". A kiedy wszystko się skończy, gratuluje dziecku, że poradziło sobie z emocjami.

Z pewnością życie z dwulatkiem jest jak chodzenie po polu minowym: w ciągu dnia trafiają się niezliczone możliwości eksplozji, zwłaszcza w okresach przejść między jedną aktywnością a drugą, takich jak sprzątanie po zabawie albo wchodzenie do wysokiego krzesełka, wychodzenie z wanny, kładzenie się spać. Zawsze gorzej jest, gdy dziecko jest zmęczone, gdy jest w towarzystwie innych dzieci lub w nieznajomym otoczeniu. Ale niezależnie od sytuacji obiektywny rodzic planuje z wyprzedzeniem, przejmuje panowanie i wykorzystuje wszystko jako okazję do nauki. Nie masz być rozzłoszczonym policjantem, ale łagodnym, spokojnym instruktorem, pokazującym właściwy sposób. (Wykorzystaj strategię pomocy, którą omawiam na stronach 323 – 327).

Zbieranie danych

Gdybym miała wymienić trzy największe kłamstwa, jakimi częstują się rodzice, numerem jeden z pewnością byłoby zdanie: „On (ona) z tego wyrośnie". Oczywiście, niektóre rodzaje zachowań należą do konkretnych etapów rozwoju — jak widać w tabeli na stronie 299 kwestie rozwojowe mogą być często przyczyną uciekających emocji. Jednak jeśli danego problemu (powiedzmy agresji) się nie skoryguje, będzie trwał nadal, nawet po zakończeniu etapu rozwojowego, w którym często występuje.

Ostatnio skonsultowano się ze mną w sprawie pewnego przypadku w Anglii — osiemnastomiesięczny Max tłukł głową o co popadło, gdy się denerwował. Gdy go poznałam, miał czoło całe pokryte siniakami, a jego rodzice odchodzili od zmysłów ze zmartwienia. Nie chodziło tylko o to, że Max terroryzował całą rodzinę, ale występowała też obawa o trwałe uszkodzenia ciała. Zatem za każdym razem, gdy Max wpadał w szał, rodzice przybiegali i zajmowali się nim, doprowadzając do utrwalenia się wzorca takich zachowań. W rezultacie Max stał się małym tyranem, i gdy tylko mu czegoś odmawiano, szantażował emocjonalnie swoich rodziców, tłukąc głową o jakąkolwiek powierzchnię — drewno, beton, szkło. Częściowo problem wynikał z przyczyn rozwojowych — Max wszystko rozumiał, ale jego słownictwo było bardzo ograniczone. Ciągle się denerwował, bo nie mógł powiedzieć, czego chce. Czy „on z tego wyrośnie"? Oczywiście, ale zanim to nastąpi, rodzice muszą powstrzymać jego napady wściekłości. (Wrócę do historii Maksa i opowiem, co zrobiliśmy, na stronach 337 – 338).

Niezależnie od tego, jakie inne czynniki wchodzą w grę — kwestie rozwojowe, czynniki środowiskowe czy temperament (Max był Wiercipiętą) — gdy dziecko wykazuje jakąkolwiek formę agresji (bije, gryzie, rzuca przedmiotami, popycha), ma częste napady złości lub w jakikolwiek inny sposób zachowuje się niewłaściwie (kradnie, kłamie, oszukuje), zastanów się nad *szerszym obrazem* i zbierz dane, zanim zaczniesz działać, odpowiadając na serię pytań: **Kiedy to się zaczęło? Co zazwyczaj wyzwala takie zachowanie? Co zrobiłaś w tej sprawie w przeszłości? Czy pozwoliłaś, by uszło dziecku na sucho, zrzuciłaś winę na „etap rozwoju" albo racjonalizowałaś, że „wszystkie dzieci tak robią"? Czy coś nowego wydarzyło się w życiu dziecka — w rodzinie albo życiu towarzyskim — co mogłoby sprawiać, że jest bardziej wrażliwe emocjonalnie?**

Chcę, żeby to było jasne: zbieranie danych nie polega na prowadzeniu śledztwa przeciwko dziecku. Chodzi o przyjrzenie się wskazówkom, które mogłyby wyjaśniać jego zachowanie, tak by można było pomóc mu uporać się z emocjami w odpowiedni, pozytywny sposób. Obiektywny rodzic zbiera dane prawie instynktownie, ponieważ stale obserwuje swoje dziecko, jego zachowanie, i kontekst, w jakim pojawiają się konkretne nastroje. Na przykład Dyan, jedna z moich najdawniejszych klientek, która została moją przyjaciółką, zadzwoniła do mnie ostatnio, ponieważ jej dwuipółletnia córka, Alicia, zaczęła mieć koszmary nocne kilka tygodni temu i nie chciała też chodzić na zajęcia gimnastyczne z dziećmi, co kiedyś uwielbiała. Było to dla niej kompletnie nietypowe zachowanie.

Od chwili, gdy skończyła cztery tygodnie, „Aniołek Alicia", jak ją nazywałyśmy, bardzo dobrze spała, nawet podczas ząbkowania. Ale teraz niespodziewanie zaczęła się budzić w nocy, płacząc z całych sił. Od razu zapytałam, co nowego wydarzyło się w jej życiu towarzyskim. „Naprawdę nie mam pojęcia" — odpowiedziała Dyan. „Wydawało się, że Alicia uwielbia te zajęcia od samego początku, teraz jesteśmy mniej więcej w połowie. Ale gdy ją tam odwożę i zostawiam, dostaje szału". To też nie było podobne do normalnego zachowania Alicii. Nigdy wcześniej nie miała problemu z zostawaniem na zajęciach, ale teraz wyraźnie mówiła mamie: „Nie zostawiaj mnie". Jej mama sądziła, że może to być związane z lękiem separacyjnym, ale Alicia była na to za duża. Zasugerowałam, że raczej coś złego dzieje się w jej wyobraźni i że mama musi zebrać dane w tej sprawie: „Bądź szczególnie wyczulona. Zwracaj uwagę na Alicię, kiedy sama bawi się w pokoju".

Kilka dni później Dyan zadzwoniła ponownie, podekscytowana. Odkryła bardzo ważną informację, gdy podsłuchała Alicię rozmawiającą ze swoją ulubioną lalką: „Nie martw się, Tiffany, nie pozwolę, żeby Matthew mi cię zabrał. Obiecuję". Dyan przypomniała sobie, że Matthew to jeden z chłopców uczęszczających na zajęcia gimnastyczne z Alicią. Porozmawiała z panią prowadzącą zajęcia, która jej powiedziała, że Matthew jest „trochę łobuzem" i że kilkakrotnie zaczepiał Alicię. Nauczycielka zwróciła mu uwagę i pocieszyła Alicię, ale ten incydent najwyraźniej narobił więcej szkód, niż się spodziewano. Nagle inne nowe zachowanie Alicii zaczęło się wydawać Dyan oczywiste w świetle tego, czego się dowiedziała: przez kilka ostatnich tygodni Alicia pakowała swój specjalny plecaczek. Włożyła do środka swoją ulubioną lalkę, Tiffany, parę swoich ulubionych drobiazgów i Woofy'ego, naznaczonego zębem czasu pieska, z którym spała od niemowlęctwa. Alicia, jak uświadomiła sobie Dyan, denerwowała się, jeśli nie miała przy sobie cały czas plecaczka. „Kiedyś wyszłyśmy z domu bez niego i musiałyśmy zawrócić, gdy się zorientowała, że go nie ma". „To dobry znak" — powiedziałam Dyan. Alicia była wystarczająco pomysłowa i zaradna, by uzbroić się w coś, co dawało jej poczucie bezpieczeństwa.

Wykorzystując dane, które odkryła Dyan, wymyśliłyśmy plan działania: ponieważ Alicia bez oporów rozmawiała ze swoją lalką, Dyan mogła się przyłączyć do konwersacji. „Pobawmy się w zajęcia z gimnastyki z Tiffany" — zaproponowała, siadając obok córki na podłodze. „Co robicie na zajęciach, Tiffany?" — zapytała Dyan, wiedząc, że Alicia odpowie w imieniu lalki. Po krótkiej rozmowie na ten temat Dyan zapytała lalkę: „A co powiesz o Matthew?".

„Nie lubimy go, mamusiu" — powiedziała Alicia, wypadając z roli lalki. „On mnie bije i chce mi zabrać Tiffany. Kiedyś z nią uciekł i rzucił nią o ścianę. Nie chcemy już tam chodzić".

W ten sposób Dyan otworzyła drzwi do życia emocjonalnego swojej córki. Alicia wyraźnie bała się Matthew, ale rozmowa o tym była pierwszym krokiem w radzeniu sobie z tym strachem. Dyan obiecała, że zostanie z nią na zajęciach i że porozmawia z nauczycielką i mamą Matthew. Nie pozwoli mu więcej uderzyć Alicii albo zabrać jej lalki. Dzięki zbieraniu danych Dyan spostrzegła, że jej córka potrzebuje jej wsparcia.

Oto kolejny przykład, ale w tym przypadku dwudziestosiedmiomiesięczna Julia, jedynaczka, nie jest prześladowana — *sama* jest agresorem. Jej mama, Miranda, martwiła się, ponieważ Julia „biła inne dzieci bez powodu". Podejrzewała, iż dzieje się tak dlatego, że Julia naśladuje Setha, nieco starszego chłopca mieszkającego w sąsiedztwie, którego charakter, według Mirandy, był „apodyktyczny i zaborczy, jeśli chodziło o zabawki. Gdy dzieci się bawią, wciąż muszę upominać Setha, żeby się dzielił i oddawał Julii zabawki".

Poprosiłam Mirandę, żeby powiedziała mi coś więcej o zachowaniu Julii. „No cóż, przez ostatnich kilka miesięcy Julia szybko wpadała w złość. Krzyczy na inne dzieci, nawet gdy tylko przechodzą obok na placu zabaw. Czasami bije je bez żadnego powodu, ale najczęściej wtedy, gdy jakieś dziecko próbuje jej zabrać zabawkę. Kilka tygodni temu jedno z dzieci przypadkiem wpadło na nią na ślizgawce, a ona natychmiast krzyknęła i zepchnęła mniejsze od siebie dziecko. To tak, jakby jej reakcja na Setha i wszystkie inne dzieci stała się negatywna. Chyba nie chce się bawić z innymi dziećmi. A gdy są w pobliżu, robi się agresywna".

Miranda miała rację, że na zachowanie Julii częściowo miała wpływ agresja Setha. Dwulatki zdecydowanie są w stanie naśladować zachowania kolegów, a popychają i kopią, żeby sprawdzić, jakie to przynosi efekty. Ale wiedziałam też, że są pewne dane, które Miranda przeoczyła. Wydawało się, że Julia była z natury Wiercipiętą. Wyraźnie było również widać jej mocno reagujący styl emocjonalny i społeczny, niezależnie od tego, z kim się bawiła. Po kolejnych kilku minutach rozmowy o tym, jaka była Julia w wieku niemowlęcym, następne dane potwierdziły moje podejrzenia: „Julia zawsze dość szybko się frustrowała podczas zabawy. Na przykład, kiedy buduje coś z klocków, a budowla się przewraca, Julia najczęściej wpada w złość i rozkopuje klocki, czasem nawet nimi rzuca". Jej zachowanie było podobne w innych sytuacjach towarzyskich z dziećmi. Chociaż dobrze się zachowywała na zajęciach z rytmiki i plastyki, kiedy była młodsza, ostatnio również tam zaczęła okazywać agresję, jak uświadomiła sobie jej mama podczas naszej rozmowy. „Jest w porządku, jeśli śpiewają w kółeczku albo samodzielnie robią prace plastyczne — czyli w sytuacjach, kiedy interakcje z innymi dziećmi są ograniczone. Ale zauważyłam, że zaczęła krzyczeć na małego chłopca, który odkładał materiały, i popchnęła go".

Miranda westchnęła do słuchawki, zapewniając mnie: „Od razu jej powiedzieliśmy, że nie może bić dzieci ani ich popychać, że to boli i że niegrzecznie jest krzyczeć. Usuwamy ją z miejsc, gdzie bije i krzyczy, i zabieramy ją, by ochłonęła w innym pomieszczeniu. Jednak to w ogóle nie wpływa na zmianę jej zachowania. Nie mamy pojęcia, co mogłoby pomóc jej panować nad emocjami, zwłaszcza w towarzystwie innych dzieci. Jasne jest, że coś robimy źle".

Powiedziałam Mirandzie, żeby się nie obwiniała. Po prostu nie zebrała jeszcze wystarczająco dużo danych, ale zaczynała już dostrzegać prawdę. W przeszłości, gdy Seth i Julia wyszarpywali sobie zabawkę należącą do Julii, Miranda od razu powiedziała chłopcu, że powinien się dzielić, ale powinna postępować tak samo w stosunku do córki. Oczywiście jedno dziecko może mieć wpływ na inne, ale jeśli spojrzymy na zebrane dane, Julia była na drodze do zostania agresywnym dzieckiem na długo przedtem, zanim poznała Setha. Być może chłopiec pokazał jej parę sztuczek, ale Miranda i tak powinna interweniować, gdy jej dziecko zachowywało się niegrzecznie. Agresja ma zazwyczaj skłonności do eskalacji, tak jak w tym przypadku, a według mnie rodzicom Julii nie udało się zmienić jej zachowań, ponieważ zaczęli zbyt późno. Musieli nauczyć swoją córkę, jak być emocjonalnie OKI.

Uczenie dziecka, by było emocjonalnie OKI

Nie tak dawno temu Leah, którą poznałam tuż po urodzeniu jej synka Aleksa, zadzwoniła do mnie i powiedziała, że ma z nim problemy. Wydawało się, że obwinia dziewiętnastomiesięcznego Aleksa o skakanie po kanapie podczas wizyty u znajomych, zabieranie zabawek innym dzieciom i bieganie „jak mały szczeniak". Po zadaniu jej serii pytań, by zebrać dane, dowiedziałam się, że w domu Aleksowi pozwalano skakać po kanapie, że Leah sądzi, iż to było „słodkie", kiedy podbierał jej różne rzeczy z torebki, i że często bawią się w domu w berka. Zachowanie Aleksa było zatem całkowicie zrozumiałe i nie mogło się zmienić, jeśli Leah nie wzięłaby za nie odpowiedzialności (patrz strona 326).

Dzieci „sprawiają problemy", jeśli rodzice nie nauczą ich, jak tego nie robić. Jak zachować cierpliwość w stosunku do nieposłusznego dwulatka? Przede wszystkim nie czekaj, aż sprawy wymkną Ci się spod kontroli. Po drugie, musisz mieć *plan*. Musisz przemyśleć pewne rzeczy z wyprzedzeniem. Jeśli na przykład wybierasz się na wspólną zabawę z innymi dziećmi, pomyśl, co mogłoby pójść nie tak. Co jest piętą Achillesa Twojego dziecka w spotkaniach z grupą? W gorących momentach trudno będzie poradzić sobie z emocjami dziecka, jeśli nie poświęciło się im trochę uwagi wcześniej. Zwłaszcza jeśli jesteś subiektywnym rodzicem, Twoje własne zakłopotanie, poczucie winy i mieszanka innych uczuć może stanąć na przeszkodzie odpowiedniej reakcji. Chociaż może być łatwiej poradzić sobie ze zmieniającymi się uczuciami dziecka, jeśli jest się rodzicem obiektywnym — ponieważ lepiej znasz swoje dziecko i sama nie dajesz się ponieść

Naukowcy się zgadzają: OKI działa

Terapeuci w Oregon Social Learning Center (Centrum Uczenia Społecznego) uczyli rodziców nadmiernie agresywnych dzieci, jak przerwać to, co nazywali „pętlą wzmacniania", poprzez „rodzicielstwo na przekór typom". Po wybuchu złości, zamiast wściekać się lub karać małych terrorystów, jak wcześniej — to częsta reakcja, gdy dziecko notorycznie sprawdza granice wytrzymałości rodziców — mieli porozmawiać z dzieckiem i, co równie ważne, wysłuchać go. Badania wykazały, że pozwalanie dziecku na danie ujścia złości, a następnie rozmowa o tym, co ją spowodowało, pomaga zapobiec przyszłym atakom wściekłości. Dzieci stawały się również mniej impulsywne i lepiej radziły sobie w szkole niż agresywne dzieci, których rodzice nie nauczyli się takich technik.

emocjom — wciąż ciężko wytrwać przy właściwym postępowaniu w obliczu napadu wściekłości dziecka. Zatem mamy proste rozwiązanie: OKI.

Akronim OKI oznacza:

***O**pisz emocje (daj dziecku prawo do uczuć)*

***K**ontroluj sytuację*

***I**nterweniuj (powiedz dziecku, czego się po nim spodziewasz i co mogłoby zrobić w zamian)*

Obdarzaj szacunkiem i oczekuj tego samego

Szacunek jest drogą z dwoma kierunkami ruchu. Domagaj się szacunku dla siebie, ustalając rozsądne zakazy i własne granice, a także oczekując podstawowej uprzejmości, na przykład słów „proszę" i „dziękuję". Ale również *obdarzaj* szacunkiem swoje dziecko:

Utrzymuj własne emocje na wodzy. Nie reaguj przesadnie, nie krzycz ani nie bij. Pamiętaj, że jesteś wzorem kompetencji emocjonalnej.

Nie mów o problemie dziecka przyjaciółkom, jeśli ono słucha. Widywałam takie zachowania wielokrotnie: mamusie skarżące się na swoje dzieci na placu zabaw.

Postrzegaj dyscyplinę jako okazję do nauki, nie karę. Pozwól dziecku doświadczyć konsekwencji własnych zachowań, ale zadbaj o to, by były właściwe do danego etapu rozwoju i odpowiednie do „przestępstwa".

Chwal dobre zachowanie. Komentarze typu: „świetnie się dzielisz", „ładnie słuchasz", „naprawdę postarałaś się uspokoić, pięknie" pomagają wzmacniać inteligencję emocjonalną dziecka (patrz strona 56).

Krótko mówiąc, OKI ma służyć jako przypomnienie, że gdy dziecko coś czuje, masz mu natychmiast pomóc zidentyfikować emocje, a następnie pomóc zachować się odpowiednio. Ze strategii OKI nie korzystamy wyłącznie wtedy, gdy dziecko okazuje bardzo intensywne emocje lub jest na krawędzi napadu wściekłości. Stosujemy OKI w ciągu normalnego dnia dziecka. Tak samo, jak bierze się za rękę malucha uczącego się chodzić, by mógł ćwiczyć, trzeba pomóc dziecku poradzić sobie z emocjami. Badania dotyczące nadmiernie agresywnych dzieci wykazały, że ta podstawowa zasada działa nawet w bardzo trudnych przypadkach (patrz ramka na stronie 323).

Jak zobaczysz w poniższych wyjaśnieniach, każda litera składająca się na akronim OKI jest ważna. Ale każda zawiera również pewne trudne elementy, zatem trzeba zachować ostrożność i wystrzegać się pułapek.

***O**pisz emocje (daj dziecku prawo do uczuć).* Musimy pozwolić dzieciom na uczucia, zamiast próbować im je wyperswadować lub je całkowicie ignorować. Musimy pomóc dzieciom zrozumieć, czym są uczucia. Nie czekaj, aż dziecko wybuchnie. Mów o uczuciach podczas normalnych, codziennych czynności („Czuję się szczęśliwa, kiedy idziemy na spacer"), gdy oglądasz z dzieckiem telewizję („Barney jest smutny, bo jego koledzy poszli do domu") albo kiedy dziecko się bawi z rówieśnikami („Wiem, że się złościsz, kiedy kolega zabiera ci zabawkę").

Jeśli dziecko się nakręciło i przestaje panować nad emocjami, zabierz go z miejsca akcji. Daj mu szansę na ochłonięcie. Potrzymaj je na kolanach, plecami do siebie. Zaproponuj, żeby wzięło głęboki oddech. Jeśli się wyrywa i nie pozwala przytrzymać, postaw je na ziemi, nadal plecami do siebie. Wypowiedz za nie jego uczucia („Widzę, że jesteś [zły, zdenerwowany] z powodu..."), ale ustal ograniczenia („Ale nie wolno ci wrócić do zabawy, dopóki się nie uspokoisz"). Gdy tylko dziecko się uspokoi, przytul je i pochwal: „Bardzo ładnie się uspokoiłeś".

Pułapka tkwi w tym, że rozmowa o emocjach może nie być łatwa. Jak już podkreślałam w poprzednich rozdziałach, subiektywni rodzice czasami mają problemy z własnymi emocjami, a co dopiero z emocjami dziecka. Być może emocje dziecka przypominają im kogoś innego (albo ich samych). Jeśli tak, prawdopodobnie będą chcieli zdławić te emocje w dziecku. Poznanie własnych słabych stron jest połową sukcesu. Jeśli trudno Ci mówić o emocjach, ćwicz. Uzbrój się w scenariusz i odegraj swoją rolę z partnerem lub przyjaciółką.

Chroń swoje dziecko!

Często słyszę od zmartwionych rodziców, że inne dziecko gryzie, popycha, bije ich potomka lub zabiera mu zabawki. Rodzice martwią się dwoma sprawami: jak powstrzymać agresywne dziecko i jak nie pozwolić, by ich własne nauczyło się negatywnych zachowań.

Odpowiedź jest prosta: znajdź dziecku inne towarzystwo do zabawy. Dzieci zdecydowanie uczą się zachowań od rówieśników. Co gorsza, pozwalając dziecku na przebywanie w towarzystwie agresywnego rówieśnika, pokazujesz, że świat nie jest bezpieczny. Prześladowane dziecko ma problemy z samooceną.

A jeśli jesteś świadkiem takich prześladowań, zdecydowanie interweniuj. Nigdy nie zostawiaj dziecka samego w trudnej dla niego sytuacji, nawet jeśli to oznacza zwrócenie uwagi cudzemu dziecku. W przeciwnym razie zachowujesz się tak, jakbyś chciała powiedzieć: „Fatalnie, jesteś zdany na siebie".

Ponadto rodzice boją się czasem nazywać rzeczy po imieniu, zwłaszcza jeśli dziecko kradnie lub kłamie. Wierz mi lub nie, ale już dwulatki są zdolne do takich „przestępstw", i trzeba im zwracać uwagę, w przeciwnym razie takie zachowania mogą się utrwalić. I naprawdę nie możemy obwiniać dziecka, jeśli nikt nie powiedział mu, że tak nie można. Na przykład Carissa kategorycznie nie pozwalała trzyletniemu Phillipowi na posiadanie zabawkowej broni. Zadzwoniła do mnie, gdy znalazła pod jego łóżkiem trzy pistolety. Zszokowana zdała sobie sprawę z tego, że jej syn musiał zabrać zabawki innym dzieciom. Ale gdy zapytała, skąd się tam wzięły, syn powiedział: „Gregory je tu zostawił".

Carissa opowiadała dalej: „Nie mogłam go nazwać kłamcą, prawda? To znaczy, on ma tylko trzy lata — nie rozumie, czym jest kradzież". Wielu rodziców tak sądzi, ale jak wyjaśniłam Carissie, w jaki inny sposób Phillip miałby się nauczyć, że nie wolno kraść ani kłamać, jeśli mama nie *nazwie* jego zachowania? Oczywiście, musi coś w tej sprawie zrobić — interweniować — ale najpierw musi uświadomić Phillipowi, że kradzież i kłamstwo są złe, a także że jego zachowanie ma wpływ na inne dzieci (patrz strona 327).

***K**ontroluj sytuację.* Działania przemawiają głośniej niż słowa, zwłaszcza w przypadku małych dzieci. Musisz powstrzymać niepożądane zachowania, nazywając je i interweniując fizycznie. Na przykład pewna mama zadała mi pytanie podczas audycji z udziałem dzwoniących słuchaczy: „Jak mogę uspokoić mojego trzylatka? Zachowuje się jak dziki zwierzak za każdym razem, gdy wychodzimy". Powiedziałam jej, że najpierw przejęłabym się tym, że nie ustaliła żadnych ograniczeń i zakazów. Dzieci z natury mogą tryskać energią — z pewnością są takie Wiercipięty i dzieci mocno reagujące. Ale gdy słyszę, jak rodzic porównuje swoje dziecko do „dzikiego" stworzenia, jestem prawie pewna, że nie jest to wyłącznie sprawa temperamentu. Dziecku nigdy nie powiedziano, czego się po nim spodziewają rodzice. Dyscyplina wymaga ustanowienia łagodnych, ale stanowczych granic. Wyjaśniłam kobiecie, że gdy jej syn jest niegrzeczny lub ma napad złości, musi dać mu znać, że jest to zachowanie nieakceptowalne. Musi go odwrócić, posadzić go na podłodze, i powiedzieć: „Nie możesz się tak dziko zachowywać, kiedy wychodzimy". Jeśli nie przestanie szaleć, trzeba go zabrać do domu. A następnym razem przemyśleć wszystko z wyprzedzeniem. Być może trzeba wychodzić na krócej. Tak czy owak, zawsze trzeba mieć plan B, na wypadek gdyby wycieczka stała się dla niego zbyt dużym obciążeniem.

***I**nterweniuj (powiedz dziecku, czego się po nim spodziewasz i co może zrobić w zamian).* Jeśli Twoje dziecko uderzyło, ugryzło, popchnęło kogoś lub odebrało zabawkę, musisz natychmiast interweniować, ale musisz również pokazać mu alternatywną formę zachowania. Po konsultacji z Leah na temat zachowania Aleksa i po przedstawieniu jej strategii OKI Leah obiecała, że będzie interweniować natychmiast, gdy jej syn będzie się źle zachowywał. Oczywiście tego popołudnia Alex wyciągnął jej z torebki lusterko. Zamiast go zignorować, Leah zabrała mu natychmiast lusterko, dostrzegła jego uczucia, ale jednocześnie ustaliła granice: „Widzę, że chcesz lusterko, ale to jest lusterko mamusi. Nie chcę, żeby się potłukło". Leah znów stała się *rodzicem.* Przejęła kontrolę, ale jednocześnie dała synowi alternatywę: „Chodźmy znaleźć coś twojego, czym będziesz mógł się pobawić". Zauważ, że Leah nie próbowała dyskutować z Aleksem, nie wyjaśniała mu szczegółowo, dlaczego nie może dostać lusterka. Nie dyskutujemy z maluchami.

Raczej proponujemy im wybór oparty na akceptowalnych alternatywach. Innymi słowy, nie mówisz: „Chciałbyś trochę marchewki czy loda na patyku?", ale: „Chciałbyś trochę marchewki czy jabłuszko?".

Pamiętaj również, że dwulatki są wystarczająco duże, by zrozumieć, że ich działania mają konsekwencje. „Przepraszam" nie działa, jeśli jest tylko powtórzeniem słów rodzica, a dziecko nie *zrobi* czegoś dla osoby, wobec której zawiniło. Gdy widzę dwulatka bijącego inne dziecko, a potem mówiącego „przepraszam", wiem, że jego rodzice nie kazali mu ponosić konsekwencji swoich działań. Przekazali mu raczej, że „przepraszam" zawiera w sobie pewien rodzaj odporności, więc maluch myśli: *Mogę robić, co chcę, jeśli tylko przeproszę*. W przypadku Phillipa zasugerowałam, żeby Carissa kazała mu zwrócić każdy ukradziony pistolet i przeprosić dzieci. (Gdy dziecko popsuje zabawkę innego dziecka, powinno oddać mu jedną ze swoich).

Możesz również kazać dziecku podyktować przeprosiny, które zostaną spisane jako forma zadośćuczynienia. Ostatnio usłyszałam historię Wyatta, trzyipółlatka, który bawił się w aportowanie z psem sąsiadki. Sąsiadka powiedziała Wyattowi, żeby nie rzucał piłeczki do tenisa za pagórek, ponieważ mogłoby to być niebezpieczne dla Rufusa (psa), gdyby wszedł w kłujące krzaki. Ale gdy tylko dorośli zajęli się rozmową, Wyatt cisnął piłką za pagórek. Sąsiadka przytrzymała psa na miejscu, a potem popatrzyła surowo na Wyatta. „Czy zrozumiałeś, jak mówiłam, żebyś nie rzucał piłki?". Wyatt zawstydzony pokiwał głową. Sąsiadka odrzekła: „No cóż, w takim razie jesteś winny Rufusowi piłeczkę". Kilka dni później sąsiadka odkryła przed swoimi drzwiami niestarannie owiniętą paczuszkę. W środku były dwie piłeczki tenisowe i liścik od Wyatta (napisany przez mamę pod jego dyktando): „Przepraszam, że zgubiłem piłeczkę Rufusa. Więcej tego nie zrobię". Mama Wyatta bardzo ładnie pomogła synowi dostrzec, że jego zachowanie ma swoje konsekwencje (sąsiadka nie chciała, żeby się bawił z psem), i poprowadziła go do zadośćuczynienia.

Emocjonalne i społeczne kamienie milowe — przystosowanie OKI do Twojego dziecka

W rozdziale 2. przyglądaliśmy się, jak mózg rosnącego dziecka wzbogaca jego repertuar emocjonalny (strony 57 – 61). Tutaj analizuję kamienie milowe rozwoju emocjonalnego i społecznego od roku do trzech lat życia dziecka. Tak samo jak chcesz wiedzieć, co jest „normalne", jeśli chodzi o rozwój intelektualny czy fizyczny, musisz zrozumieć możliwości dziecka w sferze emocjonalnej, by mieć realistyczne wyobrażenie na temat tego, co dziecko może, a czego nie potrafi zrozumieć i dlaczego. Na przykład, jeśli próbujesz

„zdyscyplinować" dziecko ośmio- lub dziewięciomiesięczne za wtykanie herbatników w kieszeń magnetowidu, Twoje słowa nie będą wiele znaczyć. W tym wieku dziecko nie wpycha ciasteczek ani nie naciska przycisków, żeby Cię doprowadzić do szału. Raczej eksperymentuje, bo niedawno odkryło, jak sprawne ma rączki, poza tym fascynuje je światło i dźwięk. Lubi się bawić zabawkami, a skąd ma wiedzieć, że Twój magnetowid nie jest jedną z nich? Jeśli sądzisz, że robi to specjalnie, prawdopodobnie bardzo szybko stracisz cierpliwość. Z drugiej strony, jeśli dziecko ma prawie dwa lata, a nigdy mu niczego nie zabraniałaś, ponieważ nie zdawałaś sobie sprawy, że jest w stanie zapanować nad sobą, jego zachowanie będzie się pogarszać.

Od roku do osiemnastu miesięcy. W wieku roku Twoje dziecko będzie niesamowicie ciekawe *wszystkiego*, i musisz dać mu okazje do odkrywania świata, ale jednocześnie zapewnić mu bezpieczeństwo. Będzie wypróbowywać różne uczucia — niektóre mogą być dość agresywne, ale zachowanie początkowo ma mniejszy związek ze świadomą złością, a większy z testowaniem nowo odkrytych umiejętności fizycznych. Dziecko rozumie już związki przyczynowo-skutkowe. Gdy uderzy inne dziecko, a ono zapiszczy, traktuje to jak zabawę, gdy po naciśnięciu przycisku zabawka wydaje dźwięki. Trzeba wtedy wyjaśnić, że tak postępować nie wolno: „Nie, nie bijemy dzieci, to bolało. Tak nie można". Innymi słowy, chociaż w wieku czternastu czy piętnastu miesięcy maluch nie do końca rozumie konsekwencje swoich zachowań i nie potrafi nad sobą w pełni zapanować, trzeba mu w tym pomóc. To Ty jesteś jego sumieniem, jego przewodnikiem.

Twoje dziecko lepiej również radzi sobie z mówieniem, lecz chociaż nie potrafi powiedzieć aż tak wielu słów, to jednak rozumie wszystko, co się mówi, mimo że czasem może świadomie Cię ignorować! To właśnie są początki zachowań „testujących", a także początki ataków złości. Dziecko może się dostosować, kiedy na coś nie pozwalasz, albo próbować sprawdzać granice. A czasem wcale nie chodzi o sprawdzanie, na jak wiele może sobie pozwolić — wielu dzieciom brakuje wystarczającego zasobu słownictwa, żeby wyrazić swoje potrzeby, zatem spora część „niegrzecznych" zachowań w tym wieku wynika z frustracji. Nie próbuj negocjacji ani przemawiania dziecku do rozsądku; panuj nad sytuacją w pełen miłości sposób. Staraj się *zapobiegać* incydentom, przystosowując dom do małego dziecka i zabierając malucha w miejsca, gdzie nie będzie musiał się zachowywać jak dorosły, zamiast dopuszczać do sytuacji, w których będziesz musiała non stop interweniować. Zwłaszcza jeśli dziecko jest bardzo dobrze rozwinięte fizycznie — wcześnie zaczęło chodzić, jest bardzo aktywne lub impulsywne — daj mu okazje do wspinania się, biegania i skakania. Pamiętaj, że jeśli pozwalasz na używanie kanapy jako trampoliny albo na wchodzenie na stół, dziecko będzie myślało, że w domu babci lub w restauracji też tak można. Zatem zaczynaj, myśląc o tym, co będzie dalej. Myśl o różnych możliwych sytuacjach i nieprzewidzianych okolicznościach. Odwracanie uwagi świetnie się sprawdza w tym wieku, zatem jeśli wiesz, że idziesz w odwiedziny do domu, gdzie znajduje się mnóstwo przedmiotów, których nie wolno ruszać, zabierz ze sobą zabawki, by odwrócić uwagę dziecka i gdzie indziej skierować jego energię.

Od osiemnastu miesięcy do dwóch lat. Osiemnaście miesięcy to bardzo ważny okres w rozwoju mózgu. Mniej więcej w tym okresie rodzice dokonują odkrycia: „Ojej, nasze dziecko już nie jest małym dziudziusiem!". Maluch uczy się słów „ja" i „mój" oraz zaczyna zdania własnym imieniem („Jasiu robi"). Dziecko często mówi o sobie, nie tylko dlatego, że zna właściwe słowa, ale również z powodu większego poczucia własnego „ja". Dlatego też staje się bardziej asertywne — wszystko na świecie jest „moje" w jego oczach (patrz: „Osiem zasad zabaw dwulatków", strona 330). Ponadto postępujący rozwój mózgu wreszcie pozwala mu na zapanowanie nad sobą w pewnym stopniu (oczywiście przy Twojej pomocy). *Jeśli* uczyłaś dziecko cały czas, jakie zachowania są nieakceptowalne („Nie, nie wolno [bić, gryźć, szarpać, popychać, zabierać dzieciom zabawek]"), teraz potrafi już się od nich powstrzymać, chociaż nie będzie mu to wychodzić idealnie za każdym razem. Możesz powiedzieć: „Poczekaj chwilę, dam ci tę zabawkę", a ono rzeczywiście poczeka. Ale jeśli nie pokazałaś mu różnicy między zachowaniami dobrymi a złymi, prawdopodobnie dziecko jest bardzo wprawione w manipulowaniu Tobą. Zacznij *teraz* ustalać granice.

Wciąż ważne jest, by planować z wyprzedzeniem i znać swoje dziecko oraz jego możliwości i tolerancję. Pamiętaj również, że panowanie nad sobą jest umiejętnością, która nadal się rozwija. Dzielenie się nie przychodzi łatwo wszystkim dzieciom — nie jest to oznaka, że Twój dwulatek jest zły lub nierozwinięty. W istocie większości dzieci w tym wieku trudno przychodzi poczekać lub wstrzymać się, gdy chcą wziąć udział w zabawie lub spróbować czegoś nowego. Ale *jest* możliwe dostrzeżenie uczuć dziecka *i* ustalenie ograniczeń. Na przykład, jeśli bawiące się dzieci częstuje się po kolei jakimś łakociem, a dziecko chwyta więcej niż jedno ciastko, obiektywny rodzic nie mówi do siebie od razu: *Och, inne matki muszą sobie myśleć, że wychowałam chciwe dziecko. Chyba umrę. Ale może nikt nie zauważył, że wziął dwa ciastka.* Obiektywny rodzic raczej da znać dziecku, że dostrzega jego uczucia („Widzę, że masz ochotę na dwa ciastka..."), ale jednocześnie ustali zasady („...ale każde dziecko może wziąć tylko jedno...") i wzmocni pozytywne zachowanie („...więc proszę, odłóż drugie z powrotem").

Jeśli mały mówi: „Nie — *moje ciastko*!" i nie chce oddać drugiego, obiektywny rodzic zabiera obydwa ciastka i odchodzi z dzieckiem od stołu, wyjaśniając: „Dzielimy się z dziećmi". Pamiętaj, że musisz pomóc dziecku poradzić sobie z jego emocjami, jeśli są dla niego zbyt silne, by się kontrolowało. Jeżeli musicie wyjść, bo maluch nie chce się uspokoić, nie zachowuj się tak, jakby to było „za karę", bo „było niegrzeczne". Bądź współczująca: „Przykro mi, musimy popracować nad tym, żeby ci pomóc nauczyć się nad sobą panować".

Od dwóch do trzech lat. Legendarny bunt dwulatka jest teraz w pełnym rozkwicie, a u niektórych dzieci wydaje się pojawiać w ciągu jednej nocy. (To przedsmak tego, co Cię czeka w okresie dojrzewania!). Jednak na szczęście nie zwlekałaś aż dotąd z ustalaniem granic i uczeniem dziecka panowania nad sobą. Chociaż dziecko wciąż musi pracować nad dzieleniem się, powstrzymywaniem się i radzeniem sobie z własnymi nastrojami, do trzech lat *będzie* lepiej, jeśli będziesz konsekwentna. Jednak jeżeli nie kierowałaś odpowiednio emocjonalnością dziecka, musisz uważać, ponieważ negatywne uczucia i agresja są w szczytowym rozkwicie w wieku około dwóch lat. Tak czy owak, ponieważ dziecko ma teraz większy zasób słów i chce znacznie więcej robić — ma bardzo konkretne pomysły na temat tego, jak dokonać różnych rzeczy — może się wydawać, że jego panowanie nad sobą się zmniejszyło. Jeśli dziecko nie mówi jeszcze zbyt dobrze, jego poziom frustracji będzie jeszcze wyższy. Mogą pojawić się gwałtowne wahania emocji — w jednej chwili dziecko bawi się wesoło, a w drugiej z wściekłością wali pięściami w podłogę.

Twoje zachowanie jest ważniejsze niż kiedykolwiek, ponieważ jesteś wzorcem emocjonalnym. Z powodu emocjonalnej zmienności typowej dla tego wieku prawie niemożliwe jest uniknięcie ataków złości, zwłaszcza jeśli dziecko jest zmęczone lub nie w humorze czy też cierpi z powodu nadmiaru bodźców. Jednak można przynajmniej odpowiednio budować sytuacje, by ograniczyć napady wściekłości do minimum. Nie planuj wyjścia z domu w porze drzemki dziecka; nie pozwalaj na zbyt wiele zajęć wymagających dużej aktywności w ciągu jednego dnia; unikaj sytuacji, które w przeszłości prowadziły do ataków złości.

Osiem zasad zabaw dwulatków

Znalazłam ten skarb w internecie i przekopiowałam tutaj, ponieważ moim zdaniem podsumowuje emocjonalne i towarzyskie życie dwulatka. Chwała anonimowemu autorowi, który zdecydowanie wie, jak to jest mieć w domu dwulatka.

1. Jeśli mi się to podoba — jest moje.
2. Jeśli mam to w ręku — jest moje.
3. Jeśli mogę ci to odebrać — jest moje.
4. Jeśli miałem to przed chwilą — jest moje.
5. Jeśli to jest moje, nigdy nie może być twoje, w żaden sposób i w żadnej formie!
6. Jeśli coś robię albo buduję — wszystkie kawałki są moje.
7. Jeśli jest podobne do mojego — jest moje.
8. Jeśli myślę, że to jest moje — jest moje.

Ponadto, jeśli dziecko spotyka się z rówieśnikami i w przeszłości miało problemy, porozmawiaj z nim o dzieleniu się i agresywnych zachowaniach, *zanim* przyjdą inne dzieci. Zapytaj, czy są jakieś zabawki, które chciałoby odłożyć. Powiedz, że będziesz tuż obok, gdyby się czymś zdenerwowało. Możesz nawet spróbować odegrać z nim jakąś scenkę. „Poudawajmy, że ja jestem Piotrusiem i chcę się pobawić twoim samochodzikiem. Co zrobisz, jeśli będziesz go chciał?". Dzieci w tym wieku są bardzo dobre w zabawach symbolicznych. Możesz zaproponować różne alternatywy. „Możemy przynieść budzik, i kiedy się włączy, to będzie twoja kolej" albo „Kiedy Piotruś będzie się bawił twoim samochodzikiem, możesz wziąć straż pożarną". Podkreśl, że dziecko musi używać słów, a nie rąk.

Uważaj na oglądanie telewizji i korzystanie z komputera. Amerykańska Akademia Pediatrii (American Academy of Pediatrics) zaleca *zakaz oglądania telewizji w wieku poniżej dwóch lat*, ale znam bardzo niewiele rodzin, w których przestrzega się tego zalecenia. W wieku dwóch lat dzieci raczej już sporo oglądają. Przynajmniej miej na to baczenie: mnóstwo badań wykazało, że oglądanie telewizji i granie w gry komputerowe zdecydowanie wpływa na agresję dziecka, zwłaszcza Wiercipięt lub dzieci charakteryzujących się mocno reagującym stylem emocjonalnym i społecznym (a jak już podkreślałam w rozdziale 7., niektóre treści mogą je również przerażać). Lepiej zaplanuj mnóstwo zajęć na świeżym powietrzu lub aktywną zabawę w domu. Jest to wiek, gdy dzieci zaczynają pomagać w domu i przy gotowaniu. Uważaj, by przydzielać im niezbyt trudne i bezpieczne zadania — i bądź cierpliwa. Wszystko jest okazją do nauki.

Postaraj się również dostrzegać, gdy dziecko zachowuje się właściwie: współpracuje, ładnie się dzieli lub wytrwa przy trudnym dla niego zadaniu. Podkreśl osiągnięcie: „Dziękuję ci za pomoc". „Ślicznie się podzieliłaś". „O, jak pięknie pracowałeś i sam zbudowałeś taką wielką wieżę!".

Typowe przejścia dwulatków

Rodzice zawsze chcą konkretnych odpowiedzi, jak sobie radzić z uciekającymi emocjami. Co trzeba zrobić, jeśli kogoś uderzy? Jeśli ma atak złości? Gryzie? Jak już pewnie zdajesz sobie sprawę, nie ma prostych odpowiedzi. Problemy z zachowaniem są zawsze skomplikowaną kwestią, napędzaną przez jeden lub kilka z czterech czynników ryzyka (strona 307).

Ataki wściekłości. Ten e-mail od Peggy jest podobny do wielu, które dostaję w sprawie ataków złości:

Kerry, moja dwuipółletnia córeczka, spędza większość czasu, próbując przejąć władzę, zamiast bawić się w normalny dla małego dziecka sposób. Próbowałam zaleceń z książki, a także wielu innych, i w jednym zawsze byłam konsekwentna, jeśli chodzi o moje zachowanie podczas jej ataków wściekłości — mówię jej: „Płacz nic ci nie da". Kerry od urodzenia była trudnym dzieckiem. Wpada w złość z byle powodu. Zabierałam jej wartościowe rzeczy, odprowadzałam ją na bok, żeby ochłonęła, wychodziłam z nią z parku itd. Mała jest uparta i zawzięta. Nie mam już pojęcia, co robić, i mam wrażenie, że długo już nie wytrzymam. Myślę o tym, żeby ją posłać do przedszkola na cały dzień i wrócić na pełen etat do pracy, ale to da mi tylko trochę oddechu w ciągu dnia, a nie rozwiąże tak naprawdę problemu. Kerry zachowuje się dobrze przy wszystkich innych osobach, z którymi zostaje. Naprawdę myślę, że problem wynika z czegoś we mnie.

Przede wszystkim, Peggy nie zdaje sobie sprawy z tego, że próby, by „przejąć władzę", to normalne zachowanie dwulatków. Jednak obawiam się, że ma ona również rację, iż ataki wściekłości Kerry częściowo wynikają z przypadkowego rodzicielstwa stosowanego przez mamę. Ponieważ Peggy wypróbowywała tak wiele strategii, domyślam się, że nie była konsekwentna, i założę się, że Kerry jest nieco zagubiona. Nigdy nie wie, czego się może spodziewać po mamie, co wyjaśnia, dlaczego „zachowuje się dobrze" pod opieką innych osób.

Peggy pisze, że Kerry była „trudnym dzieckiem od początku", w co nie wątpię. Ten rodzaj temperamentu naraża ją na uciekające emocje. Ale Peggy w oczywisty sposób jest subiektywnym rodzicem. Obwinia swoją córkę, nie przyglądając się danym i nie biorąc odpowiedzialności za swoje postępowanie. Peggy musi się przyjrzeć historii córki, a co ważniejsze, własnym reakcjom z przeszłości, gdy Kerry miała napady złości. Co wtedy robiła? Ponadto musi przyjrzeć się własnej postawie. Być może przeżyła szok, kiedy urodziła się Kerry, bo nagle uświadomiła sobie, co to znaczy mieć dziecko. Może miała poczucie winy z powodu tych uczuć. Niezależnie od przyczyn, dane wskazują, że nie wyznaczyła Kerry żadnych granic. Dlatego najpierw trzeba naprawić zachowania mamy. Jeśli inaczej podejdzie do córki, Kerry się *zmieni* — zdecydowanie nie w ciągu jednego dnia, ponieważ jest to raczej chroniczna (i niestety bardzo typowa) walka o władzę.

Peggy musi zacząć planować z wyprzedzeniem wyjścia z Kerry. Zna swoje dziecko i powinna tak budować sytuacje, by uniknąć napadów wściekłości. Powiedzmy, że Kerry zawsze się złości, gdy wychodzą załatwiać jakieś sprawy. Mama musi zabierać ze sobą zabawki i przekąski, by zaproponować coś córce, gdy ta zaczyna się czegoś domagać. Jeśli to nie zadziała, powinna dostrzec uczucia córki („Widzę, że jesteś zdenerwowana"), ale zignorować zachowania. Zamiast mówić: „Płacz ci nic nie da", co dla małego dziecka nic nie znaczy, powinna być bardzo konkretna: „Mama zostanie tutaj z tobą, dopóki nie przestaniesz płakać". Nie powinna potem mówić do małej — tylko z nią *być*. Musi zapewnić Kerry, że wie, co robi, i że zadba o jej bezpieczeństwo („Zostanę z tobą, dopóki się nie uspokoisz"). Jeśli Kerry się nie uspokoi, Peggy musi ją zabrać. A gdy uda jej się przerwać cykl wpadania w złość, mama musi ją pochwalić za zapanowanie nad emocjami („Bardzo ładnie się uspokoiłaś").

Jeśli mama zacznie pracować z Kerry, zamiast się od niej oddalać i patrzeć na nią z niechęcią, ataki złości złagodnieją. Jeśli dobrze czytam między wierszami, widzę mamę, która jest strasznie zdenerwowana i często ma ambiwalentne uczucia. Jej córka wyczuwa dystans i wykorzystuje ataki złości, żeby przyciągnąć do siebie mamę. Gdy Kerry zacznie otrzymywać uwagę matki w chwilach, gdy zachowuje się dobrze, nie będzie już się jej domagać w tak negatywny sposób.

Gryzienie. Gryzienie w wieku poniżej roku zaczyna się najczęściej przypadkowo, podczas karmienia piersią. Większość mam krzyczy wtedy: „Au!" i odruchowo odpycha od siebie niemowlę, co je przestrasza i często wystarcza, by powstrzymać przyszłe ugryzienia. Jest jednak kilka innych powodów, dla których gryzą większe dzieci. Zbierając dane, zazwyczaj jesteś w stanie odkryć, dlaczego Twoje dziecko gryzie. Zastanów się nad tą sytuacją z życia wziętą, opisaną na mojej stronie internetowej:

> *Mój roczny synek, Raoul, zaczął gryźć. Pogarsza się to, gdy jest zmęczony, próbujemy mu mówić, że tak nie wolno, i stawiamy go na ziemię, ale on nas atakuje i uważa to za zabawę. Próbowaliśmy już wszystkiego, nawet lekko uderzaliśmy go w buzię, mówiąc: NIE. Czy ktoś przez to przechodził?*

W istocie większość rodziców przez coś takiego przechodzi. Ta mama powinna czytać sygnały zmęczenia wysyłane przez dziecko i nie pozwalać, by Raoul osiągnął etap gryzienia. To, że gryzienie przez Raoula nasila się, kiedy jest zmęczony, mówi mi, że prawdopodobnie wynika z przemęczenia i frustracji. Ponieważ chłopiec „myśli, że to zabawa", podejrzewam również, że w którymś momencie w przeszłości ktoś się roześmiał, gdy Raoul próbował ugryźć. W przypadku niektórych dzieci gryzienie jest również próbą zwrócenia na siebie uwagi, co tutaj także może mieć miejsce. W przypadku innych wiąże się z ząbkowaniem. Jeszcze inne nie potrafią powiedzieć, o co im chodzi, więc gryzą z powodu frustracji wywołanej tym, że czegoś chcą, a nie potrafią o to poprosić.

Wyraźnie widać, dlaczego ważne jest, by rodzice Raoula zebrali dane. Gdy już rozważą wszystkie możliwe przyczyny jego zachowania, będą mogli podjąć odpowiednie kroki, jeśli to możliwe, by je wyeliminować — zadbać o to, by był wystarczająco wypoczęty, dostrzec, jak wygląda Raoul, kiedy ma zamiar ugryźć, i zdecydowanie nie śmiać się w przypadku takich zachowań. Za każdym razem, gdy ugryzie, muszą natychmiast go postawić na ziemi i powiedzieć mu, jak wyglądają zasady i jak się czują: „Nie wolno gryźć. To boli". Następnie nie powinni na niego patrzeć ani angażować się w żaden inny sposób, ale po prostu się oddalić. Gryzienie często sprawia, że rodzice wpadają w złość, a oddalenie się od dziecka daje im chwilę na poradzenie sobie z własnymi emocjami.

Widywałam również przypadki, gdy dziecko gryzie w samoobronie. Otrzymałam e-mail od matki dwulatka, która martwiła się, ponieważ jej córka „gryzie inne dzieci, gdy zabierają jej ukochany kocyk. Zrobiła tak dwukrotnie, i za każdym razem mówiłam jej, że nie wolno, i zabierałam ją od dzieci. Czy powinniśmy ograniczyć używanie kocyka do drzemek i chodzenia spać, czy będzie to niesprawiedliwe?". No cóż, ja też bym gryzła na miejscu tej małej dziewczynki. Mama przede wszystkim nie powinna pozwalać, by ktoś zabierał ukochany kocyk jej dziecka. Ukarała córkę, nie biorąc pod uwagę danych. To jej bardzo szczególny kocyk. Dlaczego miałaby się nim dzielić?

Oczywiście w wielu przypadkach gryzienie wiąże się z utratą przez dziecko panowania nad sobą. Próbujesz wytrzeć dziecku rączki po posiłku, a ono wpada w złość i zatapia zęby w Twojej dłoni, żeby Ci przeszkodzić. Sztuczka polega na tym, żeby rozpoznać sytuacje, które wywołują takie zachowania. Jeśli zbyt długie siedzenie w wysokim krzesełku denerwuje dziecko, wyciągaj je wcześniej. Może lepiej będzie myć mu rączki w umywalce. Często gryzą te dzieci, które padają ofiarą prześladowań innych, zatem ważne jest, by przyjrzeć się ich kontaktom towarzyskim. Większość dzieci za długo wytrzymuje w spokoju znęcanie się rówieśników. Następnie gryzą w formie odwetu.

Niektórzy rodzice nie widzą problemu w gryzieniu. Często słyszę uwagi w rodzaju: „O co chodzi? Wszystkie dzieci tak robią". Chodzi o to, że gryzienie może przerodzić się w inne rodzaje agresji (patrz „Historia Harrisona" na stronie 339). Szczególnie jeśli gryzienie trwa przez kilka miesięcy, a rodzice mają ślady na ramionach lub nogach, dziecko może również poczuć władzę i grać na nerwach rodzicom. Zatem kiedy to nastąpi, zachowaj obiektywizm i panowanie nad sytuacją, zamiast dać się porwać emocjom.

Pamiętaj, że gryzienie sprawia dzieciom przyjemność. To całkiem miłe uczucie — zatopić ząbki w ciepłe, miękkie ciało to coś bardzo dla nich przyjemnego! Sugeruję, by dzieciom, które notorycznie gryzą, dawać piłeczki polecane na zwalczanie stresu, sprzedawane na przykład w sklepach sportowych. Nazwij zabawkę „piłeczką do gryzienia". Pamiętaj, by nosić ją w kieszeni, gdy dziecko podejdzie do Ciebie z wypisanym na twarzy: *Zaraz cię ugryzę!*. Podobnie działa pewna mama pisząca na mojej stronie internetowej, której syn lubi gryźć ją w łydki, gdy gotuje. Zawsze ma na blacie gryzaczki dla ząbkujących dzieci. Gdy widzi, że synek się do niej zbliża, daje mu gryzaczek i mówi: „Nie gryziemy mamy, ale możesz pogryźć to". Gdy mały zatopi zęby w gryzaczku, pisze mama, „Klaszczę i biję mu brawo".

Czasami rodzice sugerują, by uderzyć dziecko w usta, jak mama Raoula, albo oddać ugryzienie. Mówią, że to działa, ale ja nie wierzę w rozwiązywanie jakiegokolwiek problemu z agresją inną formą agresji. Jesteśmy wzorcem zachowań dla dzieci, zatem nie możemy postępować w sposób, którego zabraniamy.

Bicie. To zachowanie również zaczyna się często dość niewinnie, jak pokazuje poniższy e-mail od Judy, mamy dziewięciomiesięcznego Jake'a. Wykorzystuję go tutaj, ponieważ mama zastanawia się również nad dostosowaniem mieszkania do małego dziecka.

> *Mój syn Jake od trzech tygodni raczkuje i podciąga się. Zastanawiam się, jak go nauczyć, by nie dotykał niczego ze stolika, roślin itd., oraz jak go nauczyć, co znaczy „nie". Ma również zwyczaj bicia po twarzy, nie ze złośliwości, ale i tak muszę go pilnować, gdy jest w towarzystwie innych dzieci. Jest bardzo szczęśliwym dzieckiem i nie okazuje złości. Po prostu nie rozumie, że powinien delikatnie dotykać cudzej twarzy, a nie mocno uderzać. Biorę go za rękę i ją głaszczę, by wiedział, jak to powinno wyglądać, ale on wtedy znów mnie bije, nie wiem, co robię źle.*

Judy jest na dobrej drodze. Jake jest po prostu ciekawy świata. A chociaż ma jeszcze pół roku, zanim nauczy się jakiegokolwiek panowania nad sobą, nie jest za wcześnie, by zacząć go uczyć, co jest dobre, a co złe. Gdy podchodzi do innego dziecka albo nawet do domowego zwierzęcia, mama powinna powiedzieć po prostu: „delikatnie, delikatnie" i poprowadzić jego rękę, tak jak to robiła wcześniej. Jak już mówiłam, młodsze dzieci często na początku zachowują się agresywnie z czystej ciekawości. Dziecko testuje, żeby zbadać reakcję. Zatem Judy musi mu powiedzieć: „Nie, to boli Anię. Delikatnie". Gdy uderzy, musi go postawić na ziemię i powiedzieć: „Nie, nie wolno bić".

Jeśli chodzi o dostosowanie mieszkania do dziecka, nierealistyczne jest oczekiwanie, że w wieku dziewięciu miesięcy maluch będzie w jakikolwiek sposób panował nad sobą. Nie uważam wcale, że należy ze wszystkiego ogołocić dom — dzieci muszą się nauczyć żyć w otoczeniu różnych przedmiotów i nie dotykać niektórych z nich. Zabierz tylko te rzeczy, których utraty nie chcesz zaryzykować, lub wszystko, czym dziecko może zrobić sobie krzywdę. Przejdź się z nim po domu. Wyjaśnij: „Możesz tego dotykać, kiedy mama jest przy tobie". Pozwól mu wziąć przedmiot do rączki i go obejrzeć. Takie postępowanie często odbierze nimb tajemnicy wielu niedotykalnym przedmiotom w domu. Maluchy szybko się nudzą. Zadbaj o to, by dostarczyć dziecku alternatywne przedmioty, których będzie mogło dotykać. Nie ma nic złego w próbach potrząsania, wydobywania dźwięku, stukania, poruszania częściami — jeśli oczywiście nie jest to delikatny sprzęt elektroniczny. Chłopcy szczególnie lubią manipulować przedmiotami. Judy mogłaby kupić mały młotek-zabawkę i stolik do wbijania klocków.

Rzucanie. Zaczyna się często, gdy dziecko przypadkiem wyrzuca zabawkę z łóżeczka lub zrzuca jedzenie ze stolika przy wysokim krzesełku. Zamiast pozostawić na ziemi to, co spadło, i powiedzieć: „Oj, rzuciłeś zabawką. Widzę, że chcesz, żeby była na podłodze", mama lub tata natychmiast to podnoszą. Wtedy dziecko myśli: *Ale fajna zabawa!* Rzucanie może się też zacząć, gdy dziecko — zwłaszcza chłopiec — rzuca zabawką w kogoś (najczęściej w mamę, ponieważ to ona zazwyczaj jest w pobliżu), jak pokazuje ten e-mail:

> *Oto mój problem: mój syn, Bo, ma osiemnaście miesięcy i od pół roku rzuca różnymi rzeczami podczas zabawy, jedzenia, a co gorsza, rzuca zabawkami w ludzi. Widzę, że nie robi tego, żeby kogoś skrzywdzić, ale jest dość silny i to naprawdę boli. Tak czy owak, trzeba z tym skończyć. Jeśli rzuca jedzeniem, mówię mu, żeby tego nie robił. Podejmuję również różne działania — przerywam jego posiłek, stawiam go na podłodze itd. Ale problem z rzucaniem zabawkami jest gorszy, bo nie za bardzo mogę zrobić cokolwiek, najwyżej powiedzieć: „Nie rzucaj zabawkami w mamę. To boli" i odebrać mu zabawkę. Ale on wtedy znajduje sobie inną i rzuca znowu! Nie mogę mu zabrać wszystkiego... Nie mogę też zabrać go w inne miejsce, bo jesteśmy w domu! A on ma mnóstwo zabawek, więc musiałabym zabrać mu je wszystkie...*

To kolejna mama, która jest na dobrej drodze. Bo prawdopodobnie rzuca zabawkami, ponieważ odkrył nową umiejętność, a nie dlatego, że chce komuś zrobić krzywdę. Niemniej jednak mama zdaje sobie sprawę z tego, że musi go natychmiast powstrzymać. Problem polega na tym, że nie przedstawia mu żadnych alternatywnych zachowań. Innymi słowy, musi *pokazać* mu sytuacje, w których rzucanie jest akceptowalne i nie robi nikomu krzywdy. W końcu nie może, i nie chciałaby, całkiem powstrzymać go od rzucania — to chłopiec. (Nie znaczy to, że dyskryminuję jedną z płci, mnóstwo dziewczynek też lubi rzucać przedmiotami i wyrasta na świetnych sportowców. Po prostu z moich doświadczeń wynika, że rzucanie jest zazwyczaj „problemem" chłopców). Zatem mama musi skierować w odpowiednią stronę rzucanie Bo: można mu kupić pięć piłek różnego rodzaju, którymi będzie mógł rzucać lub kopać. Trzeba go zabrać na zewnątrz i wyjaśnić: „Tu możesz rzucać i kopać piłki". W środku zimy można go zabierać na salę gimnastyczną lub salę zabaw. Ważne, żeby zabierać go w zupełnie inne miejsce, by zrozumiał, że nie wolno rzucać w domu (chyba że znajduje się tam duże, bezpieczne pomieszczenie do zabawy). Trzeba go pochwalić, gdy rzuci piłką.

Ponieważ cała sytuacja ciągnie się już pół roku — jedną trzecią życia Bo — podejrzewam, że chłopiec nauczył się również, jak się w ten sposób bawić, i całkiem dobrze opanował manipulowanie mamą. Mama może i powinna robić więcej, niż tylko odbierać mu zabawkę. Mimo że jest z nim w domu, może go zabrać z pokoju pełnego zabawek i przenieść do nudniejszego miejsca (na przykład do salonu), i siedzieć tam *z nim*. (Nie wierzę w skazywanie dziecka na samotne odosobnienie; patrz ramka na stronie 84). Chłopiec ma osiemnaście miesięcy, więc wszystko rozumie i szybko pojmie, że mama nie będzie tolerować jego zachowania. (Więcej na temat rzucania jedzeniem na stronach 176 – 177).

Tłuczenie głową, wyrywanie włosów, szczypanie w nos, bicie się, obgryzanie paznokci. Być może jesteś zaskoczona tym, że umieściłam tłuczenie głową z czterema innymi zachowaniami. Ale wszystkie pięć, podobnie jak inne zachowania rytualne, które opanowują dwulatki, są metodami samouspokajania się i często reakcją na frustrację. Chociaż w rzadkich przypadkach te zachowania mogą obwieszczać zaburzenia neurologiczne, zazwyczaj są zadziwiająco często spotykane, nawet tłuczenie głową, które według niektórych źródeł pojawia się u około 20% wszystkich dzieci. Większość z tych zachowań jest bardziej denerwująca niż szkodliwa i mija równie nagle, jak się pojawiła — to znaczy jeśli rodzice nie zwracają na nie uwagi. Niestety, problem polega na tym, że gdy dziecko zaczyna tłuc głową, bić się po twarzy, szczypać w nos lub obgryzać paznokcie, jest to niezmiernie — co zrozumiałe — denerwujące dla rodziców. Im bardziej są zmartwieni lub rozzłoszczeni, tym mocniej dziecko zdaje sobie sprawę z tego, że to *świetny sposób, żeby zdobyć uwagę mamy i taty*, a wtedy właśnie jego zachowanie, które zaczęło się jako forma samodzielnego uspokajania się, przeradza się w sposób na manipulowanie rodzicami. Dlatego najlepiej ignorować dziecko, oczywiście zadbawszy, by nie zrobiło sobie krzywdy.

Tak właśnie wyglądał przypadek Maksa, o którym wspominałam wcześniej (strona 319), ośmiomiesięcznego chłopca, który miał zwyczaj tłuczenia głową w co popadło. Początkowo zaczął to robić z powodu frustracji — brakowało mu odpowiednich słów, by wyrazić swoje potrzeby. Bardzo szybko jednak tłuczenie głową się nasiliło, ponieważ Max zdał sobie sprawę z tego, że to pewny sposób na przerwanie rodzicom wszystkich ich zajęć i zmuszenie ich, by natychmiast przybiegli do niego. Gdy go poznałam, Max był Panem Domu. Odmawiał jedzenia, bardzo źle spał, a jego zachowanie było skandaliczne — wciąż wrzeszczał i bił. Max wiedział, że wszystko mu ujdzie na sucho, ponieważ wszelkie zasady i limity szły w zapomnienie, gdy tylko zaczynał tłuc głową.

Aby zadbać o jego bezpieczeństwo, wniosłyśmy do jego pokoju mały, miękki fotelik typu worek sako i za każdym razem, gdy zaczynał tłuc głową, sadzałyśmy go na niego. Usunięcie elementu ryzyka ułatwiło rodzicom Maksa niereagowanie na jego ataki wściekłości czy też, co znacznie ważniejsze, uniknięcie walki z nim. Na początku Max walczył, kopiąc jeszcze mocniej, gdy próbowałyśmy go posadzić na worku, ale byłyśmy konsekwentne. „Nie, Max, nie wolno ci zejść, dopóki się nie uspokoisz".

Ważne było jednak, żeby na tym nie poprzestawać. Przy wszystkich wymienionych powyżej zachowaniach, jeśli rodzice pozwolą sobą manipulować, prawie zawsze jest to oznaką tego, że pozwalają, by to dziecko nimi rządziło. Widziałam, że musimy również naprawić całe miesiące dominacji Maksa w domu. Jego zachowania zmieniły rodziców i starszego brata w jego zakładników. Max przeważnie jadał niezdrowe jedzenie, ponieważ odmawiał tego, co jedli rodzice i brat, i wciąż budził się w środku nocy, żądając uwagi rodziców. Trzeba było pokazać mu, że nastały nowe porządki i już dłużej nie będzie rządził.

Wyjaśniłam jego rodzicom, że za każdym razem, gdy będzie próbował przejąć władzę, muszą mu pokazać, że się nie poddadzą. Podczas mojej wizyty zademonstrowałam, jak to powinno wyglądać, gdy Max, jak zwykle, odepchnął od siebie obiad i zaczął powtarzać w kółko: „Ciacho... ciacho... ciacho". Popatrzyłam mu prosto w oczy i powiedziałam: „Nie, Max, nie dostaniesz ciasteczka, dopóki nie zjesz trochę makaronu". To był bardzo zdeterminowany chłopiec. Przyzwyczajony do rządzenia wszystkimi, był w szoku — i we łzach. „Tylko odrobinę makaronu" — nalegałam (trzeba zaczynać powoli, kotku — nawet *jedna* łyżka makaronu to postęp!). W końcu *godzinę później* Max się poddał. Zjadł trochę makaronu, i dałam mu w nagrodę ciastko. Ta sama walka charakterów nastąpiła w porze drzemki. Na szczęście bitwa przy obiedzie nieco go zmęczyła, więc wystarczyło tylko zastosować technikę PP kilka razy. Oczywiście, nie byłam jego mamą ani tatą, i Max wiedział, sądząc po moim zachowaniu podczas obiadu, że nie dam sobą manipulować. Obserwując mnie jednak, jego rodzice dostrzegli, że nauczenie Maksa przyzwoitego zachowania jest możliwe.

Wydaje się to niewiarygodne, ale Max cztery dni później był już zupełnie innym dzieckiem. Jego rodzice wciąż używali worka sako w przypadku napadów wściekłości i byli bardzo konsekwentni w przestrzeganiu pór posiłków i chodzenia spać. W wieku dwóch lat dzieci dość szybko zdają sobie sprawę z tego, że zmieniasz zasady — a w tym przypadku, że po raz pierwszy je wprowadzasz. Max zaczął samodzielnie wchodzić na worek sako, kiedy

Reflektor w okopach

Historia Harrisona: eskalacja agresji

Niektóre dzieci zdecydowanie trudniej zdyscyplinować niż inne. Ich rodzice muszą być czujni, cierpliwi, konsekwentni — oraz twórczy. Lori zadzwoniła do mnie, ponieważ jej dwuletni Harrison zaczął ją któregoś dnia gryźć, najwyraźniej bez powodu. Lori zareagowała poprawnie, głośnym: „Au! To boli! Nie wolno gryźć". Ale Harrison był wytrwały i dość przebiegły. Zachowywał się tak, jakby chciał się przytulić, a potem ją gryzł. Tu właśnie Lori popełniła błąd. Zamiast rozwiązać problem („Przecież już mu powiedziałam, że nie wolno gryźć"), odciągnęła go i uniknęła ugryzienia. Kilka dni później jedna z matek, z której dzieckiem bawił się Harrison, zadzwoniła, żeby powiedzieć, że Harrison uderzył inne dziecko w twarz. Lori zaczęła go bardziej pilnować, mówiąc: „Nie, nie wolno...", za każdym razem, kiedy tracił nad sobą kontrolę. Ale wtedy agresja przybrała nową formę — zaczął kopać. Lori odchodziła od zmysłów: „Mam po uszy mówienia mu, że nie wolno. Przebywanie w jego towarzystwie już nie jest przyjemne. Nikt nie chce nas odwiedzać, bo zaczął używać zabawek jako broni, żeby bić inne dzieci".

Eskalacja zachowania Harrisona była zrozumiała z tego powodu, że kilka różnych czynników naraziło go na uciekające emocje: był Wiercipiętą w samym środku koszmarnego buntu dwulatka, a do tej pory jego mama nie była konsekwentna. Teraz musiała zacząć pomagać mu identyfikować jego emocje, wyjaśniać zasady, a w momentach, gdy to byłoby konieczne, usuwać go z pola walki. Nic z tego nie podziałało od razu. Powiedziałam Lori, że musi być cierpliwa i wytrwać. Ale musiała również mocno chwalić syna za dobre zachowanie. Zaproponowałam, żeby zrobiła mu tabelkę „Dobre zachowanie". Były tam cztery kolumny, dzielące dzień na części: od pobudki do śniadania, od śniadania do obiadu, od obiadu do podwieczorku i od popołudnia do pójścia spać. Chodziło o to, że jeśli Harrison zdobędzie cztery gwiazdki w ciągu dnia, tata zabierze go do parku. Latem pójdą pływać. Zajęło to kilka miesięcy, ale agresywne zachowania Harrisona zdarzają się obecnie niezmiernie rzadko.

był sfrustrowany. W ciągu kilku miesięcy jego tłuczenie głową zaczęło stawać się coraz rzadsze, a cała rodzina poczuła spokój, ponieważ teraz rodzice mieli władzę, a nie dwulatek.

A jeśli coś jest nie tak z moim dzieckiem… i ono nic na to nie może poradzić?

W ostatnich latach specjaliści od rozwoju dziecka nauczyli się mnóstwo na temat dziecięcego mózgu i tego, jak wczesne doświadczenia mogą zmieniać jego budowę. Uzbrojeni w tę wiedzę coraz liczniejsi terapeuci specjalizujący się w patologiach mowy, dynamice rodzinnej i terapii zajęciowej zwrócili uwagę na bardzo małe dzieci, zgodnie z teorią, że jeśli uda nam się zidentyfikować i zdiagnozować problemy na wczesnym etapie, odpowiednia interwencja pozwoli uniknąć poważniejszych kłopotów, gdy dziecko pójdzie do szkoły. Ma to sens, i dla wielu dzieci ta wczesna interwencja jest niezwykle ważna. Problem polega na tym, że niektóre dzieci chodzą na terapię, ponieważ ich rodzice martwią się niepotrzebnie albo oczekują, że ktoś inny zajmie się zachowaniem ich dziecka.

Artykuł opublikowany w 2004 roku w czasopiśmie „New York" opisał małego chłopca, którego matka rozpoczęła „roczną odyseję po świecie psychologów, terapeutów zajęciowych i logopedów, wypisujących diagnozy pełne słów takich jak *dyspraksja*, *proprioreceptory* i *integracja sensoryczna* i zalecających intensywną terapię". Manhattan jest zdecydowanie jednym z miejsc, gdzie rodzice na wysokich stanowiskach chcą, by dzieci poszły w ich ślady. Jednak jeśli wziąć pod uwagę olbrzymi popyt na zabawki edukacyjne, jasnym — i zrozumiałym — jest, że rodzice w każdym miejscu na świecie chcą, by ich dzieci dobrze sobie radziły. A terapeuci zawsze są chętni, by w tym pomóc. Oczywiście, jeśli dziecko ma problem natury neurologicznej, jak najbardziej sensowne jest wczesne szukanie pomocy. Ale co w przypadku dzieci, które po prostu zaczynają nieco później mówić i są bardziej niezdarne niż ich rówieśnicy, a także wolą się bawić samodzielnie, a nie w interakcji z innymi dziećmi? Skąd rodzic ma wiedzieć, kiedy te pierwsze oznaki agresji są spowodowane zaburzeniem funkcji językowych lub kiepską kontrolą impulsów? Czy dziecko „wyrośnie z tego", czy też natychmiast potrzebuje pomocy?

Nie ma tu prostych odpowiedzi. Oczywiście, jeśli Twoje dziecko z opóźnieniem osiąga poszczególne etapy rozwoju (zwłaszcza zdolność mówienia), a także (lub) jeśli w rodzinie zdarzały się przypadki braków koncentracji lub specyficznych trudności w uczeniu się — co jest ogólnym terminem, zawierającym takie przypadki jak zaburzenia funkcji językowych, dysleksję, zaburzenia z pogranicza autyzmu, zaburzenia percepcji, opóźnienie umysłowe, porażenie mózgowe — lepiej jak najszybciej szukać pomocy. Przebijanie się przez naukowy żargon jest frustrujące dla rodziców, zwłaszcza że nie wszyscy specjaliści stosują ujednolicone terminy. Wciąż jednak rodzice zazwyczaj wiedzą, kiedy ich dzieci w jakiś sposób odróżniają się od innych, szczególnie jeśli towarzyszą temu problemy z zachowaniem. Trudność polega na znalezieniu przyczyny. Nie ma dwojga identycznych dzieci, zatem najlepiej jest poszukać pomocy profesjonalisty, aby rozwikłać zagadkę.

Większość ekspertów twierdzi, że trudno jest postawić jednoznaczną diagnozę, zanim dziecko skończy osiemnaście miesięcy, ale dobra diagnoza jest niezwykle istotna, by otrzymać właściwą pomoc. Jak wyjaśnia terapeutka zaburzeń mowy Lyn Hacker: „Dzieci opóźnione językowo często zachowują się niewłaściwie, by się komunikować, ponieważ wracają do najbardziej prymitywnego elementu — znaków i gestów. Bicie może być ekspresją frustracji, jeśli mamy pewność, że zdolność rozumienia dziecka jest na właściwym poziomie. Ale bicie może również być objawem trudności w uczeniu się, jeśli prosimy dziecko o zrobienie czegoś, czego nie potrafi, albo zaburzeń uwagi (ADD), gdy dziecko ma trudności z okiełznaniem reakcji i małą tolerancję na frustracje. Dla mnie „miękkim" symptomem ADD jest niemożność zniesienia zakazów, ponieważ dziecko z ADD jest egzystencjonalistą, nie rozumie, że „nie" nie jest wieczne, ale dotyczy chwili obecnej. Do tego dochodzi brak cierpliwości — i dziecko nie słyszy nawet kwantyfikatorów w rodzaju „nie teraz" czy „ale".

Hacker przyznaje również, że wiele problemów z zachowaniem *zaczyna się* od rodziców. „Jeśli dziecko zostało gruntownie przebadane i jego zdrowie fizyczne nie budzi żadnych obaw, a rozwój jest na odpowiednim do wieku poziomie, to kolejnym etapem jest przyjrzenie się relacji rodzic – dziecko. Być może matka musi się nauczyć, co wzbudza wściekłość dziecka, i starać się tego unikać". Ale nawet w przypadku potwierdzenia diagnozy neurologicznej rodzice są niezwykle istotnym czynnikiem.

Przede wszystkim pamiętaj, że to *Ty* najlepiej znasz swoje dziecko. Doktor Kowalski może być ekspertem od problemów z mówieniem, ale *Ty* jesteś ekspertką od własnego dziecka. Obserwujesz dziecko 24 godziny na dobę, a doktor Kowalski zazwyczaj widzi je tylko w gabinecie. Nawet jeśli specjalista odwiedza dziecko w domu, co niektórzy zaczęli praktykować, nie pozna dziecka tak dobrze, jak Ty je znasz. Weźmy przypadek małej Isabelli, której rodzice poszukiwali pomocy krótko przed jej drugimi urodzinami, ponieważ, jak wyjaśniła jej matka, Felicia: „Isabella prawie w ogóle nie mówiła. Trudno nam było z tego powodu, że najwyraźniej mnóstwo się działo w jej głowie, ale nie umiała nic powiedzieć. Prowadziło to do jej olbrzymiej frustracji, która objawiała się popychaniem i innymi agresywnymi zachowaniami".

Felicia mówi, że zaczęła działać z powodu własnych przeżyć. „Ja też późno zaczęłam mówić. Moja matka nie przypomina sobie, kiedy dokładnie to było, ale z pewnością po ukończeniu dwóch lat, może nawet bliżej trzech. Poza tym [region, w którym mieszkam] oferuje darmowe testy i usługi. Specjaliści przychodzą do domu i są po prostu wspaniali, zatem trudno by było *nie* skorzystać z tej oferty".

Gdy Isabella została poddana testom, jak wspomina Felicia, „Okazało się, że się nie kwalifikuje z powodu opóźnień mowy — musiałaby być opóźniona o 25%, żeby się zakwalifikować. Ale podczas zabawy wyszło na jaw, że inne umiejętności ma rozwinięte znacznie bardziej niż większość dzieci w jej wieku. Została zatem zakwalifikowana z powodu znacznych rozbieżności między funkcjami językowymi a innymi". Często nie chodzi zatem dokładnie o to, jakie wyniki osiąga dziecko w danym teście, ale raczej o to, że w pewnych obszarach ma niezwykle wysokie wyniki, a niskie w innych. Testujący zaproponowali Isabelli terapię. Obecnie, nieco ponad rok później, słownictwo Isabelli jest odpowiednie dla dziecka trzyipółletniego. Felicia przyznaje: „Naprawdę nie potrafię z całą pewnością stwierdzić, czy pomogła sama terapia, czy też Isabella po prostu dorosła do mówienia — a może jedno i drugie. Ale postęp jest olbrzymi".

W przedszkolu, do którego zapisano Isabellę, również zasugerowano dodatkową terapię z powodu „niskiego napięcia mięśniowego" oraz agresji w stosunku do innych dzieci, ale Felicia nie wyraziła na to zgody. To trudne dla wielu rodziców — *eksperci* przecież powinni wiedzieć lepiej. Mądra matka przypomina sobie: „Sama poobserwowałam Isabellę i nie zauważyłam żadnych objawów niskiego napięcia mięśniowego. W przedszkolu sugerowano wiele dodatkowych zajęć terapeutycznych, które kosztowałyby mnie mnóstwo pieniędzy. Ale moim zdaniem Isabella była sfrustrowana z powodu nieumiejętności mówienia. Aby uspokoić władze przedszkolne, ponownie poprosiłam o wizytę specjalistów, którzy orzekli, że wszystko jest jak najbardziej w porządku. W przedszkolu domagano się opinii innych biegłych, ale wciąż to odkładałam. I patrzcie państwo, teraz Isabella mówi, a jej agresywne zachowania nagle ustały!".

Opowieść Felicii przedstawia obraz idealny: *partnerstwo* między rodzicami a profesjonalistami. Oczywiście, rodzice nie powinni po prostu pozostawiać losu dziecka w czyichkolwiek rękach, niezależnie od tego, jak wieloma dyplomami obwieszone są ściany profesjonalistów. Muszą również chcieć stosować zalecane przez terapeutów strategie i zachować większą czujność, by wytrwać. Jednakże wielu rodzicom jest żal własnego dziecka lub czują się doprowadzeni do rozpaczy — albo jedno i drugie. Płacą sporo za terapię, a dziecko wciąż zachowuje się niewłaściwie. Poniższy e-mail od Geraldine ilustruje ten problem:

Mam dziecko, które z „książkowego" niemowlęcia zmieniło się w dwulatka „wiercipiętę". William ma prawie dwa i pół roku i bardzo często bije inne dzieci. Miał duże problemy po urodzeniu i został zdiagnozowany z powodu zaburzeń integracji sensorycznej. Chodzi na terapię zajęciową, logopedyczną, a także do przedszkola przez pięć dni w tygodniu. Dostrzegliśmy spore postępy w wielu obszarach, z wyjątkiem bicia. Wiem, że wiele dwulatków bije i gryzie, ale wydaje mi się, że nie możemy z nim się nigdzie ruszyć, żeby kogoś nie uderzył. Bije nawet starsze dzieci, łącznie z ośmiolatkami. Zauważyłam, że ma pewne cechy osobowości „samca alfa". Woli też starszych kolegów. Co ciekawe, nie zachowuje się jednak w ten sposób zbyt często w przedszkolu. Każdy, z kim rozmawiam, sądzi, że to z powodu tego, że jego mowa nie jest jeszcze rozwinięta. Do pewnego stopnia się zgadzam, bo bicie nie zawsze jest poprzedzone agresją lub niechęcią do dzielenia się. Czasami wygląda na to, że chce się w ten sposób komunikować z innymi dziećmi. Rozmawiałam z terapeutami, przedszkolankami itp. Próbowałam WSZYSTKIEGO. Byłam sędzią, próbowałam przekonywać inne dzieci, żeby mu mówiły, że im się to nie podoba, i odchodziły, próbowałam dawać mu różne alternatywy, zabierałam go z miejsca zabawy na kilka minut, sadzałam go na uboczu itd. itp. Wszyscy mówią mi, że mam się nie martwić. Jestem w ósmym miesiącu ciąży i naprawdę męczy mnie konieczność ciągłego mówienia mu, że tak nie wolno — mam wrażenie, że to w ogóle do niego nie dociera. Niczego się nie boi i w ogóle nie reaguje na to, co mówię lub robię. Co mogę zrobić, żeby mu pomóc?

Współczuję Geraldine. Niektóre dzieci rzeczywiście są trudne z powodu ich kłopotów neurologicznych, i w wielu aspektach William wydaje się pasować do tego opisu. Niewątpliwie frustruje go nieumiejętność mówienia, bo nie może poprosić o to, czego chce. Jednak w tym e-mailu znajdują się również inne ukryte wskazówki. Mimo że Geraldine „próbowała wszystkiego", podejrzewam, że nie dość dokładnie obserwowała swojego syna. Trudno uwierzyć, że był kiedyś Książkowym Dzieckiem — kiedykolwiek — ponieważ niewiele etapów rozwojowych osiągnął we właściwym czasie. Ponadto mama prawdopodobnie nie była w ogóle konsekwentna. Sama przyznała, że w przedszkolu „nie zachowuje się w ten sposób zbyt często". Zadzwoniłam do niej.

Jak się okazało, oznaki agresywności Williama pojawiły się, gdy miał dziewięć miesięcy — regularnie uderzał mamę i zabierał różne rzeczy jej, a także swoim kolegom. Geraldine zrzucała to na „osobowość alfa". Gdy William skończył osiemnaście miesięcy, jasne już było, że jego mowa jest opóźniona, a także iż łatwo traci koncentrację i panowanie nad sobą. Nie wykazywał żadnego zainteresowania nauką samodzielnego ubierania się czy jedzenia. Brakowało mu choćby minimalnego panowania nad impulsami i miał olbrzymie problemy z przechodzeniem od jednego rodzaju aktywności do innego. Kładzenie go spać zawsze wiązało się z walką. Wiele z jego zachowań można było wyjaśnić zdiagnozowanymi problemami z integracją sensoryczną, ale niezależnie od nich jego agresja nie była przez jakiś czas korygowana. William wiedział, jak sobie owinąć matkę wokół palca. Jeśli nawet czarujący uśmiech nie skłaniał jej do wręczenia mu tego, czego chciał, napad wściekłości zawsze działał.

Dopiero gdy zaczął bić inne dzieci, Geraldine przejęła się jego zachowaniem. Ale od tego momentu, gdy go zdiagnozowano, zaczęła również myśleć, że terapia rozwiąże wszystkie problemy. To typowy błąd rodziców, u których dzieci odkryto jakikolwiek rodzaj trudności w uczeniu się. „Terapeutka Williama niewątpliwie pomoże mu w rozwoju umiejętności mówienia, umiejętności motorycznych, a nawet w panowaniu nad impulsami, ale jeśli nie będziesz konsekwentnie ustalać granic w domu, jego agresywność będzie eskalować" — powiedziałam mamie.

Ostrzegłam ją, że nawet *ja* mam problem z poradzeniem sobie z niektórymi dziećmi, ale sądząc po postępach Williama na terapii, miałam wrażenie, że konsekwencja mamy i jej gotowość przewidywania przyniosą zmiany. Mama musiała pozostawić własne emocje z boku, nie żałować „biednego" Williama z powodu jego problemów, ale konsekwentnie stosować ustalone zasady *przez cały czas*. Ponadto musiała być przygotowana — czasem po rozwiązaniu jednego problemu pojawia się kolejny. Musiała zrobić wszystko, żeby panować nad sytuacją. Powinna poświęcić czas na przygotowanie Williama i przećwiczenie wszystkich możliwych czekających go sytuacji, a także z wyprzedzeniem powiadamiać go o konsekwencjach jego zachowań, jeśli nie będzie przestrzegać zasad. Ważne również było, by stosowała strategię OKI, aby mógł się nauczyć, jak wyrażać własne uczucia słownie lub za pomocą bardziej stosownych zachowań. Musiała przedstawiać mu alternatywy. W ten sposób poświęcałaby więcej czasu na zapobieganie jego agresji niż na próby powstrzymania jej. Zaproponowałam również modyfikację zachowań. Zaczęła stosować system złotych gwiazdek, podobny do tego, który wdrożyła mama Harrisona (strona 339). Ponadto trzeba było bardziej zaangażować tatę. William potrzebował ujścia dla swojej „osobowości alfa",

Radzenie sobie z dzieckiem z diagnozą

Jeśli u Twojego dziecka rozpoznano trudności w uczeniu się, zaburzenia koncentracji (ADD), problemy z integracją sensoryczną lub jakiekolwiek inne możliwe trudności wieku dziecięcego, ważniejsze niż kiedykolwiek jest, abyś...

Szanowała uczucia dziecka. Nawet jeśli nie potrafi mówić, pomóż mu opanować język emocji.

Ustalała granice. Daj znać dziecku, czego od niego oczekujesz.

Poukładała mu dzień. Trzymaj się planu dnia, by wiedziało, czego się spodziewać.

Była konsekwentna. Nie ignoruj skakania po kanapie jednego dnia, a drugiego tego nie zakazuj.

Ustaliła, co powoduje jego napady wściekłości, i unikała takich sytuacji. Jeśli wiesz, że dziecko robi się zbyt pobudzone w porze kładzenia się spać, jeśli wcześniej pozwala mu się na bieganie, zaplanuj spokojniejsze zajęcia.

Chwaliła i nagradzała. To działa lepiej niż kary. Uchwyć moment, gdy dobrze się zachowuje, i pochwal je. Zastosuj system złotych gwiazdek, aby pokazać mu jego postępy.

Współpracowała z partnerem. Doprowadź do tego, by zdrowie emocjonalne dziecka było priorytetem. Rozmawiaj o tym, planuj z wyprzedzeniem i rozplątuj nieporozumienia — ale nigdy przy dziecku.

Wprowadziła innych w sytuację. Nie bój się mówić o problemach dziecka (gdy ono nie słyszy) i wyjaśniaj, jak się objawiają w codziennych sytuacjach. Unikaj napadów złości, pomagając rodzinie, przyjaciołom i opiekunkom zrozumieć, co najlepiej się sprawdza w przypadku Twojego dziecka.

a zamiast przyczepiać mu etykietki, rodzice powinni dać mu szansę na wyrażenie jej. Tata ciężko pracował, niemniej jednak postarał się wracać wcześniej do domu dwa razy w tygodniu, aby spędzać czas z Williamem, a ponadto sobotnie ranki były czasem na „męskie rozrywki", czyli bardziej aktywne zajęcia Williama z ojcem. Relacja z tatą miała być jeszcze ważniejsza już w niedalekiej przyszłości, gdy na świat przyjdzie brat lub siostra chłopca. Zaproponowałam również, żeby Geraldine poprosiła o pomoc krewnych i przyjaciół. Nie tylko mniej prawdopodobne było, że William spróbuje z nimi swoich sztuczek, ale także ona potrzebowała odrobiny oddechu.

William prawdopodobnie nigdy nie będzie „łatwym" dzieckiem, ale w ciągu kilku tygodni Geraldine dostrzegła znaczącą różnicę. William mniej z nią walczył, przejścia od jednej aktywności do drugiej były prostsze (ponieważ przygotowywała go i poświęcała na to więcej czasu), a nawet gdy William zaczynał się denerwować, Geraldine wiedziała, jak interweniować, zanim jej syn całkowicie stracił kontrolę. „Widzę teraz, że żyłam w ciągłym napięciu" — przyznała Geraldine. „Teraz jestem bardziej zrelaksowana, i to chyba też ma na niego wpływ".

Kiedy rodzice są spokojni, z pewnością nie tylko lepiej sobie radzą z emocjami dzieci, ale też dzieci mają lepsze wzorce do naśladowania. Sedno sprawy tkwi w tym, że zdrowie emocjonalne zaczyna się w domu!

ROZDZIAŁ DZIEWIĄTY

PPROSTE TO JEST TO
— PRZYPADEK WCZESNEGO TRENINGU TOALETOWEGO

Panika nocnikowa

Chociaż rodzice najbardziej martwią się problemami ze snem, a w drugiej kolejności jedzeniem, ich niepokój osiąga nowy szczyt, gdy zaczynają choćby *myśleć* o uczeniu dziecka korzystania z toalety. Kiedy zaczynać? Jak zaczynać? A co, jeśli dziecko będzie oporne? A jeśli będzie miało „wpadki"? Pytania są niezliczone. Chociaż rodzice czasami niepokoją się, gdy poszczególne etapy rozwoju fizycznego dziecka mają miejsce później, niż opisują to podręczniki (lub niż osiągają je rówieśnicy), to jednak czekają, aż umysł i mięśnie dziecka nadgonią czas. A jednocześnie ci sami rodzice straszliwie się martwią uczeniem dziecka załatwiania się do toalety, co przecież jest również tylko kolejnym etapem rozwoju.

Statystyki wykazują, że w ciągu ostatnich sześćdziesięciu lat wiek odzwyczajania dziecka od pieluch znacząco się przesunął — częściowo z powodu mody na wychowanie skupione na potrzebach dziecka, a częściowo ponieważ pieluchy jednorazowe tak dobrze spełniają swoją rolę, że dzieci nie czują dyskomfortu, gdy przemoczą lub zabrudzą pieluszkę. Rezultaty tego opóźnienia są dramatyczne. W roku 1957 badania wykazywały, że 92% dzieci potrafiło korzystać z toalety przed ukończeniem osiemnastu miesięcy. Dziś ta liczba spadła do 25%, według badań przeprowadzonych w 2004 roku przez Szpital Dziecięcy w Philadelphii (*Children's Hospital of Philadelphia*). Według tych badań tylko 60% dzieci osiągnęło w pełni panowanie nad zwieraczami przed ukończeniem trzeciego roku życia, a 2% nie potrafi tego jeszcze w wieku czterech lat.

Być może późniejszy trening pozostawia rodzicom więcej czasu na martwienie się tym, co może się nie udać. A może ten niepokój wywołany jest tym, co czują nawet ci rodzice, którzy wcześnie zaczęli uczyć swoje dzieci korzystania z toalety: wypróżnianie się ma pewne ukryte skojarzenia „moralne". Tak czy owak, jasne jest, że współcześni rodzice, a szczególnie Amerykanie, mają problem z postrzeganiem przejścia od pieluch do deski sedesowej w taki sam bezstresowy sposób, jak do nauki samodzielnego siedzenia albo chodzenia, czy nawet mówienia.

Mówię: „Spokojnie". Uczenie dziecka, jak korzystać z toalety, tak naprawdę nie różni się od jakichkolwiek osiągnięć rozwojowych, których udało się Wam dotąd dokonać. A jeśli postrzega się je wyłącznie jako osiągnięcie rozwojowe, Twoje podejście może się zmienić. Pomyśl o tym w ten sposób: nie oczekujesz, że Twoje dziecko nauczy się stawać na nogi i natychmiast weźmie udział w maratonie. Wiesz, że rozwój nie następuje natychmiastowo — to proces, a nie wydarzenie. Na każdym etapie rozwoju napotykamy na sygnały i znaki po drodze. Na przykład na długo zanim dziecko uczyni pierwszy samodzielny krok, obserwujesz z radością, jak próbuje się podciągać na nogi. Zdajesz sobie sprawę, że ćwiczy i że wkrótce jego nogi będą dość silne, by je utrzymać. Potem dziecko zaczyna się przemieszczać, trzymając się mebli (lub Twojej nogi). To jego pierwsze doświadczenia w poruszaniu się na własnych nogach. Pewnego dnia zauważasz, że zaczyna eksperymentować i puszcza podpórkę. Najpierw odrywa jedną rękę, a potem drugą. Patrzy na Ciebie, jakby chciało powiedzieć: „Patrz, mamo — nie trzymam!". A Ty reagujesz szczęśliwym uśmiechem i pochwałą słowną, dumna, że dziecko dokonuje postępów („Świetnie, kochanie!"). Dziecko wciąż ćwiczy i w końcu jest dość silne i pewne siebie, by uczynić pierwszy krok. Widząc to, wyciągasz ręce, by je zachęcić, a może podajesz mu rękę, by je podtrzymać, gdy zrobi kilka kolejnych kroczków. Tydzień lub dwa później dziecko już nie chce trzymać Cię za rękę, niewerbalnie dając Ci znać: „Sam umiem". Wygląda trochę niezgrabnie, gdy drepcze tu i ówdzie. Jeśli chce się obrócić albo podnieść zabawkę, pada na pupę. Ale wraz z upływem czasu staje się w pełni wyprostowanym człowiekiem, który potrafi nie tylko chodzić, ale też nieść coś w rękach, skakać, a nawet biegać. Gdy patrzysz wstecz, uświadamiasz sobie, że dziecko „zaczęło chodzić" cztery lub sześć miesięcy wcześniej. Chodzenie, tak jak inne ważne momenty rozwoju, jest oznaką, że dziecko przesunęło się nieco dalej na swojej drodze do niezależności. Możesz dostrzec radość na twarzy dziecka i jego poczucie wolności, gdy w końcu jest w stanie samodzielnie zwiedzać świat. Dzieci uwielbiają uczyć się nowych rzeczy, a my uwielbiamy obserwować, jak to robią.

Ekstrema w treningu toaletowym

Prawie każdy obszar rodzicielstwa ma swoich zwolenników na przeciwnych biegunach. Jak zawsze, obie strony mają pewne słuszne argumenty. Moje własne stanowisko jest gdzieś po środku tych dwóch przeciwieństw.

Trening skupiony na dziecku. Teoria zapoczątkowana we wczesnych latach sześćdziesiątych XX wieku, sugerująca, że „im później, tym lepiej". Według niej trening toaletowy powinien zależeć wyłącznie od samego dziecka. Rodzice służą przykładem, wypatrują oznak i dają dziecku okazje do skorzystania z toalety, ale nigdy nie naciskają. Chodzi o to, żeby poczekać, aż dziecko będzie gotowe, bo wtedy samo poprosi. Może się to nie zdarzyć przed ukończeniem czterech lat.

Dzieci bezpieluszkowe. Podejście zalecane przez tych, którzy dostrzegli, że przed rokiem 1950 w Ameryce dzieci uczono korzystania z nocnika znacznie wcześniej, a w kulturach pierwotnych dzieci od urodzenia obchodzą się bez pieluch (co popiera również wielu ekologów), a jego celem jest nauczenie dziecka, by dostroiło się do potrzeb i wrażeń związanych z wydalaniem — nawet jeśli nie potrafi jeszcze siedzieć samodzielnie. Gdy rodzice odczytują sygnały i mowę ciała dziecka, trzymają je nad toaletą (lub wiadrem) i zachęcają dźwiękiem, takim jak „si-si" albo mówią „siusiu". Dziecko zatem jest zaprogramowane na wydalanie przy asyście rodzica.

Pod względem rozwojowym dokładnie to samo dzieje się z nauką załatwiania się. Oznaki, że dziecko jest w stanie wypróżniać się do toalety zamiast do pieluchy, pojawiają się na długo przedtem, zanim dziecko w istocie *usiądzie* na sedesie. Ale często nie przywiązujemy wagi do tych oznak i nie zachęcamy dziecka do niezależności. Częściowo problem wynika z tego, że dziecko nie czuje dyskomfortu. Nowoczesne pieluchy jednorazowe tak dobrze spełniają swoje zadanie, że dziecko praktycznie nie czuje, że ma mokro. A ponadto większość z nas prowadzi tak wygodne życie, że nie chce nam się poświęcać mnóstwa czasu na to, żeby uczyć dziecko korzystania z toalety. „To może poczekać" — to obecnie typowa postawa rodziców, wzmacniana przez ekspertów, którzy mówią nam, że dzieci muszą „dojrzeć", zanim zaczniemy choćby uczyć je korzystania z toalety. Problem polega na tym, że czekamy za długo.

Rozpoczynanie PPROSTE w wieku dziewięciu miesięcy

Chociaż stosunkowo niewielu ekspertów zajmuje skrajną pozycję w sprawie treningu toaletowego (patrz ramka powyżej), konwencjonalna mądrość na ten temat, którą można znaleźć w wielu książkach i wypowiedziach pediatrów, głosi, że dzieci *nie można* nauczyć załatwiania się w toalecie przed ukończeniem dwóch lat, a niektóre nie osiągną sukcesów nawet w połowie trzeciego

Co naukowcy mają do powiedzenia na temat wczesnego treningu toaletowego

Chociaż nie ma zbyt wielu naukowych dowodów na temat związku wieku rozpoczynania nauki i wieku osiągnięcia pełnego sukcesu, niedawne badania w Szpitalu Dziecięcym w Pennsylwanii potwierdziły, że chociaż wczesne uczenie korzystania z toalety zazwyczaj trwa dłużej, dzieci i tak osiągają sukces wcześniej. Inne badania, przeprowadzone w 2000 roku w Belgii przez naukowców zaniepokojonych „wzrostem problemów z wypróżnianiem się dzieci", opublikowano w „British Journal of Urology". Analizę oparto na odpowiedziach 321 rodziców, będących w różnym wieku. Grupa 1. złożona była z rodziców w wieku powyżej 60 lat, grupa 2. składała się z rodziców w wieku od 40 do 60 lat, a grupa 3. — w wieku między 20 a 40 lat. W grupie pierwszej większość rodziców rozpoczynała uczenie korzystania z toalety, zanim dzieci ukończyły 18 miesięcy, połowa z nich — zanim dzieci skończyły rok. „Większość ekspertów jest przekonana, że rozwój pęcherza i panowania nad zwieraczami to kwestia dojrzałości, której nie można przyspieszyć treningiem toaletowym", piszą dr J.J. Wyndaele i dr E. Bakker, których odkrycia całkowicie zaprzeczają tym teoriom. 71% dzieci rodziców z grupy 1. opanowało w pełni umiejętność załatwiania się do toalety lub nocnika przed ukończeniem 18 miesięcy, w porównaniu do 17% z grupy 3., w której trening zaczęto po ukończeniu przez dziecko dwóch lat.

roku życia. Generalnie panuje zgoda co do tego, że niektóre dzieci są w stanie wcześniej zapanować nad zwieraczami, podobnie jak niektóre zaczynają chodzić czy mówić wcześniej niż inne. Tym niemniej większość ekspertów zaleca, by poczekać, aż dziecko zacznie wykazywać większość oznak, że jest gotowe (jeśli nie wszystkie). Pogląd opiera się na tym, że dziecko musi zrozumieć, o co chodzi w tym uczeniu, poza tym mięśnie zwieraczy muszą być w pełni rozwinięte (co zaczyna mieć miejsce około roku życia).

Do pewnego stopnia, mimo że w Anglii uczyliśmy dzieci korzystania z nocnika o całe miesiące wcześniej niż w Stanach Zjednoczonych, sama dałam się złapać na tę konwencjonalną mądrość, gdy zaczęłam pracować z dwulatkami. W mojej pierwszej książce sugerowałam rozpoczęcie w wieku osiemnastu miesięcy. Jednak obecnie, po zapoznaniu się z tysiącami przypadków i przeczytaniu najnowszych badań na ten temat, doszłam do tego, że nie zgadzam się ani z konwencjonalną mądrością, ani z ekstremistami.

Nie oznacza to, że nie znajduję pozytywów w każdym z krańcowych podejść do kwestii treningu toaletowego. Podejście skupione na dziecku bierze pod uwagę jego uczucia — co jest podstawą filozofii zaklinaczki niemowląt. Jednak pozwolenie dziecku na decydowanie, kiedy będzie „gotowe", i samodzielne przejście przez ten proces przypomina postawienie miseczki z jedzeniem na podłogę i oczekiwanie, że dziecko nauczy się właściwych manier przy stole. Być może tak będzie, ale po cóż są rodzice, jeśli nie po to, by prowadzić dzieci i je odpowiednio wychowywać? Ponadto, jeśli dziecko *zaczyna* proces w wieku lat dwóch lub dwóch i pół, już jest „opóźnione" w moim mniemaniu, ponieważ do tego czasu bunt dwulatka jest już nieźle rozwinięty; dzieci są mniej zainteresowanie zadowoleniem rodziców, a bardziej zdeterminowane, by robić wszystko po swojemu, a rodzice łatwo tracą nad nimi kontrolę.

Jeśli chodzi o szkołę „bezpieluszkową" — zwaną również „komunikacją wydalania" — nie mogę całkiem skreślić podejścia, które opiera się w dużej mierze na obserwowaniu sygnałów wysyłanych przez dziecko. Wierzę również, że dobrze jest dawać dziecku okazje do ćwiczenia nowych umiejętności, zanim rzeczywiście jest w stanie je opanować. I zdecydowanie się zgadzam, że trening powinien zacząć się wcześniej, niż się to zazwyczaj dzieje w Stanach Zjednoczonych, gdzie przeciętny wiek opanowania kontroli nad zwieraczami zawiera się między 36. a 48. miesiącem życia. W pozostałych krajach „ponad 50% dzieci uczy się korzystania z toalety około roku życia dziecka", według profesora pediatrii w School of Medicine na University of Colorado, cytowanego w wydaniu z marca 2004 czasopisma „Contemporary Pediatrics", a 80% w wieku między rokiem a półtora, według zwolenników tego podejścia. Jednak mam kłopot z zaakceptowaniem jakiegokolwiek wzorca postępowania, który opiera się na filozofii kultur pierwotnych. Żyjemy w nowoczesnym społeczeństwie. Nie sądzę, żeby stosowne było zalecanie, by trzymać niemowlę nad wiadrem czy nawet nad sedesem. Co równie ważne, wierzę, iż dziecko powinno do pewnego stopnia panować nad procesem i powinno być w stanie go zrozumieć. Sadzanie dziecka na nocnik, zanim jest w stanie samodzielnie siedzieć, jest moim zdaniem działałniem zbyt wczesnym.

Nie dziwi chyba fakt, że moje poglądy plasują się gdzieś w połowie między opisanymi ekstremami, ponieważ zalecam rozpoczynanie treningu toaletowego mniej więcej w momencie, gdy dziecko skończy dziewięć miesięcy lub wtedy, gdy potrafi już samodzielnie, pewnie siedzieć. Wiele niemowląt, których rodzice postępują zgodnie z moim planem, osiąga kontrolę nad zwieraczami do pierwszych urodzin. Niektórym oczywiście zajmuje to więcej czasu, ale badania wykazują, że i tak osiągają sukces w momencie, gdy ich rówieśnicy dopiero zaczynają pierwsze próby.

Ponieważ obecna konwencjonalna mądrość jest tak rozpowszechniona — po części za sprawą producentów pieluch jednorazowych, którym zależy na tym, by dzieci jak najdłużej zwlekały z kontrolą zwieraczy — wielu rodziców ignoruje własne obserwacje i wiedzę na temat swojego dziecka. Na przykład na mojej stronie internetowej pojawił się następujący post napisany przez matkę piętnastomiesięcznej dziewczynki:

Od dwóch miesięcy wysadzamy Jessicę na nocnik przed kąpielą, ponieważ mała wykazywała chęć siadania na sedesie. W większości przypadków nic się nie dzieje, ale od czasu do czasu siusia. Hura! Czysty przypadek i zbieg okoliczności, jestem tego pewna. Ale jest też coś dziwnego. Tydzień temu Jessica zaczęła przynosić w ciągu dnia swoje pieluszki, rozpłaszczając je na podłodze i kładąc się na nich. Najpierw myślałam, że to po prostu zabawne, i nie przywiązywałam do tego zbyt wiele uwagi, ale nie mogłam skłonić małej, żeby zeszła, więc w końcu zdecydowałam, że ją zostawię w spokoju. No i oczywiście miała zabrudzoną pieluchę!

To trwa od sześciu dni, i jeśli ją zapytam: „Zrobiłaś kupkę?", a ona potwierdzi albo powie: „Siusiu", zawsze się to zgadza. Poza tym nigdy nie przynosi mi pieluszek, kiedy ma sucho. Czy to oznaka gotowości do treningu toaletowego — tak wcześnie? W sumie byłoby świetnie, bo jestem z nią w domu do września. Z drugiej strony, nie chcę jej popychać do czegoś, na co nie jest gotowa. Jakieś podpowiedzi?

No niestety, mama Jessiki ma przed nosem wszystkie objawy, ale z powodu tego, co zaleca większość książek, artykułów i stron internetowych, nie zwraca wystarczającej uwagi na swoje dziecko. Tak zwana doktryna („Nie zaczynaj, zanim dziecko nie skończy półtora roku") jest wzmacniana w rozmowach z innymi matkami. Jedna z matek na przykład napisała w odpowiedzi: „Tak, powiedziałabym, że to oznaka, ale jeśli to tylko to, nie zaczynałabym wysadzania na nocnik. Zawiadamia Cię po fakcie, a nie przed. Poza tym mówi tylko o kupce, a nie o siusiu, które się zdarza częściej. Ale powiedziałabym, że zaczyna chwytać, o co chodzi, więc miejmy nadzieję, że dowie się tego, *zanim* zacznie ćwiczyć".

Dowie się? Jessica ma tylko piętnaście miesięcy. Czy jej mama także pozostawia jej „dowiadywanie się", jak korzystać z łyżeczki, ubierać się albo zachowywać w towarzystwie? Mam nadzieję, że nie. Trening toaletowy nie jest czymś, co dokonuje się w ciągu jednego dnia. To proces, który zaczyna się, gdy dziecko uświadamia sobie, co się dzieje, a tak z pewnością jest w przypadku Jessiki. Mówi o tym mamie *po* fakcie, bo nikt jej nie pomógł w skojarzeniu wrażeń fizycznych. Potrzebne jej są wyjaśnienia i przykłady. Ponadto wierutną bzdurą jest przekonanie, że dziecko musi wykazywać *wszystkie* objawy gotowości, by zacząć trening. Swoim zachowaniem Jessica wręcz błaga mamę o pomoc. (Chociaż przedstawiam listę kontrolną na stronie 353, chciałabym podkreślić, że Twoje dziecko nie musi wykazywać absolutnie *wszystkich* objawów).

Chociaż przynajmniej połowa dzieci na świecie uczy się załatwiać do nocnika lub toalety *przed* ukończeniem pierwszego roku życia, wielu rodziców reaguje niedowierzaniem, jeśli nie szokiem, gdy proponuję rozpocząć już w wieku dziewięciu miesięcy. Zatem pozwolę sobie wyjaśnić moje podejście. W wieku dziewięciu miesięcy proces wydalania jest częścią planu dnia dziecka — a do rodziców należy uświadomienie tego maluchowi. Tak jak wyznaczamy czas na posiłki, rozrywkę i sen, powinniśmy też przeznaczyć chwile na wypróżnianie. Dwadzieścia minut po jedzeniu lub piciu sadzamy dziecko na nocnik. W rezultacie mamy plan PPROSTE — posiłek, potrzeba fizjologiczna, sen, teraz czas dla Ciebie (którego niestety robi się coraz mniej, gdy dziecko zbliża się do drugich urodzin). Dwa P w planie PPROSTE się wymienia, gdy dziecko budzi się rano, bo wtedy można je wysadzić od razu, zanim dostanie śniadanie (patrz „Plan" na stronach 356 – 358).

Jeśli rozpoczynamy w okresie od dziewięciu miesięcy do roku, maluch oczywiście nie potrafi jeszcze nad sobą panować ani nie ma takiej świadomości jak starsze dziecko. Dlatego trening toaletowy nie tyle polega na uczeniu dziecka, co na wytworzeniu *odruchów*. Sadząc je na nocniku lub desce sedesowej z nakładką w chwilach, gdy zazwyczaj się wypróżnia albo gdy wykazuje oznaki, że za chwilę to zrobi (zazwyczaj po jedzeniu), mamy szansę na „złapanie" siusiu czy kupki, być może nie za każdym razem, ale od czasu do czasu. Oczywiście sukcesom muszą towarzyszyć błędy. Dziecko wyczuwa deskę sedesową i uczy się rozluźniać mięśnie zwieraczy. Gdy tak zrobi, należy je pochwalić, podobnie jak wtedy, gdy zaczęło podciągać się do stania lub raczkować. Jest w wieku, gdy wciąż jeszcze chce Cię zadowolić (czego najprawdopodobniej *nie będzie* chciało w wieku około dwóch lat), a takie pozytywne wzmocnienie pomoże mu uświadomić sobie, że przypadkowy akt wypróżnienia jest czymś, co cenisz.

Dzięki rozpoczęciu treningu tak wcześnie dajesz dziecku również okazję do ćwiczeń świadomego rozluźniania mięśni zwieraczy i załatwiania się do toalety, a nie do pieluchy. A czyż nie na tym polega osiąganie umiejętności?

Lista kontrolna treningu toaletowego

Amerykańska Akademia Pediatryczna udziela rodzicom poniższych wskazówek. Zdecydowanie można znaleźć setki podobnych list kontrolnych w innych książkach, a także w internecie. Przyglądaj im się rozważnie. Niektóre etapy dziecko osiąga później niż inne. Uważni rodzice zauważą mimikę twarzy dziecka i pozycje ciała, które będą świadczyć o tym, że dziecko się wypróżnia, na *długo* przedtem, zanim maluch nauczy się chodzić i samodzielnie rozbierać czy też nosić „dorosłą" bieliznę. Ponadto dzieci rozwijają się w różnym tempie i mają różną tolerancję na mokrą czy zabrudzoną pieluchę. Wykorzystaj zdrowy rozsądek i znajomość *własnego* dziecka. Nie jest niezbędne, by dziecko osiągnęło *wszystkie* poniższe oznaki, aby rozpocząć trening toaletowy.

- Dziecko ma sucho przez przynajmniej dwie godziny w ciągu dnia albo budzi się suche po drzemce.
- Wypróżniania stają się regularne i przewidywalne.
- Mimika twarzy, pozycja ciała albo słowa wyjawiają, że dziecko ma zamiar się załatwić.
- Dziecko potrafi wykonywać proste polecenia.
- Dziecko potrafi dotrzeć do łazienki i współpracuje przy rozbieraniu.
- Dziecko sprawia wrażenie, że zabrudzona pielucha powoduje u niego dyskomfort, i domaga się przewinięcia.
- Dziecko prosi o możliwość korzystania z toalety albo nocnika.
- Dziecko chce nosić „dorosłą" bieliznę.

Ćwiczenie, ćwiczenie, ćwiczenie! Dla odróżnienia, jeśli czekamy do dwóch lat, dziecko jest już przyzwyczajone do wypróżniania się do pieluszki i musi nie tylko dostroić się do sygnałów własnego ciała, ale również chcieć załatwiać się gdzie indziej. Poza tym nie miało żadnej praktyki. To tak, jakbyś oczekiwała od dziecka, że będzie chodziło, ale przetrzymywała je w łóżeczku, dopóki nie dojdziesz do wniosku, że już „czas", żeby chodziło. Bez tych miesięcy prób i błędów, wzmacniania mięśni nóg i uczenia się, jak koordynować ich ruchy, niezbyt dobrze by sobie radziło na własnych nogach, prawda?

Poniżej wyjaśniam mój plan rozpoczynania treningu toaletowego w wieku od dziewięciu do piętnastu miesięcy, a także w późniejszym okresie. A na końcu tego rozdziału zajmę się częstymi problemami, na które napotykam.

Kiedy dziecko ostatecznie uwolni się od pieluch? Trudno to przewidzieć. Będzie to zależało od tego, kiedy zaczniesz próby, od Twojej konsekwencji i cierpliwości, od osobowości i organizmu dziecka, a także od tego, co dzieje się w domu. Mogę jednak z pewnością powiedzieć, że jeśli będziesz uważnie obserwować dziecko, trzymać się planu i traktować trening toaletowy tak, jak każdą inną umiejętność rozwojową, dziecko znacznie szybciej osiągnie ten etap, niż jeśli będziesz panikować.

Zaczynamy — od dziewięciu do piętnastu miesięcy

Jeśli rozpoczynasz trening toaletowy w wieku od dziewięciu do piętnastu miesięcy zgodnie z moją sugestią, możesz zauważać niektóre oznaki gotowości (patrz ramka boczna na stronie 353), ale może też ich nie być. To nic. Jeśli dziecko jest dość duże, by samodzielnie siedzieć, jest już gotowe, by zacząć. Pomyśl po prostu o treningu toaletowym jak o jednej z wielu umiejętności, których dziecko musi się nauczyć — jak picie z kubeczka, chodzenie, układanie puzzli. Patrz na ten proces jak na ciekawe wyzwanie, a nie przerażające zadanie. Jesteś przewodnikiem swojego dziecka.

Czego potrzebujesz. Wolę nakładki dla dzieci na normalny sedes od nocniczków, ponieważ zaoszczędzi Ci to kolejnej, późniejszej zmiany. W tej grupie wiekowej raczej nie spotyka się oporu przed toaletą, ponieważ dzieci są chętne do współpracy i pragną sprawić rodzicom przyjemność. Zadbaj o to, by dziecko miało na czym oprzeć stopy — ma się czuć bezpiecznie, a poza tym to pomaga, jeśli potrzebne jest parcie. Większość maluchów w tym wieku nie potrafi jeszcze wspiąć się na sedes i zejść bez pomocy dorosłego, ale i tak trzeba zakupić wygodny podnóżek, bo chcemy zachęcać dziecko do niezależności. Może korzystać z podnóżka przy wchodzeniu na sedes i schodzeniu z niego, a także aby dosięgnąć do umywalki w celu umycia zębów lub rąk.

Zaopatrz się w notes, by zapisywać wzorce wypróżnień dziecka (patrz „Lista kontrolna treningu toaletowego", strona 353). Uzbrój się przy tym w cierpliwość. Nie zaczynaj działań, kiedy masz mnóstwo pracy z jakimś projektem, masz się przeprowadzać albo wyjechać na urlop, lub gdy którekolwiek z Was jest chore. Zaplanuj z góry, że będziesz musiała być bardzo wytrwała przez dłuższy czas.

Jak się przygotować. Trening toaletowy, gdy dziecko jest bardzo małe (i gdy jest starsze również), zaczyna się od uważnej obserwacji dziecka i jego planu dnia. Jeśli przyswoiłaś sobie dotąd moją filozofię wychowania i dostroiłaś się do dziecka, poznałaś różne rodzaje jego płaczu i mowę ciała, a także właściwie na nie reagowałaś, gdy maluch jest w wieku dziewięciu miesięcy, nie powinnaś mieć już problemów z odkryciem, jak się zachowuje, gdy ma zamiar się wypróżnić. Na przykład, gdy niemowlę ma zaledwie kilka miesięcy, prawdopodobnie przestaje ssać podczas wypróżnienia. Niemowlęta nie potrafią się skupić na więcej niż jednej czynności na raz. Teraz też pilnuj podobnych oznak. Jeśli dziecko jeszcze nie chodzi, może zrobić śmieszną minę. Może się skrzywić albo chrząkać. Może przestać się zajmować tym, co robi, żeby skoncentrować się na wydalaniu. Jeśli zaczęło chodzić, może chować się w kącie lub za kanapą. Może chwytać się za pieluchę, starać się do niej zajrzeć albo sięgać do środka, żeby sprawdzić, co się tam „pojawiło". Chociaż są to częste sygnały, Twoje dziecko może zachowywać się zupełnie inaczej. Gwarantuję jednak, że jeśli będziesz mieć oczy szeroko otwarte, zauważysz, co robi Twoje dziecko, gdy ma zamiar się wypróżnić.

Notuj. Kontekst i plan dnia również może być wskazówką. Wiele niemowląt w wieku dziewięciu miesięcy wypróżnia się dość regularnie każdego dnia. Często siusiają dwadzieścia do trzydziestu minut po przyjęciu płynów. Ta wiedza w połączeniu z obserwacją powinna dać Ci dość dobre pojęcie o tym, kiedy i jak często w ciągu dnia dziecko się załatwia.

Nawet jeśli sądzisz, że dziecko Cię nie rozumie, wypowiadaj się na temat jej funkcji fizjologicznych w sposób, jaki jest przyjęty w Twojej rodzinie: „Robisz kupkę, kochanie?". Równie ważne jest, by mówić o własnych zwyczajach: „Mama musi iść do toalety". Idealnie byłoby, gdybyś nie wstydziła się *pokazać* dziecku, po co tam idziesz. Zawsze lepiej, by demonstracji dokonywał rodzic tej samej płci, ale nie zawsze jest to możliwe. Ponieważ chłopcy początkowo i tak siusiają na siedząco (i tak właśnie ich tatusiowie powinni im to pokazywać), widok mamy siedzącej na sedesie również będzie dobrym przykładem. Dzieci uczą się przez naśladowanie i bardzo chcą robić dokładnie to, co dorośli.

W ten sposób zaczynasz sprawiać, że dziecko jest bardziej świadome tego, co się dzieje z jego ciałem, gdy musi zrobić kupkę lub siusiu. Trudno jest przełożyć wrażenia fizyczne na słowa, zwłaszcza dlatego, że być może pełen pęcherz jest dla Ciebie innym doznaniem niż dla dziecka. Pewna znana mi mama powiedziała swojej piętnastomiesięcznej córeczce: „Kiedy poczujesz, że cię mrowi w brzuszku, to znaczy, że chce ci się siusiu". Obawiam się, że ta mama wciąż czeka na efekty. „Mrowienie w brzuszku" *nic* nie oznacza dla małego dziecka. Musi się tego nauczyć z doświadczenia.

Plan działania. Przez pierwszych kilka tygodni sadzaj dziecko na sedesie, gdy tylko się obudzi. Niech to będzie część porannego rytuału. Wchodzisz do jego pokoju, witasz je buziakiem, odsłaniasz zasłony i mówisz: „Dzień dobry. Jak się masz, kochanie?". Wyjmij dziecko z łóżeczka. „Czas pójść do toalety". *Nie pytaj, czy chce*. Po prostu to zrób. Tak samo, jak mycie ząbków staje się częścią rytuału wieczornego, pójście do toalety — a następnie umycie rączek — powinno zostać częścią porannej pobudki. Oczywiście dziecko siusiało w ciągu nocy i ma mokrą pieluchę. Może nie załatwi się ponownie. Zostaw je na sedesie przez kilka minut — nigdy więcej niż pięć. Poczytaj książeczkę, zaśpiewaj piosenkę, porozmawiaj o czekającym Was dniu. Jeśli dziecko się załatwi, powiedz o tym („Och, patrz, siusiasz do toalety, tak samo jak mamusia!") i obsyp je pochwałami. (To jedyna okoliczność, gdy sugeruję rodzicom, by nie obawiali się przesadzać z pochwałami). Ale pilnuj, by komentować sam akt załatwienia się. Innymi słowy, nie mów: „Jaka grzeczna dziewczynka", ale raczej: „Ale pięknie siusiałaś". Pokaż też dziecku, jak się samodzielnie podcierać. Jeśli się nie załatwi, po prostu zdejmij je z sedesu, załóż nową pieluszkę i daj mu śniadanie.

Panowanie nad zwieraczami

Zazwyczaj dzieci osiągają pełną kontrolę zwieraczy w następującej kolejności:

1. Panowanie nad oddawaniem kału w nocy.
2. Panowanie nad oddawaniem kału w dzień.
3. Panowanie nad oddawaniem moczu w dzień.
4. Panowanie nad oddawaniem moczu w nocy.

Jeśli masz synka, być może o poranku będzie miał erekcję. Nie podobają mi się nocniki lub nakładki dla sedes w wersji „dla chłopców", z podwyższonym przodem, bo chłopiec może sobie przygnieść swoje delikatne części ciała. Ponadto nie uczymy ich w ten sposób, że powinni kierować penis w dół, żeby trafiać do sedesu. Najpierw trzeba będzie wyręczyć malucha. Dobrze jest włożyć mu penis między nogi i delikatnie złączyć jego uda. W tym wieku lepiej, żebyś to Ty wycierała dziecko, zwłaszcza po kupce, ale wyjaśnij, co robisz, i pozwól dziecku spróbować samodzielnie. Jeśli masz córeczkę, pamiętaj, żeby ją nauczyć podcierania się od przodu do tyłu.

Dwadzieścia minut po tym, jak dziecko coś wypije, posadź je ponownie na toalecie i powtórz cały proces. Będziesz tak postępować przez cały dzień, po posiłkach i w porach, kiedy dziecko zwykle się wypróżnia. Poza tym dzieci często załatwiają się tuż przed kąpielą albo wprost do wanny, więc jeśli Twój maluch też ma takie zwyczaje, posadź go na toalecie przed kąpaniem. Zawsze używaj tych samych słów: „Idziemy do toalety. Zdejmiemy ci pieluszkę. Chodź, pomogę ci wejść". To wszystko są słowa-wskazówki, które pomogą dziecku skojarzyć funkcje fizjologiczne z toaletą. Jeśli wbudujesz te wizyty w normalny plan dnia — plan PPROSTE — cały proces będzie wydawał mu się równie naturalny, jak posiłki o wyznaczonych porach. Pamiętaj, by mycie rączek było częścią rytuału.

Nie spiesz się przez kilka pierwszych tygodni, ale bądź wytrwała. Niektórzy sugerują wysadzanie dziecka początkowo raz dziennie, ale myślę, że to zbija je z tropu. Dlaczego miałoby tak być — czy my korzystamy z toalety tylko w porze śniadania albo tuż przed kąpielą?

Chodzi o to, by dziecko nawiązało kontakt ze swoim ciałem, a także by skojarzyło wydalanie z siedzeniem na sedesie. Twoje dziecko może nie panować całkowicie nad zwieraczami (patrz ramka boczna na stronie 356), dopóki nie ma roku lub więcej. Ale nawet niedojrzałe mięśnie zwieraczy wysyłają sygnały, które dziecko nauczy się rozpoznawać. Sadzając je na toalecie, dajesz mu okazję na rozpoznanie wrażeń fizycznych i ćwiczenie panowania nad zwieraczami.

Pamiętasz o cierpliwości, której będziesz potrzebowała? Twoje dziecko nie nauczy się załatwiać do toalety w ciągu tygodnia czy dwóch. Ale szybko zacznie kojarzyć, i zanim się zorientujesz, dojdzie do wniosku, że wszystko to jest świetną zabawą, i będzie chciało chodzić do toalety nawet wtedy, gdy nie będziesz tego proponować. Na przykład Shelley, która ostatnio zaczęła ten plan z rocznym Tyrone'em, zadzwoniła do mnie po kilku tygodniach, zdesperowana. „On wciąż chce siedzieć na sedesie, ale w większości przypadków wcale się nie załatwia. Szczerze mówiąc, Tracy, mam dość. Nie okazuję oczywiście złości, ale to strata czasu, jeśli on ma tam tylko przesiadywać".

Powiedziałam Shelley, że musi wytrwać, niezależnie od tego, jak bardzo to będzie frustrujące czy nudne. „Na początku to kwestia prób i błędów, ale pomagasz mu rozpoznawać potrzeby fizjologiczne jego ciała. Nie możesz teraz zrezygnować". Doświadczenia Shelley spotykają też wiele innych matek. W końcu korzystanie z toalety jest dla malucha bardzo ekscytujące, a znacznie mniej dla mamy czy taty. W sedesie jest woda, przycisk, który powoduje, że woda zaczyna lecieć z siłą wodospadu — ale fajnie! W sumie *robienie* czegoś w trakcie siedzenia na sedesie jest znacznie mniej ważne dla małego dziecka niż dla Ciebie. Ale w końcu zacznie się załatwiać, a kiedy mu się uda, Ty będziesz reagować tak, jakbyś wygrała w totolotka. Radość z dzielenia się sukcesem jest naprawdę wszystkim, czego potrzebuje dziecko, by chcieć dokonywać kolejnych osiągnięć. Im bardziej je wspierasz, tym lepsze osiągnie rezultaty.

Gdy tylko dziecku uda się przez tydzień nie zmoczyć w ciągu dnia — bez jakichkolwiek wpadek — proponuję zakładanie mu normalnych majtek, bez pieluchy i bez ceratki. To ważne, żeby dziecko mogło *poczuć*, że ma mokro. Zazwyczaj trzeba jeszcze kilku tygodni lub nawet miesięcy, żeby dziecko przespało noc bez zmoczenia się. Można założyć, że bezpiecznie będzie nie zakładać mu pieluchy, kiedy przez dwa tygodnie będzie się budzić suche.

A jeśli ominę właściwy moment?

Powiedzmy, że przeczytałaś moje sugestie na temat wczesnego treningu toaletowego, ale wciąż masz wątpliwości. Dziewięć miesięcy czy nawet rok to Twoim zdaniem za wcześnie. Marla na przykład zaprotestowała, kiedy zasugerowałam natychmiastowe rozpoczęcie prób z jedenastomiesięcznym Harrym, ponieważ mówił „si-si" i bardzo mu przeszkadzała zabrudzona pielucha. „Ale on jest taki maleńki, Tracy" — upierała się Marla. „Jak mogę mu to zrobić?". Była zdecydowana poczekać, dopóki Harry nie skończy przynajmniej półtora roku, albo nawet dwóch lat lub więcej. To jej wybór — i być może Twój. Musisz mieć świadomość, że wtedy plan działania będzie nieco inny, a poza tym, jeśli będziesz zwlekać, narazisz się na borykanie się z buntem dwulatka, który może dotyczyć również toalety.

A może patrzysz wstecz i uświadamiasz sobie, że zbyt długo zwlekałaś, ale dziecko ma już dwa lata (przeczytaj historię Sadie zaczynającą się na stronie 368). Oczywiście różne grupy wiekowe wymagają zastosowania odmiennych strategii. Ale nigdy nie powinnaś się poddawać i czekać, aż dziecko samo podejmie decyzję. Poniżej znajdziesz sugestie postępowania w przypadku, gdy dziecko skończyło piętnaście miesięcy, a w ostatniej części tego rozdziału przyjrzymy się różnym problemom związanym z treningiem toaletowym.

Wciąż chętne do współpracy — od szesnastu do dwudziestu trzech miesięcy

To byłby mój drugi wybór właściwego momentu na rozpoczynanie treningu toaletowego, ponieważ dziecko w tym wieku wciąż jeszcze chce zadowolić rodziców. Postępujesz w podobny sposób, jak z młodszym dzieckiem (patrz strony 354 – 358), ale komunikacja będzie znacznie łatwiejsza, ponieważ dziecko już wszystko rozumie. Ponadto ma większy, a zatem pojemniejszy pęcherz, więc nie będzie tak często siusiać. Lepiej też panuje nad mięśniami zwieraczy. Chodzi tylko o to, by uświadomiło sobie, jak i kiedy nad nimi panować.

Czego będziesz potrzebować. Nakładkę na sedes dla dzieci opisano na stronie 354. Chociaż Twoje dziecko nie będzie spędzać na niej za jednym razem więcej niż pięciu minut, dobrze byłoby przygotować kilka książeczek, czytanych tylko w toalecie, niektóre związane z tematem, a inne ulubione przez dziecko. Zabierz malucha na zakupy i pozwól mu wybrać swoje nowe, „dorosłe" majtki. Podkreśl, że podobne nosi mama i tata. Kup przynajmniej osiem par, abyś miała odpowiedni zapas w razie wpadek.

Jak się przygotować. Jeśli nie wiesz jeszcze, jak wygląda Twoje dziecko tuż przed momentem, gdy się załatwia, zacznij zwracać na to uwagę. W przypadku starszych dzieci sygnały są zazwyczaj wyraźniejsze. Notuj zachowania dziecka przed wypróżnianiem się. Ponadto w miesiącu poprzedzającym trening częściej zmieniaj mu pieluszkę, by poczuło, jak to jest mieć sucho, i zaczęło woleć to od przemoczenia. Podczas tygodnia poprzedzającego trening przewijaj dziecko co czterdzieści minut albo przynajmniej sprawdzaj, czy nie ma mokro, by odkryć, według jakiego wzorca się załatwia.

Uczenie na golasa?

Mnóstwo książek i ekspertów zaleca rozpoczynanie treningu toaletowego latem, by można było pozwolić dziecku na bieganie na golasa lub przynajmniej bez majtek. Nie zgadzam się z tym. Według mnie przypomina to rozbieranie dziecka do każdego posiłku, by nie pobrudziło ubrań jedzeniem. Moim zdaniem musimy nauczyć dzieci cywilizowanych zachowań w prawdziwym świecie. Jedyna okazja, gdy można dziecko posadzić nagie na toalecie, to czas tuż przed kąpielą.

Poza tym wykorzystaj ten czas na omówienie treningu toaletowego w celu zapoznania dziecka ze słownictwem dotyczącym załatwiania potrzeb fizjologicznych, aby było bardziej świadome („O, widzę, że robisz kupkę"). Jeśli złapie za pieluchę, powiedz: „Masz mokro. Chodź, przewinę cię". Szczególnie ważne jest, by zapewnić dziecku właściwe wzorce („Chcesz iść do łazienki i zobaczyć, jak tatuś siusia?"). Czytaj książeczki i oglądaj bajki na temat korzystania z toalety. Niezależnie od tego, czy dziecko ma pieluchy tetrowe, czy jednorazowe, proponuję pokazać mu, gdzie jest właściwe miejsce na wypróżnianie się, zabierając je do łazienki i demonstrując, jak spuszczasz kupkę w toalecie.

Niektórzy eksperci sugerują, żeby umieścić na sedesie zabawkę i pokazać dziecku, jak to powinno wyglądać. Ale według mnie posadzenie na sedesie lalki, misia czy innej figurki nie ma żadnego sensu. Jeśli to się sprawdza w przypadku Twojego dziecka, to oczywiście nie ma w tym nic złego, ale wiele małych dzieci nie będzie w stanie dokonać symbolicznego skojarzenia. Dzieci uczą się na żywych przykładach, wzorcach i demonstracji. Chcą robić to, co mama i tata. Czyż nie ma sensu *pokazanie* im, jak to się naprawdę robi, umożliwiając im obserwację rodzica w toalecie?

Kubki-niekapki i trening toaletowy

Wielu rodziców obecnie zachęca dzieci do chodzenia z piciem w ręku. Od momentu wprowadzenia na rynek kubków, z których nic się nie wylewa, to łatwiejsze niż ciągłe pytanie: „Chce ci się pić?". Jeśli tylko dajesz dziecku wodę albo wodę z odrobiną soku, nie ma w tym nic złego — *poza* okresem, kiedy odzwyczajasz je od pieluch. To, co weszło, musi wyjść! Być może dobrze byłoby ograniczyć picie do regularnych pór — po posiłkach, dwie godziny po przekąskach — aby przynajmniej płyny były wydalane o regularnych porach.

Plan działania. Jak opisano wyżej, posadź dziecko na sedesie, gdy tylko się obudzi. Kiedy je ubierasz, załóż mu majtki albo grube spodenki od dresu, a nie pieluchę. Ważne jest, by poczuło inny materiał na pupie, a także by poznało uczucie, że ma *mokro*, kiedy przydarzy mu się wpadka. Nie popieram zakładania dziecku ceratowych majteczek — równie dobrze może mieć jednorazową pieluchę. Następnie posadź je na sedesie pół godziny po posiłku lub też piciu czy przekąsce. Znów muszę podkreślić — nigdy nie pytaj: „Chcesz iść do toalety?", chyba że chcesz usłyszeć odpowiedź odmowną. Weź pod uwagę rzeczywistość — dzieci w tym wieku bardzo poważnie traktują zabawę. Gdy chcesz iść z maluchem do toalety, nie przerywaj mu bardzo ważnego zadania, takiego jak dokończenie wieży z klocków, ale poczekaj, aż skończy.

Posiedź z nim, ale nigdy dłużej niż pięć minut. Odwróć jego uwagę, czytając książkę lub śpiewając piosenkę. Nie naciskaj (ale możesz puścić wodę z kranu, by pobudzić odruch). Twoje dziecko potrafi już wyrażać swoje upodobania i antypatie, a jeśli zaczynasz trening, gdy dziecko zbliża się do drugiego roku życia, możesz natknąć się na jego większy opór. Sukcesy na początku będą kwestią przypadku, ale gdy dziecko zacznie dokonywać skojarzeń, pójdzie szybciej, zwłaszcza jeśli nie będziesz szczędzić pochwał. Jeśli maluch jest oporny, być może nie jest jeszcze gotowy. Poczekaj dwa tygodnie i spróbuj jeszcze raz.

Jeśli dziecku przydarzy się wpadka, nie rób z tego wielkiej sprawy. Po prostu powiedz: „W porządku. Następnym razem ci się uda". Pamiętaj — wyrzucaj jego kupki do toalety, żeby pokazać mu, gdzie jest ich miejsce („Tym razem wrzucę kupkę do toalety za ciebie"). Przed ukończeniem dwóch lat dziecko nie myśli o sobie, że jest „brudne" albo „brzydko pachnie", więc nie używaj takich słów. Jedynie negatywna reakcja dorosłego uczy dziecko, że powinno się czegoś wstydzić.

Uniknąć walki o władzę — powyżej dwóch lat

Chociaż przygotowanie i plan działania jest w zasadzie taki sam, jak w przypadku młodszych dzieci, po ukończeniu przez dzieci dwóch lat ich rodzice często wdają się w walkę o władzę w trakcie uczenia korzystania z toalety, ponieważ ich pociechy są znacznie bardziej niezależne i sprawne, ale niekoniecznie zainteresowane sprawianiem przyjemności rodzicom. Twoje dziecko ma już teraz wyraźną osobowość, ma swoje upodobania i antypatie. Niektóre dzieci mają niską tolerancję na chodzenie w mokrej lub zabrudzonej pieluszce i będą się domagać przewinięcia. Oczywiście łatwiej będzie je nauczyć korzystania z toalety. Jeśli Twoje dziecko jest generalnie dość chętne do współpracy i reaguje na polecenia, może będziesz musiała posłodzić nieco tę cytrynę, że się tak wyrażę, tworząc system zachęt.

Niektórzy rodzice tworzą „tabelki toaletowe" i przydzielają złote gwiazdki za każdą zakończoną sukcesem wizytę w toalecie. Inni przekupują swoje pociechy M&M'sami lub innymi słodyczami, na które zazwyczaj nie pozwalają. Nagrody nie podziałają, jeśli będziesz je dawać za chęci do współpracy lub za samo siedzenie na sedesie. Dziecko powinno dostać nagrodę, gdy się załatwi. Jestem jak najbardziej zwolenniczką nagród, ale to *Ty* musisz znać swoje dziecko i wiedzieć, co odniesie najlepszy skutek. Niektóre dzieci nie dbają o nagrody, na inne doskonale działa marchewka.

Jeśli będziesz konsekwentna, Twoje dziecko *nauczy* się, jak korzystać z toalety. Pamiętaj o planie PPROSTE i przeplataj wizyty w toalecie z innymi codziennymi wydarzeniami: „Właśnie zjedliśmy obiad i się napiliśmy, więc teraz pójdziemy do toalety, a potem umyjemy rączki". Możesz również więcej wyjaśnić dziecku w tym wieku – gdy już uświadomi sobie, jakie są wysyłane przez jego ciało sygnały świadczące o funkcjach fizjologicznych, możesz powiedzieć: „Musisz po prostu się wstrzymać, dopóki nie usiądziesz na sedesie".

Rodzice często pytają mnie: „Skąd mam wiedzieć, czy dziecko stawia opór, czy jeszcze nie jest gotowe?". Ten e-mail jest typowy:

> *Moja dwulatka zaczyna wojnę za każdym razem, gdy chcę ją zabrać do toalety. Przyjaciółki mówią mi, że jeszcze nie jest gotowa, ale myślę też, że to po prostu bunt dwulatka. Czy powinnam zrezygnować? Jeśli tak, to kiedy spróbować ponownie?*

Większość dzieci jest już gotowa w wieku dwóch lat, chociaż opór jest w tym wypadku charakterystyczny dla wieku, więc może to być niezbyt dobry moment na rozpoczynanie prób. Ale nie jest to problem nie do pokonania. Jednym z większych błędów, jakie obserwuję u rodziców, jest to, że zaczynają, przerywają i zaczynają ponownie. Nie jest to godne polecenia w żadnym wieku, ale szczególnie około dwóch lat życia. Twoje dziecko naprawdę rozumie, co się dzieje, a trening toaletowy może stać się dla niego świetnym sposobem, by Tobą manipulować.

Nie angażuj się w wojny związane z treningiem toaletowym. Jednak jeśli Twoje dziecko jest oporne, *rób przerwy na jeden dzień, najwyżej dwa*. Zdziwisz się — jeden dzień naprawdę potrafi coś zmienić. Ponadto Twoje dziecko jest teraz starsze, i jeśli poczekasz tydzień czy dwa, będzie jeszcze starsze i może być jeszcze bardziej oporne. Cały czas próbuj. Nie naciskaj, ale i nie poddawaj się. Spraw, żeby nowe doświadczenie było przyjemne, korzystając z mnóstwa rzeczy odwracających uwagę i nagród. Jeśli Twoje dziecko nie załatwi się do toalety, nie chwal go za dobre chęci. Spróbuj ponownie po półgodzinie. Jeśli zmoczy się w tym czasie, nie rób z tego wielkiej sprawy. Zadbaj tylko o to, by mieć pod ręką czyste majtki i ubrania. Dwulatek jest już w stanie samodzielnie się przebrać. Jeśli się zmoczy, wystarczy, że zmieni dół. Jeżeli się zabrudzi, każ mu wejść do wanny w ubraniu i powiedz, żeby się rozebrał i umył. Nie jest to forma kary — raczej sposób, by odczuł na własnej skórze konsekwencje. Nie jesteś wredna. Bądź przy nim, by mu pomóc, ale musisz dopilnować, żeby umycie się było jego obowiązkiem. Nie wygłaszaj kazań ani nie poniżaj go. Spraw tylko, by był partnerem, i pokaż mu, że musi dzielić odpowiedzialność.

Dla Twojej własnej informacji — postaraj się dowiedzieć, czy to naprawdę była wpadka, czy też dziecko specjalnie czeka, aż zejdzie z sedesu, żeby się wypróżnić. Jeśli podejrzewasz to drugie, to wiesz już, że dowiedziało się, jak wykorzystywać toaletę jako szantaż, i stara się przyciągnąć Twoją uwagę. Najlepszą strategią byłoby obdzielić je swoją uwagą w inny, bardziej pozytywny sposób — spędzaj z nim więcej czasu i daj mu jakieś specjalne zadanie do wykonania *z Tobą*, jak sortowanie skarpetek, gdy układasz pranie. Możesz też wydzielić mu grządkę w ogródku do uprawiania albo doniczkę na oknie. Gdy rośliny będą rosnąć, zwróć jego uwagę na podobieństwo: „Zobacz, rośnie, tak samo jak ty".

Pilnuj też własnego temperamentu i reakcji. Zwłaszcza jeśli próbujesz już od jakiegoś czasu, będziesz odczuwać większe napięcie emocjonalne, a dziecko to wyczuje. To stuprocentowy przepis na wojnę.

Musisz być gotowa na właściwe temu wiekowi akty buntu — kopanie, gryzienie, wrzeszczenie, wyginanie się w łuk i inne rodzaje ataków wściekłości. Wprowadź element wyboru: „Czy chcesz, żebym poszła pierwsza, czy też wolisz skorzystać z toalety przede mną?" albo „Chcesz, żebym ci poczytała tę książeczkę, czy wolisz sam ją przejrzeć, kiedy będziesz siedzieć na sedesie?". Twoje wybory, innymi słowy, muszą bezwzględnie wiązać się z doświadczeniem toaletowym, nie możesz na przykład proponować: „Chcesz oglądać telewizję przez pół godziny, a potem iść do toalety?".

Wykorzystaj tę samą złotą zasadę, odzwyczajając dziecko od pieluch w nocy: gdy maluch będzie budzić się suchy przez dwa tygodnie, zacznij zakładać mu majtki albo niech śpi w samych spodniach od piżamy. W tym wieku, chociaż dzieci mają wpadki w nocy, gdy już zacznie wytrzymywać w dzień i będzie mieć suchą pieluszkę po przebudzeniu się, prawdopodobnie odniesie też sukces w nocy. (Co ciekawe, niewiele pytań zmartwionych rodziców, którzy do mnie trafiają, dotyczy problemów nocnych, co podpowiada mi, że gdy już doprowadzi się dziecko do zapanowania nad pęcherzem w dzień, suche noce również się pojawią automatycznie).

Wiele problemów, które obserwuję, jest rezultatem zbyt późnego rozpoczynania treningu toaletowego (patrz „Problemy toaletowe" poniżej). Jeśli Twoje dziecko nie opanowało tej umiejętności do wieku czterech lat — a dziewięćdziesięciu ośmiu procentom dzieci się to udaje — poszukaj pomocy pediatry lub urologa dziecięcego, by wykluczyć jakieś problemy zdrowotne, które mogłyby przeszkadzać w tym procesie.

Problemy toaletowe

Poniżej cytuję nieco problemów, zaczerpniętych z mojej witryny internetowej, skrzynki odbiorczej i archiwum klientów. W każdym przypadku pierwsze dwa zadawane przeze mnie pytania brzmią: **Kiedy zaczęłaś trening toaletowy?** oraz **Czy byłaś konsekwentna?** Odkryłam, że problemy z treningiem toaletowym powodowane są przynajmniej po części brakiem konsekwencji rodziców. Rodzice zaczynają trening (moim zdaniem zbyt późno), następnie na pierwszy znak oporu przerywają, potem znów zaczynają, i tak w kółko, aż zaangażują się na całego w wojnę pt. „Kto kogo przetrzyma". Można dostrzec ten motyw w wielu zacytowanych poniżej przypadkach.

„Nie okazuje gotowości w wieku dwudziestu dwóch miesięcy"

Mój prawie dwudziestodwumiesięczny syn Carson zaczął mówić „siusiu" w zeszłym tygodniu. Zapytałam go, czy musi iść siusiu, czy może już zrobił. Nie odpowiedział mi w żaden sposób. Nie okazuje żadnej gotowości do nauczenia się korzystania z toalety. Może chodzić w przepełnionej i przemoczonej pieluszce i nie zwraca na to żadnej uwagi. Mamy w łazience nocnik, ale on używa go tylko do stawania na nim i sięgania do umywalki. Nie wiem, czy mówi siusiu, bo jest to nowe słowo, które poznał, czy też odkrył, co znaczy. Czy powinnam próbować go sadzać na nocnik, kiedy mówi „Siusiu"?

Widział zarówno mnie, jak i mojego męża w łazience wiele razy, i mówię mu, że idziemy siusiu. Próbuję go trochę z tym zapoznać. A poza tym nie wiem, kiedy zacząć zakładać mu majtki jednorazowe z ceratką. Moim zdaniem nie ma to sensu, dopóki nie będzie gotowy na trening.

W tym wieku Carson już wszystko rozumie. Może jest jednym z tych dzieci, którym absolutnie nie przeszkadza siedzenie w siuśkach i kupie, ale zdecydowanie jest w stanie zrozumieć, że miejsce na siusiu i kupę jest w toalecie, zwłaszcza jeśli obserwował swoich rodziców. Nie zgadzam się również, że „nie okazuje żadnej gotowości". Bardzo prawdopodobne jest, że wie, co znaczy „siusiu". Zapytałabym: **Czy kiedykolwiek sadzałaś go na toalecie?** Przypuszczam, że nie. Więc na co czeka mama? Musi wdrożyć plan działania i trzymać się go, sadzając synka na toalecie czterdzieści minut po posiłkach. Poza tym przydałby mu się stołeczek albo podnóżek, żeby mógł sięgać do umywalki. Inaczej skąd ma się dowiedzieć, do czego służy nocnik? A jeszcze lepiej byłoby podstawiać mu podnóżek, żeby mógł dosięgnąć normalnego sedesu. Wie już, że z niego właśnie korzystają rodzice, a poza tym dzięki temu niepotrzebna będzie kolejna zmiana później. Przypomniałabym tej matce, że trening toaletowy wymaga mnóstwa cierpliwości. Mama musi mniej pozostawiać przypadkowi i zająć bardziej aktywne stanowisko w uczeniu dziecka korzystania z toalety.

„Dwuipółlatka jeszcze siusia w majtki po roku ćwiczeń"

Betsy ma dwa i pół roku. Staramy się nauczyć ją korzystania z toalety, odkąd skończyła osiemnaście miesięcy. Nosi teraz majtki jednorazowe. Czasem zupełnie odmawia korzystania z toalety i obwieszcza to głośnym krzykiem. Wczoraj siedziała przy obiedzie w kompletnie przemoczonych majtkach i nawet nam o tym nie powiedziała. Korzysta z toalety, gdy ma taki kaprys. Kiedy wychodzimy z domu, woła, że chce iść do łazienki, ale zazwyczaj idzie tam tylko po to, żeby ją zwiedzić. Jak mogę ją nauczyć korzystania z toalety?

Kiedy słyszę o takich przypadkach, gdy dziecko zaczęło uczyć się korzystania z toalety i rok później robi to tylko wtedy, gdy „ma taki kaprys", szczególnie jeśli to dziewczynka (bo one zazwyczaj uczą się szybciej od chłopców), wiem, że rodzice byli niekonsekwentni — i, muszę dodać, leniwi. Częściowo problem jest spowodowany przez pieluchy jednorazowe, które zdejmują z rodziców poczucie winy, jakie wywoływałoby przetrzymywanie dziecka w mokrej pieluszce. Zatem żyjemy w kulturze, w której wielu rodziców nie ma motywacji, by zaczynać uczyć dziecko korzystania z toalety, a potem przerzuca się na jednorazowe majteczki, które nie są o wiele lepsze. Jeśli chodzi o Betsy, na miejscu jej mamy natychmiast zabrałabym ją na zakupy, żeby kupić jej prawdziwe, „dorosłe" majtki. Betsy może nie być taka twarda w kwestii siedzenia przy posiłku w przemoczonej bawełnie, jak w jednorazowych majteczkach. Jeśli pomoczy albo zabrudzi prawdziwe majtki, będzie musiała sama się przebrać.

Ale sądzę, że w tej historii kryje się coś jeszcze. Ponieważ Betsy „wrzeszczy", gdy nie chce iść do toalety, zapytałabym jej mamę: **Czy pytasz ją, czy chce iść do toalety, czy też po prostu oznajmiasz: „czas iść do toalety"?** W przypadku dziecka w tym wieku zawsze skuteczniejsze jest oznajmienie, że pora skorzystać z toalety, i przedstawienie zachęty: „a kiedy wrócimy, możemy się razem pobawić". Wyczuwam tutaj również, że mama bardzo się frustruje całą tą sprawą (i nie ma co się dziwić, w końcu to już rok). **Czy Twoje dziecko ma ataki furii, gdy każesz mu robić inne rzeczy?** Być może Betsy ma silny charakter. Jeśli jej mama nie radzi sobie dobrze z jej atakami wściekłości przy innych okazjach, z pewnością nie odniesie sukcesu w sprawie toaletowej. W wieku dwóch i pół roku to dziecko panuje nad procesem wydalania, a nie rodzic. **Czy kiedykolwiek straciłaś panowanie nad sobą i nakrzyczałaś na dziecko za to, że się zmoczyło lub zabrudziło?** Jeśli tak, mama musi wziąć głęboki oddech i zrobić coś z własnym zachowaniem. Pogróżki nie są dobrymi narzędziami edukacyjnymi. Zaproponowałabym, żeby mama postarała się jak najmniej angażować emocjonalnie. Zamiast przypominać Betsy o toalecie, mogłaby nastawić budzik i wyjaśnić, że kiedy zadzwoni, oznacza to czas, by pójść do łazienki.

Wreszcie, w przypadku dziecka takiego jak Betsy dobrze sprawdzają się zachęty. Aby zaprojektować skuteczny system zachęt, zapytałabym mamę Betsy: **Co motywuje Twoje dziecko?** Niektóre dzieci uwielbiają dostawać gwiazdki, które w końcu można zamienić na ciekawą wycieczkę. Inne wolą zasłużyć na deser po obiedzie.

„Próbowałam wszystkiego — wciąż brak sukcesów w wieku trzech i pół lat"

Mój syn Louis ma trzy i pół roku. Próbowałam wszystkiego,
na co tylko wpadłam, ale on odmawia korzystania z nocnika.
Wie, jak i kiedy powinien się załatwić, i nie wykazuje oznak strachu.
Czasami sam idzie do toalety. Czasem potrzebuje zachęty.
Ale w większości przypadków odmawia. Próbowałam kar,

ale szybko z tego zrezygnowałam, bo to tylko pogorszyło sprawę. Próbowałam nagród w postaci cukierków, naklejek, samochodzików i zabawek. Próbowałam pochwał, przytuleń i buziaków. Nic jak dotąd nie zmotywowało go na dłużej niż kilka dni. Tylko w połowie przypadków przeszkadza mu to, że ma mokro. Bardzo proszę o jakieś pomysły.

Mama Louisa ma wiele problemów podobnych do tych, co mama Betsy (chociaż trwa to jeszcze dłużej), i zadałabym jej takie same pytania (patrz strona 365). Ale załączam tutaj także jej e-mail, ponieważ jest przykładem olbrzymiej niekonsekwencji. Gdy ktoś mówi mi, że „próbował wszystkiego" (w tym przypadku łącznie z karami), zazwyczaj oznacza to, że nie wytrwał przy jednym rodzaju postępowania wystarczająco długo, by miało szansę zadziałać. Prawdopodobnie w tym przypadku mama zmienia zasady, gdy tylko chłopcu przydarzy się wpadka.

Najpierw mama Louisa musi wybrać jedną metodę i się jej trzymać, niezależnie od tego, co się będzie działo. Musi również przejąć kontrolę nad całym procesem. Obecnie to jej trzyipółletni syn pociąga za sznurki. Widzi jej frustrację. Wie, jak ją zmusić do reakcji — do pochwał, nagród, pieszczot — i dodaje mu to poczucie władzy.

Po drugie, mama musi zacząć zakładać Louisowi majtki (nie pisze o tym, ale założę się, że mały nosi jednorazowe majteczki z ceratką). Potem powinna zastosować metodę z budzikiem, dokładnie tak samo, jak mama Betsy. Musi zadbać o to, by nie planować wizyt w toalecie tak, by kolidowały z innymi zajęciami — jeśli mu się przerwie rozrywkę, będzie mniej chętny do współpracy. Powinna również przerzucić na Louisa odpowiedzialność za ubieranie i rozbieranie się.

Uwaga na temat „karania" dziecka: to nigdy nie działa, a prowadzi do bardzo poważnych problemów w przyszłości, takich jak strach przed pójściem do toalety i moczenie nocne. Ponadto dla dziecka w wieku Louisa już sama otaczająca go rzeczywistość jest wystarczającą karą. Większość dzieci w tym wieku potrafi już korzystać z toalety. Nie potrwa długo, a koledzy Louisa zaczną komentować jego brudne albo przemoczone spodenki. Mama nie powinna przykładać ręki do tego poniżenia ani wskazywać, że „inne dzieci" (czyli grzeczne dzieci) potrafią już korzystać z toalety albo nie muszą już nosić jednorazowych majtek.

„Ma dwa lata i nagle zaczęła się bać toalety"

Moja dwuletnia córeczka, Kayla, świetnie sobie radziła z nocnikiem. Przez kilka tygodni nie zmoczyła się w ciągu dnia, a potem nagle zaczęła się bać toalety. Nie wiem, co się stało. Pracuję przez trzy dni w tygodniu, ale mamy cudowną nianię, która przychodzi do nas, gdy jestem w pracy. Czy to częste?

Mama Kayli musi uszanować lęk córki, a także dowiedzieć się, skąd się wziął. Jeśli wszystko idzie dobrze, a potem nagle dziecko zaczyna się bać toalety, prawie zawsze przyczyną jest coś, co się wydarzyło. **Czy dziecko miało ostatnio zatwardzenie?** Jeśli tak, być może któregoś dnia dziewczynka zbyt mocno parła i teraz może kojarzyć ten dyskomfort z toaletą. Dla pewności radziłabym wzbogacić jej dietę w błonnik — więcej kukurydzy, groszku, pełnoziarnistego pieczywa, suszonych śliwek i innych owoców. **Poza tym trzeba podawać jej więcej płynów.** Do czego załatwia się dziecko? Jeśli korzystasz z nakładek na sedes, być może któregoś dnia Kayla zaczęła się ześlizgiwać albo nakładka nie była odpowiednio nałożona i trzęsła się, gdy Kayla siadała lub schodziła z sedesu. Jeśli to nocnik, być może się przewrócił. **Czy dajesz dziecku podnóżek?** Bez niego może czuć się niepewnie.

Ponieważ mama Kayli nie jest jedyną osobą, która się nią zajmuje, zapytałabym również o nianię. **Czy poświęciłaś wystarczająco dużo czasu, by wyjaśnić swój plan — a jeszcze lepiej zapisać— i pokazać niani dokładnie, co ma robić?** Jeśli dziecko jest pod opieką innej osoby w ciągu dnia, ważne jest, aby niania, babcia czy opiekunki w żłobku wiedziały dokładnie, co robisz, i działały zgodnie z planem, gdy Cię nie ma. **Czy uwzględniłaś instrukcje na temat tego, co trzeba zrobić, jeśli Kayla zmoczy lub zabrudzi majtki?** Ważne jest również, by oceniać postawy, gdyż niektórzy dorośli wyśmiewają dzieci, a nawet dają im klapsy, gdy im się przytrafi wpadka. Oczywiście, czasem trudno się dowiedzieć, co się dzieje, gdy nie ma Cię w domu, ale to wszystko są możliwości, które powinnaś (taktownie) zbadać.

Gdy dziecko się boi, trzeba uszanować jego lęk. Mama może zadać Kayli pytanie: „Czy możesz powiedzieć mamusi, czego się boisz?". Gdy dowie się, jak zaczął się lęk córki (od Kayli lub na podstawie dalszych pytań), mama musi wrócić do podstaw: poczytać jakieś książeczki dla dzieci na temat korzystania z toalety, pójść do łazienki razem z dziewczynką i dać jej wybór: „Chcesz iść przed mamusią, czy ja mam się załatwić najpierw?". Gdy zabierasz dziecko ze sobą do toalety, dostrzega, że nie ma tam nic strasznego. Jeśli wszystko inne zawiedzie, mama mogłaby zobaczyć, czy Kayla chce usiąść jej na kolanach, gdy ona siedzi na sedesie, i posadzić ją między swoimi nogami. Dopóki lęk małej się nie zmniejszy, mama może posłużyć jako „nakładka na sedes" w ludzkiej postaci. Dwulatki chcą być „duże", więc gdy tylko lęk się zmniejszy, Kayla będzie chciała samodzielnie korzystać z toalety.

Czasami dzieci boją się korzystać z publicznych toalet. W takim przypadku zadbaj o to, by dziecko załatwiło się, zanim wyjdziecie z domu, i nie wychodź na zbyt długo, dopóki trwa trening. Jeśli załatwiasz jakieś sprawy w okolicy, spróbuj się umówić na przystanek u koleżanki mieszkającej w pobliżu.

„Dobrze zaczął, a potem się pogorszyło"

Myślałam, że mój syn Eric jest na dobrej drodze do nauczenia się korzystania z toalety, ale gdy przeprowadziliśmy się do nowego domu, zaczyna wojnę za każdym razem, gdy chcę żeby poszedł się załatwić. Co zrobiłam źle?

Ile czasu przed przeprowadzką zaczęłaś trening toaletowy? Mama Erica może mieć do czynienia z przypadkiem złego zaplanowania treningu w czasie. Nigdy nie polecam rozpoczynania treningu krótko przed jakąś poważną zmianą w życiu rodzinnym w rodzaju przeprowadzki czy urodzin rodzeństwa albo wtedy, kiedy samo dziecko przechodzi okres zmian — na przykład ząbkuje albo jest tuż po chorobie. **Czy jeszcze coś nowego dzieje się w domu?** Trening toaletowy mogą również zaburzać kłótnie rodziców, nowa niania albo coś innego w domu czy żłobku, co stresuje dziecko.

Musisz znów wrócić do podstaw i rozpocząć cały trening od nowa.

„Przegapiłam właściwy moment i teraz mamy wojnę"

Sadie wykazywała kilka objawów gotowości w wieku między siedemnastym a dwudziestym miesiącem życia, ale odłożyłam to na później, bo spodziewałam się drugiego dziecka. Sadie była naprawdę gotowa i załatwiła się na nocnik kilka razy, z własnej woli, gdy nr 2 był jeszcze noworodkiem. Ale moje drugie dziecko jest tak wymagające, że nie miałam sił fizycznych ani psychicznych, żeby uczyć Sadie korzystania z toalety. Więc teraz muszę czekać, aż sama zdecyduje, że tego chce, albo zacząć z nią ciężką walkę.

Doceniam szczerość mamy Sadie i to, że wiedziała, iż trening krótko przed poważną zmianą w rodzinie nie jest dobrym pomysłem. Ale mama za bardzo panikuje, a to nie pozwala jej dostrzec innych opcji. Sadie po raz pierwszy zaczęła okazywać znaki gotowości w wieku siedemnastu miesięcy. Gdyby jej mama konsekwentnie prowadziła trening od tego momentu — czyli przed urodzeniem drugiego dziecka — być może udałoby się nauczyć Sadie samodzielnego korzystania z toalety. Jednak tak się nie stało. Sadie ma teraz ponad dwa lata, i mimo że trudniej jest zaczynać trening w tym wieku, zwłaszcza w przypadku pojawienia się młodszego rodzeństwa, wciąż są inne opcje niż „ciężka walka".

Sadie w oczywisty sposób jest gotowa, by się uczyć, potrafi również komunikować się z matką. Sugerowałabym następujący plan: mama powinna poświęcić tydzień na obserwowanie wzorców funkcji fizjologicznych córki i rozmowę o zwyczajach toaletowych. Dobrze byłoby również zabierać Sadie ze sobą do toalety. Poza tym trzeba się wybrać na zakupy, po nowe majtki „dla dużych dziewczynek". Gdy nadejdzie pora na rozpoczęcie treningu toaletowego, mama powinna przewijać niemowlę kilka minut przed tym, gdy jej zdaniem starsza córeczka powinna iść się załatwić. Powinna zaangażować Sadie do pomocy: „Chcesz pomóc mamie przewinąć dzidziusia?". Sadie powinna dostać mały podnóżek, by mogła dosięgnąć i przytrzymać pieluchę lub krem do pupy, aby poczuła się jak ważny pomocnik. Mama mogłaby również od niechcenia mówić swojej córeczce: „Ty już nie potrzebujesz pieluszek, bo potrafisz już sama chodzić do toalety, tak jak ja. Gdy tylko zmienimy pieluszkę dzidziusiowi, pójdziemy razem do toalety". Jeśli mama pozwoli Sadie na aktywny udział w całym procesie, dobrze zaplanuje wizyty w toalecie i będzie jej dawać możliwość wyboru („Czy chcesz iść pierwsza, czy najpierw mama?"), znacznie mniej prawdopodobne będzie wdawanie się w wojnę o władzę.

„Trzylatka tylko udaje, że załatwia się do nocnika, a potem robi w pieluchę"

Amy siedzi na nocniku i udaje, że się załatwia, ale nigdy tego nie robi. Nosi normalne majtki, ale kiedy musi się załatwić, oznajmia: „Proszę pieluszkę" i załatwia się do pieluchy. Rozmawialiśmy z naszym pediatrą, i jego zdaniem Amy oczywiście MOŻE się załatwić do nocnika, ponieważ potrafi odczekać wystarczająco długo, aż założymy jej pieluchę. Powiedział, żeby na nią nie naciskać — że im bardziej będziemy ją zmuszać, tym bardziej ona będzie się upierać przy swoim. To dla nas trudne, bo mamy też siedmiolatka, który bez problemów nauczył się załatwiać do nocnika. Obawiam się, że wola Amy jest silniejsza niż moja.

Kolejna mama na mojej stronie internetowej zasugerowała, żeby dawać Amy pieluchę, ale z wyciętą dziurą, by mogła mieć na sobie pieluchę i jednocześnie załatwić się do toalety. Są dzieci, które mają problem z załatwieniem się, a dziura w pieluszce mogłaby w tym pomóc. Jednak Amy ma trzy lata i jest bardzo bystrym i niezależnym dzieckiem. Mama mówi, że wola

Amy jest silniejsza niż jej własna, co podpowiada mi, że nie jest to jedyna wojna rozgrywająca się w domu. Zapytałabym: **Czy walczysz z dzieckiem także o inne rzeczy?** Jeśli tak, Amy znalazła nowy sposób na manipulowanie rodziną — nic niezwykłego u małego dziecka. Proponowałabym wyrzucenie wszystkich pieluch z domu i powiadomienie o tym Amy. Gdy poprosi o pieluszkę, trzeba jej przypomnieć: „Nie mogę ci dać pieluszki, skończyły się. Chodźmy się załatwić do toalety". Zrozumiałabym pediatrę, gdyby doradzał, żeby nie wywierać presji w przypadku dziecka dwuletniego, ale Amy ma trzy lata, i tu jestem sceptyczna. Niektóre dzieci trzeba trochę popchnąć, i podejrzewam, że Amy należy do tej właśnie kategorii.

„Leje naokoło, jak z węża strażackiego"

Oczywiście, że tak! To element tego etapu rozwojowego. Uczenie chłopców korzystania z toalety jest ucieleśnieniem powiedzenia: „Uważaj, czego sobie życzysz — może się spełnić". Nawet uczenie chłopców siusiania na siedząco niekoniecznie rozwiązuje problem. Gdy chłopcy nauczą się używać penisów, zaczynają pałać szczególnym upodobaniem do trafiania w cel. Pewien ojciec postanowił to wykorzystać i przyspieszyć dzięki temu proces treningu — wsypywał płatki Cheerios do nocnika i kazał synowi w nie celować. Jeśli chłopiec nie trafił, musiał po sobie posprzątać. Z kolei pewna matka uczyła dzieci korzystania z toalety całkiem bez nocnika czy nakładki, sadzając dzieci tyłem na desce sedesowej.

„Córka chce siusiać na stojąco"

Zwłaszcza jeśli dziewczynka miała okazję zaobserwować tatę lub starszego brata, nie można jej za to winić. Musisz być cierpliwa i wyjaśnić, że dziewczynki siusiają inaczej niż chłopcy. Pokaż jej. W najgorszym przypadku pozwól jej spróbować, ale ostrzeż, że jeśli nie trafi do toalety, będzie musiała po sobie posprzątać. Zazwyczaj uczucie siusków spływających po nodze wystarcza, by zadusić ten nawyk w zarodku.

„Ma problem ze schodzeniem z nocnika"

Moja córka wykazała bardzo duże zainteresowanie treningiem nocnikowym w wieku osiemnastu miesięcy, więc zaczęliśmy. Niestety była to zima, i w okresach choroby i mojego zajmowania się noworodkiem kilkakrotnie zaczynaliśmy i przerywaliśmy, aż w końcu przestaliśmy na dobre. Teraz mała ma prawie 23 miesiące i chcemy znów zacząć. Zdaję sobie sprawę z tego, że początkowo popełniliśmy wiele poważnych błędów: zaczynanie, przerywanie, pozwalanie jej na siedzenie na nocniku godzinami i czytanie książek. Czy inne dzieci też ciężko namówić na zejście z nocnika po kilku minutach? Poprzednio nie chciała wcale wstawać, kończyło się walką, a ja nie chciałam, żeby tak jej się kojarzył trening toaletowy, więc pozwalałam jej siedzieć na nocniku tak długo, jak tylko miała ochotę. Jak można namówić ją na zejście bez kłótni?

Na początek proponowałabym budzik. W przypadku tak dużego dziecka spokojnie można powiedzieć: „Gdy zadzwoni dzwonek, musimy sprawdzić, czy jest kupka albo siusiu". Jeśli nic się nie znalazło w toalecie, trzeba powiedzieć: „Dobrze, już spróbowaliśmy, teraz schodzimy, przyjdziemy za chwilę i spróbujemy jeszcze raz. Ale wyłania się tutaj również poważniejszy problem. Ta mama ustąpiła dziecku, by uniknąć walki — jak mówi, w kwestii treningu toaletowego. Ale założę się, że w innych obszarach dzieje się podobnie.

Prawdziwe sedno treningu toaletowego

Jedna z matek, której syn nie potrafił jeszcze korzystać z toalety w wieku trzech lat, powiedziała mi, że pediatra uśmierzył jej lęki, prosząc, żeby się rozejrzała. „Zapytał, czy znam jakichś dorosłych, którzy wciąż chodzą w pieluchach!". Miał rację. Większość dzieci się tego uczy... w końcu. Niektórym nauka zajmuje zaledwie kilka dni, ponieważ są gotowe, a ich rodzice chcą odłożyć wszystko na bok i skoncentrować się na tym jednym, ważnym zadaniu. Innym potrzebny jest rok lub nawet więcej czasu. Gdybyśmy mieli tysiąc ekspertów, prawdopodobnie otrzymalibyśmy tysiąc różnych odpowiedzi na temat treningu toaletowego, rozciągających się od uczenia dziecka w wieku kilku miesięcy do czekania, aż samo się zdecyduje. Poczytaj na temat wszystkich metod, a potem wybierz metodę i plan, które wydają Ci się odpowiednie dla Twojego dziecka i stylu życia. Porozmawiaj z innymi rodzicami i dowiedz się, co się sprawdziło w ich przypadku. Niezależnie od tego, jaką metodę wybierzesz, rozchmurz się. Śmiej się z tego. Im mniej w Tobie napięcia, tym większa szansa, że dziecko odniesie sukces. Kończę ten rozdział serią rad pochodzących wprost od doświadczonych w okopach: matek, które są w trakcie treningu toaletowego albo właśnie go zakończyły. Oto perełki mądrości, które znalazłam na mojej witrynie internetowej:

- Nie marudź w kółko dziecku, żeby poszło do toalety. Nigdy nie naciskaliśmy na naszą córkę w żaden sposób, ale obdarzaliśmy ją mnóstwem pochwał i zachęt.

- Zdecydowanie polecam książeczkę *The Potty Book for Girls/Boys,* która przekazuje odpowiedni komunikat i jest równie ciekawa dla rodziców, jak i dla dzieci.
- Nie zaczynaj, kiedy nadchodzi jakieś ważne wydarzenie — nowe dziecko, pójście do przedszkola, do pracy, podróż, nawet na weekend. To wytrąca wszystkich z rytmu, a Ty za każdym razem musisz robić trzy kroki w tył.
- Możesz zostawić dziecko na golasa, jeśli chcesz, ale mam wrażenie, że wtedy będzie siusiać na podłogę i czuć się zawstydzone.
- Pamiętaj, że Twoje dziecko jest odrębnym człowiekiem, i jeśli sprawisz, że będzie czuć się dobrze i będzie panować na sytuacją (chociaż to my w tajemnicy sprawujemy kontrolę), będziesz mieć większą szansę na powodzenie.
- Pamiętaj, że *Ty* uczysz dziecko korzystania z toalety w równym stopniu, co ono uczy się samo. Nie znęcaj się nad sobą, jeśli po drodze popełniłaś parę błędów.
- Nie pójdzie pewnie tak gładko, jak to wynika z książek. Ale czy nie podobnie było z Twoją ciążą? Porodem? Karmieniem piersią?
- Nie podkreślaj, że musi się udać w określonym czasie. Gdy dziecko uczyło się chodzić, musiało kilkakrotnie upaść, a w przypadku treningu toaletowego jest podobnie.
- Nie mów nikomu, że uczysz malucha korzystania z toalety, albo będą zadręczać Cię codziennie krytyką i „pomocnymi radami". Poczekaj, dopóki nie osiągniesz sukcesu, i wtedy dumnie ogłoś, czego dokonało Twoje dziecko. Wyjątkiem jest sytuacja, gdy masz jakieś wyjątkowo wspierające towarzystwo, jak tu, na stronie *babywhisperer.com*, gdzie możesz podzielić się sukcesami i porażkami, a ludzie odpowiedzą Ci zachętą i *prawdziwą* pomocą.

ROZDZIAŁ DZIESIĄTY

WŁAŚNIE WTEDY, GDY MYŚLISZ, ŻE JUŻ SOBIE DOSKONALE RADZISZ... WSZYSTKO SIĘ ZMIENIA!

— Dwanaście Istotnych Pytań oraz Dwanaście Zasad Rozwiązywania Problemów

Nieuniknione prawo rodzicielstwa

Gdy omawiałam proponowaną zawartość tej książki z moją współautorką, najpierw oczywiście opracowałyśmy wszystkie „gorące" tematy — ustalanie planu dnia, sen, jedzenie, problemy z zachowaniem — i zastanawiałyśmy się, jak zakończyć tę książkę. Miała ona zawierać rozwiązania, ale jak można przewidzieć i opisać każdy problem, jaki mogą napotkać rodzice?

Jennifer, której synek Henry miał wówczas około czterech miesięcy, przyszła nam z pomocą. Henry, Aniołek o pogodnym usposobieniu, który szybko przystosował się do planu PROSTE i spał wcześniej przez pięć do sześciu godzin w nocy, nagle zaczął budzić się o czwartej rano. Gdy ustaliłyśmy, że nie jest głodny, zaproponowałam moją strategię „budzenia, by spało" (patrz ramka boczna na stronie 199). Jen początkowo była nastawiona sceptycznie, ale kilka nocy później obudził ją wymiotujący pies o trzeciej rano — dokładnie godzinę przed zwyczajową pobudką Henry'ego. „I tak byłam na nogach" — wyjaśniła później Jennifer — „więc stwierdziłam, że można by spróbować". Ku zdziwieniu Jen obudzenie małego przerwało cykl jego porannych pobudek i wkrótce Henry wrócił do dawnych zwyczajów. Ale nie to jest sednem tej opowieści. Wiedząc, że zmagamy się z pomysłem na ostatni rozdział, Jennifer powiedziała: „A może by tak: »Właśnie wtedy, gdy myślisz, że już sobie doskonale radzisz... wszystko się zmienia«?".

Doskonałe! Na podstawie swoich własnych krótkich doświadczeń w roli matki Jen odkryła nieuniknione prawo rodzicielstwa: nic nie pozostaje takie samo przez zbyt długi czas. W końcu to jedyna praca na świecie, w której nie tylko zmieniają się wymagania, ale również „produkt". Mądrzy i umiejętni rodzice rozumieją, że dziecko się rozwija, i są w stanie czerpać ze skarbca najbardziej skutecznych sekretów zaklinania niemowląt. Ale nawet to nie daje gwarancji, że wszystko będzie szło gładko w nieskończoność. Każdy rodzic natyka się na niespodzianki.

Potem wysłałyśmy e-maile do rodziców, pytając o sytuacje, które chętnie widzieliby w tej książce. Gdy Erica napisała nam poniższą odpowiedź, wiedziałyśmy, że jesteśmy na dobrej drodze. Nie tylko ta książka, ale każda pozycja traktująca o wychowywaniu dzieci powinna się kończyć w ten sposób!

☺ *Właśnie wtedy, gdy myślisz, że dziecko zaśnie bez problemów, ono domyśla się, że jeśli będzie wystarczająco marudne, zostaniesz z nim.*

☺ *Właśnie wtedy, gdy myślisz, że Twoje dziecko będzie jadło wszystko i uwielbia warzywa, ono rozwija namiętność do ciastek i odkrywa, że może wyrażać swoje preferencje.*

☺ *Właśnie wtedy, gdy myślisz, że Twoje dziecko nauczyło się pić z kubeczka, ono odkrywa radość z rozlewania płynów.*

☺ *Właśnie wtedy, gdy myślisz, że Twoje dziecko naprawdę lubi kolorowanie, ono odkrywa, że nie jest ograniczone kartką papieru — ściany, podłogi i blaty stołów są świetnymi powierzchniami na rozwijanie talentów plastycznych.*

☺ *Właśnie wtedy, gdy myślisz, że Twoje dziecko uwielbia czytanie, ono odkrywa uroki płyt DVD i kreskówek.*

☺ *Właśnie wtedy, gdy myślisz, że Twoje dziecko potrafi mówić „proszę" i „dziękuję", ono odkrywa, że fajnie jest sięgać po to, czego się chce...*

Każdy rodzic czytający listę stworzoną przez Ericę może dodać coś od siebie. W końcu rodzicielstwo jest serią chwil „właśnie wtedy, gdy". Są to nieuniknione fakty. Rozwój dziecka — a także dorosłego — charakteryzuje się momentami równowagi (spokoju) i nierównowagi (chaosu i zdenerwowania). Dla rodziców podróż do każdego kolejnego dnia przypomina wspinanie się po górskim zboczu. Wkłada się mnóstwo wysiłku w wejście bardzo stromą ścieżką, aż w końcu docierasz do równiny. Wtedy ziemia jest bardziej płaska i przez jakiś czas podróżujesz bez wysiłku, aż dotrzesz do kolejnego wzniesienia, gdzie znów trudniej się wspinać. Ale jeśli chcesz osiągnąć szczyt, nie masz wyjścia — musisz iść.

Na tych ostatnich stronach przyglądamy się codziennej, rodzicielskiej wędrówce po kamienistym zboczu, które wydaje się pojawiać znikąd. Ta wędrówka może zmęczyć nawet najbardziej wytrwałych rodziców. Ponieważ naprawdę nie ma możliwości, bym przewidziała każdy konkretny moment „właśnie wtedy, gdy", proponuję parę uniwersalnych strategii rozwiązywania problemów. Potem pokażę, jak je zastosować, na wybranych scenariuszach z kategorii „właśnie wtedy, gdy". Niektóre tematy nie pojawiły się wcześniej. Inne wiążą się ze snem, jedzeniem i zachowaniem — czyli kwestiami, które już omówiłam szczegółowo, wymagającymi zastosowania technik, jakich już się nauczyłaś, jeśli czytałaś uważnie. Ale tutaj skupimy się na złożoności tych problemów i spojrzymy na nie z szerszej perspektywy.

Dwanaście Istotnych Pytań

Jak wyjaśniałam we wstępie, w ciągu ostatnich lat zmieniłam się z Zaklinaczki w Panią Naprawiaczkę. Wierzę, że w każdym rodzicu tkwi Pani Naprawiacz czy Pan Naprawiacz — potrzeba po prostu kilku wskazówek. Rozwiązywanie problemów oznacza zadawanie właściwych pytań, byś mogła odkryć źródło zdenerwowania dziecka i przyczyny nowych zachowań, a potem wymyślić plan zmiany sytuacji — lub nauczyć się żyć w nowych okolicznościach.

„Ale to się pojawiło znikąd" — upierają się często rodzice. Nie, słonko. Za każdym razem, gdy dzieje się coś nieprzewidzianego, prawie zawsze ma to jakąś przyczynę. Budzenie się w nocy, zmiana zwyczajów jedzeniowych, niegrzeczność, niechęć do interakcji z innymi dziećmi lub do współpracy z rodzicami — jakiekolwiek są te nowe zachowania czy postawy, rzadko pojawiają się „znikąd".

Ponieważ rodzice zazwyczaj czują się bezradni i przytłoczeni w chwilach „właśnie wtedy, gdy", wymyśliłam sposób, który może pomóc Ci dać krok w tył i przeanalizować, co się ostatnio działo w domu, w Twoim życiu i z Twoim dzieckiem — to Dwanaście Istotnych Pytań. W całej książce zadawałam mnóstwo pytań, które miały pomóc Ci zrozumieć, jak radzę sobie z konkretnym problemem. Ale tutaj ograniczyłam się do kwestii, które moim zdaniem są kluczowe — są to pytania, które zadaje się *najpierw*, ponieważ odzwierciedlają najczęstsze przyczyny nagłych zmian zachowania. W wielu sytuacjach z kategorii „właśnie wtedy, gdy" odgrywa rolę kilka czynników — rozwój dziecka, coś, co robisz (lub czego nie robisz), zmiany w planie dnia lub w otoczeniu rodzinnym. Czasem niełatwo domyślić się, co się dzieje albo czym się zająć najpierw. Odpowiedź na wszystkie te pytania, nawet jeśli Twoim zdaniem niektóre nie mają związku z aktualną sytuacją, pomoże Ci lepiej rozpoznać i rozwiązać problem.

Dwanaście Istotnych Pytań

1. Czy Twoje dziecko weszło w nowy, trudniejszy etap rozwoju — na przykład uczy się siadać, chodzić, mówić — lub przechodzi przez fazę, która może mieć związek z jego nowym rodzajem zachowań?
2. Czy to nowe zachowanie odpowiada osobowości dziecka? Jeśli tak, czy możesz dostrzec, jakie inne czynniki (rozwojowe, środowiskowe lub związane z rodzicami) mogły mieć wpływ na pogorszenie się sytuacji?
3. Czy Twój plan dnia się zmienił?
4. Czy dieta dziecka uległa zmianie?
5. Czy dziecko ma jakiekolwiek nowe zajęcia? Jeśli tak, czy są one odpowiednie do jego wieku i temperamentu?
6. Czy wzorzec snu dziecka w dzień lub w nocy się zmienił?
7. Czy byłaś poza domem częściej niż zwykle, a może pojechaliście na wakacje lub wycieczkę?
8. Czy Twoje dziecko ząbkuje, dochodzi do siebie po wypadku (nawet drobnym), po chorobie czy zabiegu chirurgicznym?
9. Czy jesteś (lub ktoś inny z bliskich dziecku dorosłych) chora, wyjątkowo zajęta, a może przechodzisz trudny emocjonalnie okres?
10. Co jeszcze dzieje się w domu, co mogłoby mieć wpływ na dziecko — kłótnie rodziców, nowa niania, młodsze rodzeństwo, zmiana pracy, przeprowadzka, choroba lub śmierć w rodzinie?
11. Czy przypadkowo wzmocniłaś zachowanie dziecka, ciągle się poddając?
12. Czy ostatnio próbowałaś nowej metody wychowawczej, bo coś innego „nie podziałało"?

Sugeruję, żebyś przepisała sobie te pytania i przynajmniej na początku, gdy będziesz się uczyć rozwiązywania problemów, zapisywała również odpowiedzi. Małe ostrzeżenie: gdy będziesz odpowiadać na te pytania, możesz mieć poczucie winy, ponieważ niektóre wiążą się z odpowiedzialnością rodziców. Wierz mi, nie sugeruję tego zadania po to, żebyś doszła do wniosku: „O, nie, to przeze mnie mały Jaś rozwala wszystko jak trąba powietrzna". Poczucie winy, jak już podkreślałam, niczemu nie służy. Zamiast się w kółko obwiniać, skieruj energię na zrozumienie, *dlaczego* zaistniała dana sytuacja, a następnie aktywnie działaj, by ją zmienić. Każdy problem można rozwiązać, wracając do podstaw, *jeśli tylko wiesz, gdzie kryje się przyczyna.*

W poniższych podrozdziałach przyglądamy się nieco bliżej podanym pytaniom, jak również przykładom prawdziwych sytuacji, w których odpowiedź na nie pomogła w rozwiązaniu problemów z kategorii „właśnie wtedy, gdy".

Weź pod uwagę rozwój dziecka

Pierwsze pytanie dotyczy zmian rozwojowych:

1. **Czy Twoje dziecko weszło w nowy, trudniejszy etap rozwoju — na przykład uczy się siadać, chodzić, mówić — lub przechodzi przez fazę, która może mieć związek z jego nowym rodzajem zachowań?**

Zmiany rozwojowe są oczywiście nieuniknione. Żaden rodzic przed nimi nie ucieknie. Nie powinnaś również próbować ich powstrzymać. Ale oczywiście pojawia się chaos i nierównowaga. Zdumiewające jest, jak często dzieci zmieniają się dosłownie w ciągu jednej nocy. Pamiętam, jak któregoś wieczoru położyłam moją córeczkę spać — małego Aniołka — i przysięgam, o poranku obudziła się jako małe diablę. Sądziliśmy, że ktoś porwał prawdziwą Sophie. Nagle stała się uparta, bardziej asertywna i niezależna. Z pewnością nasze doświadczenie nie było odosobnione. Dostaję mnóstwo e-maili i telefonów od rodziców, którzy mówią, że czują się tak, jakby do ich domu zakradli się w nocy kosmici i podmienili im dziecko na małego terrorystę!

Sztuczka w przypadku skoków rozwojowych polega na tym, by się im nie dać. Gdy rodzice są zszokowani nowym rodzajem zachowań, często zapominają, by trzymać się planu dnia, co jest ważniejsze niż kiedykolwiek podczas okresów nierównowagi. Co gorsza, rodzice angażują się również w przypadkowe rodzicielstwo. Gdy przeczytasz za chwilę „Dylemat Dorian" (strony 389 – 393) — prawdziwą historię o problemie „właśnie wtedy, gdy", którego przyczyną był nie tylko rozwój, ale również kilka innych czynników

— zauważysz, że dzieci w naturalny sposób testują swoje nowe umiejętności na tych, którzy są im najbliżsi — na rodzicach. Gdy reagujemy, a one zdają sobie sprawę, że mają na nas wpływ, dajemy im do ręki władzę i wzmacniamy nowe zachowania.

Czasami musisz po prostu zacisnąć zęby i poczekać, aż ten etap minie. Pomocne jest postrzeganie nowego zachowania jako chęci dziecka do eksplorowania świata, a nie osobistego ataku (chociaż możesz mieć takie wrażenie). Jeśli dziecku nie grozi żadne niebezpieczeństwo, a jego zachowanie nie ma wpływu na innych, często najlepiej jest je zignorować. Ale czasami zmiany rozwojowe wymagają pewnego dostosowania się z Twojej strony. Na przykład, jeśli Twoje dziecko niegdyś bawiło się samodzielnie, a teraz staje się bardziej wymagające, przyczyną może być rozwój mózgu, dzięki któremu zdaje sobie sprawę, że Cię potrzebuje. A może wyrosło ze starych zabawek. Gdy dziecko nauczy się posługiwać jakąś zabawką i doprowadzi tę umiejętność do mistrzostwa, jest gotowe na większe wyzwanie.

Często rodzice nie zdają sobie sprawy z tego, że to, co wygląda na problem z zachowaniem, jest tak naprawdę skokiem rozwojowym, który wymaga zmiany planu dnia lub podjęcia działań, by dostosować się do nowych potrzeb i umiejętności dziecka. Pamiętasz Jake'a, którego mama Judy martwiła się, jak nauczyć syna, by nie dotykał kosztownych rzeczy i nie bił innych po twarzy (strona 335)? Tak zwane problemy z tym chłopcem dotyczyły jedynie jego rozwoju. Gdy słyszę, że niemowlę nagle „sięga po wszystko", wiem, że już pora, by rodzice wprowadzili zmiany, aby dopasować otoczenie do jego nowych potrzeb i umiejętności. Poradziłam Judy, by przystosowała dom do dziecka, by nie musiała wciąż z nim walczyć oraz aby Jake nie stresował się tak bardzo ciągłymi zakazami. Gdy już stworzyła bezpieczną przestrzeń, w której Jake mógł ćwiczyć swoje umiejętności, musiała już tylko konsekwentnie powstrzymywać go od bicia i czekać, aż ten etap rozwoju minie. Gdyby była mniej uważną i świadomą matką, agresja Jake'a mogłaby się zwiększyć, co byłoby wielką szkodą, ponieważ prawdziwym źródłem tego problemu był rozwój chłopca i jego coraz większa niezależność.

Poznaj własne dziecko

Drugie pytanie wiąże się z niezwykle ważną zasadą, którą podkreślam w całej książce: poznaj własne dziecko.

2. **Czy to nowe zachowanie odpowiada osobowości dziecka? Jeśli tak, czy możesz dostrzec, jakie inne czynniki (rozwojowe, środowiskowe lub związane z rodzicami) mogły mieć wpływ na pogorszenie się sytuacji?**

Rodzic mówi do mnie: „Oczywiście zdaję sobie sprawę z tego, że moje dziecko ma własną osobowość i muszę szanować jego wyjątkowość". Ale prawdziwa akceptacja temperamentu to coś o wiele więcej niż same słowa (więcej na ten temat znajdziesz w podrozdziale „Dlaczego niektórzy rodzice nie widzą" na stronie 73). W miarę jak dzieci rosną, a zwłaszcza gdy wychodzą poza dom i zaczynają spotykać się z innymi dziećmi, w nowych sytuacjach towarzyskich dobre intencje rodziców często nie wystarczają.

Weźmy na przykład Susan, znaną prawniczkę z Houston, którą poznałam, gdy podpisywałam moje książki w Los Angeles. Susan zmniejszyła liczbę godzin spędzanych w pracy po urodzeniu się jej córki Emmy, by mogła „robić więcej rzeczy" z córką. Ale Emma była znacznie mniej towarzyska niż jej energiczna i rozmowna mama. Susan musiała wreszcie zaakceptować prawdę na temat swojej córeczki, gdy Emma miała niecałe dwa latka. Chociaż mała uwielbiała muzykę, zaczęła chować się za kanapą, gdy Susan mówiła: „Dziś jest nasza pierwsza lekcja muzyki". Początkowo Susan sądziła, że to zabawa i że chowanie się Emmy nie ma nic wspólnego z muzyką, więc po prostu zignorowała to zachowanie. Gdy dotarły na lekcję, Emma dostała ataku wściekłości, a Susan założyła (i tak też powiedziała innym matkom), że jej córka „pewnie źle spała w nocy". Ale w końcu, po kilku tygodniach podobnych scen, zadzwoniła do mnie.

Po udzieleniu odpowiedzi na Dwanaście Istotnych Pytań Susan uświadomiła sobie, że Emma była bardzo wrażliwym dzieckiem już od narodzin, ale mama zawsze uważała — miała nadzieję — że z tego wyrośnie. Ciągle narażała córkę na mnóstwo sytuacji towarzyskich, licząc na to, że zajęcia pozwolą jej przełamać zawstydzenie. Im bardziej oporna była Emma, tym bardziej Susan naciskała. „Podczas spotkań z innymi dziećmi w sali muzycznej Emma wciąż chciała wejść mi na kolana, ale jej nie pozwalałam. Ciągle mówiłam, żeby pobawiła się z innymi dziećmi. W końcu po to tam byłyśmy, jak inaczej mogłaby się tego nauczyć?". Tak zwany nagły opór Emmy zawsze ją charakteryzował, ale Susan nie przyjmowała do wiadomości oczywistych sygnałów. Teraz jednak czynniki rozwojowe jeszcze zaostrzyły problem. Emma ma prawie dwa lata, więcej rozumie i lepiej potrafi bronić własnych granic, więc daje Susan znać: *Hej, mamo, to dla mnie za dużo!*

Powrót do podstaw w tym przypadku oznacza to, że Susan musi wziąć pod uwagę wrażliwość Emmy, gdy planuje jej dzień. Musi dać Emmie czas na dostosowanie się do nowych sytuacji i do grupy dzieci, a nie wpychać ją na arenę. „Czy mamy całkiem zrezygnować z zajęć?" — zapytała Susan. Powiedziałam jej, że zdecydowanie nie. To nauczyłoby Emmę, że gdy coś jest straszne, trudne lub frustrujące, zaprzestaje się prób oswojenia się z sytuacją. Zaproponowałam w zamian, by wrócić do lekcji muzyki, ale zapewnić

Emmę, że może siedzieć u mamy na kolanach, dopóki *sama* nie będzie gotowa, by bawić się instrumentami oraz z innymi dziećmi. Nawet gdyby to miało potrwać całe tygodnie, nawet gdyby zajęcia miały się ku końcowi, mama powinna nadal na nie zabierać córkę.

Tymczasem jednak Susan mogłaby poprosić nauczycielkę o listę piosenek, które śpiewają na zajęciach (a może nawet dostałaby je na płycie CD) i śpiewać z Emmą w domu. Nieśmiałe dzieci najlepiej sobie radzą, gdy wiedzą, czego się mogą spodziewać, i gdy czują, że potrafią sobie poradzić. Mama również mogłaby rozważyć wypożyczenie albo zakup instrumentów — trójkąta, tamburyna albo marakasów podobnych do tych, których używają na zajęciach — żeby Emma mogła ćwiczyć i lepiej się z nimi zapoznać. Jeśli po kilku lekcjach Emma wyda się być chociaż odrobinę zainteresowania byciem częścią grupy, Susan powinna usiąść z nią na podłodze. „Być może nie odejdzie od Twojego boku, ale to nic" — podkreśliłam. „Gwarantuję, że jeśli dasz jej czas, którego potrzebuje, w końcu wyruszy w świat samodzielnie".

Uważaj na pogromców planu dnia

Kolejnych kilka pytań dotyczy Waszego planu dnia i rodzajów wydarzeń czy okoliczności, które mogą na niego wpływać:

3. **Czy Twój plan dnia się zmienił?**
4. **Czy dieta dziecka uległa zmianie?**
5. **Czy dziecko ma jakiekolwiek nowe zajęcia? Jeśli tak, czy są one odpowiednie do jego wieku i temperamentu?**
6. **Czy wzorzec snu dziecka w dzień lub w nocy się zmienił?**
7. **Czy byłaś poza domem częściej niż zwykle, a może pojechaliście na wakacje lub wycieczkę?**
8. **Czy Twoje dziecko ząbkuje, dochodzi do siebie po wypadku (nawet drobnym), po chorobie czy zabiegu chirurgicznym?**

Plan dnia jest fundamentem, od którego zależy stabilność Twojego życia rodzinnego. Poświęciłam wiele stron tej książki problemom, które są wynikiem braku stałego planu dnia albo pojawiającym się w nim błędom. Ale są również przypadki, gdy najlepiej zorganizowani i świadomi rodzice nie mogą nic poradzić na odstępstwa od planu. Ząbkowanie, choroba oraz podróż mogą zaburzyć funkcjonowanie rodziny, podobnie jak zmiana w obszarach reprezentowanych przez każdą z liter planu PROSTE — nowa dieta (P), zajęcia (RO), zmiana wzorca snu (S) oraz coś z Twojego własnego życia

(TE). Ale niezależnie od tego, co zaburza plan dnia, gdy jesteś tego świadoma, możesz zawsze wrócić do „normalności".

Zrób wszystko, co tylko można, by powrócić do stałego planu dnia. Na przykład, jeśli zaburzony został wzorzec snu dziecka, wykorzystaj technikę PP, by wrócić na właściwą drogę (patrz rozdział 6.). A może wróciłaś do pracy, a dziecko chodzi do żłobka lub zajmuje się nim opiekunka? Jeśli zachowuje się niewłaściwie, może to wynikać z tego, że osoba, która się nim opiekuje w ciągu dnia, nie trzyma się planu PROSTE. Wyjaśnij jej ten plan, a jeszcze lepiej — zapisz. Oczywiście pamiętaj również o tym, że Ty też masz się trzymać planu dnia, gdy jesteś z dzieckiem.

Zmiana z kategorii „właśnie wtedy, gdy" może także być oznaką, że potrzeby dziecka są inne, bo stało się bardziej niezależne, i dlatego może wymagać *nowego* planu dnia — na przykład posiłków co cztery godziny zamiast co trzy (patrz ramka na stronie 41) — albo wyeliminowania porannej drzemki (strona 293). Nie staraj się cofnąć czasu. Pozwól dziecku dorosnąć. Jeśli przechodzi z diety płynnej na pokarmy stałe (patrz rozdział 4.), może je boleć brzuszek, ponieważ nie przywykło do nowego rodzaju pożywienia, ale to nie oznacza, że trzeba wrócić do pokarmów płynnych. Wystarczy tylko wolniej wprowadzać nowe jedzenie. Zawsze należy wrócić do podstaw.

Najbardziej podstępni pogromcy planu dnia to te elementy, które wiążą się z dyskomfortem dziecka. Gdy maluch ząbkuje, coś go boli albo jest chory, syndrom „biednej dzidzi" zaczyna się na całego (patrz strona 293, gdzie znajdziesz szczegółowy przykład). Nagle rodzice pozwalają dziecku później chodzić spać albo, co gorsza, pozwalają mu spać w ich łóżku. Nie biorą pod uwagę skutków na dłuższą metę i kilka tygodni później wpadają w panikę: „Co się stało z naszym maleństwem? Źle śpi, nie chce jeść i płacze więcej niż kiedykolwiek". No cóż, słonko, to dlatego, że ostatnia zmiana zaburzyła mu plan dnia, było Ci go żal i przestałaś wyznaczać granice, a teraz maluch nie wie, czego się ma spodziewać. Gdy dziecko choruje, zdecydowanie należy obdarzyć je większą dawką miłości i uwagi, zająć się przyczyną dyskomfortu, ale starać się ze wszystkich sił trzymać normalnego planu dnia.

Niektóre zmiany planu są przewidywalne. Wiesz na przykład, że jeśli wybieracie się na wycieczkę, można się później spodziewać pewnych zaburzeń przez co najmniej kilka dni do tygodnia po powrocie. Zwłaszcza małe niemowlę, które pojechało na dwu- lub trzytygodniowe wakacje, a nie potrafi jeszcze zachować wspomnień o „domu" na tak długi czas, będzie się zastanawiać: „Gdzie ja *teraz* jestem?". Jeszcze gorzej jest oczywiście w przypadku, gdy w tym czasie zaangażowałaś się w przypadkowe rodzicielstwo. „To była katastrofa" — przypomina sobie Marcia, mówiąc o powrocie do domu z osiemnastomiesięczną Bethany po wycieczce na wyspy Bahama. „Hotel zaręczał, że mają łóżeczka, ale gdy dotarliśmy na miejsce, dali nam niewygodne łóżeczko turystyczne. Przypominało bardziej kojec i Bethany nie chciała w nim spać, więc w końcu wzięliśmy ją do swojego łóżka".

Marcia musiała poświęcić kilka nocy na technikę PP po powrocie do domu, by Bethany z powrotem przyzwyczaiła się do normalnego planu dnia i by znów nauczyła się samodzielnie zasypiać. Ale możesz znacznie ułatwić sobie zadanie, jeśli będziesz myśleć z wyprzedzeniem. Niezależnie od tego, czy przebywasz u krewnych, czy też płacisz za zakwaterowanie, zadzwoń i dowiedz się, jakie dokładnie mają wyposażenie. Jeśli jest tam turystyczne łóżeczko, do jakiego nie przywykło Twoje dziecko, pożycz od kogoś podobny model i kładź w nim malucha na drzemkę przed wyjazdem. Jeśli dziecko jest za duże na łóżeczko, zapytaj, czy możliwe jest wypożyczenie łóżeczka od sąsiadów. Pakując się, zabierz ulubione zabawki, ubranka i rzeczy, które będą przypominać dziecku dom. Podczas pobytu, mimo przebywania w nieznanym miejscu, zachowaj codzienne zwyczaje — niech pora kładzenia dziecka spać i posiłków będzie jak najbardziej zbliżona do normalnej. Wtedy będziesz miała łatwiejsze zadanie po powrocie do domu.

Chroń środowisko rodzinne

Kolejne dwa pytania dotyczą większych i często bardziej trwałych zmian w środowisku rodzinnym:

9. **Czy jesteś (lub ktoś inny z bliskich dziecku dorosłych) chora, wyjątkowo zajęta, a może przechodzisz trudny emocjonalnie okres?**
10. **Co jeszcze dzieje się w domu, co mogłoby mieć wpływ na dziecko — kłótnie rodziców, nowa niania, młodsze rodzeństwo, zmiana pracy, przeprowadzka, choroba lub śmierć w rodzinie?**

Dzieci jak gąbki chłoną wszystko z otoczenia. Badania wykazały, że nawet niemowlęta wyczuwają stan emocjonalny rodziców i inne zmiany w ich otoczeniu. Jeśli jesteś zdenerwowana, udzieli się to dziecku. Jeśli klimat w domu jest pełen chaosu, dziecko będzie się czuło jak porwane przez trąbę powietrzną. Oczywiście wszyscy dorośli doświadczają trudnych chwil i dużych, życiowych zmian — mamy swoje własne momenty z kategorii „właśnie wtedy, gdy". Nie można zapobiec takim wydarzeniom, ale przynajmniej można sobie uświadomić, jaki wpływ mają na młodszych członków rodziny.

Bridget, graficzka pracująca w domu, straciła matkę po koszmarnej walce z rakiem kości, gdy jej syn Michael miał trzy latka. Bridget była silnie związana z matką i bardzo przeżyła jej odejście. Przez całe tygodnie po jej śmierci leżała na łóżku w ciemnościach, na zmianę płacząc i wpadając we wściekłość. „Michael właśnie zaczął chodzić do przedszkola, gdy umarła moja matka" — wyjaśniła Bridget. „W związku z tym przynajmniej nie było go w domu przez kilka godzin każdego ranka. Próbowałam się wziąć w garść, kiedy musiałam go odebrać. Mniej więcej w tym samym czasie odkryłam, że jestem w ciąży".

Wtedy do Bridget zadzwoniła wychowawczyni Michaela. Powiedziała jej, że jej syn bije inne dzieci i mówi im: „Sprawię, że umrzesz". Gdy Bridget zadała sobie Dwanaście Istotnych Pytań, zaczęła podejrzewać, że Michael reagował na *jej* żal po stracie. Zapytała mnie: „Ale jak mogłabym zachować się inaczej? Potrzebny mi czas na żałobę, prawda?".

Zapewniłam Bridget, że oczywiście ma prawo do żałoby. Ale musiała także wziąć pod uwagę uczucia swojego syna. On również cierpiał, stracił babcię, i choć Bridget *uważała*, że „bierze się w garść", gdy odbiera go z przedszkola, trzylatek potrafi zauważyć zaczerwienione, zapuchnięte oczy, a co ważniejsze, wyczuwa emocje. Michael nie tylko chłonął smutek Bridget, ale również miał wrażenie, że jego matka zniknęła. Wyjaśniłam Bridget, że aby poradzić sobie z agresją Michaela w przedszkolu, musimy wymyślić plan działania, który będzie miał związek z jego otoczeniem.

Bridget zaczęła rozmawiać z Michaelem o swojej mamie, czego wcześniej nie robiła. Przyznała, że jest jej bardzo smutno, bo tęskni za babcią Rose. Zachęciła synka, by również wyraził swoje emocje. Powiedział, że też za nią tęskni. Bridget wiedziała, że dobrze będzie porozmawiać z nim i powspominać szczęśliwe chwile z babcią. „Może moglibyśmy pójść na tę karuzelę w parku nad jeziorem, gdzie babcia zabierała cię karmić kaczki" — zaproponowała. „Może dzięki temu będziemy bliżej niej".

Co chyba najważniejsze, Bridget zaczęła dbać o swoje własne potrzeby emocjonalne. Dołączyła do grupy wsparcia dla osób w żałobie, więc mogła porozmawiać o swoich uczuciach z innymi dorosłymi. Gdy zaczęła czuć się lepiej, mogła podzielić się swoimi emocjami z synem w sposób szczery i stosowny do jego wieku, a wtedy Michael również odzyskał spokój.

Napraw szkody wywołane przypadkowym rodzicielstwem

Ostatnie dwa pytania dotyczą przypadkowego rodzicielstwa:

11. Czy przypadkowo wzmocniłaś zachowanie dziecka, ciągle się poddając?

12. Czy ostatnio próbowałaś nowej metody wychowawczej, bo coś innego „nie podziałało"?

Przypadkowe rodzicielstwo ma miejsce, gdy rodzice są niekonsekwentni i wciąż zmieniają zasady dotyczące dziecka — na przykład jednej nocy pozwalają, by dziecko spało z nimi, a kolejnej pozwalają mu się wypłakiwać w łóżeczku. Albo w obliczu nowego zachowania uciekają się do błyskawicznych sposobów — używają rekwizytu, by uśpić dziecko, biorą je na ręce, gdy tylko zapłacze — nie poświęcając ani chwili na próbę odkrycia przyczyny problemu.

Jak już podkreślałam w wielu momentach w książce, przypadkowe rodzicielstwo może być pierwotną przyczyną problemu albo w sytuacji z gatunku „właśnie wtedy, gdy" może powodować jego zaostrzenie. Błyskawiczne sposoby nigdy nic nie rozwiązują. To tak, jakbyśmy zakleili poważną ranę plastrem, nie oczyszczając jej i nie dając pacjentowi antybiotyku, by zwalczyć infekcję. Rana być może nie krwawi, i może nawet się zagoi. Ale nie zniknie całkowicie, ponieważ źródło infekcji wciąż jest obecne w organizmie. Z czasem prawdopodobnie będzie coraz gorzej. To samo można powiedzieć o problemach z kategorii „właśnie wtedy, gdy". Niektóre znikają tak szybko, jak się pojawiły. Ale inne, źle zinterpretowane lub nie do końca rozwiązane przez rodziców, mogą stać się podstawą poważniejszych kłopotów.

Niektórzy rodzice nie są świadomi tego procesu. Wciąż stosują plastry — poddają się, przekupują dzieci, pozwalają im na przekraczanie granic — i zanim sobie to uświadomią, dziecko nie chce spać we własnym łóżku, zachowuje się skandalicznie i panuje nad rodzicami, zarzucając ich ciągle nowymi wymaganiami.

Inni rodzice, zwłaszcza ci, którzy czytali moje dwie pierwsze książki, mają bolesną świadomość tego, jak zaczyna się przypadkowe rodzicielstwo. Mówią mi: „Wiemy, że nie powinniśmy jej kołysać, ale..." lub „Zadzwoniliśmy, bo wiemy, że potrzebna nam strategia, której nie będziemy żałować na dłuższą metę". Ale albo i tak postępują w ten sposób („tylko na tę jedną noc"), albo zapominają o swoich dobrych intencjach w zaognionej sytuacji.

Oto ciekawy e-mail, który ilustruje, jak zaczyna się przypadkowe rodzicielstwo i jak złożone mogą stać się problemy „właśnie wtedy, gdy":

Nasza trzynastomiesięczna córka Rebecca ma problemy z zasypianiem w nocy. Zaczęło się to mniej więcej miesiąc temu. Pojechałam z nią na drugi koniec kraju, do mojego brata do Kalifornii. Po powrocie mój mąż i ja uzgodniliśmy, że czas, aby przestała korzystać ze smoczka. Do tamtej pory używała go tylko podczas drzemki i w nocy, a nigdy w ciągu dnia. Nie była szczęśliwa, ale pozwalaliśmy jej się wypłakać i próbowaliśmy ją zachęcać, by uspokajała się za pomocą swojego kocyka. Potem chorowała na grypę przez mniej więcej dwa tygodnie. Przez trzy noce zaczęła zasypiać tak, jak poprzednio. Ale teraz wychodzi jej pierwszy ząb trzonowy, a my nie mamy pojęcia, co zrobić. Płacze przynajmniej przez godzinę każdego wieczoru, zanim w końcu zaśnie. Wydaje nam się, że nie potrafi zasnąć bez smoczka. W nocy w ogóle się nie budzi. Czy powinniśmy nadal pozwalać, by Rebecca samodzielnie odkryła, jak zasnąć, czy też wracać do jej pokoju, by ją uspokoić (oczywiście nie kołysząc)? Potrzebujemy pomocy.

Jak już pewnie się domyśliłaś, tych zmęczonych rodziców dopadła seria wydarzeń, które zaburzyły normalny plan dnia dziecka — podróż, potem choroba, a właśnie wtedy, gdy myśleli, że wszystko wraca do normy, dziecko zaczęło ząbkować. Rodzice też odegrali tu swoją rolę. Mogli oszczędzić swojej córce (i sobie) części kłopotów, gdyby poczekali kilka tygodni, zanim zabrali Rebecce smoczek, zamiast robić to od razu po powrocie do domu z Kalifornii. Dzieci potrzebują swojego normalnego „wsparcia", gdy wracają do domu po dłuższej nieobecności. Dzięki temu łatwiej im wrócić do dawnego planu dnia. Smoczek dziewczynki nie był rekwizytem, ponieważ nie potrzebowała rodziców, by z niego skorzystać — była już dość duża, by samodzielnie włożyć go sobie do buzi, gdyby wypadł. Nie chodziła też z nim w ciągu dnia. Innymi słowy, nie było naglącej konieczności, by musiała z niego natychmiast rezygnować. Jednak nie sądzę, żeby odebranie dziewczynce smoczka spowodowało to, że Rebecca „zapomniała", jak zasypiać. To raczej podczas ich pobytu u wujka mama prawdopodobnie nie trzymała się ich normalnego planu dnia (być może było to niemożliwe), zatem inne aspekty planu również uległy zaburzeniu.

Potem, co pogorszyło sprawę, rodzice dziewczynki pozwalali jej „się wypłakiwać", czyli usiłowali zmusić ją do spania, stosując metodę kontrolowanego płaczu. Mamy tu dziecko, które kiedyś dobrze spało, którego plan dnia uległ zaburzeniu, a którego rodzice nie tylko odebrali mu smoczek, ale też zmienili zasady. Oczywiście Rebecca i tak zachorowałaby na grypę, ale przynajmniej nie czułaby się jak królik doświadczalny.

Plan działania w tym przypadku oznaczałby konieczność powrotu do podstaw. Rodzice prawdopodobnie będą musieli stosować technikę PP, by pomóc dziewczynce zasnąć, ale nie wolno im zostawiać jej samej w imię zwiększania jej niezależności. Ważne jest również, by rodzice uświadomili sobie, że zdarzają się chwile, gdy dziecko trzeba po prostu zwyczajnie uspokoić. Gdy malucha coś boli, jest przerażony albo wytrącony z równowagi z powodu niezwykłych okoliczności, *potrzebuje*, by rodzice byli tuż obok.

Opracować plan — Dwanaście Zasad Rozwiązywania Problemów

Gdy stoisz w obliczu sytuacji z kategorii „właśnie wtedy, gdy", weź głęboki oddech. Zadaj sobie Dwanaście Istotnych Pytań i przyjrzyj się sytuacji z punktu widzenia obiektywnego rodzica (patrz strony 316 – 319). Następnie, gdy będziesz opracowywać plan działania, rozważ Dwanaście Zasad Rozwiązywania Problemów. Większość tych wskazówek brzmi znajomo, jeśli czytałaś całą książkę. To nie jest żadna nauka ścisła ani czarna magia. Raczej jest to kwestia wykorzystywania zdrowego rozsądku i przemyślenia wszystkiego.

1. ***Odkryj źródło — lub źródła — problemu.*** Zadaj sobie Dwanaście Istotnych Pytań. Jeśli odpowiesz na nie szczerze, powinnaś odkryć, co ma wpływ na Twoje dziecko w danej chwili.
2. ***Odkryj, czym się zająć najpierw.*** Często będzie to najpilniejsza kwestia. Na przykład, jeśli dziecko budzi się przez trzy noce z rzędu, ponieważ ząbkuje albo choruje, może wyrabiać sobie zły nawyk. Ale najpierw trzeba uśmierzyć ból. Podobnie, jeśli próbowałaś metody kontrolowanego płaczu, a dziecko nagle zaczyna krzyczeć na widok łóżeczka, musisz odbudować zaufanie (strony 199 – 203), zanim zajmiesz się uczeniem dziecka, jak ma samodzielnie zasypiać.

Dwanaście Zasad Rozwiązywania Problemów

1. Odkryj źródło — lub źródła — problemu.
2. Odkryj, czym się zająć najpierw.
3. Wróć do podstaw.
4. Zaakceptuj to, czego nie możesz zmienić.
5. Zdecyduj, czy wybrane rozwiązanie będzie dobre na dłuższą metę.
6. Pociesz dziecko, jeśli tego potrzebuje.
7. Zachowaj panowanie nad sytuacją.
8. Zawsze *idź do* dziecka, zamiast brać je do siebie.
9. Trwaj przy obranym planie działania.
10. Bądź rodzicem PC.
11. Zadbaj o siebie.
12. Ucz się na własnych doświadczeniach.

W niektórych przypadkach sensowne jest zajęcie się najpierw najłatwiejszą kwestią, po prostu po to, by ją usunąć z pola widzenia. Zatem powiedzmy, że byłaś u rodziców na corocznym spotkaniu rodzinnym. Dziecko nie kładło się spać do dziewiątej albo dziesiątej wieczorem, a teraz, w domu, oczekuje podobnych przywilejów. Nauczyło się również od starszych kuzynów, jak zachowywać się bardziej agresywnie, i teraz wypróbowuje nowe umiejętności na znajomych dzieciach. Musisz oczywiście zająć się jego zachowaniem, ale prostsze będzie ustalenie pory kładzenia się spać takiej, jak wcześniej.

3. ***Wróć do podstaw***. W grze „Monopol" jedna z kart każe Ci iść prosto do więzienia, nie mijając pola startu. Czasami wychowywanie dzieci jest podobne. Musisz wrócić do początku. Gdy już przeanalizujesz problem, możesz przyjrzeć się temu, dlaczego i w jaki sposób odstąpiłaś od pierwotnego planu, i oprzeć swoją strategię na poprawieniu kursu. Jeśli ignorowałaś temperament dziecka, teraz dopasuj plan do jego charakteru. Jeśli zmieniłaś plan dnia, pamiętaj o tym, co znaczy PROSTE. Jeśli w przeszłości stosowałaś technikę PP, aby nauczyć dziecko samodzielnego zasypiania, a kilka tygodni później znów nie wiadomo skąd pojawiły się kłopoty ze snem, wróć do tego, o czym wiesz, że działa.
4. ***Zaakceptuj to, czego nie możesz zmienić***. Bardzo lubię *Modlitwę o pogodę ducha*: „Panie, daj mi pogodę ducha, bym zaakceptował to, czego nie mogę zmienić, odwagę, bym zmienił to, co zmienić mogę, i mądrość, bym odróżnił jedno od drugiego". Mnóstwo sytuacji z kategorii „właśnie wtedy, gdy" wymaga zaakceptowania. Twoje dziecko jest zdenerwowane, ponieważ właśnie wróciłaś do pracy, i zaczyna się wściekać za każdym razem, gdy wychodzisz z domu... ale musisz zarabiać. Jesteś rozczarowana, bo dziecko nie jest tak towarzyskie, jak Ty... ale takie właśnie jest. Jesteś zmęczona tym, że jako jedyna odmawiasz i wprowadzasz zakazy swojemu dziecku, i kilkakrotnie próbowałaś nakłonić partnera do większego zaangażowania... ale on jest pracoholikiem, a Ty jesteś z dzieckiem w domu. Dziecko nagle zaczęło tłuc głową... ale pediatra powiedział Ci, by to ignorować. Żadna z tych sytuacji nie jest łatwa do zaakceptowania — chciałabyś móc coś zrobić. Ale czasem trzeba dać krok w tył i pozwolić, by czas zrobił swoje.
5. ***Zdecyduj, czy wybrane rozwiązanie będzie dobre na dłuższą metę***. Jeśli nie zaczniesz, myśląc o tym, co będzie dalej, prawdopodobnie wdasz się w przypadkowe rodzicielstwo. Jeżeli rozwiązanie przypomina

raczej plaster niż długofalową naprawę sytuacji albo jeśli wymaga więcej z Twojej strony niż od dziecka (na przykład wtedy, gdy musisz co chwila biegać do pokoju dziecka, żeby włożyć mu z powrotem smoczek do buzi), zastanów się jeszcze.

6. ***Pociesz dziecko, gdy tego potrzebuje***. W każdej sytuacji z gatunku „właśnie wtedy, gdy", Twoje dziecko może potrzebować dodatkowej dawki miłości. Skoki wzrostu, większa mobilność, wyruszanie w świat, ząbkowanie, przeziębienie — wszystko to może zaburzać plan dnia dziecka. Ważne jest, by nie wdawać się w przypadkowe rodzicielstwo, ale Twoje dziecko musi wiedzieć, że jesteś przy nim, by schwytać je, gdy straci równowagę (dosłownie!). Pocieszanie jest aktem współczucia, który daje dziecku większe poczucie bezpieczeństwa.
7. ***Zachowaj panowanie nad sytuacją***. Nawet jeśli nie do końca wiesz, co zrobić, nie pozwalaj dziecku, by zostało panem i władcą domu. Jeśli dziecku coś dolega, zrozumiałe jest poczucie smutku i chęć pomocy. Jak już podkreślałam powyżej, należy je obdarzyć większą porcją współczucia. Ale nie przesadzaj i nie dawaj mu wszystkiego, czego sobie zażyczy, ani nie pozwalaj mu robić tego, co chce. Z pewnością tego pożałujesz, ponieważ życie rodzinne zmieni się w chaos. A co gorsza, dziecko może wyrosnąć na takie, którego unikają inne dzieci i dorośli.
8. ***Zawsze idź do dziecka, zamiast brać je do siebie***. Jeśli dziecko jest chore, a Ty się martwisz, przynieś dmuchany materac do jego pokoju (patrz strony 288 – 289 oraz opowieść Elliotta, zaczynająca się na stronie 290). Znam również rodziców, którzy potrafią spać na podłodze obok łóżeczka dziecka. Wierz mi, kilka nocy niewygodnych dla Ciebie to lepszy wybór niż tygodnie albo nawet miesiące wykorzeniania złych nawyków dziecka.
9. ***Trwaj przy obranym planie działania***. Nie poddawaj się, jeśli wydaje Ci się, że Twój plan nie działa od razu, albo jeśli dziecko nagle wraca do starych nawyków czy zachowań. Widywałam to wielokrotnie. Rodziców zawsze kusi, by spróbować czegoś nowego. To nie tylko zbija dziecko z tropu, ale też rzadko kiedy działa.
10. ***Bądź rodzicem PC***. Przytomność umysłu i cierpliwość to klucze do doprowadzenia planu działania do końca. Zwłaszcza jeśli plan składa się z kilku części — powiedzmy, że musisz poradzić sobie z zaburzeniami snu *oraz* jedzenia — na każdy etap zarezerwuj sporo czasu. Nie można przyspieszyć tego procesu.

11. ***Zadbaj o siebie***. Pomyśl o wskazówkach udzielanych w samolotach, gdy stewardessa przedstawia zasady bezpieczeństwa: „Jeśli podróżujesz z małym dzieckiem, umieść maskę tlenową najpierw na swojej twarzy, a potem zajmij się dzieckiem". To samo dotyczy codziennego rodzicielstwa. Jeśli nie będziesz mogła oddychać, kto zajmie się Twoim dzieckiem?
12. ***Ucz się na własnych doświadczeniach***. Sytuacje z kategorii „właśnie wtedy, gdy" często się powtarzają w nieco innych wariacjach. Zapamiętaj problemy, które się pojawiły, i sposoby ich rozwiązania. A jeszcze lepiej — zapisz wszystko. Być może dostrzeżesz jakiś wzorzec — na przykład fakt, że zawsze spotykają Cię kłopoty, gdy nie przygotowujesz dziecka na nadchodzące wydarzenia, albo że Twoje dziecko zawsze jest nie w sosie po zabawie z rówieśnikami. Nie oznacza to, że masz cały czas siedzieć w domu, ale że powinnaś następnym razem podjąć kroki, by się przygotować i tym samym zminimalizować problemy. Skracaj odwiedziny u innych dzieci, wybieraj dziecku łagodniejszych kolegów.

Na tych ostatnich stronach pokazuję, jak zastosować Dwanaście Zasad Rozwiązywania Problemów do codziennych dylematów rodziców. Zobaczysz, że w niektórych sytuacjach z kategorii „właśnie wtedy, gdy" jedynie trzy lub cztery z nich wchodzą w grę. Jednak pierwszy przykład, „Dylemat Dorian", wymagał zastosowania każdej z zasad (które podkreślono kursywą i zaznaczono w małych ramkach z boku tekstu). Przeczytaj wszystko, słonko: to dość długie i wymagające skupienia, ale ten przypadek pokazuje złożoność problemów — oraz powody, dla których rodzice często nie wiedzą, od czego zacząć.

Dylemat Dorian: „Nagle cały czas toczy walkę"

Chociaż wiele problemów z kategorii „właśnie wtedy, gdy" sprawia wrażenie, jakby pojawiły się w przeciągu jednej nocy, niewątpliwie bierze w nich udział mnóstwo czynników. E-mail Dorian, wysłany początkowo do internetowej grupy dyskusyjnej dla matek, odzwierciedla tę złożoność.

Nasz dwudziestomiesięczny syn Andrew, który zawszy był bardzo aktywny i nieustraszony, dość raptownie się zmienił w ciągu ostatnich kilku dni. Nagle jedynym używanym przez niego słowem jest: „NIE!". Chce robić wszystko samodzielnie, naprawdę się wścieka, jeśli próbuję mu pomóc, i cały czas toczy ze mną walkę. Rzucanie jedzenia na podłogę albo rzucanie w nas różnymi przedmiotami to również coś zupełnie nowego. Nie chodzi o to, że wcześniej tego nie robił, ale teraz wydaje się być bardziej zdeterminowany i energiczny. Jest zupełnie świadomy tego, że mówimy mu, żeby przestał, ale dalej to robi. Cały czas się nam sprzeciwia. Wysyłam ten e-mail, bo jestem przerażona moją własną reakcją na jego zachowanie. Niedawno po raz pierwszy naprawdę się na niego wściekłam i poczułam, że tracę panowanie nad sobą. Częściowo dlatego, że właśnie się dowiedziałam, że znów jestem w ciąży, i zastanawiam się, czy to jest powód tego wszystkiego (jeszcze nie powiedziałam synowi, bo to bardzo wczesna ciąża). Mam wrażenie, że to typowe objawy nadchodzącego „buntu dwulatka", ale zastanawia mnie, czemu zmiana była tak raptowna, wydawało mi się, że to nastąpi bardziej stopniowo. Czy ktoś z Was przechodził przez taki sam proces, i jak udało się Wam zachować spokój?

Mama ma rację: Andrew zbliża się do bardzo znaczącego okresu rozwojowego, charakteryzującego się buntem dwulatka. Negatywne nastawienie i upór są cechami tego właśnie czasu (patrz strona 310). Owszem, ten rodzaj zmiany może nastąpić w ciągu jednej nocy, dokładnie tak, jak opisuje Dorian. Ponadto podejrzewam, że rodzice chłopca prawdopodobnie nie zajęli się odpowiednio jego temperamentem. Chociaż Dorian opisuje syna jako „zawsze bardzo aktywnego i nieustraszonego" i przyznaje, że „nie chodzi o to, że wcześniej tego nie robił", być może nie uświadamia sobie, że taki właśnie jest jej syn — i nad tym właśnie trzeba pracować. Kiedy ma się dziecko należące do Wiercipięt, jak Andrew, jeszcze ważniejsze niż kiedykolwiek jest, by rodzice zachowali panowanie nad sytuacją w bardzo łagodny, pełen miłości sposób. Ale gdy rodzice próbują udobruchać czy przekupić domagające się uwagi dziecko i w końcu poddają się mu, niezależnie od tego, czy robią to w imię zachowania spokoju, czy też uszczęśliwienia dziecka, jest to forma przypadkowego rodzicielstwa. Ich reakcja tylko wzmacnia zachowania dziecka, a gdy nadejdzie bunt dwulatka, znajdą się w oku cyklonu. Jeśli ponadto śmiali się z jego wyczynów — może dlatego, że za pierwszym razem sądzili, że to „słodkie" — niechcąco je nagrodzili. Nawet jeśli zdarzyło się to tylko raz, dzieci często powtarzają przedstawienia, kilka razy dziennie, mając nadzieję na kolejną dawkę śmiechu. Ale wtedy nikt już nie myśli, że to jest zabawne.

> Odkryj źródło — lub źródła — problemu

Zatem między wierszami wyraźnie widać, że kilka czynników miało wpływ na „nowe" zachowania Andrew: jego rozwój, reakcja rodziców na jego temperament oraz przypadkowe rodzicielstwo. Ciąża Dorian, zdecydowana zmiana w środowisku rodzinnym, również jest takim czynnikiem. Andrew może jeszcze o niej nie wiedzieć, ale zdecydowanie wychwytuje niepokój matki. Ponadto *jej reakcja* na jego zachowanie jest zdecydowanie wyolbrzymiona z powodu zmian w jej umyśle i organizmie wywołanych ciążą. Zatem plan działania w tym kryzysie z gatunku „właśnie wtedy, gdy" musi wziąć pod uwagę wszystkie te czynniki oraz zniwelować efekty przypadkowego rodzicielstwa.

Zachowanie Andrew zdecydowanie jest głównym problemem, więc nietrudno odkryć, od czego zacząć. Chłopiec traci nad sobą panowanie, i to nie tylko dlatego, że niedługo skończy dwa lata. Mam przeczucie, że ani Dorian, ani jej mąż nie wyznaczali konsekwentnych granic swemu synowi. Jeśli to prawda, to znacznie trudniej będzie teraz okiełznać Andrew — ale nie będzie to niemożliwe (a zdecydowanie łatwiej to zrobić teraz, niż gdy będzie nastolatkiem!). Chociaż będzie to bardzo (bardzo) męczące, oboje rodzice muszą wytrwać.

Rodzice Andrew muszą zobaczyć siebie jako pierwszych nauczycieli chłopca, a także postrzegać „dyscyplinę" nie jako karę, ale raczej jako sposób, by pomóc dziecku zrozumieć, co dobre, a co złe, co akceptowalne, a co nie. Jeśli tylko ani jemu, ani nikomu z jego otoczenia nie zagrażają jego wybryki, nie powinni nagradzać go swoją uwagą. Na przykład, jeśli chłopiec krzyczy na Dorian, powinna powiedzieć cicho: „Nie będę z tobą rozmawiać, kiedy tak krzyczysz". Ale musi mówić to *poważnie* — i pokazać mu, że tak jest, ignorując go, dopóki się do niej grzecznie nie odezwie. Podobnie, jeśli Andrew siedzi w swoim wysokim krzesełku i zaczyna rzucać jedzeniem, *za każdym razem* rodzice muszą wyjąć go i powiedzieć: „Nie wolno rzucać jedzeniem". Potem powinni odczekać kilka minut i spróbować ponownie. Gdy włożą go znów do wysokiego krzesełka, a on jeszcze raz rzuci jedzeniem, muszą go wyjąć. Jeśli ciśnie w nich zabawką, muszą mu powiedzieć, że tak nie wolno. Jeśli ma napad wściekłości, Dorian powinna delikatnie wziąć go za rękę, posadzić sobie na kolanach albo na podłodze plecami do siebie i powiedzieć do niego: „Posiedzę tu z tobą, dopóki się nie uspokoisz". Nawet jeśli Anrew będzie próbował kopać, bić albo krzyczeć, Dorian nie może się wycofać.

Odkryj, czym się zająć najpierw

Wróć do podstaw

Do tej pory rodzice chłopca wykorzystywali szybkie sposoby łagodzenia sytuacji, by jakoś przetrwać dzień. Teraz muszą spojrzeć z szerszej perspektywy. Oczywiście będzie im trudno, zważywszy, że Andrew wciąż próbuje podkopać ich autorytet. Ale muszą się do tego zmusić, nawet gdy są zbyt zmęczeni, by pilnować dyscypliny; muszą się powstrzymać, gdy są tak zrozpaczeni, że łatwiej byłoby się poddać; i wciąż myśleć o przyszłości, nawet jeśli wydaje im się, że sytuacja nigdy się nie zmieni.

Zachowaj panowanie nad sytuacją

Ponieważ Andrew jest taki, jaki jest — jego temperament się zbytnio nie zmieni — jego rodzice muszą stworzyć mu środowisko dostosowane do jego charakteru: powinni dać mu wiele okazji do bezpiecznych, aktywnych zajęć.

Zdecyduj, czy wybrane rozwiązanie będzie dobre na dłuższą metę

Zabieranie go na dwór, bieganie i bawienie się pomoże mu wyładować część energii. Można umawiać się na wspólną zabawę z innymi aktywnymi i asertywnymi dziećmi, a unikać sytuacji, w których oczekuje się, że będzie siedział bez ruchu.

Rodzice Andrew muszą również pomyśleć o sposobach na przewidywanie i zapobieganie przyszłym incydentom. Powinni nauczyć się, co wywołuje jego wściekłość, jak wtedy wygląda, a także jak się zachowuje, zanim straci nad sobą panowanie. Muszą zadbać o to, by nigdy nie był zbyt głodny ani, co ważniejsze, zbyt zmęczony. Powinien wyciszać się późnym popołudniem, żeby nie był przemęczony w porze kładzenia się spać. Wiercipięty zazwyczaj najgorzej się zachowują, gdy cierpią z powodu nadmiaru bodźców lub są przemęczone (podobnie jak ich rodzice).

Zaakceptuj to, czego nie możesz zmienić

Ponieważ przynajmniej część zachowań Andrew ma na celu przyciągnięcie uwagi rodziców, a szczególnie matki, Dorian powinna pokazać synowi, że może zyskać jej uwagę w pozytywny sposób. Proponowałabym, żeby przyjrzała się temu, jak wiele czasu spędza rzeczywiście z nim, nie rozmawiając przez telefon, nie oglądając telewizji i nie nadrabiając prac domowych. Dzieci wyczuwają, kiedy tak naprawdę nas „nie ma" obok. Dorian może *zaplanować* konkretne momenty, kiedy Andrew będzie wiedział, że są poświęcone wyłącznie jemu. Trzeba dużo mówić o tym, że to chwila, gdy ma mamę tylko dla siebie — co będzie ważne również w momencie przyjścia na świat drugiego dziecka. Dorian jest mamą pracującą (kolejny czynnik, którego nie może zmienić), a jej czas już jest bardzo ograniczony, ale jeśli wykroi kilka minut o poranku lub po powrocie z pracy i naprawdę spędzi je tylko z Andrew, chłopiec być może będzie mniej wymagający o innych porach dnia. Oboje rodzice powinni również pilnować chwil, gdy Andrew będzie się dobrze zachowywał, i chwalić go za to. Trzeba go też chwalić za panowanie nad emocjami („Bardzo ładnie się uspokoiłeś, Andrew").

Ucz się na własnych doświadczeniach

Pociesz dziecko, jeśli tego potrzebuje

Jeśli mama i tata będą naprawdę konsekwentni, Andrew zdecydowanie zrozumie przekaz — wcześniej lub później — że jego rodzice mówią to, co myślą, i robią to, co mówią. Dorian i jej mąż muszą uzbroić się w cierpliwość. W niektóre dni Andrew będzie chętniej współpracował, a w inne będzie się wydawało, że robi olbrzymi krok wstecz. To normalne i należy się tego spodziewać.

Trwaj przy obranym planie działania

Mama i tata muszą też uważać na własne zachowanie, zwłaszcza Dorian, która przyznaje, że ta sytuacja chwilami ją przerasta. Nie jestem zaskoczona, że trudno jej znaleźć cierpliwość dla syna. Ma mnóstwo na głowie: praca na pełen etat, dwulatek, a do tego jeszcze drugie dziecko w drodze. Jednak musi pamiętać o specyfice rozwoju dziecka. Jeśli będzie pamiętać, kim jest jej syn, i przystosuje swoje strategie tak, by wzmocnić jego zalety, a zminimalizować słabe strony, zanim Andrew skończy trzy lata, większość z jego negatywnego nastawienia i agresji się zmniejszy. Musi także być bardziej przytomna. W przypadku Wiercipięt zazwyczaj wyraźne sygnały poprzedzają wybuch — dziecko zaczyna głośniej mówić albo krzyczeć, staje się niespokojne lub złe, zaczyna chwytać przedmioty. Mama musi go powstrzymać, zanim zawładną nim uciekające emocje i stanie się bardziej agresywny fizycznie (patrz strony 331 – 339). Obserwując uważnie syna, odwracając jego uwagę i dając mu alternatywy, które *sama* aprobuje, Dorian ma szansę zapobiec atakowi.

Bądź rodzicem PC

W końcu Dorian musi też przyjrzeć się sobie. Przy jej szalejących ciążowych hormonach i trosce o Andrew nic dziwnego, że trudno jej „zachować spokój". Problem polega jednak na tym, że jej złość pogorszy jeszcze sprawę — nie można zwalczać agresji agresją, jeśli chce się wyciszenia atmosfery. Dorian musi przywiązywać równie dużą wagę do elementu TE w planie PROSTE, jak do innych liter. Jej mąż, rodzice albo przyjaciółki powinni zadbać o to, by mogła codziennie odpocząć. Nawet kilka minut tylko dla siebie umożliwi jej złapanie oddechu i bardziej uważne pilnowanie tego, jak reaguje na syna. W przeciwnym wypadku pojawi się bardzo negatywny wzorzec — ciągła wojna charakterów.

Zadbaj o siebie

Blues po wyzdrowieniu: „Nie możemy wrócić do normalności"

Gdy dziecko choruje albo dzieje się z nim coś złego i trzeba się nim zaopiekować podczas powrotu do zdrowia, rodzice często odkrywają, że trudno im wrócić na dawne tory. Choroby, operacje czy wypadki są często najtrudniejszymi sytuacjami pojawiającymi się „właśnie wtedy, gdy". Oczywiście współczujesz dziecku i chcesz je pocieszyć. Martwisz się, że nigdy nie wróci do zdrowia, nawet jeśli to tylko ząbkowanie, przez które przechodzi każde dziecko. Niemniej jednak wyzwaniem jest znalezienie równowagi pomiędzy zaopiekowaniem się dzieckiem a niepozwoleniem na to, by paść ofiarą syndromu „biednej dzidzi", który prawie zawsze prowadzi do przypadkowego rodzicielstwa. A wtedy, gdy kryzys się skończy, nie tylko masz problem z nowymi zachowaniami i nawykami, ale również nie wiesz, jak z powrotem wprowadzić stały plan dnia i „wrócić do tego, co było", jak ujęła to Linda, mama dziesięciomiesięcznego Stuarta, gdy poprosiła mnie o pomoc.

Poznałam Lindę i jej męża, George'a, uroczą parę z Yorkshire, podczas mojej niedawnej wycieczki w rodzinne strony. Linda wyjaśniła, że gdy Stuart zaczął ząbkować, miał mniej więcej osiem miesięcy. Jak wiele ząbkujących dzieci miał katar, luźne stolce i ogólnie był nieznośny w ciągu dnia, a w nocy często się budził. Linda co noc nosiła i kołysała go, by zasnął. Zanim wyrznął mu się pierwszy ząbek kilka tygodni później, Stuart był tak przyzwyczajony do noszenia i kołysania, że za każdym razem, gdy któreś z rodziców próbowało odłożyć go do łóżeczka, trzymał się ich kurczowo. Linda zaczęła go usprawiedliwiać: „Nie jest do końca sobą" albo „Wychodzi mu nowy ząbek". A tym czasem stawała się więźniem we własnym domu.

Ponieważ Stuart nagle zaczął zachowywać się tak, jakby bał się swojego łóżeczka, Linda uznała, że problemem są koszmary nocne. Zapytałam: „Co zrobiłaś, gdy zaczął ząbkować?". Linda nie ominęła ani jednego szczegółu: „Och, biedne maleństwo. Na początku nie wiedziałam, że to zęby, myślałam, że się przeziębił. Sądziłam, że jest taki marudny, ponieważ się nie wysypia. Ale potem tak się denerwował, że wydawało mi się, że się czegoś boi".

Od razu wiedziałam, że Linda miała syndrom „biednej dzidzi" (patrz strony 255 – 256). Czuła się okropnie, że nie rozpoznała ząbkowania Stuarta wcześniej. Jej zdaniem była „złą matką". Chociaż niektóre dziesięciomiesięczne dzieci mają złe sny, byłam prawie stuprocentowo pewna, że to przypadek ząbkującego dziecka — niektóre dzieci przechodzą to gorzej niż inne — i matki z poczuciem winy. Z kolei George miał dość swojej żony przemierzającej pokój z synem na rękach. „W ogóle nie możemy spędzić wieczoru razem" — skarżył się — „bo nawet jeśli Stuart śpi, ona trzyma ucho przy drzwiach, martwiąc się, że się obudzi".

Nietrudno było zdecydować, czym zająć się najpierw: trzeba było ulżyć cierpieniom Stuarta. Powiedziałam rodzicom, żeby kupili środek przeciwbólowy dla niemowląt i smarowali mu dziąsła żelem na ząbkowanie, takim jak Orajel, aby je znieczulić. Gdy Stuart poczuł się lepiej, można było zacząć naprawiać jego sen. Wracając do podstaw, zaproponowałam technikę PP i podkreśliłam, że powinien się tym zająć tata. Gdy mama cierpi na syndrom biednej dzidzi, prawie zawsze wolę ją usunąć z pola walki i zaangażować ojca, przynajmniej na początku stosowania PP. Dzięki temu mama odpoczywa, tata czuje, że ma do odegrania ważną rolę (bo tak jest), i nie ryzykujemy, że mama się podda, bo zrobi jej się żal biednego maleństwa.

George dostosował się do moich zaleceń odnośnie do techniki PP, i chociaż pierwsza noc była piekłem — Stuart budził się co dwie godziny — tata się nie poddał. „Nie mogłam uwierzyć, jaki był wspaniały" — powiedziała zadziwiona Linda kolejnego dnia, przyznając, że ona poddałaby się za pierwszym razem, gdyby Stuart się jej chwycił kurczowo. „George był wykończony, ale wytrwał". Obserwowanie męża tej nocy i kolejnej (zawsze sugeruję, żeby rodzice zamieniali się rolami podczas stosowania PP co dwie noce, patrz strony 266 – 267) umożliwiło Lindzie nabranie odwagi, by również wytrwać przy tej metodzie. W ciągu tygodnia Stuart zaczął przesypiać noc.

Podobnie jak wiele innych mam w takich przypadkach, Linda zapytała mnie: „Czy będę musiała znów przez to przechodzić, gdy Stuartowi zacznie wyrzynać się drugi ząbek?". Powiedziałam jej, że to możliwe, ale powinna uczyć się na własnych doświadczeniach, ponieważ jeśli Stuart kiedykolwiek będzie chory, prawdopodobnie pojawi się podobny dylemat. „Jeśli wrócisz do starego rekwizytu, będziesz znów na początku drogi" — ostrzegłam ją.

Nagłe lęki: „Boi się wanny"

Maya zadzwoniła do mnie, ponieważ jedenastomiesięczna Jade niespodziewanie zaczęła protestować, gdy nadchodziła pora kąpieli. „Kiedyś uwielbiała wodę, od niemowlęcia" — upierała się Maya. „Teraz krzyczy, gdy wkładam ją do wanny, i absolutnie nie chce usiąść". To częsty, choć niezbyt poważny problem. Jednak martwi wielu rodziców, więc zdecydowałam się go tu ująć.

Gdy dziecko nagle zaczyna bać się wanny, w dziewięciu przypadkach na dziesięć dzieje się tak dlatego, że coś je przestraszyło. Może się poślizgnęło i wpadło pod wodę, może mydło wpadło mu do oka albo dotknęło gorącego kranu. Potrzebny będzie czas, by znowu zaczęło ufać. Nie należy myć mu włosów przez kilka dni, aby mydliny nie były problemem. (Niemowlęta i małe dzieci naprawdę aż tak bardzo się nie brudzą!). Jeśli się zanurzyło, mogło się naprawdę przerazić. Spróbuj brać kąpiel *z nim*, by się czuło bezpieczniej. Jeśli i tak nie chce wejść do wanny, myj je gąbką przez kilka tygodni.

Jeśli nie byłaś świadkiem tego, co się stało, porozmawiaj z osobą, która kąpała dziecko. Może chodzi o to, że sama wanna wydaje się dziecku olbrzymia i przerażająca albo słyszy echo własnego głosu, co też może wywoływać strach. Jeśli o to chodzi, zobaczysz, jak gaworzy, a potem nagle milknie, a oczy mu się rozszerzają, jakby chciało powiedzieć: *Co to jest?*

No i w końcu może chodzić o to, że dziecko jest przemęczone w porze kąpieli, co może powodować lub wzmacniać strach. W miarę jak dzieci rosną, częściej nawiązują interakcje ze swoimi zabawkami i innymi ludźmi, doświadczenie kąpieli zmienia się w „imprezę w wannie", jak nazwała to jedna z matek piszących na mojej stronie internetowej — dziką zabawę połączoną z pluskaniem i moczeniem wszystkiego, co możliwe. Dla niektórych dzieci taki poziom aktywności jest w sam raz, ale dla innych stanowi zbyt wiele. Jeśli tak jest w Waszym przypadku, może dobrze byłoby zmienić plan dnia dziecka i kąpać je w porze, gdy jest mniej zmęczone (patrz historia Carlosa na stronie 284).

Jeśli nie potrafisz ustalić, dlaczego dziecko się boi, wróć do podstaw. Ponownie zapoznaj je z wanną, spokojnie i ostrożnie. Daj dziecku nowe zabawki do kąpieli, by je zachęcić (mogą to być kolorowe kubki i dzbanki). Jeśli jest naprawdę przerażone, zacznij od wolnostojącej wanienki dla niemowląt, postaw je obok i pozwól mu bawić się wodą, podczas gdy będziesz je myła gąbką. Powiedz mu: „Tak właśnie cię myłam, gdy byłeś dzidziusiem". Jeśli będzie chciało, może usiąść w wanience. Gdy poczuje się swobodniej w łazience, nalej wody do dużej wanny, ale zaledwie kilka centymetrów. Pozwól dziecku stać w wodzie. Nigdy nie zmuszaj dziecka do siadania w wannie, jeśli się boi. Być może potrwa to kilka miesięcy, ale z pewnością minie.

Lęk przed obcymi: „Opiekunka nie mogła go uspokoić"

Vera zadzwoniła ostatnio do mnie w panice. Znam ją prawie od momentu narodzin jej dziewięciomiesięcznego synka Seana. „Tracy, obawiam się, że Sean się zmienił. Nigdy nie widziałam, żeby się tak zachowywał" — powiedziała.

„To znaczy jak?" — zapytałam, zastanawiając się, co spowodowało telefon Very. Sean był bardzo spokojnym chłopcem. Od razu udało się nam ustalić mu dobry plan dnia, i chociaż jego mama dzwoniła co jakiś czas, by donieść o jego postępach, rzadko miała jakiekolwiek pytania czy zmartwienia.

„Wczoraj wieczorem wyszliśmy na kolację, a Sean został z opiekunką — robiliśmy tak wielokrotnie bez żadnych problemów. Gdy byliśmy w połowie posiłku, zadzwoniła moja komórka. Opiekunka, słodka i bardzo fachowa kobieta, którą poznałam u przyjaciółki, zadzwoniła, żeby powiedzieć, że Sean się obudził. Próbowała go nakłonić, żeby z powrotem zasnął, mówiąc to, co zasugerowałam, że wszystko w porządku i żeby po prostu zasnął. Ale powiedziała, że spojrzał tylko na nią i zaczął krzyczeć jeszcze głośniej. Robiła różne rzeczy, żeby go uspokoić — kołysała go, czytała mu, a nawet włączyła telewizor, i nic. W końcu wróciliśmy do domu po koktajlu z krewetek. Na szczęście byliśmy niedaleko, ale mały i tak był okropnie roztrzęsiony, kiedy weszliśmy do domu. Praktycznie wskoczył mi w ramiona i prawie od razu się uspokoił.

Biedna pani Grey. Powiedziała, że nigdy wcześniej jej się nie zdarzyło, żeby dziecko tak na nią zareagowało, a zajmuje się dziećmi od lat. Co się dzieje, Tracy? Wiem, że to nowa opiekunka, ale nie pierwszy raz korzystamy z usług kogoś nowego. Czy myślisz, że to przypadek lęku separacyjnego?".

Jej teoria była rozsądna. Wiele niemowląt cierpi na lęk separacyjny w tym wieku (patrz strony 88 – 89). Jednak gdy przeszłyśmy przez Dwanaście Istotnych Pytań, stało się jasne, że to był jedyny taki incydent. Sean nie czepiał się mamy, mógł bawić się sam przez 45 minut lub nawet dłużej i nie miał problemów, gdy Vera wychodziła na zakupy i zostawiała go z Alice sprzątającą dom, która pracowała tam jeszcze zanim chłopiec się urodził i czasem też się nim opiekowała. Potem przypomniałam sobie, że pani Grey po raz pierwszy zajmowała się chłopcem. „Czy Sean spędził trochę czasu z panią Grey, zanim wyszliście?" — zapytałam.

„Nie, skąd?" — odpowiedziała Vera, nie widząc, do czego zmierzam. „Położyliśmy go do łóżeczka jak zwykle koło siódmej. Gdy przyszła pani Grey, pokazaliśmy jej wszystko, powiedziałam jej, co ma zrobić, gdyby Sean się obudził. Myślałam jednak, że będzie cały czas spał".

Ale oczywiście Sean się *obudził*. Właśnie wtedy, kiedy myślisz, że dziecko będzie spało podczas Twojego wyjścia z domu, ono się budzi! Co gorsza — i to właśnie spowodowało jego panikę — gdy się obudził, zobaczył obcą twarz. Być może początkowo obudził go zły sen (to możliwe w tym wieku) albo ruchy nóżek zaburzyły mu odpoczynek (właśnie zaczynał raczkować). Niezależnie od przyczyny pobudki z pewnością nie oczekiwał widoku pani Grey, gdy otworzył oczy.

„Ale nigdy wcześniej się tak nie zachowywał!" — zaprotestowała Vera. „Nie mamy stałej opiekunki, więc musiał się przyzwyczaić do wielu różnych twarzy". Wyjaśniłam, że jej mały chłopiec rośnie. Gdy był młodszy, prawie wszystkie twarze dorosłych (poza mamą) były mu praktycznie obojętne. Wcześniej zauważenie nowej twarzy po przebudzeniu się nie powodowało paniki Seana, ponieważ jego niemowlęcy umysł nie rejestrował nowej osoby jako „obcej". Ale w wieku ośmiu czy dziewięciu miesięcy obwody neuronowe zaczynają dojrzewać. Ten sam rozwój, który jest odpowiedzialny za lęk separacyjny, powoduje również lęk przed obcymi. Mimo że pani Grey uśmiechnęła się i przytuliła Seana, i tak była obca, więc był przerażony.

Morał tej historii jest potrójny. Po pierwsze, należy wyeliminować słowo „nigdy" ze swojego słownika. Ile razy rodzice musieli przypominać sobie, jak mówili: „On *nigdy* się nie budzi" albo „Ona *nigdy* nie wpada we wściekłość w miejscu publicznym"?

Po drugie, należy postawić się na miejscu dziecka i wyobrazić sobie sytuację z jego punktu widzenia. Vera powinna była przedstawić chłopcu panią Grey wcześniej, być może poprosić ją o przypilnowanie go któregoś popołudnia albo nawet o złożenie krótkiej wizyty zapoznawczej, żeby Sean mógł nawiązać z nią kontakt. W ten sposób nie zaskoczyłaby go nowa twarz.

Po trzecie, dowiedz się czegoś na temat etapów rozwoju dziecka. Nie wierzę w mierzenie postępów dziecka w tabelce, ale dobrze byłoby mniej więcej wiedzieć, jakie są jego umysłowe i emocjonalne możliwości. Niemowlęta i małe dzieci prawie zawsze rozumieją więcej, niż sądzą ich rodzice. Rodzice tak często uważają, że ich dziecko jest „tylko małym dzidziusiem" — nie będzie pamiętało, nic nie rozumie, nie zauważy różnicy. I zazwyczaj ogromnie się mylą.

Układ planet

Zatem przebrnęłaś przez wszystkie pytania i strategie z tej książki i wciąż nie wiesz, dlaczego Twoje dziecko nagle zdecydowało, że czwarta w nocy to świetna pora na zabawę, albo dlaczego Twój dwulatek przestał lubić kaszkę na mleku, mimo że przez rok była to jego ulubiona potrawa. No cóż, słonko, próbowałam rozwiązać wszystkie problemy, o jakich dowiedziałam się osobiście, przez telefon i przez e-mail. Podkreśliłam pogrubieniem wszystkie pytania, jakie zadaję, by wymyślić plan działania. Dałam Ci też wszystkie moje sekretne strategie przechowywane w podziemnym sejfie. A jeśli wciąż nie wiesz, o co chodzi, równie dobrze możesz zrzucić winę na układ planet. Może Merkury jest w niekorzystnym położeniu. Oczywiście czasem po prostu nie wiadomo, dlaczego wczorajsze rewelacyjne rozwiązanie jest bezużyteczne w obliczu dzisiejszego dylematu. Poza tym, jeśli tylko to przeczekasz, gwarantuję, że nowe, bardziej poważne kwestie wkrótce staną Ci na drodze!

SKOROWIDZ

A

ADD, 341, 345
adrenalina, 57
agresja, 71, 322, 339, 393
agresor, 282
agresywność, 14, 64, 344
aktywność, 211
alergia, 150, 160
alergia pokarmowa, 122
Aniołek, 62, 154
apetyt, 172
    utrata, 173
asertywność, 307, 308, 377
atak furii, 365

ataki wściekłości, 306, 331
ataki złości, 175, 303
autyzm, 341

B

bałagan, 169
bawienie się jedzeniem, 146
bezpieczeństwo, 231
bicie, 335
bicie innych dzieci, 14
bicie się, 337
biegunka, 160
ból, 58, 183
brak komunikacji, 83
brak konsekwencji, 27
brak słownictwa, 310
brodawki, 114
budowanie zaufania, 80, 85
budzenie nocne, 252
budzenie się
    chaotyczne, 125
    nawykowe, 198
budzenie się w nocy, 16, 150, 163, 286
budzenie się za wcześnie, 292
bunt, 362
bunt dwulatka, 63, 311, 330, 390
butelka
    rezygnacja, 142
    wprowadzanie, 133

C

cesarskie cięcie, 119
chaotyczne budzenie się, 247
chaotyczne rodzicielstwo, 227
chemia mózgu, 61
chodzenie, 376, 377
chodzenie późno spać, 274
choroba, 183, 376
chronienie, 325
chwalenie, 87, 345
chwyt pęsetkowy, 152
ciało migdałowate, 57
cierpliwość, 12, 65, 388
cieszenie się niezależnością, 88
codzienny rytuał, 117
czas dla ciebie, 25
czas trwania karmienia, 115
czekanie, 168
czterogodzinny plan, 41
czynnik środowiskowy, 309
czytanie podpowiedzi dziecka, 15

D

dbanie o siebie, 389
delektowanie się jedzeniem, 146
depresja, 39
deska sedesowa z nakładką, 353
determinacja, 16
dieta, 380
    rozszerzanie, 149
dieta dwulatka, 178
dławienie, 157
dmuchany materac, 254
dobre maniery, 312
domaganie się jedzenia, 16

donoszenie ciąży do terminu, 35
dostrajanie się, 86
dostrojenie się do potrzeb, 88
drzemka, 52, 184, 258
  poranna, 45
  problemy, 209
drzemka popołudniowa, 45
dyscyplina, 305
dyskomfort, 212, 213
dysleksja, 340
dyspraksja, 340
dziecko bezpieluszkowe, 349

E

eksperymentowanie przy posiłkach, 147
emocje
  uciekające, 306
emocjonalny szantaż, 314
empatia, 56

F

fanaberie jedzeniowe, 173
faza separacji, 8
fazy zasypiania, 193
ferberyzowanie, 199
filozofia kultur pierwotnych, 351
fobia łóżeczkowa, 203, 282, 290
frustracja, 60, 232, 328
furia, 365

G

gabinet lekarski, 85
gaworzenie, 80
gazy, 98, 105, 108, 116, 118, 122
geny, 61
głęboki sen, 180, 191, 199
głód, 32, 132, 183, 203
  oznaki, 204
gniew, 59
Goleman, Daniel, 56
gotowe dania w słoiczkach, 149
gruszka, 155
grymas na buzi, 212
gryzienie, 333, 362

H

hipokamp, 60
hormon stresu, 64

I

ignorowanie, 318
ignorowanie dziecka, 12
ignorowanie płaczu, 31, 86
impulsywność, 308
informacja zwrotna, 58
instynktowne ssanie, 207
integracja sensoryczna, 340, 344
inteligencja, 72
inteligencja emocjonalna, 56, 57
intensywny wzrost, 247
interakcja, 58
izolowanie małych dzieci za karę, 17
izolowanie produktów, 160

J

jedzenia pokarmów stałych, 14
jedzenie
  samodzielne, 142
jedzenie podawane do rączki, 158

K

kanalik mleczny, 108
karmienia poranne, 238
karmienie, 144
  butelką, 99, 105
  cząstkowe, 102
  częstotliwość, 106
  kończenie, 134
  piersią, 105
  problemy, 104
  przez sen, 102, 128, 132
  z jednej piersi, 110
  zarządzanie, 161
karmienie na żądanie, 110
karmienie naturalne, 55, 109, 113
karmienie piersią, 98, 159, 163
karmienie przez sen, 44
karty wzrostu, 99
katar, 252
kąpiel, 395
kładzenie spać, 279
kłopoty neurologiczne, 343
kłopoty ze snem, 97, 253
kłótnie rodziców, 376
kolka, 98, 105, 118, 122, 291
kołysanie do snu, 287
konsekwencja, 27, 345
konsultant laktacyjny, 109
kontrola sytuacji, 324

kontrolowane wypłakiwanie, 199
kontrolowanie nastrojów, 56
kończenie z karmieniem, 134
koordynacja, 211
kopanie, 362
kortyzol, 64
korzystanie z toalety, 347
koszmar nocny, 280, 286, 394
kreatywność, 72
krztuszenie, 157
krzyczenie przez sen, 280, 287
krzyk, 58
Książkowe Dziecko, 62, 63, 154
kubeczek z dzióbkiem, 139
kubek z dzióbkiem, 133, 162
kubki smakowe, 141, 155
kuchenka mikrofalowa, 156

L

laktacja, 130
  pomiar, 113
  zwiększenie, 112
laktator, 112
lamentowanie, 60
lęk przed obcymi, 396
leki antydepresyjne, 98
Lester, Barry, 122
lęk, 283
lęk separacyjny, 56, 89, 96, 251, 252, 254, 283, 307, 310, 320, 397
  przedłużony, 88

Ł

łagodne usposobienie, 63
łyżeczka, 156

M

macica, 141
maniery, 174
manipulowanie, 197, 283, 314, 362, 370
manipulowanie rodzicami, 176
Maruda, 65, 81, 154, 193
marudzenie, 74
mechanizm walki lub ucieczki, 64
metoda
  kontrolowanego płaczu, 385
  opóźniania reakcji, 199
  podnieś – połóż, 47
metoda PP, 17, 219, 248, 250
minimalizowanie słabych stron, 393
mleko
  końcowe, 111
  początkowe, 111
  środkowe, 111
  w proszku, 113
mleko modyfikowane, 130
młodsze rodzeństwo, 376
mocna strona, 76
motywowanie do poszukiwań, 87
mowa ciała, 263, 264
mówienie, 376, 377
mózg emocjonalny, 57

N

nabywanie umiejętności społecznych, 80
nadmiar bodźców, 183, 208, 220, 221, 258, 262
nadmierna podatność na stymulację, 212
nadmierna reaktywność, 122
nadmierna stymulacja, 208
nadopiekuńczość, 89
nadwrażliwość, 122, 308
nagradzanie, 345
nakładka na sedes, 359
napady szału, 8
napady wściekłości, 283, 319
napady złości, 279
napięcie emocjonalne, 362
naśladowanie zachowania kolegów, 322
nawyk, 250, 278
nawyk żywieniowy, 171
nawyki związane ze snem, 180, 274
nawykowe budzenie się, 198, 292
negatywne nastawienie, 390, 393
nerwowość, 74
niania, 376
nie dostrzeganie emocjonalności dziecka, 75
niedostatek snu, 182
niejadek, 65
niekonsekwencja, 44
niemowle aktywne, 246
niemowlę
  zaniedbywane, 80
niemowlęca zgaga, 119
nieprzyjazne warunki otoczenia, 122
nierealistyczne oczekiwania, 18, 268
nieregularność
  karmienia, 14
nieregularność snu, 14
niesmak, 58
nieśmiałość, 71

niewłaściwe przystawianie do piersi, 108, 114
niezależność, 276, 377
niska waga urodzeniowa, 38
nocne karmienia, 18
nocnik, 351, 353
noradrenalina, 64

O

obgryzanie paznokci, 337
obracanie główki, 211
obsesyjne zachowania, 13
oczekiwania
  nierealistyczne, 268
odbicie, 121
odbudowa zaufania, 290, 297, 298
odciąganie pokarmu, 134
odczytywanie
  potrzeb, 27
  sygnałów, 27
odczytywanie sygnałów wysyłanych przez dziecko, 29
odkrycie źródła problemu, 390
odkrywanie świata, 88
odpływanie, 193
odpowiednie skierowanie energii, 65
odruch wypychania języka, 149, 150
odstawienie dziecka od piersi, 133, 138
odwlekanie pójścia spać, 286
odwracanie uwagi, 91
oglądanie telewizji, 331
ogólny nastrój, 57
OKI, 324
okienko, 193
okienko snu, 188
okres aktywności dziecka, 108
okres intensywnego wzrostu, 63, 124
określanie granicy, 87
oksytocyna, 107, 115
olimpiada żywieniowa, 162
opanowanie emocji, 84
opiekunka, 39
opisanie emocji, 324
opóźnienie umysłowe, 341
osiągnięcie kompetencji emocjonalnej, 61
osobowość dziecka, 378
owoce, 155
oznaki głodu, 204

P

pamięć niemowląt, 50
panowanie nad emocjami, 306, 322, 392
panowanie nad impulsami, 344
pępowina, 141
pępowina owinięta dookoła szyi, 119
pętla wzmacniania, 323
pieluchy jednorazowe, 347
pilnowanie pory spania, 87
plan czterogodzinny, 47
plan dnia, 24, 25, 28, 55, 129, 183, 187, 228, 234, 284, 376, 380
  stały, 184
  zmiana, 236
plan dnia dziecka, 37
plan działania, 266
planowanie aktywności, 88
płacz, 32, 59, 121, 212
  powód, 118
płacz po posiłkach, 108
płacz typu mantra, 244, 263
płakanie z nudów, 59
płynna dieta, 97, 142
pocieszanie, 91, 294, 388
poczucia winy, 318
poczucie
  bezpieczeństwa, 89, 254, 295, 296
  przywiązania, 89
poczucie niezależności, 276
poczucie winy, 264
podatność na agresję, 15
podatność na stymulację, 212
podawanie posiłków, 146
podążanie za dzieckiem, 15
podnieś – połóż, 47
podrażniona pupa, 252
podrywanie do góry nóżek, 212
pokarm stały, 44, 129, 130, 142, 144, 150, 152, 157, 248
  wprowadzanie, 159
poklepywanie, 121, 192, 193, 202, 262
poklepywanie cicho-sza, 219, 236
POMOC, 10, 87
pomoc w zasypianiu, 216
pora spania, 87
poranione brodawki, 114
porażenie mózgowe, 341
pory zasypiania, 184
posiłek, 10, 25
postawienie się w cieniu, 10, 87
potrzeby energetyczne, 130
powrót do pracy, 117
poziom aktywności, 57
pozycja siedząca, 44
pozycja stojąca, 251
PPROSTE, 353
praca, 39

problem
z karmieniem, 8
z zachowaniem, 8
z zasypianiem, 8
problem z zaśnięciem, 189
problemy gastryczne, 116
problemy neurologiczne, 122
problemy separacyjne, 88
problemy trawienne, 264
problemy z jedzeniem, 43
problemy z karmieniem, 97
problemy z laktacją, 114
problemy ze snem, 43, 181, 273
produkt lekkostrawny, 155
proprioreceptory, 340
PROPROSTE, 45
PROSTE, 10, 14, 19, 24, 31, 45, 115, 125, 188, 240, 349, 373, 380, 387, 393
wprowadzenie planu, 50
protorozmowa, 80
przedłużony lęk separacyjny, 88, 89
przekarmienie, 101, 105
przekąsacz, 164
przekąsanie, 106
przekąska, 164
przełamanie rutyny, 30
przemawianie do rozsądku dziecka, 84, 318
przemęczenie, 183, 209, 395
przeprowadzka, 376
przerwa między karmieniami, 35, 129, 130
przestawianie dziecka na plan PROSTE, 86
przestawienie swojego dziecka na trzygodzinny harmonogram, 34
przestrzegnie planu dnia, 70
przestrzeń fizyczna dziecka, 86
przesuwanie porannej drzemki, 293
przesypianie nocy, 17, 283
Przesypianie nocy, 181
przewracanie się na
brzuch, 211
plecy, 211
przeziębienie, 388
przezwyciężenie cech charakteru, 72
przeżuwanie, 132
przybieranie na wadze, 17, 205
przygotowanie emocjonalne, 312
przypadkowe rodzicielstwo, 12, 17, 40, 43, 131, 132, 143, 183, 194, 256, 274, 279, 381, 390
przystawianie do piersi, 111
przytomność umysłu, 388
przytulanie, 75
przytulanka, 254
przyzwyczajanie do dużego łóżka, 289
przyzwyczajanie do butelki, 133

R

racjonalizacja zachowania, 315
raczkowanie, 251
reakcja alergiczna, 160
reakcja na płacz, 81
refluks, 35, 98, 105, 108, 116, 118, 119, 122, 149, 212, 224
refluks żołądkowy, 8
regres, 216
rekwizyt, 194, 196, 197, 230, 384
REM, 180, 276
repertuar emocjonalny, 327
reprymenda, 307
rezygnacja z butelki, 142
rodzic
pewny siebie, 77
podręcznikowy, 77
przebojowy, 78
uparty, 79
zestresowany, 78
rodzic PC, 11, 216
rodzicielstwo
obiektywne, 311
subiektywne, 311
rodzicielstwo na przekór typom, 323
rozlewanie płynów, 374
rozmawianie z dzieckiem, 86
rozmowa o emocjach, 325
rozpoznawanie miejsc, 59
rozpoznawanie twarzy, 59
rozrywka, 10, 25
rozszerzanie diety, 149, 151, 153
rozwijanie się niemowląt, 30
rozwoju emocjonalny, 56
rozwój
emocjonalny, 327
fizyczny, 327
społeczny, 327
rozwój emocjonalny, 85
rozwój fizyczny, 211
rozwój neurologiczny, 263
rówieśnik, 277, 282
rutyna, 30
rytuał, 285, 286
rytuał przed snem, 183, 215, 247
rytuał zasypiania, 189, 208

rzadki stolec, 160
rzucanie jedzeniem, 176

S

sadzanie na toalecie, 364
samodzielna zabawa, 44, 92
samodzielne jedzenie, 142, 144, 162, 169
samodzielne siedzenie, 246
samodzielne uspokajanie się, 59, 60, 218, 262
samodzielne zasypianie, 200, 208, 229, 250
samokontrola, 71
samotność, 64
sen, 25, 179
  niedostatek, 182
siadanie, 376, 377
siara, 110, 111
siedzenie bez podtrzymywania, 151
skłonności do manipulacji, 300
skok w rozwoju, 131, 378
skok wzrostu, 124, 216, 233, 310, 388
słaba produkcja mleka, 108
słuchanie dzieci, 10
smoczek, 99, 105, 108, 135, 197, 207, 385
smutek, 314
spanie, 10, 179
spanie w ciągu nocy, 28
spanie we własnym łóżku, 265
spanie z rodzicami, 291
SPOKOJnie, 10
sprawność manualna, 152
ssanie, 108, 153
  instynktowne, 207
stały plan dnia, 24, 129, 184, 230, 234
stały pokarm, 122
starsze rodzeństwo, 277
strach, 64, 395
stracić panowanie nad sobą, 365
strajk głodowy, 136
strategia
  budzenia, 199
strefa, 193
stres, 173
styl
  emocjonalny, 306
  społeczny, 306
styl emocjonalny, 63, 77
stylu życia matki, 113
stymulacja, 198
stymulacja zatok mlecznych, 112
sygnały głodu, 32
szacunek, 324
szał, 303
szanowanie przestrzeni fizycznej dziecka, 86
szanowanie uczuć, 345
szczerość, 318
szczypanie w nos, 337
sztywne ciało, 212

Ś

śliniak, 167
śmierć w rodzinie, 376
środek uspokajający, 123
środowisko rodzinne, 382
świadomość samego siebie, 60

T

tabelka toaletowa, 361
tankowanie do pełna, 101, 203
technika podnieś – połóż, 229
technika PP, 51, 53, 92, 231, 232, 243, 253, 259, 262, 382, 394
temperament, 62, 66, 69, 154, 265, 379
temperatura, 214
tłuczenie głową, 337
tłuczenie talerzy, 170
toaleta, 347
trening skupiony na dziecku, 349
trening toaletowy, 349, 354, 359, 371
trudności w uczeniu się, 340
trzygodzinny plan, 41
trzymanie na rękach, 245

U

uciekające emocje, 306
uciszanie, 193
uczucia
  szanowanie, 345
układ limbiczny, 57, 59, 69
ulewanie, 120
ułożenie
  poprzeczne, 119
  pośladkowe, 119
umiejętności społeczne, 80
umiejętność regulowania nastrojów, 57
umiejętność samodzielnego zasypiania, 200
unikanie nadmiaru bodźców, 123
uporządkowany plan dnia, 28

upór, 390
uspokajanie, 87
usprawiedliwianie dziecka, 315
ustalanie granic, 345
ustalenie rytuału, 296
ustalenie stałego planu dnia, 55
ustalony porządek dnia, 43
usypianie dziecka, 265
utrata apetytu, 173

W

waga noworodka, 99
waga urodzeniowa, 35, 38, 99, 100, 119
wagę urodzeniową, 105
walkę o władzę, 361
wątroba, 36
wcześniak, 35, 187
wewnętrzny zegar biologiczny, 40
wieczór świnek, 13
wiercenie się przez sen, 212
Wiercipięta, 62, 64, 81, 154, 193, 297
większa mobilność, 388
więź zaufania, 199, 200
właściwe podawanie posiłków, 146
wmuszanie butelki, 136
wmuszanie jedzenia, 167
wprowadzanie butelki, 133, 137
wprowadzanie nowego zwyczaju, 294
wprowadzanie nowych sytuacji, 83
wprowadzanie planu PROSTE, 50
wprowadzanie pokarmów stałych, 153, 159
wprowadzanie stałych pokarmów, 122
Wrażliwiec, 27, 62, 64, 154, 81, 193
wrażliwość, 74
wrażliwość emocjonalna, 320
wrodzone predyspozycje, 70
wrzeszczenie, 362
wściekłość, 283, 306, 319, 331
wyboru jedzenia, 167
wychodzenie z łóżka, 289
wyciszanie się, 189
wydłużenie przerw między karmieniami, 108
wyginanie się w łuk, 362
wykopywanie się z zawinięcia, 191
wykorzenienie starych nawyków, 50
wymioty, 120, 121, 160
wymyka się spod kontroli, 315
wymykanie się z domu, 83
wypłakiwanie, 201
wyrażanie swoich preferencji, 374
wyruszanie w świat, 388
wyrywanie włosów, 337
wysokie krzesełko, 146
wysypka, 160
wytrwałość, 16
wytrzymałość na frustracje, 57
wyznaczenie stałego planu dnia, 47
wzbudzenie zaufania, 88
wzdęcie, 122
wzmacnianie umiejętności manipulacyjnych, 305
wzmacnianie zachowania, 376, 383
wzmożone potrzeby energetyczne, 130
wzorzec jedzenia, 106
wzorzec snu, 196, 376, 380
wzór do naśladowania, 147

Z

zabawa z rówieśnikiem, 282
zabieg chirurgiczny, 376
zablokowany kanalik mleczny, 108
zaburzenia funkcji językowych, 340
zaburzenia koncentracji, 345
zaburzenia percepcji, 341
zaburzenia snu, 125, 132, 183, 242
zaburzenie płaczu, 122
zaburzenie uwagi, 341
zachowanie podczas posiłków, 166
zadławienie, 253
zadowolenie, 58
zakłócenia rozwojowe, 211
zamiany nocy z dniem, 185
zapalenie piersi, 112
zapanowanie nad emocjami, 84
zapewnienie bezpieczeństwa, 231
zarządzanie dniem swojego dziecka, 26
zarządzanie karmieniem, 143, 161, 162
zarządzanie posiłkami, 143
zasada
  3/3/3, 122
  cztery na cztery, 97
zaspokajanie potrzeb, 81
zasypianie
  pomoc, 216
zasypianie podczas karmienia, 34
zasypianie w pozycji półsiedzącej, 213
zatwardzenie, 213, 367
zaufanie, 80, 82, 88, 199, 200, 202, 216, 221, 250, 297, 298
  budowanie, 80, 83, 85, 231
  odbudowanie, 288
  zniszczenie, 83

zawinięcie, 191
zawstydzenie, 379
ząbkowanie, 150, 161, 173, 256, 257, 264, 311, 381, 388, 393
zbyt częste karmienia, 234
zdenerwowanie, 375
zdrowie emocjonalne, 305, 315
zgaga, 108, 116, 119
zgaga niemowlęca, 35
złe nawyki, 61
złe samopoczucie, 183
złe sny, 286
złe zachowanie, 171
złość, 314, 326
zmiana posiłku w zabawę, 167
zmiana pracy, 376
zmiany rozwojowe, 276
zmuszanie do czekania, 168
zmuszanie do jedzenia, 176
znajdowanie swoich palców, 211
ZUPKA, 143, 148, 167
zwiększona mobilność, 310

Ź

źródło zdenerwowania, 375

Ż

żel na ząbkowanie, 394
żłobek, 117
żółtaczka, 36, 119
życie emocjonalne, 59

NOTATKI

NOTATKI